021   3-5 Tues. Th

BEGINNING SPANISH

Beginning Spanish

A CONCEPT APPROACH

Zenia Sacks Da Silva

HOFSTRA UNIVERSITY

HARPER & ROW ❧ PUBLISHERS

New York, Evanston, and London

To Gary and Russell

Contents

Preface

I have often wondered what happens to the student who has carefully memorized every dialogue in his Spanish text, and then discovers that the average Spaniard or Spanish American he meets hasn't learned *his* part. That is why *Beginning Spanish: A Concept Approach* has come into being. The concept approach seeks to present grammatical structure briefly, emphasizing the idea that engenders each usage, and then arouse the student to active conversation on subjects and situations that are meaningful to him. It aims to provide for him the basis upon which to express his thoughts in Spanish, so that some day he may hold up his end of a conversation even if the Spaniard he meets has not been schooled on the same text.

To this effect, the first-year course presented here has been devised as follows:

1. A proportion of two-thirds conversation and reading to one-third grammar explanation and exercises. Each lesson has at least two major conversation drills, and each cultural reading is followed by relevant questions to be answered in Spanish. A special introductory conversation lesson precedes any study of grammar as such.
2. A short, simplified analysis of pronunciation, and pronunciation drills at the beginning of Lessons 1–10. These drills are repeated on the tape recordings that accompany the text.
3. Introduction of grammar points according to their frequency of use and their logical association with points already made. Lessons are easily divisible at the instructor's discretion since exercises of varied nature immediately follow each grammar point.
4. Diversified, graduated readings with related conversation: a. topics of specific situation (Momentos de Vida, Lessons 1–10); b. discussion themes (Temas, Lessons 11–25); c. historical and cultural materials on Spain and Spanish America (Lecturas, throughout the text).

In Lessons 1–5, the entire English translation of the reading material is given. In Lessons 6–25 and in all the cultural readings, new vocabulary and constructions are translated in the right-hand margin of the page.

5. Five review lessons, including charts and diagrams of important structural patterns.
6. Special vocabularies for purposes of class conversation and for practical use abroad: Foods, The House and Household Furnishings, Clothing, The Human Body, Stores and Occupations, Business, Substances and Articles of Daily Use, Entertainment, Education, Travel, Aids to the Motorist, Countries and Nationalities, Nature, The World of Today.

7. A complete set of taped exercises (including pattern drills, dictations, aural comprehensions, and written conversation exercises) covering each grammar lesson and available for adaptation to the needs of the individual instructor or class, and a laboratory manual for the use of student and instructor.

8. Appendixes including Definitions of Grammatical Terms, 200 Common Antonyms, Verbs, Important Idioms, Weights, Measures, and Monetary Units, Rules of Spanish Spelling, and Common First Names.

9. English-Spanish and Spanish-English vocabularies that explain important differences between similar seeming words and give other help in usage.

10. Illustrations showing the cultural development of Spain and Spanish America from their earliest history through the present.

Beginning Spanish: A Concept Approach is planned for the entire first year of college language study. The introductory conversation lesson can well occupy the first week of class, including the first session when students may not have obtained the text. The twenty-five grammar-conversation lessons are intended for two class sessions each, with active conversation in both. However, because of their divisibility at any point, they may be extended or compressed according to class needs. The eighteen cultural readings occurring throughout the text are on the level of the grammatical structures previously studied. The first semester is planned to cover Lessons 1–13 and Readings 1–8. The second semester would cover Lessons 14–25, Readings 9–18.

It is my sincere belief that to the extent that the student's interest can be maintained, so will he learn to command a foreign language. It is to such an end that this effort is dedicated. I should like to express my thanks to Professor Leonardo De Morelos of Columbia University for his close attention and many helpful criticisms, and to Professors Carmen Aldecoa de González of New York University, Lucrecia Ruisánchez López of Hofstra College, Beatrice Patt of Queens College, and Jorge Speros of the University of Madrid for their suggestions and interest in this project. I am deeply indebted to Professor Gabriel H. Lovett of New York University for his permission to reproduce here certain diagrams that appear in our *A Concept Approach to Spanish*. Most of all, I am grateful to you, the reader, for your contribution in making the printed word come alive.

Z. S. D.

BEGINNING SPANISH

Lección de Conversación

I. EAR TRAINING AND PRONUNCIATION DRILL

Spanish and English both owe a great debt to Latin, which has provided a large number of words in the two languages. Once you learn the basic elements of Spanish pronunciation, you will find that there are thousands of Spanish words you already know. Here are 100 that you will surely recognize. Listen to them as your instructor reads them, and repeat exactly what you hear.

1. no   (sí = yes)
2. profesor, maestro, doctor, médico, dentista, artista, actor, secretario, carpintero, poeta, presidente, senador, general, capitán, sargento, criminal
3. hotel, hospital, apartamento, instituto
4. teléfono, telegrama
5. radio, televisión, fonógrafo, programa, drama, comedia, música, instrumento, piano, violín, saxofón, clarinete, trompeta
6. fútbol, béisbol, básquetbol, vólibol, tenis
7. América, Europa, Francia, Italia, Africa, China, Los Angeles, Rusia, California, Colorado, Nevada, el Río Grande, México (Méjico), Cuba, San Diego, San Francisco
8. geografía, historia, matemáticas, aritmética, geometría, psicología, biología, geología, fisiología, filosofía, literatura
9. corral, rodeo, arena, animal
10. chocolate, café, té
11. moderno, importante, individual, rápido, imposible, terrible, popular, diferente, natural, estúpido, irregular, normal, superior, inferior, extraordinario, simple, fantástico, sentimental, romántico, formidable, maternal, paternal, intelectual, exacto, religioso, transparente

1

ᑲᓐ᠍ᕁ Now let's use some of them.

1. Answer the following questions:
     ¿Es Ud. inteligente? (Are you . . . ?) (Sí, soy . . . No, no soy . . . .)
     ¿Es Ud. famoso (famosa, *feminine*)?
     ¿Es Ud. americano (americana)?
     ¿Es Ud. italiano(a)?
     ¿Es Ud. religioso(a)?
     ¿Es Ud. liberal? ¿Generoso(a)? ¿Romántico(a)? ¿Sentimental? ¿Estúpido(a)?

2. Complete the following statement using each one of the nouns in (2) on p. 1:
     Mi padre es . . . (My father is a . . .)

3. Complete this statement using the nouns in (3) on p. 1:
     Vivo en un . . . (I live in a . . .)

4. Answer in Spanish (Conteste en español):
     ¿Usa Ud. mucho el teléfono? (Do you use . . . ?) (Sí, uso mucho . . . No, no uso mucho . . .)
     ¿Le gusta recibir telegramas? (Do you like to receive . . . ?) (Sí, me gusta . . . No, no me gusta . . .)

5. Answer in Spanish (Conteste en español):
     ¿Le gusta escuchar (listen to) la radio?
     ¿Le gusta mirar (watch) la televisión?
     ¿Le gusta más (more or better) la radio o (or) la televisión?
     ¿Le gustan los programas musicales? (Sí, me gustan . . . No, no me gustan . . .)
     ¿Le gusta más un drama o una comedia?
     ¿Le gusta la música?
     ¿Le gusta más la música popular o la música sinfónica?
     ¿Tiene Ud. (Do you have) un fonógrafo? (Sí, tengo . . . No, no tengo fonógrafo.
     ¿Toca Ud. (Do you play) un instrumento? (Sí, toco . . . No, no toco . . .)
     ¿Toca Ud. el piano? ¿El violín? ¿El saxofón? ¿El clarinete? ¿La trompeta?

6. Complete this statement using the sports mentioned in (6) on p. 1:
     Juego al (I play) . . . *or* No juego al . . .

7. Complete the following pair of sentences using each time two consecutive geographical names listed in (7) on p. 1:
     Mi padre es de (My father is from) . . . Mi madre es de (My mother is from) . . .
     Example: Mi padre es de América. Mi madre es de Europa.

8. Complete this statement using the subjects listed in (8) on p. 1:
     Estudio (I study, I am studying) . . .

   Now answer in Spanish:
     ¿Qué estudia Ud.? (What are you studying?)
     ¿Qué le gusta más (most) estudiar? (Me gusta más estudiar . . .)

9. ¿Le gusta el chocolate? ¿El café? El té?
   ¿Toma Ud. (Do you take—eat, drink) mucho chocolate? (Sí, tomo . . . No, no tomo . . .)
   ¿Café? ¿Té?

10. Complete the following sentences using two consecutive adjectives given in (11). If the adjective ends in **-o,** change the final **-o** to **-a** when referring to a female.
    Yo soy (I am) . . .
    Mi novio (My boyfriend) *or* Mi novia (My girlfriend) es . . .

II. VOCABULARIES

1. **Saludos** (Greetings)

Buenos días.	Good morning.
Buenas tardes.	Good afternoon.
Buenas noches.	Good evening.
Hola.	Hello. (Hi!)
Buenos días, señor Pereda. —Muy buenos.	Good morning, Mr. Pereda. —A very good (morning to you).
¿Cómo está Ud. (usted)? —Bien, gracias. ¿Y Ud.?	How are you? —Fine, thanks. And you?

I am **yo.** *You* are **usted** (singular), **ustedes** (plural). **Usted** (abbreviated **Ud.** or **Vd.**) and **ustedes** (abbreviated **Uds.** or **Vds.**) are third person polite forms for **you. Usted** should be used when speaking to anyone with whom one is *not* on an intimate, first-name basis. The plural, **ustedes** (all of you or both of you), is used in these same circumstances in Spain, but in Spanish America it is used for both polite and familiar forms.

Buenas tardes, señoras.	Good afternoon, ladies.
¿Cómo están Uds.?	How are you?
Buenas noches, señor Robles.	Good evening, Mr. Robles.
¿Cómo le va?	How are you? (How are things?)
Hola, Juan. ¿Qué tal?	Hello, John. How goes it?
¿Qué hay?	What's new? What's up?

2. **Despedidas** (Farewells)

Adiós.	Goodbye.
Hasta luego.	So-long.
Hasta la vista.	
Hasta pronto.	Till soon. So-long for a while.
Buenas noches.	Good night.

3. **Expresiones de Cortesía** (Polite Expressions)

Por favor.	Please.
Con permiso. Con su permiso.	Excuse me. (I must leave. I'd like to pass, etc.)

Perdón. Perdóneme (to one person). Perdónenme (to more than one person).	Excuse me (for interrupting, but . . .)
Con mucho gusto.	Gladly. I'd be glad to.
Gracias.	Thank you.
Muchas gracias.	Thank you very much.
Mil gracias.	A thousand thanks. (Thanks a million!)
De nada. *you're welcome*	
No hay de qué.	Not at all. You're welcome.

There are several other ways to say *please:*

Tenga Ud.[1] la bondad de cerrar la puerta.	Please shut the door. (Have the kindness to . . .)
Haga Ud. (*or* Hágame Ud. el favor) de abrir la ventana.	Please open the window. (Do me the favor of opening . . .)
¿Me hace Ud. el favor de pasar la sal?	Will you please pass the salt?

④ Presentaciones (Introductions)

Señorita Moreno, quiero presentarle a Ud. al señor Casal.	Miss Moreno, I should like to introduce to you Mr. Casal.
Mucho gusto en conocerla, señorita. (Mucho gusto en conocerlo, señor.)	I'm delighted to meet you, Miss. (. . . , Sir.)
Tanto gusto, señorita.	I'm delighted, Miss.
delighted Encantado, señorita.	
El gusto es mío.	The pleasure is mine.
Igualmente.	

☙ *Conversación*

Make up the following dialogues:

1. Mrs. Blanco and Mr. Castro meet on the street. They greet each other.
2. Paco and Juanita meet.
3. Maria asks Mr. Romera to excuse her for bothering him and then to close the door. He says he'll be glad to and she thanks him. He says: "You're welcome." She then asks him to close the window too (también).
4. Introduce Mr. Navarra to Miss Olmedo. They acknowledge the introduction.

5. Expresiones Usadas en la Clase (Classroom Expressions)

Pase Vd. Pasen Vds.	Come in.
¿Cómo se llama Vd.?	What is your name?
Me llamo . . .	My name is . . .
Su nombre, por favor.	Your name, please.

---

[1]Ud. and Uds. may be used or omitted, at the discretion of the speaker. The verb form that corresponds to Uds. adds -n to the singular form in most tenses: **Tenga Ud., Tengan Uds.; ¿Me hace Ud . . . ? ¿Me hacen Uds. . . . ?**

Mi nombre es . . .	My name is . . .
Siéntese (Vd.). Siéntense (Vds.).	Sit down.
Repita (Vd.), por favor. Repitan (Vds.).	Repeat, please.
Repita en voz alta.	Repeat aloud.
Otra vez.	Again.
Una vez más.	Once more.
Todos juntos ahora.	All together now.
Escriba(n) su nombre, por favor.	Write your name please.
Haga(n) el favor de escribir . . .	Please write . . .
Tenga(n) la bondad de escribir . . .	Please write . . .
Conteste(n) en español (en inglés).	Answer in Spanish (in English).
Vaya(n) *or* Pase(n) Vd(s.) a la pizarra.	Go to the blackboard.
Escriba(n) la frase en la pizarra.	Write the sentence on the blackboard.
Muy bien.	Very well. All right.
Abran Vds. los libros en la página dos.	Open your books to page two.
Lean para sí.	Read to yourselves.
¡Bueno!	Good. All right.
¡Eso es!	That's it!
Vamos a continuar . . .	Let's go on . . .
Vamos a hablar en español.	Let's (or We're going to) speak in Spanish.
Para mañana . . .	For tomorrow . . .
La clase de español	Spanish class
Para la próxima clase . . .	For the next class . . .

Conversación

Make up the following dialogues:

1. Tell the class to sit down and open their books. Have them read aloud and repeat several times.
2. Ask several students what their name is. They reply.
3. Send someone to the board to write his name.
4. Give the assignment for the next class meeting.

6. Números Cardinales, 1-12 (Cardinal Numbers)

1	uno (un, una)	7	siete
2	dos	8	ocho
3	tres	9	nueve
4	cuatro	10	diez
5	cinco	11	once
6	seis	12	doce

Uno is shortened to **un** before a masculine noun. It becomes **una** before a feminine noun.

Tiene sólo un dólar.	He has only one dollar.
Tiene sólo una hija.	He has only one daughter.

Problemas de Aritmética (Arithmetic Problems)

+	y	=	son
−	menos	×	por *or* veces

Exercise

Now say in Spanish (Diga en español):

$$1 + 1 = 2 \qquad\qquad 10 - 6 = 4$$
$$5 - 2 = 3 \qquad\qquad 12 - 7 = 5$$
$$2 \times 3 = 6 \qquad\qquad\ \ 9 + 2 = 11$$
$$4 + 5 = 9 \qquad\qquad\ \ 2 \times 4 = 8$$

7. La Familia (The Family)

Notice that the masculine plural forms may refer not only to male members but also to a group composed of both male and female. Thus, **padres** means *parents* as well as *fathers;* **hermanos,** *brother(s) and sister(s)* as well as *brothers;* **tíos,** *uncle(s) and aunt(s)* as well as *uncles.* The feminine plural refers only to females: **hermanas,** means only *sisters;* **tías,** only *aunts,* etc.

el padre	the father	los padres
la madre	the mother	
el hermano	the brother	los hermanos
la hermana	the sister	
el hijo	the son	los hijos
la hija	the daughter	
mi tío	my uncle	mis tíos
mi tía	my aunt	
mi abuelo	my grandfather	mis abuelos
mi abuela	my grandmother	
su primo	his (her, your) cousin (m.)	sus primos
su prima	his (her, your) cousin (f.)	
el sobrino	the nephew	los sobrinos
la sobrina	the niece	
su esposo	her (your) husband	los esposos
su esposa	his (your) wife	
el nieto	the grandson	los nietos
la nieta	the granddaughter	
el suegro	the father-in-law	los suegros
la suegra	the mother-in-law	

el yerno	the son-in-law	
la nuera	the daughter-in-law	los yernos
el cuñado	the brother-in-law	
la cuñada	the sister-in-law	los cuñados

Conversación

1. ¿Cómo se llama su (your) padre? (Mi padre se llama . . .)
2. ¿Cómo se llama su madre? (Mi madre . . .)
3. ¿Tiene Ud. (Do you have any) hermanos? (Sí, tengo . . . No, no tengo . . .)
4. ¿Cuántos (how many) hermanos tiene Ud. y cuántas hermanas? (Tengo . . .)
5. ¿Qué es el padre de su padre? (What is your father's father)? (El padre de mi padre es mi . . .)
6. ¿La madre de su padre? (La madre de mi padre es mi . . .)
7. ¿El hermano de su madre? (El hermano de mi madre es mi . . .)
8. ¿El hijo de su tío? (El hijo de mi tío es mi . . .)
9. ¿La hija de su hermano? (La hija de mi hermano es mi . . .)
10. ¿La esposa de su padre? (La esposa de mi padre es mi . . .)
11. ¿Tiene Ud. esposo? ¿Esposa?
12. ¿Qué es el padre de su esposo (o esposa)?
13. ¿Qué es la hermana de su esposa?
14. ¿Qué es la esposa de su hijo?

8. Los Días de la Semana (The Days of the Week)

Notice that days of the week and months of the year are not capitalized in Spanish.

domingo	*Sunday*	hoy	*today*
lunes	*Monday*	mañana	*tomorrow*
martes	*Tuesday*	ayer	*yesterday*
miércoles	*Wednesday*	el día	*the day*
jueves	*Thursday*	pasado mañana	*the day after tomorrow*
viernes	*Friday*	anteayer	*the day before yesterday*
sábado	*Saturday*		

Exercise

Conteste en español:

1. ¿Qué día es hoy? (Hoy es . . .)
2. ¿Qué día es mañana? ¿Y pasado mañana?
3. ¿Qué día fue (was) ayer? (Ayer fue . . .) ¿Y anteayer?
4. ¿Qué días de la semana tiene Ud. clases? (Tengo clases los . . .)
5. ¿Qué días tiene Ud. la clase de español?
6. ¿Qué días están abiertas las tiendas (are the stores open)? ¿Qué días está abierta la biblioteca (library) pública? ¿La universidad?

7. ¿Qué día va Ud. a la iglesia (do you go to church)? (Voy a la iglesia el . . .)
8. ¿Qué días se levanta Ud. temprano (do you get up early)? (Me levanto . . .)
9. ¿Qué días duerme Ud. tarde (do you sleep late)? (Duermo . . .)
10. ¿Qué día de la semana le gusta más (best)? (Me gusta más el . . .) ¿Menos (least)?

9. La Hora del Día (Time of Day)

¿Qué hora es?	What time is it?
Es la una de la mañana.	It is 1 A.M.
Son las dos de la tarde.	It is 2 P.M.
Son las tres y media.	It is 3:30.
Son las cuatro en punto.	It is exactly 4:00.
Son las cinco y cuarto (*or* quince).	It is 5:15.
Son las cinco menos cuarto (*or* quince).	It is a quarter to five.
Son las seis y cinco.	It is 6:05.
Son las siete y diez.	It is 7:10.
Son las ocho menos veinte.	It is twenty to eight.
a las nueve y veinte	at 9:20
a las diez y veinte y cinco	at 10:25
a las once de la noche	at 11 P.M.
Son las doce.	It is 12:00.
Es mediodía.	It is noon.
Es medianoche.	It is midnight.
a mediodía.	at noon
la mañana	the morning
la tarde	the afternoon
la noche	the evening, the night

Exercise

Conteste en español:

1. ¿Qué hora es?
2. ¿A qué hora empieza esta clase (does this class begin)?
3. ¿A qué hora termina (does it end)?
4. ¿A qué hora se levanta Ud.?
5. ¿A qué hora se levanta su madre?
6. ¿A qué hora toma Ud. el desayuno (do you have breakfast)? (Tomo . . .)
7. ¿A qué hora almuerza (do you have lunch)? (Almuerzo . . .)
8. ¿A qué hora cena (do you have dinner)?
9. ¿A qué hora llega su tren (does your train arrive)?
10. ¿A qué hora se acuesta Ud. (do you go to bed)? (Me acuesto . . .)

10. Las Estaciones y Los Meses del Año (The Seasons and Months of the Year)

el invierno	*winter*	el verano	*summer*
la primavera	*spring*	el otoño	*autumn, fall*
enero	*January*	marzo	*March*
febrero	*February*	abril	*April*

mayo	*May*	septiembre, setiembre	*September*
junio	*June*	octubre	*October*
julio	*July*	noviembre	*November*
agosto	*August*	diciembre	*December*

Exercise

Conteste en español:

1. ¿En qué mes tiene Ud. su cumpleaños (birthday)?
2. ¿En qué mes tiene su padre su cumpleaños?
3. ¿En qué mes estamos ahora (are we now)?
4. ¿Qué mes del año le gusta más?
5. ¿Cuáles (which) son los meses del invierno? ¿De la primavera? ¿Del verano? ¿Del otoño?
6. ¿Le gusta más el invierno o el verano?
7. ¿Qué estación del año le gusta más? ¿Menos?
8. ¿En qué mes empieza el año escolar (does the school year begin)? ¿En qué mes termina (does it end)?
9. ¿En qué meses tenemos (do we have) las vacaciones?
10. ¿En qué mes celebramos la Navidad (Christmas)? ¿El día de nuestra (our) independencia? ¿El descubrimiento (discovery) de América? ¿El cumpleaños de Jorge Washington?

11. **El Alfabeto** (The Alphabet)

a	a	j	jota	rr	erre
b	be	l	ele	s	ese
c	ce	ll	elle	t	te
ch	che	m	eme	u	u
d	de	n	ene	v	(u)ve
e	e	ñ	eñe	x	equis
f	efe	o	o	y	i griega
g	ge	p	pe	z	zeta
h	hache	q	cu		
i	i	r	ere		

w (double u) and **k** are not really letters of the Spanish alphabet and appear only in foreign words or names. All letters of the alphabet are feminine.

III. DIVISION INTO SYLLABLES

A. A single consonant (including the combinations **ch, ll,** and **rr**) goes with the following vowel:

to/ma, ni/ño, mu/cho, pe/ro, ca/rro, mu/cha/cho, im/po/si/ble

B. Two consonants are separated, except if the second is **l** or **r**:

pal/ma, car/ta, pos/tal, tan/to, bar/ba, a/par/te
But: pue/blo, o/tro, a/pren/der

C. In groups of three consonants, only the last goes with the following vowel, except, of course, if there is an inseparable combination involving **l** or **r**:

> ins/tan/te, trans/fe/rir
> *But:* com/pren/der, im/pro/ba/ble

D. Diphthongs—any combination of two vowels involving **u** or **i** and pronounced together—form one syllable:

> vein/te, rui/do, sois, ai/re, bue/no, sien/to, dia/rio

A written accent on **i** or **u** breaks the diphthong:

> Ma/rí/a, pú/a

Other vowels placed consecutively are separated:

> ca/os, re/al

Exercise

Divide and pronounce:

> hombre, padre, hermano, cara, costa, perla, cobre, copla, nombre, llama, instantáneo, Buenos Aires, resto

IV. WHERE DOES THE ACCENT FALL?

A. Spanish words that end in any consonant, except **n** or **s**, are stressed on the last syllable:

> ha/*blar*, mu/*jer*, ver/*dad*, tem/po/*ral*, ca/pi/*tal*

B. Words that end in a vowel or in **n** or **s** are stressed on the next to the last syllable:

> *ha*/blo, *ca*/sa, im/por/*tan*/te, son/*ri*/sa, *jo*/ven, mu/*je*/res, pre/si/*den*/te

C. Words that bear a written accent are stressed on the syllable so marked:

> co/ra/*zón*, com/pren/*sión*, *lá*/gri/ma, ca/*rác*/ter, A/*mé*/ri/ca

V. ACCENT MARKS

Spanish has only one accent mark: ´. It is placed over a vowel to indicate an abnormal stress on that syllable:

> *lás*/ti/ma, na/*ción*, ha/*bló*, lla/*mé*

In a few instances, it serves to distinguish between two words that are otherwise identical in spelling:

> si *if*   sí *yes*
> solo *alone*   sólo *only*

The accent mark never affects the pronunciation of the vowel above which it stands.[2]

The tilde (~) that appears over an **n** (**ñ**) gives that consonant the sound of *ny*, as in ca*ny*on.

---

[2]The accent mark is generally omitted with capital letters: Africa; CONVERSACION. The tilde, of course, remains: ESPAÑA.

Lección Primera

I. PRONUNCIACION

Vowels

All vowels in Spanish are short, pure sounds that do not lose their essential value even when placed in an unstressed position. Unlike English, each vowel has only one basic sound, with slight variations according to its placement within the phrase or word. That basic sound will be our only concern here.

Remember that the English equivalents are only approximations. Read the description of each sound, and then listen carefully to the words as they are pronounced by your instructor.

1. **a** In Spanish **a** is always pronounced like the *o* in *pop*:

papá, mamá, casa, alma, arma, pasar

2. **e** The usual sound of Spanish **e** is halfway between the *e* in *let* and the *a* in *late*. Listen and repeat:

mesa, pero, presidente, mete, tiene, teléfono, señor, lengua

3. **i** In Spanish **i** is always like the *ee* in *see*. Remember—smile when you say an **i** in Spanish:

sí, día, mina, aquí, piso, sino, tinta, mismo

4. **o** The English *o*, as in *go*, is a diphthong formed by the rapid succession of *o* and *u*: *ou*. Spanish **o** corresponds to the first part of that diphthong—a short, pure *o*:

gota, como, loco, sombrero, pollo, goma, hombre

5. **u** In Spanish **u** is very much like the *u* in *fluid*. It is slightly shorter in length than the English *u*:

cuna, luna, mula, puro, laguna, ruta, cucú

6. **y** When **y** stands alone or is the final letter of a word, it is pronounced like the vowel **i**: *ee*.

y, rey, buey, ay, hoy

11

Diphthongs

Spanish vowels do not change their basic sound when they form part of a diphthong. They are merely pronounced more rapidly in succession and form *one* syllable:

ruido, veinte, aire, bueno, siento, Buenos Aires

II. MOMENTO DE VIDA

En un Restaurante	In a Restaurant
La escena es un restaurante del centro a la una de la tarde. Hablan dos hombres.	The scene is a downtown restaurant at 1 P.M. Two men are speaking.

(A. = Sr. Armado; M. = Sr. Mera)

A.	Buenas tardes, Sr. Mera.	A.	Good afternoon, Mr. Mera.
M.	Muy buenas. ¿Cómo está?	M.	Good afternoon. How are you?
A.	Bien, gracias. ¿Y Ud.?	A.	Fine, thanks. And you?
M.	Muy bien. Siéntese. No le veo mucho.	M.	Very well. Sit down. I don't see you very much.
A.	No. Mi familia y yo pasamos el verano en el campo. No me gusta el calor de la ciudad.	A.	No. My family and I spend the summer in the country. I don't like the heat of the city.
M.	Ni a mí tampoco.	M.	Neither do I.
A.	Pues ¿por qué no va Ud. al campo con los niños?	A.	Well, why don't you go to the country with the children?
M.	Porque trabajo en el verano. Tengo mis vacaciones en el invierno.	M.	Because I work in the summer. I have my vacation in the winter.
A.	Pues eso también está muy bien . . . A propósito, ¿quién es ese hombre?	A.	Well, that's all right too . . . By the way, who is that man?
M.	¿Cuál?	M.	Which one?
A.	El que se marcha ahora.	A.	The one who is going out now.
M.	No sé. ¿Por qué?	M.	I don't know. Why?
A.	Porque tiene algo familiar, ¿no?	A.	Because he has something familiar about him, doesn't he?
M.	¿Es cliente suyo?	M.	Is he a client of yours?
A.	No.	A.	No.
M.	¿Acaso viven Uds. en la misma casa de apartamentos?	M.	Perhaps you live in the same apartment house?
A.	No. Vivo en una casa particular.	A.	No. I live in a private house.
M.	¿Es el maestro de uno de sus niños?	M.	Is he the teacher of one of your children?
A.	No.	A.	No.
M.	¿Viajan Uds. en el mismo tren?	M.	Do you travel on the same train?

A. No tomo el tren. Viajo siempre en coche. No sé... Pues no importa. Vamos a comer. ¿Qué toma Ud. hoy?

(Habla al mozo.) El menú, por favor.

(Cinco minutos más tarde)

A. ¡Ay! ¡Dios mío!
M. ¿Qué le pasa?
A. ¡El hombre que acaba de marcharse . . . !
M. Pues, ¿qué?
A. Ahora sé por qué me parece familiar. ¡¡Porque lleva mi abrigo y mi sombrero!!

A. I don't take the train. I always travel by car. I don't know . . . Well, it doesn't matter. Let's eat. What are you having (taking) today?
(He speaks to the waiter.) The menu, please.
(Five minutes later)
A. Oh! For heaven's sake!
M. What's the matter?
A. The man who has just gone out . . . !
M. Well, what about him?
A. Now I know why he looks familiar to me. Because he's wearing my coat and hat!!

Vocabulario Activo

(el) abrigo (over)coat
(el) campo country (opp. of city)
(la) casa house
(la) ciudad city
(el) coche car
(el) hombre man

(el) maestro, (la) maestra teacher
(la) niña girl
(el) niño boy, child
(los) niños children
(el) sombrero hat
(el) tren train

hablar to speak
llevar to wear; to carry; to bring
pasar to pass; to spend (time)

tomar to take; to eat, take (food)
trabajar to work
viajar to travel

a to
con with
de of, from
en in; at (a place)
¿Por qué? Why?

porque because
que who, that
¿Qué? What?
¿Quién? Who?
y and

No sé. (Or, No lo sé.) I don't know.

¿Qué le pasa? What's the matter?

∼∽๏ *Preguntas (Questions)* *answer*

1. ¿Dónde tiene lugar esta escena? (Where does this scene take place?)
2. ¿A qué hora? *at what time.*
3. ¿Qué dice el[1] señor Mera (What does Mr. Mera say) al[1] señor Armado?
4. ¿Dónde pasan el verano el señor Armado y su familia? ¿Por qué?
5. ¿Cuándo (When) tiene sus vacaciones el señor Mera? ¿Por qué?
6. ¿Por qué quiere saber el señor Armado (Why does Mr. Armado want to know) quién es el hombre que se marcha?

---

[1]Notice that the definite article is used before a person's title when speaking *about* (*not to*) him.

7. ¿En qué clase de casa vive el señor Armado?
8. ¿Cómo (How) viaja siempre?
9. ¿Qué dice al mozo?
10. ¿Por qué dice el señor Armado que tiene algo familiar el hombre que acaba de marcharse?

III. ESTRUCTURA

1. The Articles

A. The definite article   *the*

	MASCULINE	FEMININE
SING.	**el** hombre *the man*	**la** mujer *the woman*
PL.	**los** hombres *the men*	**las** mujeres *the women*

El is also used before a feminine singular noun that begins with a stressed **a** or **ha**. The plural remains **las**.

el agua   *the water*   el hambre   *hunger*

But: las aguas   *the waters*

B. The indefinite article   *a, an*

un niño   *a boy*   **una** niña   *a girl*

Un may also be used before a feminine singular noun that begins with a stressed **a** or **ha**.

un alma   *a soul*   un hambre   *a hunger*

2. The Gender of Nouns

All nouns in Spanish are either masculine or feminine.

A. Nouns that refer to male beings and almost all that end in **-o** are masculine.

el padre   *the father*   el libro   *the book*
un sombrero   *a hat*   un abrigo   *a coat*

An important exception: **la** mano   *the hand.*

B. Nouns that refer to female beings and most nouns ending in **-a** are feminine.

la madre   *the mother*   la pluma   *the pen*
una mesa   *a table*   una carta   *a letter*

An important exception: **el** día.   (Recall: Buenos días.)

3. The Plural of Nouns

A noun is made plural by adding **-s** if it ends in a vowel, **-es** if it ends in a consonant. A final **-z** becomes **-ces** in the plural.

el muchacho *the boy*	los muchachos
la clase *the class, the classroom*	las clases
la mujer *the woman*	las mujeres
la lección *the lesson*	las lecciones[2]
el lápiz *the pencil*	los lápices

Exercise

1. Place the definite article before each of the following nouns and read aloud:
   hombre, niños, casa, libro, señora, señoritas, muchacho, mesa, familia, padre, madres, tío, tía, amiga, amigos, mano, manos, agua, día, días, historia, música

2. Place the indefinite article before these:
   muchacha, libro, idea, general, día, mesa, madre, hermana, carta, padre, sombrero, abrigo

3. Now make the following nouns plural:
   primo, lección, carta, padre, amigo, hermana, mujer, hijo, lápiz, pluma

4. Contractions

a + el = al   de + el = del

to = a   *the = el*   *of = de*

There are only two contractions in Spanish. The preposition **a** (to, toward) plus the masculine singular article **el** becomes **al**. **De** (of, from) plus **el** becomes **del**.

Voy al campo.	I am going to the country.
Hablan al profesor.	They are talking to the professor.
Cierre Ud. la puerta del coche. ·	Close the door of the car.

No other form is ever contracted.

Voy a la escuela.	I am going to school.
Hablan a los profesores.	They are talking to the professors.
Cierre Ud. la puerta de la casa.	Close the door of the house.

Exercise

Conteste en español:

1. ¿Adónde va Ud.? (Where are you going?)
   Voy _____ dentista, _____ escuela, _____ mi madre, _____ museo, _____ restaurante, _____ clase, _____ teatro, _____ exámenes, _____ casas

---

[2] Notice that the plural form of nouns ending in **-ción** does not need an accent mark: lec/cio/nes.

2. ¿De quién habla Ud.? (Whom are you talking about?)

Hablo _____ profesor, _____ profesora, _____ médico, __*los*__ estudiantes, __*!*__ mi amigo, _____ niño

5. The First Conjugation of Regular Verbs: *-ar* Verbs

Spanish has three conjugations of regular verbs. The first includes those whose infinitive ends in **-ar**. The present tense of regular **-ar** verbs is formed by replacing the final **-ar** of the infinitive as follows (read aloud, stressing the syllable whose vowel is italicized):

hablar (to speak)

PERSON

SING.	1	I	habl -o
	2	you (familiar)	habl -as
	3	he, she, it, John, etc.; you (Ud.) (polite)	habl -a
PL.	1	we	habl -*a*mos
	2	you (familiar)	habl -*á*is
	3	they, John and Mary, etc.; you (Uds.) (polite)	habl -an

(handwritten: o, as, a, amos, áis, an)

(handwritten: Ud. takes the 3rd person singular)

Since the verb ending generally indicates who the subject is, subject pronouns are usually *not* used in Spanish, except for clarification or emphasis. When *it* is the subject, a subject pronoun is almost never used. **Usted** and **ustedes** appear more frequently, at the discretion of the speaker. Get accustomed to using the verb form without the subject pronoun.

(Exercise)

1. Give the present tense of:
   trabajar, viajar, estudiar, tocar, pasar

2. Supply the proper verb forms:
   yo: llevar, hablar, pasar, tomar, llamar
   María: tocar, escuchar, viajar, tomar, cantar, llevar
   mis padres: llamar, pasar, trabajar, preparar, hablar
   Ud.: tomar, tocar, llamar, escuchar, trabajar, estudiar
   Uds.: tomar, tocar, llamar, escuchar, trabajar, estudiar
   mi amigo y yo: estudiar, escuchar, preparar, bailar, hablar
   you (fam. sing.): llevar, tomar, cantar, estudiar
   you (fam. pl.): llevar, tomar, cantar, estudiar

3. Use the proper verb forms with the subjects indicated:
   Juan (hablar), yo (pasar), mi madre (preparar), Ud. (cantar), mis profesores (hablar), mi hermana y yo (trabajar), Uds. (estudiar), you (fam. sing.) (llamar), los niños (escuchar), you (fam. pl.) (tomar)

6. Meaning of the Present Tense

In Spanish the simple present tense tells what *is happening now*, or what *happens as a general rule*. It has three translations in English.

Hablamos inglés.	1. We speak English (generally).
	2. We are speaking English (now).
	3. We do speak English.

Even in questions or in negative statements, where English must use an auxiliary verb (*Is* he coming? *Do* you speak? They *aren't* going. She *doesn't* know.), Spanish maintains the simple tense.

¿Habla inglés?	Does he speak English?
	Is he speaking English?
No habla inglés.	He doesn't speak English.
	He isn't speaking English.

7. Negative Sentences

A sentence is made negative by putting *no* before the verb.

No me gusta el calor.	I don't like the heat.
No trabajamos mucho.	We don't work very much.

8. Questions

A question is formed by placing the subject *after* the verb, and most frequently, at the end of the sentence.

¿Estudian los niños?	Are the children studying?
¿Vive su familia en Méjico?	Does his family live in Mexico?
¿Vive en Méjico su familia?	
¿Es médico su padre?	Is his father a doctor?

If the subject is not expressed, the question is indicated merely by the rise in the speaker's voice.

¿Está aquí?	Is he here?
¿Estudian ahora?	Are they studying now?

Notice that every question is preceded by an inverted question mark as well as followed by the usual question mark.

Exercise

1. Make the following sentences negative:
   a. Juan vive aquí. b. Pasamos el verano en el campo. c. Le gusta el calor de la ciudad. d. Toma sus vacaciones en el invierno. e. Trabajan en Madrid. f. Los niños hablan bien. g. Tomo el tren.

2. Change the above sentences to questions (Does John live here? etc.).

3. Now change them to negative questions (Doesn't John live here? etc.).

4. Conteste en español:

    a. ¿Vive Ud. en el campo? b. ¿Toma sus vacaciones en el verano? c. ¿Trabajan Uds. mucho en la clase de español? d. ¿Habla Ud. español? ¿Francés (French)? ¿Portugués? ¿Japonés? e. ¿Hablan sus padres una lengua extranjera (a foreign language)?

9. End Questions

The questions *don't you, isn't he, haven't they*, etc., placed at the end of a positive statement are usually translated in Spanish by **¿no?**

Ud. toma el tren, ¿no?	You take the train, don't you?
Son profesores, ¿no?	They're teachers, aren't they?
Está bien, no?	It's all right, isn't it?

Do you?, is it?, have they?, etc., after a negative statement are usually translated by **¿verdad?**

No es él, ¿verdad?	It isn't he, is it?
Ud. no habla español, ¿verdad?	You don't speak Spanish, do you?
No vamos, ¿verdad?	We're not going, are we?

Review Exercise

Translate into Spanish (Traduzca al español):

The scene is a downtown restaurant. It is one o'clock in the afternoon. Two men are speaking:

A. Hello, Mr. Mera. How are you?

M. Fine, thanks, Mr. Armado. And you?

A. Very well. Please sit down, won't you?

M. Thank you. How is your family?

A. They're spending the summer in the country. They don't like (No les gusta) the heat of the city.

M. Neither do I.

A. You go to the country with the children, don't you?

M. No. We take our vacation in the winter, or (o) in the spring.

A. By the way, who is that man?

M. Which one?

A. The one who is going out now.

M. I don't know. Why?

A. He looks familiar, doesn't he?

M. Does he live in your apartment house?

A. No. I don't live in an apartment house.
M. Do you work in the same office?
A. No. I work alone (solo).
M. You don't take the same train, do you?
A. No. I travel by car. Well, it doesn't matter. Let's eat now.
   (10 minutes later)
   Oh my!
M. What's the matter?
A. Now I know why the man looks so familiar to me. He's wearing my hat and coat!

IV. CONVERSACION

Vocabulario Especial: *Comestibles* (Foods)

(Only words in heavy print should be considered active vocabulary. The rest are to be used to answer conversation questions. The definite article is given with those nouns whose gender is not shown by a final **-o** or **-a**.)

la carne *meat*

el bisté, el biftec *steak*	costilla de cordero *lamb chop (rib)*
el jamón *ham*	coteleta de ternera *veal cutlet*
tocino *bacon*	chuleta de lechón *pork chop*
el rosbif *roast beef*	carne picada *chopped meat*

el pescado *fish*

sardina *sardine*	langosta *lobster*
el salmón *salmon*	el camarón *shrimp*
el atún *tuna*	ostra *oyster*
bacalao *cod*	cangrejo *crab*
rodaballo *flounder*	almeja *clam*

las legumbres *vegetables*

cebolla *onion*	el tomate *tomato*
espinaca *spinach*	lechuga *lettuce*
el maíz *corn*	patata, papa *potato*
la coliflor *cauliflower*	el guisante *pea*
el bróculi *broccoli*	zanahoria *carrot*
judía *stringbean*	apio *celery*

los fideos *spaghetti*	los macarrones *macaroni*
ensalada *salad*	**la sal** *salt*
huevo *egg*	**pimienta** *pepper*

el pan *bread*   pan tostado *toast*
mantequilla *butter*   el cereal *cereal*
sopa *soup*   **el azúcar** *sugar*
queso *cheese*   crema *cream*

las frutas *fruits*

pera *pear*   piña *pineapple*
naranja *orange*   durazno *peach*
toronja *grapefruit*   fresa *strawberry*
el limón *lemon*   el melón *melon*
manzana *apple*   sandía *watermelon*

el postre *dessert*

helado *ice cream*   torta *cake*
el pastel *pie*   galletica (dulce) *cookie*

las bebidas *drinks*

una taza de té *a cup of tea*   **el café** *coffee*
el chocolate *chocolate*   café solo *black coffee*
el agua (f.) *water*   jugo *juice*
la leche *milk*   vino *wine*

Discusión

1. ¿Qué le gusta más—la carne o el pescado?
2. ¿Qué carnes le gustan más? ¿Qué pescados? ¿Qué legumbres? ¿Qué frutas? ¿Qué bebidas? ¿Qué postres?
3. ¿Qué toma Ud. para el desayuno (for breakfast)? ¿Para el almuerzo (lunch)? ¿Para la cena (dinner)?
4. ¿Sabe Ud. (Do you know how to) preparar una comida (meal)? ¿Qué sabe Ud. preparar?
5. ¿Cuál (What) es su idea de una comida perfecta?
6. ¿Le gusta más comer (eat) en casa o en un restaurante? ¿Por qué?

Lección Segunda

I. PRONUNCIACION

1. **h** is the only silent consonant in Spanish. It appears often at the beginning of a word, and sometimes, within a word. Listen and pronounce:

> hotel, hablar, hierro, hombre, hambre, hilo, hay, ahora
> ahogar, hoy

2. **z** is pronounced in most of Spain like the *th* in *think*. In Spanish America it is like the *s* in *sink*. Listen to the two pronunciations—first the Castilian Spanish, then the Spanish American—and decide which of them you prefer to use:

> zapato, zona, zarpa, cazar, lanzar, razón, mezclar

3. **c,** before an **e** or **i,** is pronounced just like the Spanish **z**: that is, in most of Spain like the *th* in *think*; in Spanish America like the *s* in *sink*. Here again, listen to the two pronunciations—first the Spanish, then the Spanish American—and repeat the one you prefer. However, remember that you must always be consistent. If you chose the *th* sound for **zapato,** you *must* choose the *th* sound for **cinco,** etc. If you chose the *s* sound for **zapato,** you must pronounce **cinco,** etc., with the sound of *s*.

> cinco, cero, celoso, nación, ciudad, hacer, decir, nacer, cocer, obligación, invitación

4. In all other positions, **c** is hard, like the *c* in *corn*:

> capa, copa, cuna, sacar, crédito, claro, acción, lección

5. **qu** in Spanish is pronounced like *k*, and appears only before an **e** or an **i**:

> que, quitar, quien, quiero, quemar, toque

II. MOMENTO DE VIDA

EN UN PUEBLO HISPANOAMERICANO

IN A SPANISH AMERICAN TOWN

P. = Paco;   D. = Diego;   E. = Empleado

P.   Hola, Diego.

P.   Hello, Jim.

D.   Hola, Paco. ¿Qué tal?

D.   Hi, Frank. How are things?

P.   Bien. ¿Y tú?

P.   Fine. And you?

D.   Así, así. Ocupado.

D.   So-so. Busy.

P.   ¿Adónde vas ahora?

P.   Where are you going now?

D.   A la casa de correos. ¿Me acompañas?

D.   To the post office. Do you (want to) go with me?

P.   Con mucho gusto. No tengo nada que hacer ahora.
(Los amigos caminan hacia la casa de correos.)

P.   I'd be glad to. I don't have anything to do now.
(The two friends walk toward the post office.)

P.   Diego, ¿sabes una cosa?

P.   Jim, do you want to hear something?

D.   Depende.

D.   It depends.

P.   Pues esta mañana a las siete y media hay dos indios en la plaza mayor. Los dos llevan idénticos ponchos azules. En la cabeza, llevan grandes sombreros de ala, y en los pies, nada. Se ponen a hablar:

P.   Well, this morning at half past seven there are two Indians in the main square. The two are wearing identical blue ponchos. On their heads, they wear big brimmed hats, and on their feet, nothing. They begin to speak:

—Buenos días, compadre.

—Good morning, friend.

—Muy buenos.

—And the same to you.

—Ud. no vive aquí, ¿verdad?

—You don't live here, do you?

—No. Soy peruano.

—No. I'm a Peruvian.

—¿Peruano? No me diga. Yo también. ¡Qué chico es el mundo! ¿De qué parte del Perú es Ud.?

—Peruvian? You don't say! So am I. What a small world it is! What part of Peru are you from?

—Soy de Santa Cruz de los Andes. Es un pueblo muy pequeño.

—I'm from Santa Cruz de los Andes. It's a very small town.

—¿De Santa Cruz de los Andes, dice? ¡Pues yo también soy de allí! Somos compatriotas.

—From Santa Cruz de los Andes, you say? Why *I'm* from there too! We're compatriots.

—¡Qué casualidad! ¿Cómo se llama Ud.?

—What a coincidence! What's your name?

—Me llamo Concepción Santos, a sus órdenes. ¿Y Ud.?

—My name is Concepción Santos, at your service. And you?

—¿Yo? Yo soy Concepción Santos, también.

—I? I'm Concepción Santos, too.

—Pero esto es increíble. Dígame, ¿cómo se llama su madre?

—But this is incredible. Tell me, what's your mother's name?.

—María de Santos. ¿Y la de Ud.?

—María de Santos. And yours?

—Lo mismo. María de Santos.
—Imposible! . . . Un momentito, por favor. Tengo una idea. ¿Me hace Ud. el favor de escribir su nombre aquí en este papelito?
—Muy bien.
  (El indio toma el lápiz y escribe en el papelito dos grandes equis.)

Aquí lo tiene. XX. Concepción Santos. Ahora, ponga Ud. su nombre.
—Bueno. XXxxx.
—Pero, ¿qué son todas esas equis? ¿Por qué pone Ud. cinco?
—Pues, señor, las dos grandes, XX, son Concepción Santos. Las tres pequeñas, xxx, doctor de medicina.

D. ¡Maravilloso! ¡Es médico y no sabe escribir! ¿Sabes, Paco?, creo que eres mejor comediante que estudiante.

P. Gracias.
D. De nada. Y gracias por acompañarme. Hasta mañana, ¿no?
P. Sí, mañana. Hasta luego.
D. Adiós.
  (Diego entra en la casa de correos y habla con el empleado.)
  Buenas tardes.
E. Muy buenas, señor.
D. Creo que hay una carta aquí para mí.
E. Muy bien. ¿Su nombre, por favor?
D. Cabrera.
E. Su nombre completo.
D. Diego Francisco Remigio Albuérniga Rumazo Cabrera y Ordóñez.
E. ¡No me diga! ¡Esto es increíble! ¡¡Así me llamo yo también!!

—The same. María de Santos.
—Impossible! . . . Just a moment, please. I have an idea. Would you please write your name here on this piece of paper?
—Very well.
  (The Indian takes the pencil and writes two large X's on the piece of paper.)
Here it is. XX. Concepción Santos. Now, you put down your name.
—All right. XXxxx.
—But, what are all those X's? Why do you put five?
—Well, sir, the two big ones, XX, are Concepción Santos. The three little ones, xxx, Doctor of Medicine.

D. Wonderful! He's a doctor and doesn't know how to write! Do you know, Frank, I think you're a better comedian than a student.

P. Thanks.
D. You're welcome. And thanks for coming with me. See you tomorrow, right?
P. Yes, tomorrow. So long.
D. Good-bye.
  (Jim goes into the post office and speaks with the clerk.)
  Good afternoon.
E. Good afternoon, sir.
D. I believe there is a letter here for me.
E. Very well. Your name, please?
D. Cabrera.
E. Your full name.
D. Diego Francisco Remigio Albúérniga Rumazo Cabrera y Ordóñez.
E. You don't say! This is incredible! That's my name too!!

(*Vocabulario Activo*)

amigo, amiga *friend*
cabeza *head*
carta *letter*
estudiante (m. and f.) *student*

el lápiz *pencil*
mundo *world*
el pie *foot*
pueblo *town*

caminar *to walk*	hay *there is, there are*
creer *to think, believe*	ser *to be (something); to be (from,*
entrar *to enter*	*for, made of)*
escribir *to write*	vivir *to live*
¿A dónde? *(To) Where?*	muy *very*
algo *something*	nada *nothing*
allí *there*	pero *but*
aquí *here*	también *too, also*
bien *well, fine*	mucho *much;* pl. *many*
grande *big*	pequeño *small*

ᘍᔓᓍ *Preguntas*

1. ¿Cómo se llaman los dos jóvenes (young men) que hablan?
2. ¿Dónde están?
3. ¿A dónde va Diego?
4. ¿Qué llevan los indios en la cabeza? ¿En los pies? ¿En los hombros (shoulders)?
5. ¿De qué país (country) son?
6. ¿Son de una ciudad grande?
7. ¿Cómo se llaman los dos indios?
8. ¿Cómo se llaman sus madres?
9. ¿Cómo escribe su nombre el primer (first) indio?
10. ¿Cómo escribe su nombre el segundo (second) indio?
11. ¿Qué representan las tres equis pequeñas?
12. ¿Con quién habla Diego en la casa de correos? ¿Qué descubre (does he discover)?

III. ESTRUCTURA

10. Subject Pronouns

	PERSON		
	1	yo	I
	2	tú	you (fam.)
SING.	3	él	he
		ella	she
		Ud. (usted)	you (polite)
	1	nosotros (nosotras, *f.*)	we
	2	vosotros (vosotras, *f.*)	you (fam.)
PL.	3	ellos	they
		ellas	they (f.)
		Uds. (ustedes)	you (polite)

A. Uses of the subject pronouns

Subject pronouns are normally omitted in Spanish. They are used with a verb only for *emphasis* or *clarification*. Their needless insertion or repetition is abnormal, therefore incorrect. Keep this rule in mind: Use the subject pronoun in Spanish only when you stress it with your voice in English.

Emphasis:

¿Quién lo dice? —Yo lo digo. —¿Y quién eres tú?	Who says so? —*I* say so. —And who are *you*?

Clarification:

El come mucho; ella come poco.	*He* eats a lot; *she* eats little.
Uds. tienen razón. Ellos no comprenden.	*You're* right. *They* don't understand.

The subject pronouns may stand alone, or follow **ser** (to be).

¿Quién va? —El.	Who is going? —He.
¿Quiénes se quedan? —Nosotros.	Who are staying? —We.
¿Quién es? —Soy yo.	Who is it? —It's I.
¿Quién es mi amor? Eres tú.	Who is my love? It's you.

B. The familiar forms: **Tú, Vosotros**

The second person forms, **tú** and **vosotros**, are used only when speaking to a friend, a relative, a child, or anyone with whom a close relationship exists. (In Spanish America, **ustedes** is generally used instead of **vosotros**. The singular **tú** generally remains.)

Hola. ¿Cómo estás?	Hello there. How are you?
¿No me hablas hoy, Pepe?	Aren't you speaking to me today, Joe?
¿Comprendéis, niños?	Do you understand, children?

✑ *Exercise*

1. Answer in Spanish, using all the singular subject pronouns in order (yo, tú, etc.)
   a. ¿Quién es la muchacha más hermosa del mundo (the prettiest girl in the world)?
   b. ¿Quién es el estudiante más brillante de la clase?
   c. ¿Quién es la persona más difícil (most difficult) del mundo?
   d. ¿Quién va a ser el próximo presidente de los Estados Unidos (is going to be the next president of the United States)?

2. Answer in Spanish, using all the plural subject pronouns:
   a. ¿Quiénes son los líderes del grupo?
   b. ¿Qué estudiantes (Which students) de esta clase nunca hacen su trabajo (never do their work)?

11. Second and Third Conjugation Regular Verbs: *-er, -ir*

Second conjugation verbs end in **-er** (**comer, beber**), third conjugation, in **-ir** (**escribir, vivir**). The present indicative of second and third conjugation regular verbs is formed by replacing the final **-er** or **-ir** of the infinitive as follows:

	comer (to eat)	**escribir** (to write)
(yo)	com -o	escrib -o
(tú)	com -es	escrib -es
(él, ella, Ud.)	com -e	escrib -e
(nosotros, as)	com -emos	escrib -imos
(vosotros, as)	com -éis	escrib -ís
(ellos, ellas, Uds.)	com -en	escrib -en

Exercise

1. Conjugate the following verbs in the present tense:
   beber *to drink;* comprender *to understand;* romper *to break;* vivir *to live;* creer *to think, believe*

2. Using each of the above verbs, give the correct form:
   yo _____; él _____; Uds. _____; Ana y yo _____; tú _____; el profesor _____; Ud. _____; vosotras _____; mis amigos _____

3. Diga en español (Say in Spanish):
   a. He eats a great deal. b. Do you understand the lesson, son? c. They aren't drinking milk. d. The children are eating now. e. I don't break anything (nada). f. John and Richard don't live here. g. We always write in Spanish. h. Do you live nearby (cerca)? i. I don't understand. j. Doesn't the professor speak English?

12. Ser (to be)

soy	I am
eres	you are (tú)
es	he, she (John) is, etc.; you are (Ud.)
somos	we are
sois	you are (vosotros)
son	they are; you are (Uds.)

Exercise

Give the form of **ser** that corresponds to the following subjects:
   Juan _____; yo _____; mis padres _____; tú _____; Uds. _____; ¿Quién? _____; ellas _____; vosotros _____; mi amigo _____; él _____; María _____; todos _____

13. General Meaning of *Ser*

Spanish has two verbs that mean *to be*. These verbs are **ser** and **estar** (Recall: **¿Cómo está Ud.?**) Each has its own meaning and functions and one may never be substituted for the other without making a difference in the *idea* of the sentence.

In general, **ser** tells *who* or *what* the subject is essentially. It identifies. It states basic qualities or characteristics. These are some of its important uses:

A. Ser joins the subject with a noun or pronoun.

¿Qué es su padre? —Mi padre es arquitecto.[1]	What is your father? —My father is an architect.
¿Qué es Ud.? —Soy un gran genio.	What are you? —I am a great genius.
Los Ramírez son españoles.	The Ramirezs are Spaniards.
¿Quiénes son esos hombres?	Who are those men?
¡Ay! ¡Dios mío! ¡Son policías!	Oh! Good Lord! They're police!
¿Qué es eso? —Es tu cena, querido.	What is that? —It's your dinner, dear.
No somos niños.	We're not children.

Exercise

Diga en español:

1. We are Americans. 2. My cousin is a lawyer (*abogado*). 3. His brothers are doctors.
4. This (Esto) is a table. 5. Who are you? 6. I am John's brother (the brother of John).
7. Is he a good student? He's a genius, like me (como yo). 8. Who is Silvia? What is she?

B. Ser is used when stating *origin* (where the subject is from), *material* (what it is made of), or *destination* (whom or what it is intended for).

¿De dónde es Ud.? —Soy del Perú.	Where are you from? —I am from Peru.
Este reloj es de Suiza. Es de oro.	This watch is from Switzerland. It is (made of) gold.
La casa es de adobe.	The house is (made of) adobe.
La silla nueva es para el salón.	The new chair is for the living room.
¿Para quién es? ¿Para mí? Gracias, gracias, un millón de gracias! Pero ... ¿qué es?	Whom is it for? For me? Thank you, thank you, thanks a million! But ... what is it?

Exercise

Conteste en español:

1. ¿De qué es la casa de Ud.? (ladrillos *brick;* madera *wood;* cemento *cement;* aluminio *aluminum;* vidrio *glass*)

2. ¿De dónde son sus padres?

3. ¿De qué es su traje (suit)? (seda *silk;* rayón; nilón; lana *wool;* algodón *cotton*)

---

[1]Notice that the indefinite article (a, an) is omitted in Spanish when a predicate noun of occupation, religion, or nationality is unmodified.

C. When **ser** joins the subject to an *adjective* (*not* followed by a noun), it implies that the subject is *characterized* by the quality the adjective describes.

Juan es inteligente.	John is intelligent.
Ese niño es muy malo.	That boy is very bad.
Somos jóvenes.	We are young.
El hielo es frío.	Ice is cold.
El azúcar es dulce.	Sugar is sweet.
Sus zapatos son negros.	His shoes are black.
Amor mío, eres maravilloso. —Sí, así me dicen todas.	Darling, you're wonderful. —Yes, so all the girls tell me.

Exercise

Describe yourself and all the members of your family, using the following adjectives. (Change the ending **-o** to **-a** for a female person; add **-s** to the final vowel, **-es** to a final consonant for the plural.)

joven *young;* viejo *old;* de edad mediana *middle-aged;* alto *tall;* bajo *short;* gordo *fat;* delgado *slim;* rico *rich;* pobre *poor;* bonito *pretty;* hermoso *beautiful;* buen mozo *handsome;* bueno *good;* malo *bad;* inteligente; mayor *older;* menor *younger*

14. The Double Negative

In Spanish you "don't know nothing," "don't talk to nobody," etc. In other words, a double or even triple negative still adds up to a negative.

No sabemos nada.	We don't know anything.
No quiero hablar con nadie.	I don't want to speak to anyone.
No hay nadie aquí.	There is no one here.

Exercise

Diga en español:
1. I don't speak to anyone. 2. He doesn't hear anything. 3. We don't eat anything.
4. John doesn't live with anyone. 5. It's nothing.

15. Other Groups of Feminine Nouns

All nouns that end in **-ción** (equivalent of English *-tion*) or **-tad, -dad** (equivalent of English *-ty*) are feminine. Almost all that end in **-ión** are also feminine.

la nación	la unión
la reacción	la libertad
la revolución	la fraternidad

Review Exercise

Traduzca al español:

Today the scene is a Spanish American town. Frank is speaking to his friend Jim.

F.   Hi, Jim. How are things?
J.   Fine, but busy. I'm going to the post office now. Do you want to go with me?
F.   I'd be glad to. Jim, do you want to hear something?
J.   It depends.
F.   Well, this morning there are two Indians in the square. They're wearing identical blue ponchos, and on their heads, big hats. They aren't wearing anything on their feet. They begin to speak:

   —You don't live here, do you?
   —No. I'm a Peruvian.
   —So am I. Small world, isn't it? What part of Peru are you from?
   —I'm from Santa Cruz. It's a very small town.
   —You don't say! I'm from Santa Cruz, too. What's your name?
   —Concepción Santos.
   —My name is Concepción Santos, too.
   —And what's your mother's name? It isn't María, is it?
   —Yes, it's María.
   —Impossible! Wait a minute. I have an idea. Will you please write your name here?
   —All right. (He writes.) XX. Now, you put your name (down).
   —All right. XXxxx.
   —What are all those X's? Why are there five?
   —Well, sir. The two big ones are Concepción Santos. The three little ones—Doctor of Medicine.

IV. CONVERSACION

Vocabulario Especial: *Países y Nacionalidades* (Countries and Nationalities)

Norteamérica (La América del Norte)		norteamericano
los Estados Unidos (E.E.U.U.)	the United States (U.S.A.)	norteamericano, estadounidense
el Canadá		canadiense
Méjico, México		mejicano, mexicano
Centroamérica (La América Central)		centroamericano
el Salvador		salvadoreño
Honduras		hondureño

Costa Rica		costarricense
Guatemala		guatemalteco
Nicaragua		nicaragüense
Panamá		panameño
Cuba		cubano
Puerto Rico		puertorriqueño
la República Dominicana		dominicano
Haití		haitiano
Sudamérica (La América del Sur)		sudamericano
Colombia		colombiano
Venezuela		venezolano
el Ecuador		ecuatoriano
el Perú		peruano
Bolivia		boliviano
Chile		chileno
(la) Argentina		argentino
el Uruguay		uruguayo
el Paraguay		paraguayo
el Brasil		brasileño
Europa		europeo
Inglaterra	England	inglés
Irlanda	Ireland	irlandés
Escocia	Scotland	escocés
Francia		francés
Italia		italiano
España	Spain	español
Portugal		portugués
Alemania	Germany	alemán
Austria		austríaco
Bélgica	Belgium	belga
Holanda	Holland	holandés
Suiza	Switzerland	suizo
Dinamarca	Denmark	danés
Noruega	Norway	noruego
Suecia	Sweden	sueco
Finlandia		finlandés
Rusia		ruso
Polonia	Poland	polaco
Rumania		rumano
Checoeslovaquia		checoeslovaco
Hungría	Hungary	húngaro
Yugoeslavia	Yugoslavia	yugoeslava
Turquía		turco
Israel		israelí, israelita

Africa		africano
Egipto	Egypt	egipcio
Arabia		árabe
Asia		asiático
la China		chino
el Japón		japonés
Australia		australiano

Note: The names of languages are masculine nouns that are usually the same as the nationality: **el español, el portugués, el francés,** etc.

Discusión

1. ¿De dónde es Ud.? ¿De dónde es su padre? ¿Y su madre? ¿Y sus abuelos?
2. ¿Cómo llamamos a un hombre (What do we call a man) que es de la Argentina? ¿Del Perú? ¿De Francia? ¿De Inglaterra? ¿Del Japón? ¿Del Ecuador? ¿De Alemania? ¿De Suiza?
3. ¿Cómo llamamos a una mujer que es de Italia? ¿De Guatemala? ¿De Bélgica? ¿De Dinamarca? ¿De Rusia? ¿De Polonia? ¿De Holanda? ¿De Escocia? ¿De España? ¿De Portugal?
4. ¿Cómo llamamos a los habitantes de Inglaterra? ¿De Puerto Rico? ¿Africa? ¿Irlanda? ¿Cuba? ¿El Brasil?
5. ¿De dónde es un rumano? ¿Una sueca? ¿Un húngaro? ¿Un chino? ¿Una portuguesa? ¿Un chileno? ¿Un austríaco? ¿Una holandesa?
6. ¿Qué lengua hablan en el Japón? ¿En Colombia? ¿En Dinamarca? ¿En Alemania? ¿En Rusia? ¿En el Brasil? ¿En los Estados Unidos?
7. ¿Le gusta a Ud. viajar? ¿Qué país le gustaría (would you like) visitar primero?
8. En su opinión, ¿qué país extranjero ha contribuido (has contributed) más al mundo?

LECTURA I: PANORAMA

El español es la lengua oficial de España y de *toda* Hispanoamérica, [all]
excepto el Brasil. *Lo hablan más de cien millones de personas* y es la [More than 100 million people speak it]
lengua de *cuarta* importancia en el mundo. Interesante, *¿pero qué?* [fourth . . . but what of it?]
¿Por qué estudiar el español? ¿Por qué *aprender* una lengua extranjera? [Why study . . . learn]

5 Porque una lengua es *más que una estadística.* Es la expresión de un [more than a statistic]
pueblo, de su psicología, de su historia, de sus ambiciones y frustraciones. [people]
Y el español es *la voz* de un pueblo *grande*, el instrumento de una geo- [the voice . . . great]
grafía y conciencia moral. *Esto es lo que* vamos a estudiar. [This is what]

Ahora bien, ¿dónde empezar? Con la tierra misma, digo. Primero, hay [Now then, where to begin? With the land itself, I say. First, one must know . . .]
10 *que saber* cómo es la tierra y *después*, cómo es el hombre *que nace en ella.* [then . . . who is born on it.]

Tenga Ud. la bondad de estudiar el mapa de España por un momento.
Como ve, España está situada en el *suroeste* de Europa. Con Portugal, [As you see . . . southwest]
ocupa una península que llamamos la Península Ibérica. *Al norte* está [it occupies . . . To the north]
Francia, separada de España *por* los Montes Pirineos; *al sur*, el conti- [by . . . to the south]
15 nente de Africa, separado de España por el *Estrecho* de Gibraltar; *al* [Strait . . . to the west]
oeste, el Oceano Atlántico; *al este*, el Mediterráneo *e* Italia. [to the east . . . and]

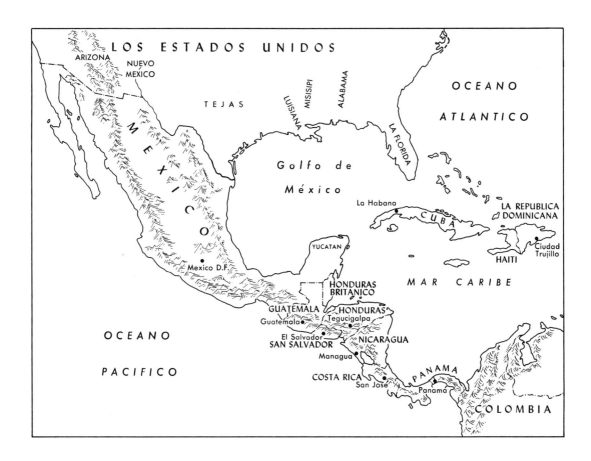

España *misma* está dividida en muchas regiones geográficas. Hay cuatro *cordilleras que la cruzan* horizontal*mente*. Tiene cinco *ríos* importantes, pero *sólo* uno, el Guadalquivir (en el sur) es enteramente navegable. *Cada* región tiene sus *propias* características y su propio dialecto, y el español, siempre individualista y *consciente* de su dignidad personal, conserva *celosamente estas* diferencias. La parte central, que se llama Castilla, es una alta *meseta*. Es el *corazón* político y dinámico de España. Pero la tierra no es muy fértil y el *clima* no es siempre ideal. *Según el refrán popular*, en Madrid, la capital, "Hay nueve meses de invierno y tres meses de *infierno*."

Cataluña, con su capital, Barcelona, es el centro industrial de España. Valencia, en el este, es una zona famosa por sus *naranjas y aceitunas*, por su excelente y viejo sistema de irrigación, y por su clima *templado*. Andalucía, en el sur, es la España *que pintan las agencias de turismo*— la España semitropical de *sol y alegría*, de románticas guitarras y *vinos* deliciosos y arquitectura *morisca*—la España de "Granada," de "La Malagueña," del "Bolero," de *gitanos* y música flamenca.

itself

mountain ranges that cross it ... (**mente** = ly) ... rivers ... only

each ... own   20

conscious

zealously these

plateau ... heart

climate
According to the popular refrain 25

inferno

oranges and olives

temperate
that the tourist agencies paint 30

sun and gaiety ... wines

Moorish

gypsies

Hispanoamérica es *otro* mundo, *geográfica* y culturalmente. Es una   another . . . geographically

35 combinación de tres elementos principales: las civilizaciones indias, la

cultura española, y la influencia de Francia, de Inglaterra, y *más recien-*   more recently

temente, de los Estados Unidos. El aspecto geográfico también es muy

variado. El área que ocupa es enorme, *desde* Méjico, que limita con los   varied . . . from

Estados Unidos, *hasta el Cabo de Hornos, cerca del* Antárctico. En   to Cape Horn, near the

40 Sudamérica, los Andes forman una gran columna vertebral de norte a

sur. Hay *largas costas tropicales*, inmensas junglas y desiertos, y en la Argentina y el Uruguay, *vastas pampas*.

long tropical coastlands

vast plains

En general, *la mayor parte* de la *población* de Latinoamérica es *mestiza*. Pero hay países como Méjico, Venezuela, Colombia, el Ecuador, Bolivia, y el Perú, donde *todavía* hay muchos indios, y en *algunas* partes, *tribus* muy primitivas. Hay países como Cuba, la República Dominicana, el Brasil, y la región del *Caribe* donde *gran parte* de la población es de *raza* negra. Y hay países más industriales como la Argentina y Chile donde predominan los blancos, muchos *de ellos* de origen europeo.

the majority . . . population
mestizo (of mixed Indian and white blood)

still . . . some . . . tribes   45

Caribbean . . . a large part

race

of them

Y a toda *esta* diversidad geográfica y racial, la lengua española y la cultura de España *dan* unidad de carácter. Vamos a entrar ahora en *ese* mundo.

this   50

give

that

❧ *Preguntas*

1. ¿Dónde se habla español? ¿Cuántas personas lo hablan?
2. ¿Qué lengua hablan en el Brasil?
3. ¿Por qué es una lengua más que una estadística?
4. ¿Dónde vamos a empezar nuestro estudio del carácter español?
5. ¿En qué parte de Europa está situada España?
6. ¿Qué ocupa con Portugal?
7. ¿Qué montañas separan a España y Francia?
8. ¿Qué hay entre (between) España y Africa?
9. ¿Qué hay al oeste de la Península Ibérica? ¿Al este?
10. ¿En qué está dividida España?
11. ¿Cuántas cordilleras la cruzan horizontalmente?
12. ¿Cuántos ríos importantes tiene?
13. ¿Dónde está Castilla? ¿Cómo es su geografía? ¿Y la tierra?
14. Según el refrán popular, ¿cómo es el clima de Madrid, la capital?
15. ¿Dónde está Valencia? ¿Por qué productos es famosa? ¿Cómo es su clima?
16. ¿Dónde está Andalucía? ¿Cómo es? ¿Por qué es importante Cataluña?
17. ¿Cuáles son los elementos principales en la formación cultural de Hispanoamérica?
18. ¿Cómo es el aspecto geográfico de Hispanoamérica?
19. ¿Cuál es el origen racial de la mayor parte de la población de Hispanoamérica?
20. ¿Qué hay todavía en países como Méjico, el Ecuador, el Perú, etc.?
21. ¿Cómo es gran parte de la población de Cuba, el Brasil, y la región del Caribe?
22. ¿En qué países predomina la población blanca?
23. ¿Qué da unidad de carácter a todos estos elementos diversos?

*L*ección Tercera

I. PRONUNCIACION

1. **ll** is considered *one* consonant in Spanish. It is pronounced like the *lli* in million:

    caballo, millón, brillante, pollo, sello, gallina

    In Spanish America, it usually sounds like the *y* in *yule*.

2. **ñ** is like the *ny* in *canyon*, the *ni* in *onion*:

    caña, otoño, niño, cariño, señor

3. **j** in Spanish is a soft guttural sound that does not exist in English. It is formed in the throat, and is somewhat similar to the *ch* in the German *ach!*:

    pájaro, cojo, jamón, lejos, jota, jabón

4. **g** before an **e** or an **i** is pronounced just like the Spanish **j**:

    general, gitano, giro, gente, coger, dirigir

    In all other cases, **g** is hard, like the *g* in *girls:*

    goma, gato, laguna, grupo, iglesia, legumbre, guerra, guitarra

    Notice that the **u** that precedes the **e** or **i** is not pronounced. It serves merely to keep the **g** hard, as in English *guest, guitar.*

II. MOMENTO DE VIDA

En Casa	At Home
Juan Salinas acaba de volver a su casa después de un largo día de trabajo en la oficina. Oye voces al entrar. Su mujer habla al niño.	John Salinas has just returned to his home after a long day of work at the office. He hears voices upon entering. His wife is speaking to the child.

(J. = Juan; Sra. = Sra. Salinas; P. = Pablo)

Sra.	Pablo, aquí viene tu padre. El puede hablar contigo . . . ¿Juan?	Sra.	Paul, here comes your father. *He* can talk to you . . . John?
J.	Sí. ¿Cómo estás, querida?	J.	Yes. How are you, dear?
Sra.	Así, así.	Sra.	So-so.
J.	¿Y Pablo? ¿Dónde está?	J.	And Paul? Where is he?
Sra.	En la sala. Te digo, Juan, tienes que pegarle.	Sra.	In the living room. I tell you, John, you have to hit him.
J.	¿Por qué?	J.	Why?
Sra.	Porque es muy malo. No quiere comer nada. No sé qué hacer con él.	Sra.	Because he's very bad. He doesn't want to eat anything. I don't know what to do with him.
J.	Dile sencillamente que tiene que comer. Nuestro Pablo es bueno.	J.	Simply tell him that he has to eat. Our Paul is good.
Sra.	Pablo, tu padre dice que tienes que comer.	Sra.	Paul, your father says that you have to eat.
P.	No quiero. No tengo hambre. (A su padre) Hola, papacito. ¿Qué me traes?	P.	I don't want to. I'm not hungry. (To his father) Hi, Daddy. What do you have for me? (What are you bringing me?)
J.	Hoy nada.	J.	Nothing today.
P.	El papá de Enrique le trae cosas todos los días.	P.	Henry's daddy brings him things every day.
J.	Pues yo no soy el papá de Enrique. Pablo, me dice tu madre que no quieres comer. Si no comes, no vas a ser un hombre grande y fuerte.	J.	Well, I'm not Henry's daddy. Paul, your mother tells me that you don't want to eat. If you don't eat, you won't be a big strong man.
P.	No me importa.	P.	I don't care.
J.	¿Por qué no tomas un poquitito de carne?	J.	Why won't you take a little bit of meat?
P.	No me gusta.	P.	I don't like it.
J.	Pues entonces, tienes que beber un vaso de leche.	J.	Well then, you have to drink a glass of milk.
P.	No. Tengo frío, y no me gusta la leche fría.	P.	No. I'm cold, and I don't like cold milk.
Sra.	En un momento tienes tu leche bien caliente, ¿está bien?	Sra.	In just a moment you'll have your milk nice and warm, all right?
P.	Sí, mamá. (La madre va a la cocina.)	P.	Yes, Mommy. (The mother goes into the kitchen.)
J.	¿Ves, Pablo, qué buena es tu mamá? Hace mucho por ti. (La madre vuelve con la leche caliente.)	J.	Do you see, Paul, how good your Mommy is? She does a lot for you. (The mother returns with the warm milk.)

Sra.	Aquí tienes tu leche, amorcito.		Sra.	Here is your milk, darling.
P.	No tengo sed ahora.		P.	I'm not thirsty now.
J.	Pablo, voy a meterte en la cama.		J.	Paul, I'm going to put you to bed.
P.	No. No tengo sueño. Quiero mirar la televisión.		P.	No. I'm not sleepy. I want to watch television.
J.	Pero es tarde. Son las ocho.		J.	But it's late. It's eight o'clock.
Sra.	¿Por qué hablar más con él, Juan? Si es un niño desobediente, no tengo la culpa *yo*. Es porque su padre no . . .		Sra.	Why talk to him any more, John? If he is a disobedient child, it's not *my* fault. It's because his father doesn't . . .
J.	Pablo, tu madre tiene razón. ¿Qué tienes esta noche?		J.	Paul, your mother is right. What's the matter with you tonight? (What do you have . . . ?)
P.	¿Qué tengo? Tengo un beso muy grande para mi papacito, porque le quiero tanto. (Abraza a su padre y le besa.)		P.	What do I have? I have a great big kiss for my daddy, because I love him so. (He hugs his father and kisses him.)
J.	Eres precioso, ¿lo sabes?		J.	You're precious, do you know it?
P.	Papacito, ¿por qué no miras la televisión conmigo? Hay muchos programas buenos esta noche. Mis favoritos.		P.	Daddy, why don't you watch television with me? There are many good programs on tonight. My favorites.
J.	No. Absolutamente no.		J.	No. Absolutely not.
P.	¿Sólo uno, nada más?		P.	Only one, that's all?
J.	Bueno . . . ¡Cómo no, hijo!		J.	Well . . . sure. Why not, son?
Sra.	(Desde la cocina) ¿Juan? Tengo lista la comida. ¿No vas a comer?		Sra.	(From the kitchen) John? I have dinner ready. Aren't you going to eat?
J.	Ahora no. No tengo hambre.		J.	Not now. I'm not hungry.
Sra.	¡Tú también! No voy a hablar más con los dos.		Sra.	You too! I'm not going to talk to either of you any more.
J.	(A Pablo) Vamos, hombre. La noche es nuestra. ¿Qué programa tenemos ahora?		J.	(To Paul) Come on, man. The night is ours. What program do we have on now?

Vocabulario Activo

cosa	*thing*	la sed	*thirst*
el hambre (*f.*)	*hunger*	todo	*everything*
la razón	*reason*	trabajo	*work*
bueno	*good*	malo	*bad*
caliente (adj.)	*warm*	frío	*cold*
fuerte	*strong*	listo	*ready*
largo	*long*	querido	*dear*
beber	*to drink*	meter	*to put*
comer	*to eat*	mirar	*to look at*

ahora	*now*	si	*if*
más	*(any) more, (any) longer*	sólo	*only*

aquí tiene(s)	*here is (here you have)*	en casa	*at home*
esta noche	*tonight*	todos los días	*every day*
¡Vamos!	*Come on! Let's go!*	No me importa.	*I don't care.*

Preguntas

1. ¿A dónde acaba de volver Juan Salinas?
2. ¿Dónde trabaja?
3. ¿Qué oye al entrar?
4. ¿Con quién habla su mujer?
5. ¿Dónde está Pablo? ¿Qué hace allí?
6. ¿Por qué dice la madre que Pablo es muy malo?
7. ¿Por qué no quiere comer el niño?
8. ¿Por qué no quiere beber la leche fría? ¿Y la leche caliente?
9. ¿Qué tiene Pablo para su papá?
10. ¿Cómo van a pasar la noche Pablo y Juan?

III. ESTRUCTURA

16. Three Important Irregular Verbs: *Tener, Venir, Decir*

tener (to have)	venir (to come)	decir (to say, tell)
tengo	vengo	digo
tienes	vienes	dices
tiene	viene	dice
tenemos	venimos	decimos
tenéis	venís	decís
tienen	vienen	dicen

Exercise

1. Give the appropriate verb forms:
   yo: tener, venir, decir
   él: venir, tener
   Uds.: venir, tener
   ella: decir
   ellos: decir
   Ud. y yo: tener, venir, decir
   tú: venir, tener
   vosotras: venir, decir

2. Diga en español:

 a. I have. b. They say. c. We aren't coming. d. Is Pablo coming tomorrow? e. His brothers aren't coming. f. They don't have time. g. I say. h. Are you coming, Juanito? i. Do they have my book? j. We have many. k. I'm coming, mother.

17. Idioms with *Tener*

Many very common idioms are formed with **tener**. These are some:

tener que + infinitive	to have to
Tengo que trabajar.	I have to work.
Tenemos que comer ahora.	We have to eat now.
tener (mucha) hambre	to be (very)hungry
tener (mucha) sed	to be (very) thirsty
tener (mucho) frío	to be (very) cold (a person)
tener (mucho) calor	to be (very) warm, hot (a person)
tener (mucho) sueño	to be (very) sleepy
tener miedo	to be afraid
tener razón	to be right
no tener razón	to be wrong
tener la culpa	to be at fault
Tiene hambre y frío	He's hungry and cold.
No, gracias. No tengo sed ahora.	No, thanks. I'm not thirsty now.
¿Tienes sueño, hijo?	Are you sleepy, son?
Tu madre tiene razón.	Your mother is right.
¿Qué tiene Ud.? ¿Qué tienes? etc.	What's the matter with you?

⌇ *Exercise*

Conteste en español:
 1. ¿Tiene Ud. hambre ahora? ¿Sed? ¿Frío? ¿Calor? ¿Sueño? ¿Miedo?
 2. ¿Tiene Ud. razón siempre? ¿Casi (almost) siempre?
 3. ¿Qué tiene Ud. que hacer esta noche?
 4. ¿A qué hora tiene Ud. que levantarse (get up) por la mañana?
 5. ¿A qué hora tienen que acostarse (go to bed) los niños?
 6. ¿Cuándo tenemos que terminar esta (this) lección?
 7. ¿Qué hace Ud. cuando tiene mucha hambre? ¿Cuando tiene sed? ¿Cuando tiene un examen?

18. Pronoun Objects of a Preposition

The pronouns that serve as object of a preposition are the same as the subject pronouns, except in the first and second person singular.

	SING.			PL.		
1	(para) **mí**	(for) me		(para) nosotros(as)	(for) us
2	**ti**	you		vosotros(as)	you
3	**él**	him		ellos	them
	ella	her		ellas	them (f.)
	Ud.	you		Uds.	you

Exception: **conmigo** with me   **contigo** with you (fam.)

All other forms remain regular after the preposition **con: con él, con ella, con Ud., con nosotros**, etc.

Exercise

Complete las frases siguientes y lea en voz alta:
1. La torta es para: them, her, me, you (polite pl.), us, him
2. Vienen con: me, you (fam. sing.), us, you (polite sing.), her
3. Vamos a: him, her, them, you (polite sing.), you (fam. pl.)
4. Hace mucho por: you (fam. sing.), us, me, them (f.)
5. No hablan de: me, you (fam. pl.), them, her, you (polite sing.), us (f.)

19. Possession with *de*

De plus a noun is used to express possession. Spanish does NOT use an apostrophe.

el sombrero de papá   Dad's hat
la hermana de Esteban   Steve's sister
los libros de la maestra   the teacher's books

Exercise

Diga en español:
1. my father's house.   2. Henry's brother.   3. the farmer's daughter.   4. the child's hands. 5. the kitchen door. 6. the children's teacher. 7. Paul's father. 8. the doctor's car. 9. my sister's dog.

20. Possessive Adjectives

Possessives, like all adjectives, must agree in gender and number with the noun they describe.
These are the possessive adjectives that modify a *singular* noun. (These forms always precede the noun and are never stressed with the voice.)

mi   *my*   nuestro, nuestra *our*
tu   *your*   vuestro, vuestra *your*
su   *his, her, your* (de Ud.), *their, your* (de Uds.)

mi padre *my father*   tu libro *your book*

mi tía *my aunt*   nuestro coche *our car*

vuestra casa *your house (belonging to all of you)*

su familia *his, her, your (de Ud.), their, your (de Uds.) family*

su amigo *his, her, your (de Ud.), their, your (de Uds.) friend*

When the possessive adjective describes a *plural* noun, **-s** is added to the singular ending.

mis padres *my parents*   nuestros coches *our cars*

tus libros *your books*   vuestras casas *your houses*

sus amigos *his, her, your* (de Ud., de Uds.), *their friends*

When clarification is necessary, **su** or **sus** may be replaced as follows:

su padre: el padre de él, de ella, de Ud., de ellos, de ellas, de Uds.

sus padres: los padres de él, de ella, etc.

These forms also place emphasis on the possessive, as if it were being stressed with the voice in English: *his* father, *your* father. Actually, when the language is used in context, there is much less need for clarification than in isolated sentences. And so, **su** or **sus** remain the normal form.

¿Cómo está Ud.? ¿Y su familia?   How are you? And your family?

No me gustan ni Ana ni su hermana.   I don't like either Ann or her sister.

Exercise

1. Place all the possessives (my, your, his, etc.) before the following nouns:
   libro, casa, padres, familia, lápiz, plumas, coche, escuela, profesores

2. Diga en español:
   our house, his parents, their mother, your (fam. sing.) friend, her family, her books, my pen, your (polite sing.) pens, her husband, your (polite pl.) sisters, their brothers

21. Adjectives

All adjectives must agree in gender and number with the noun they describe:

un niño alto, una niña bonita, muchos estudiantes, buenas noches

A. The feminine of adjectives
Adjectives that end in **-o** change **-o** to **-a**.

bueno, buena *good*   malo, mala *bad*

Adjectives of nationality that end in a consonant and adjectives that end in **-dor, -ón, -án,** or **-ín** add **-a**.

inglés, inglesa *English*   alemán, alemana *German*

hablador, habladora *talkative*   burlón, burlona *mocking*

All other adjectives have the same form for both masculine and feminine.

un beso grande *a big kiss*   una casa grande *a big house*

un libro fácil *an easy book*   una lección fácil *an easy lesson*

B. The plural of adjectives

Adjectives are made plural exactly as nouns are. Those ending in a vowel add **-s**; those ending in a consonant, **-es**. A final **z** becomes **c** before **-es**.

mujeres bonitas	*pretty women*	perfumes franceses	*French perfumes*
buenos días	*good day(s)*	momentos fugaces	*fleeting moments*

C. Adjectives used as nouns

Very often, an adjective is used with the definite or indefinite article to form a noun, especially adjectives of nationality, age, and financial position.

un joven	*a young man*	la pobre	*the poor woman*
los ricos	*the rich*	una inglesa	*an Englishwoman*

Exercise

1. Give the feminine singular and the masculine and feminine plural of the following adjectives:

    bonito, bueno, malo, difícil, inglés, francés, americano, alemán, grande, viejo, joven, bajo

2. Give the opposites:

    alta, difíciles, pequeñas, un joven, una rica, los viejos, un norteamericano

3. Make up sentences using some form of all the adjectives above.

22. The Position of Adjectives

Descriptive adjectives that serve to set off the noun from others of its kind usually follow the noun:

una camisa blanca	a white shirt

(The function of *white* is to *distinguish* this shirt from shirts of other colors.)

Important categories of distinguishing adjectives include those of color, shape, nationality, religion, or classification.

una mesa redonda	a round table
un sombrero negro	a black hat
las mujeres francesas	French women
una novela filosófica	a philosophical novel
una casa moderna	a modern house
una clase interesante	an interesting class
mi hermana casada	my married sister

Bueno and **malo** may be placed either before or after the noun. **Bueno** is shortened to **buen,** and **malo** is shortened to **mal,** before a masculine singular noun.

un buen muchacho	un muchacho bueno
una mala cosa	una cosa mala
buenas ideas	ideas buenas

Exercise

1. Diga en español:

   red shoes, a good idea, Spanish dances, my married friend, the Protestant religion, American tourists, a difficult lesson, a wonderful evening, a big dog, an expensive pen

2. Color words:

   azul *blue;* blanco *white;* violeta *violet;* rojo *red;* verde *green;* gris *grey;* amarillo *yellow;* pardo *brown;* negro *black*

   Ahora conteste en español:

   ¿De qué color es el océano? ¿El cielo? ¿Su camisa? ¿La sangre? ¿La hierba? ¿La cobardía? ¿De qué color son sus zapatos? ¿Las flores? ¿Sus ojos?

Review Exercise

Traduzca al español:

John Salinas has just returned home. His wife is speaking to their little boy, Paul.

Mrs. S.	Here comes your Daddy . . . John, is it you?
J.	Yes, dear. How are you?
Mrs. S.	Not very well. Paul is very bad.
J.	Impossible. Our Paul is a good boy.
Mrs. S.	But he doesn't want to eat anything.
P.	Hello, Daddy. What do you have for me?
Mrs. S.	Nothing today.
P.	Then you're a bad Daddy. My friend Henry's father brings him something every day.
J.	Paul, you have to eat. Don't you want to be a big strong man?
P.	I don't care. I'm not hungry.
J.	Then you have to drink a glass of milk.
P.	I'm not thirsty.
J.	All right. I'm putting you to bed.
P.	I'm not sleepy. I want to watch television.
Mrs. S.	John, you have to hit him, that's all. He's impossible.
J.	Your mother is right, Paul. What's the matter with you tonight? (What do you have . . . ?)
P.	What do I have? A big kiss for my Daddy . . . Now, Daddy, why don't you watch television with me? Tonight they have my favorite programs.
J.	No. Absolutely not.
P.	Only one program?
J.	Well . . . all right.
Mrs. S.	John, your dinner is ready.
J.	I'm not hungry, dear. I'm watching television with Paul. Come on, man, the evening is ours.

IV. CONVERSACIÓN

Vocabulario Especial: *La Casa* (The House)

cocina *kitchen*		**alcoba** *bedroom*	
el comedor *dining room*		estudio *study*	
baño, cuarto de baño *bathroom*		**cuarto** *room*	
sala *living room*		habitación *room*	
ventana *window*		el corredor *corridor, hall*	
puerta *door*		sótano *basement*	
la pared *wall*		el desván *attic*	
escalera *stairs*		armario *closet*	
piso *floor, story*		el estante *shelf*	
suelo *floor*		techo *roof*	

los muebles *furniture*

silla *chair*	el sofá *sofa*
mesa *table, desk*	alfombra *rug*
cama *bed*	escritorio *desk*
el sillón *armchair*	**lámpara** *lamp*
el tocador *dresser*	cómoda *chest (of drawers)*

utensilios *utensils*

cuchillo *knife*	toalla *towel*
el tenedor *fork*	servilleta *napkin*
cuchara *spoon*	**plato** *plate*
cucharita *teaspoon*	**taza** *cup*
la sartén *frying pan*	cafetera *coffee pot*
olla *pot*	el jabón *soap*
el tostador *toaster*	máquina de lavar *washing machine*
el batidor *mixer*	máquina de lavar platos *dishwasher*
el refrigerador *refrigerator*	horno *oven*

Discusión

1. ¿Vive Ud. en un apartamento o en una casa? ¿Cuántas habitaciones tiene? ¿Cuántos baños?
2. ¿En qué cuarto duerme Ud. (do you sleep)? ¿En qué cuarto come la familia?
3. ¿Qué muebles tiene Ud. en su alcoba? ¿Cuántos armarios? ¿Qué muebles hay en la sala?
4. ¿Dónde prepara su madre las comidas? ¿Qué aparatos eléctricos tiene?
5. ¿Cuántas ventanas tiene su sala? ¿Cuántas puertas tiene? ¿Cuántas lámparas?
6. ¿Dónde estudia Ud. en su casa? ¿Dónde está la televisión?
7. ¿En qué duerme Ud.? ¿En qué se sienta? ¿En qué come Ud.? ¿En qué escribe? ¿Qué usa Ud. para tomar sopa? ¿Carne? ¿Café? ¿Leche? ¿Legumbres? ¿Helados? ¿Pan?
8. ¿De qué color es su alcoba? ¿El comedor? ¿La cocina? ¿La sala? ¿El baño?
9. ¿Cuál es su cuarto favorito? ¿Cuál es el más grande (the largest)? ¿El más pequeño?

Lección Cuarta

I. PRONUNCIACION: *b, v*

B and **v** are *absolutely identical* in pronunciation. There is no difference whatever in the sound of **las aves** and **la sabes,** of **a ver** and **haber.** However, the pronunciation of **b** or **v** depends on its position in the sentence, phrase, or word.

1. When **b** or **v** appears at the beginning of a sentence or of a group of words spoken together, its sound is much like that of the English **b.** Repeat now exactly what you hear:

   Váyase. Ven acá. Vámonos. Voy. Véalo. Bésame.

   The same **b** appears after **m** or **n.** The **n,** incidentally, is pronounced **m** before **b** or **v.**

   hombre, tumba, cumbre, hambre, un vaso, un barrio, un vapor

2. In all other positions within the word or within the phrase, *b* or *v* is formed as follows: *Start to say b, but at the last moment, do not quite close your lips.* In this way, the breath continues to escape through the slight opening between the lips, and the sound does not have the explosive quality of the initial **b:**

   la vida, las aves, la sabes, a ver, haber, hablaba, iba, la vuelta.
   Quiero verle. Acabo de venir.

3. Notice the difference between the two pronunciations of **b** or **v** in the following phrases:

   Voy a verle. ¡Viva nuestra clase! Bébalo. Vuelva Ud. mañana.

46

II. MOMENTO DE VIDA

EN LA UNIVERSIDAD

Es la semana antes de empezar el nuevo semestre. Los estudiantes vienen a matricularse. Gloria y Anita están entre ellos.

(G. = Gloria; A. = Anita)

G. Anita, ¡qué contenta estoy de verte! ¿Cómo estás?

A. Regular. ¿Y tú?

G. Lo mismo. No hay nada nuevo.

A. Si estás libre el sábado, ¿quieres ir al cine conmigo?

G. No puedo. Salgo con Diego. ¿Sabes, Anita?, estoy tan cansada de ese muchacho, pero ¿qué puedo hacer?

A. Pues, yo estoy en peor situación. No tengo nada para el sábado. Creo que me pongo vieja.

G. Dime, ¿qué cursos vas a tomar?

A. No sé todavía. Tengo que hablar con el consejero.

G. No está hoy. Está enfermo.

A. Pues, ¿qué tomas tú?

G. Yo tengo un programa maravilloso: Sociología 10—El Matrimonio y la Familia; Música 5—Música Popular de Hoy; Educación 3—Juegos y Canciones para el Niño de 4 a 6 Años; Cerámica 2; y Tenis.

A. ¿No vas a estudiar una lengua extranjera?

G. Si yo no sé hablar bien el español, ¿cómo voy a aprender otra lengua?

A. Pues este semestre yo quiero aprender a hablar francés, y después de graduarme . . .

G. ¿Francés? ¿Por qué? Dicen que en Francia todo el mundo habla inglés. Además, es muy difícil. Hay que estudiar día y noche. ¿Por qué no tomas conmigo El Matrimonio y la Familia?

AT COLLEGE

It is the week before beginning the new semester. The students come to register. Gloria and Anita are among them.

G. Anita, how glad I am to see you! How are you?

A. All right. And you?

G. The same. There's nothing new.

A. If you're free on Saturday, do you want to go to the movies with me?

G. I can't. I'm going out with Jim. Do you know, Anita, I'm so tired of that boy, but what can I do?

A. Well, I'm in a worse situation. I don't have anything for Saturday. I think I'm getting old.

G. Tell me, what courses are you taking?

A. I don't know yet. I have to talk to the adviser.

G. He isn't in today. He's sick.

A. Well, what are *you* taking?

G. I have a marvelous program: Sociology 10—Marriage and the Family; Music 5—Popular Music of Today; Education 3—Games and Songs for the 4 to 6 Year Old Child; Ceramics 2; and Tennis.

A. Aren't you going to take a foreign language?

G. If I don't know how to speak Spanish well, how am I going to learn another language?

A. Well, this semester I want to learn to speak French, and after graduating . . .

G. French? Why? They say that in France everyone speaks English. Besides, it's very difficult. You have to study day and night. Why don't you take Marriage and the Family with me?

A. Porque estoy aquí para aprender. Además, estoy loca por el nuevo profesor de francés. Es de París. ¿Le conoces?

G. No sé. ¿Cómo es?

A. Es alto, tiene unos ojos azules como el cielo, pelo negro . . .

G. Un hoyuelo en la mejilla derecha?

A. Sí.

G. Le conozco. Es magnífico. ¿Estás segura de que enseña el Francés 1?

A. Sí. A las ocho de la mañana.

G. Imposible. A las ocho de la mañana todos los franceses están dormidos.

A. Este no.

G. Dicen que está casado y que su mujer es muy rica, y vieja.

A. ¿De veras? . . . Pues, en ese caso, estoy contigo en El Matrimonio y la Familia.

G. Conmigo no. Yo voy a estudiar el francés. Me gusta trabajar. Además, soy joven. Puedo esperar.

A. Because I'm here to learn. Besides, I'm crazy about the new French professor. He's from Paris. Do you know him?

G. I don't know. What is he like?

A. He's tall, he has eyes as blue as the sky, black hair . . .

G. A dimple in the right cheek?

A. Yes.

G. I know him. He's magnificent. Are you sure he's teaching French 1?

A. Yes. At 8 A.M.

G. Impossible. At 8 A.M. all Frenchmen are asleep.

A. Not this one.

G. They say he's married and that his wife is very rich, and old.

A. Really? . . . Well, in that case, I'm with you in Marriage and the Family.

G. Not with *me*. I'm going to take French. I like to work. Besides, I'm young. I can wait.

Vocabulario Activo

la canción	*song*	ojo	*eye*
el cine	*movies*	pelo	*hair*

aprender	*to learn*	esperar	*to wait (for); to hope; to expect*
enseñar	*to teach*	salir	*to go out*

cansado	*tired*	libre	*free*
casado	*married*	loco	*crazy*
contento	*glad, pleased*	maravilloso	*marvelous, wonderful*
derecho	*right (side)*	nuevo	*new*
enfermo	*sick*	seguro	*sure*

además (adv.)	*besides*	entre	*between; among*
antes de (prep.)	*before*	para	*in order to; for*
después de (prep.)	*after*	todavía	*still, yet*

¿Cómo es?	*What is he like?*	hay que + infin.	*one must, it is necessary*
¿De veras?	*Really?*	todo el mundo	*everybody*

○≈○ *Preguntas*

1. ¿Qué semana es? ¿Dónde estamos?
2. ¿Quiénes vienen a matricularse?
3. ¿Qué quiere hacer Anita el sábado?
4. ¿Con quién sale Gloria el sábado? ¿Le gusta?
5. ¿Por qué no puede hablar Anita hoy con su consejero?
6. ¿Qué cursos va a tomar Gloria?
7. ¿Por qué no puede aprender una lengua extranjera?
8. ¿Por qué dice Gloria que Anita no debe (shouldn't) estudiar el francés?
9. ¿Qué curso recomienda Gloria a su amigo?
10. ¿Por qué está interesada en estudiar el francés este semestre?
11. ¿Cómo es el nuevo profesor de francés?
12. ¿A qué hora enseña el francés uno?
13. ¿Por qué dice Gloria que es imposible?
14. ¿Qué sabe del profesor?
15. ¿Por qué decide Anita tomar El Matrimonio y la Familia?
16. ¿Por qué decide Gloria estudiar el francés?

III. ESTRUCTURA

23. The Present Indicative of *Estar* (to be), *Ir* (to go)

estar	ir
estoy	voy
estás	vas
está	va
estamos	vamos
estáis	vais
están	van

24. General View of *Estar*

In general, **estar** tells *where* or in what *position* or *condition* the subject is. (Recall: **ser** tells *who* or *what* the subject is, what it is like in essence.)

A. Estar states location or position

Estamos en la clase.	We are in the classroom.
La biblioteca está en la Calle Colón.	The library is on Columbus Street.
¿Dónde está mi libro?	Where is my book?
Están sentados.	They are seated.

☙ *Exercise*

Diga en español:

1. We are here.   2. He is there.   3. Where is your house?   4. My mother is seated near the window.   5. Madrid is in Spain.   6. Madrid is the capital of Spain.   (¡Ojo!)

B. Estar with adjectives

When *to be* links the subject with an adjective, **estar** indicates a *state*, a *condition*, or a *semblance of being* (what the subject feels like, looks like, happens to be like at a certain time).   Notice the difference from **ser**, which indicates essential qualities, basic characteristics.[1]

Está pálida.	She is (looks, has turned) pale.
Es pálida.	She is pale (characteristically).
Juan está malo.	John is sick (in bad condition).
Juan es malo.	John is bad.
¿Cómo está tu madre?	How is your mother (feeling)?
¿Cómo es tu madre?	What is your mother like?
La sopa está fría.	The soup is cold (its state).
La nieve es fría.	Snow is cold (its characteristic).
Las uvas están verdes.	The grapes are green (unripe).
Las uvas son verdes.	The grapes are green (color).

Age and financial position are considered characteristics, and so the adjectives **joven, viejo, rico,** and **pobre** normally take **ser.**

Mi padre no es viejo, pero no es joven tampoco.	My father isn't old, but he isn't young either.
¿Es rica tu tía?	Is your aunt rich?

When **estar** is used with **viejo** or **joven,** it implies an appearance of being old or young, and not the age itself.

Estás muy joven con ese traje.	You look very young in that outfit.

☙ *Exercise*

Diga en español:

1. I am tired.   2. We are young.   3. What's the matter?   You look pale.   4. Joan is a beautiful girl.   5. Joan, how pretty you look!   6. My coffee is cold.   7. Grass (La hierba) is green.   9. All my friends are tall.   10. How are you, Mrs. Aldecoa?   11. What is his sister like?   12. Her husband is very rich.

---

[1]Although conditions or states are often temporary, and characteristics are often permanent, temporary versus permanent is NOT the guiding factor in the use of **ser** and **estar.** A condition or state may be quite permanent: **Está muerto.** (He is dead.) **Siempre estoy cansado.** I am always tired. And a characteristic may change: **Era tan bueno, y ahora es tan malo.** He used to be so good, and now he's so bad.

25. The Preposition *a* After *Ir*, *Venir*, and Other Verbs

As we have seen, in Spanish, as well as in English, certain conjugated verb forms may be followed directly by the infinitive: **Quiero saber. ¿No pueden ir? Saben cantar.** However, verbs of direction, such as **ir** and **venir,** and verbs of teaching, learning, and beginning are followed by **a** before an infinitive. The preposition **a** increases the feeling of motion toward a goal.

Vamos a verle.	We are going to see him.
Viene a visitarme.	He is coming to visit me.
Aprenden a bailar.	They are learning to dance.
Ahora empiezas a comprender.	Now you're beginning to understand.

ᗊᔈ Exercise

Diga en español:

1. They are coming to speak to my father. 2. I am going to learn Spanish. 3. Russell is beginning (empieza) to read well now. 4. Aren't you going to sing? 5. I don't want to sing. 6. Our older son is learning to play the piano.

26. The Infinitive After Prepositions

The infinitive is the only verb form regularly used after a preposition.

antes de salir	before leaving
después de graduarme	after graduating
al entrar	upon entering
cansado de esperar	tired of waiting

ᗊᔈ Exercise

Complete las frases siguientes:

1. Vamos al cine (after finishing) el trabajo. 2. (Before eating), siempre viene a nuestra casa. 3. (Upon entering), llama a su mujer. 4. (Before going out), haga el favor de cerrar las ventanas. 5. Estoy tan cansada (of studying).

27. Irregular First Person Singular Verb Forms

In the present tense, most irregular verbs are irregular only in the first person singular. The other persons are regular. For example:

hacer (to make, to do): **hago,** haces, hace, hacemos, hacéis, hacen
salir (to go out, to leave): **salgo,** sales, sale, salimos, salís, salen
saber (to know a fact, to know how to, etc.): **sé,** sabes, sabe, sabemos, sabéis, saben
conocer (to know a person, to be acquainted or familiar with): **conozco,** conoces, conoce, conocemos, conocéis, conocen

∾ *Exercise*

Ahora complete las conjugaciones siguientes:

dar (to give): doy, das, _____, _____, _____, _____
valer (to be worth): valgo, vales, _____, _____, _____, _____
poner (to put): pongo, _____, _____, _____, _____, _____
caer (to fall): caigo, _____, _____, _____, _____, _____
traer (to bring): traigo, _____, _____, _____, _____, _____
ver (to see): veo, ves, _____, _____, _____, _____
producir (to produce): produzco, _____, _____, _____, _____, _____

28. *Saber* and *Conocer*

Saber and **conocer** both mean *to know*. However, their implications are very different. **Saber** means *to know a fact, to know* (something) *thoroughly or by heart*, or *to know how* (to do something).

¿Sabe Ud. que viene Alicia?	Do you know that Alice is coming?
No saben la lección.	They don't know the lesson.
Sabe tocar el piano.	He knows how to play the piano.

Conocer means *to be acquainted or familiar with* (a person, a place, or a thing). The English *recognize, cognizant,* and *incognito* are derived from the same source.

No conozco a su marido.	I don't know her husband.
¿Conoce Ud. este poema? —¿Si lo conozco?	Do you know (are you familiar with) this poem? —Am I familiar with it?
¡Lo sé de memoria!	I know it by heart!

∾ *Exercise*

Diga en español:

1. He doesn't know his lesson very well. 2. Do you know who that man is? 3. They know San Francisco because they live there. 4. Does your brother know how to swim?

NADAR

∾ (*Review Exercise*)

Traduzca al español:

The scene is the University. Two girls, Gloria and Anita, are among the students who are coming to register.

G. Hi, Anita. How are you? What's new?
A. Nothing. I don't even (ni siquiera) have a date for Saturday. Do you want to go to the movies with me?

G. I can't. I'm going out with Jim Saturday.

A. Again?

G. Really, I'm so tired of him, but it's better than staying home, isn't it?

A. You're right, Gloria. Tell me, what courses are you going to take this semester? My adviser isn't in today. He's home, sick.

G. I have a wonderful program. All the courses are easy. Why don't you take Marriage and the Family with me?

A. I don't know. I want to learn to speak French this term.

G. They say it's hard. You have to work.

A. I don't care. I like to work. Besides, I'm crazy about the new French professor. He's from Paris, and is he handsome (¡qué guapo es!)! He's tall and has blue eyes, black hair, a dimple . . . .

G. Yes, I know him. He's magnificent. Are you sure he's teaching French 1?

A. Yes, at 8 A.M.

G. You know, they say he's married, and that his wife is very rich, and old.

A. Well, in that case, I'm with you in Marriage and the Family.

G. Not with *me*. I'm going to take French. I like to work. Besides, I'm young. I can wait.

IV. CONVERSACION

Vocabulario Especial: *La Escuela* (School)

escuela elemental *grade school*	escuela superior *high school*
la universidad *college*	colegio *(junior) college*
el semestre *semester, term*	año escolar *school year*
el examen *examination*	el examen trimestral *midterm exam*
el día de fiesta *holiday*	las vacaciones *vacation*

leer *to read*	**aprender** *to learn*
estudiar *to study*	**enseñar** *to teach*
escribir *to write*	tomar un curso *to take a course*
salir aprobado *to pass*	ser suspendido *to fail*

libro de texto *textbook*	**biblioteca** *library*
periódico *newspaper*	librería *bookstore*
revista *magazine*	**mesa,** escritorio *desk*
novela *novel*	el drama *drama*
ensayo *essay*	comedia *play*
cuento *story*	**pizarra** *blackboard*
sala (de clase) *classroom*	**el papel** *paper*
cuaderno *notebook*	**el lápiz** *pencil*
pluma *pen*	**tiza** *chalk*

Facultades

Derecho *Law*

Educación, Enseñanza *Education*

Filosofía y Letras *Humanities*

Ciencias Naturales *Science*

Medicina *Medicine*

Ingeniería *Engineering*

Bellas Artes *Fine Arts*

Ciencias Económicas *or* Políticas
  Social Sciences

Cursos

(p)sicología *psychology*

filosofía *philosophy*

contaduría *accounting*

periodismo *journalism*

las bellas artes *fine arts*
  arquitectura *architecture*
  pintura *painting*
  escultura *sculpture*
  matemáticas *mathematics*
  aritmética *arithmetic*
  álgebra *algebra*
  geometría *geometry*
  trigonometría *trigonometry*

literatura *literature*

música *music*

el arte *art*

cursos comerciales (*or* de comercio)
  business courses

ciencias *sciences*
  biología *biology*
  física *physics*
  geología *geology*
  química *chemistry*
  botánica *botany*
  antropología *anthropology*

lenguas *languages*
  inglés, español, etc.

Profesiones

médico *doctor*

dentista *dentist*

profesor, maestro *teacher*

arquitecto *architect*

científico, hombre de ciencia *scientist*
  biólogo, químico, físico,
  zoólogo, botánico, etc.

abogado *lawyer*

músico *musician*

escritor *writer*

periodista *newspaperman*

contador *accountant*

Discusión

Me entiendo más

1. ¿Qué cursos toma Ud. este semestre? ¿Qué curso le interesa más? ¿Menos?
2. ¿Le gusta aprender lenguas extranjeras? ¿Por qué?
3. ¿Sabe Ud. otra lengua extranjera? ¿Cuál es?
4. ¿Para qué profesión se prepara Ud.?
5. ¿Qué ciencia considera Ud. la más importante de todas?
6. ¿Le gusta a Ud. el arte? ¿Prefiere Ud. el arte abstracto o el arte realista? ¿Quién es su pintor (painter) favorito?
7. ¿Le gusta la música? ¿Quién es su compositor (composer) favorito?
8. ¿Le gusta leer? ¿Qué tipo de libros prefiere Ud.? ¿Quién es su autor favorito?

9. ¿Qué usa Ud. para escribir? ¿En qué escribe Ud. sus lecciones?

10. ¿Qué tiene Ud. ahora en su escritorio?

11. ¿Lo pasa Ud. (Do you do) bien o mal en su curso de inglés? ¿De matemáticas? ¿De ciencia? ¿De historia? ¿De español?

12. ¿Cómo se llama su profesor (o profesora) de español? ¿De ciencia? ¿De japonés?

13. ¿Dónde hay una gran colección de libros, revistas, periódicos, etc.? ¿Va Ud. frecuentemente a la biblioteca? ¿Tiene Ud. muchos libros en casa? ¿Qué son?

14. ¿Cuándo empiezan las vacaciones de verano? ¿De Navidad (Christmas)? ¿De Pascuas (Easter)?

LECTURA II: LA ESPAÑA PRIMITIVA

Es el *siglo doce* antes de Cristo. España, dividida geográficamente, está dividida también en *más de mil* tribus independientes. Sus habitantes principales son los *iberos, hombres bajos y morenos*, de tipo mediterráneo, probablemente de origen indoeuropeo. Los iberos viven en
5 *pequeños pueblos fortificados construidos en las cuestas* de montañas. Poseen una civilización *bastante* alta, tienen *escultura*, cerámica, y casas *de piedra*, y saben cultivar la tierra, *labrar* metales, y hacer *vestidos y objetos de adorno personal. Sus dioses son* generalmente animales fantásticos, pero hay un culto especial del *toro*.
10 Los *celtas*, de origen nórdico, *más altos y rubios*, vienen a España en *olas* de emigración *desde* el siglo once *hasta* el siglo seis antes de Cristo. En general, son más primitivos *que* los iberos, y muy *guerreros*. *Al principio*, ocupan gran parte de la península, pero después de un periodo

twelfth century

more than a thousand
Iberians, short, swarthy
men

small fortified towns built
on the slopes

quite . . . sculpture
(of) stone . . . work . . .
clothes and objects of personal adornment. Their
gods are
bull

Celts . . . taller and blond

waves . . . from . . . till

than . . . warlike . . . At
first

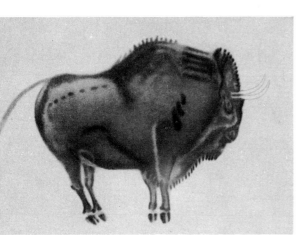

Figuras de animales prehistóricos encontradas en la Cuevas de Altamira. Santander, España. (Courtesy of the Spanish National Tourist Department)

de *lucha, son expulsados por* los iberos, y *se establecen* en la región que
15 es hoy Galicia y Portugal. En el este, y en partes del sur, *se mezclan* con los iberos, *formando así la raza celtibera*.
En el sur de la península, la ciudad de Tartesos, situada en la *boca* del río Guadalquivir, es famosa *por* sus metales—*oro, plata, cobre, y bronce*, y por sus excelentes *pesqueras. Los fenicios, grandes navegantes*
20 *y comerciantes* del norte de Africa, vienen a España a *comerciar con los tartesios. Fundan* la ciudad de Cádiz, y traen a España sus *conocimientos metalúrgicos y agrícolas*.
Los *griegos*, que representan en el mundo *antiguo* la *cima* de la cultura

fighting, they are expelled
by . . . they establish themselves
they mix
forming thus the Celtiberian
race.

mouth
for . . . gold, silver, copper,
and
bronze . . . fisheries. The
Phoenicians, great naviga-
tors and traders . . . do business with the Tartessians.
They found . . . metal-
lurgical and agricultural
knowledge
Greeks . . . ancient . . .
height . . .

La Dama de Elche, obra maestra del arte ibero, revela la influencia griega en la España primitiva. (Courtesy of the Hispanic Society of America)

europea, también mandan *colonos* y comerciantes a España. En el siglo siete *AC*, establecen ciudades en el este de la península. *Aunque son atacados muchas veces por* los primitivos habitantes, *les enseñan* nuevos métodos de agricultura (introducen *la vid y el olivo*), y fomentan el comercio y las artes—el teatro, la *poesía*, la filosofía. La Dama de Elche, *obra maestra* de la civilización ibera, *refleja claramente* la influencia griega.

Y pasa *el tiempo.* . . . Estamos ahora en el siglo seis AC. Los fenicios *piden ayuda militar a la gran ciudad de Cartago para sofocar* una rebelión de las tribus del sur. Y los *cartagineses* vienen a España. *Avanzan poco a poco por* la península, *viendo* en España no sólo una oportunidad de expansión imperialista, *sino* una base futura *para atacar a sus enemigos,* los romanos. *Y así sucede. A fines* del siglo tres AC, Cartago *está lista para* atacar. Manda una gran *fuerza* militar a España a ocupar todo el territorio y empezar *después* la invasión del *imperio* romano.

Las tropas cartaginesas marchan *hacia* el nordeste. *Llegan a* Sagunto, una ciudad celtibera *bajo* la protección de los romanos. Pero Sagunto resiste. *Por fin, casi muertos de hambre,* los heroicos habitantes *ponen fuego* a la ciudad, y los victoriosos cartagineses preparan el ataque *contra* Roma.

En el año 219 (doscientos diez y nueve) AC, el general cartaginés Haníbal *cruza* los Alpes con sus hombres (*aun lleva consigo elefantes traídos* de Africa), *e* invade el imperio romano. La lucha es terrible.

colonists

B.C. . . . Although they are 25 attacked many times by . . . they teach them

the grape vine and the olive

poetry
masterpiece . . . reflects clearly

30

time
ask the great city of Carthage for military aid to quell
Carthaginians . . . They advance bit by bit through seeing
but . . . for attacking their 35 enemies . . . And so it happens. Toward the end . . . is ready to

force

then . . . empire

toward . . . They reach

under 40

Finally, almost starved to death . . . set fire

against

crosses . . . he even has with 45 him elephants brought . . . and

Al principio *parece* que los cartagineses van a *ganar*, pero por fin, los romanos *vencen*, y en 218 (doscientos diez y ocho), mandan sus primeras legiones a ocupar España y *destruir* las bases de sus enemigos.

50 *Así empieza el primer* periodo decisivo en la formación cultural de España, un periodo en que la península va a *encontrar* su primer momento de unificación, un periodo en que España va a *hacerse* "más romana *que Roma misma.*"

it seems . . . win

are victorious

destroy

So begins the first

find

become

than Rome itself

Preguntas

1. ¿Cuántas tribus independientes hay en España en el siglo doce AC?
2. ¿Quiénes son sus habitantes principales en esa época?
3. ¿Cómo son los iberos? ¿De qué origen son? ¿Cómo viven? ¿Qué indicaciones tenemos de su cultura avanzada?
4. ¿Quiénes son los celtas? ¿Cuándo vienen a España? ¿Cómo son? ¿Dónde se establecen? ¿Qué ocurre en el este y en partes del sur?
5. ¿Qué es Tartesos? ¿Por qué es famosa esta ciudad?
6. ¿Quiénes son los fenicios? ¿Por qué vienen a España? ¿Qué ciudad fundan? ¿Qué traen a España?
7. ¿Qué representan los griegos en el mundo antiguo? ¿Qué mandan a España?
8. ¿Qué contribución hacen los griegos a los habitantes primitivos de España?
9. ¿Por qué vienen a España los cartagineses? ¿Qué ven en España? ¿Qué hacen en el siglo tres AC?
10. ¿Dónde está Sagunto? ¿Qué hacen sus habitantes cuando no pueden resistir más el ataque de los cartagineses?
11. ¿Qué preparan ahora los victoriosos cartagineses?
12. ¿Quién es el gran general cartaginés? ¿Qué hace en el año 219? ¿Qué trae consigo (does he bring with him)?
13. ¿Qué hacen los romanos después de vencer a (after conquering) los cartagineses?
14. ¿Qué periodo va a empezar ahora?

Lección Quinta

I. PRONUNCIACION: *t, d*

1. In Spanish **t** is a heavily dentalized sound. It is *not* followed by the slight breath that is heard after the English *t*. Instead, it is formed by placing the tip of the tongue directly behind the upper front teeth. Although the sound is not really voiced, it does not have the totally unvoiced, breathy quality of the English. Listen and repeat:

> te, tú, tanto, tonto, tinta, tetera, tintero, título,
> tener, tierra, tío, tía, total, torta, tortilla, tuerto

2. The pronunciation of **d** in Spanish depends largely on the position of the **d** within the word or phrase. At the beginning of a sentence or of any group of words, the **d** is a hard, strongly dentalized sound, formed in much the same manner as the **t**, but voiced:

> Dámelo. Diga. Duérmete. Doble. Durante el verano.

The same sound appears after an **n** or **l**:

> cuando, hablando, diciendo, balde, dando, caldo, donde

3. Between vowels, and in most other positions *within* the word or phrase, the Spanish **d** is very similar to the voiced *th* in the English words *these, they,* or *rather*. It is pronounced a little more softly than the English, and with the tongue protruding less between the teeth:

> nada, cada, todo, toda mi vida, hablado, vivido, tenido
> Voy a dárselo.

4. At the end of a word, the final **d** is formed like the *th*, but is barely sounded. It is so soft that in careless speech it often disappears completely:

> libertad, ciudad, unidad, voluntad, salud, hermandad, virtud, verdad

In the word **usted**, it disappears completely, even in correct speech. Of course, in the plural, the *th* sound remains:

> usted, ustedes

59

II. MOMENTO DE VIDA

EN EL AEROPUERTO

El aeropuerto está lleno de gente. Una señorita se acerca a la boletería, y empieza a hablar con el boletero.

AT THE AIRPORT

The airport is full of people. A young lady goes over to the ticket window, and begins to speak to the ticket seller.

(S. = Señorita; B. = Boletero; V. = Viajero)

S. Perdone, señor. ¿Puede Ud. decirme a qué hora sale el avión de las dos?

S. Pardon me, sir. Can you tell me what time the two o'clock plane leaves?

B. ¿El avión de las dos? Pues a las dos.

B. The two o'clock plane, miss? Why, at two o'clock.

S. ¡Dios mío! Estoy tan nerviosa que no sé lo que digo.

S. For heaven's sake! I'm so nervous that I don't know what I'm saying.

B. ¿Por qué está tan nerviosa?

B. Why are you so nervous?

S. Porque es la primera vez que hago un viaje en avión, y estoy medio muerta de susto.

S. Because it's the first time I'm taking a trip by plane, and I'm scared half to death.

B. No tenga cuidado, señorita. Hace quince años que volamos sin accidente. Nunca nos ocurre nada.

B. Don't worry, miss. We have been flying for fifteen years without an accident. Nothing ever happens to us.

S. Bueno . . . ¿Es aquí donde venden los boletos?

S. Well . . . Is this where they sell the tickets?

B. Sí. ¿Tiene Ud. su reservación?

B. Yes. Do you have your reservation?

S. Seguramente, aquí mismo en mi bolsa. . . . A lo menos, debe estar en mi bolsa. Tengo tantas cosas en ella que no puedo hallar nada. ¿Me hace el favor de esperar un momentito? . . . Aquí está . . . No. Es una carta de mi novio. ¡Qué mala letra tiene!, ¿no?
(Viene otro viajero, que parece tener mucha prisa.)

S. Surely, right here in my purse. . . . At least, it should be in my purse. I have so many things in it that I can't find anything. Will you please wait just a minute? . . . Here it is . . . No. It's a letter from my boyfriend. What an awful handwriting he has, doesn't he?
(Along comes another traveler, who seems to be very much in a hurry.)

V. Señorita, por favor . . . Tengo que tomar el avión de las dos y necesito boleto.

V. Miss, please . . . I have to catch the two o'clock plane and I need a ticket.

S. Un momentito, nada más. Busco mi reservación. Tiene que estar aquí.
(Abre la bolsa y vacía su contenido en la mesa del boletero.)
A ver . . . cartera, carmín, polvos, perfume, llaves, pañuelos, peine, pluma, gafas, aguja, hilo, guantes, cigarrillos,

S. Just a moment, that's all. I'm looking for my reservation. It has to be here.
(She opens her purse and empties its contents on the ticket seller's desk.)
Let's see . . . wallet, lipstick, powder, perfume, keys, handkerchiefs, comb, pen, eyeglasses, needle, thread, gloves, cig-

encendedor, fósforos—¿sabe Ud.?, mi encendedor nunca funciona bien—aspirinas, laca para las uñas, horquillas, rolos—¿qué es esto? Ah, sí, el bozal del perro. ¡Qué suerte! ¡Hace días que lo busco!

V. Esto no va a acabar nunca. Por favor, señorita. . . .

S. Señor, es Ud. muy poco caballero. . . . A ver . . . ¡ay de mí! Ahora recuerdo. ¡La reservación está en mi bolsa roja!

B. Voy a ver si encuentro otra copia aquí. Va a tomar tiempo, pero . . . ¿Cómo se llama Ud.?

S. Alicia Mendoza

B. ¿Y su dirección?

S. Avenida 5 de Mayo, número 10.

V. Por favor, ¿no me deja Ud. comprar el boleto? Cierran las puertas en cinco minutos y . . .

B. Pero señor, esta señorita también quiere tomar el avión de las dos. A ver . . . Luria . . . Maldonado . . . Martínez . . . Mendoza, Alberto . . . Mendoza, Alicia. ¡Por fin! Pero señorita, lo siento mucho. Su reservación no es para hoy. Es para mañana.

V. Señorita, me quedan sólo dos minutos.

S. ¿Mañana? ¡Imposible! No es hoy el 5 de abril?

B. No, señorita, es el 4.

S. ¿El 4? ¿Está Ud. seguro?

V. (Fuera de sí) Sí, el 4, 4—1, 2, 3, 4.

S. Ud. cuenta muy bien. Pero ¿sabe Ud., señor? Es Ud. muy nervioso. Debe hablar con su médico.

V. ¿Con mi médico, dice Ud.? Mejor con mi abogado, porque si pierdo el avión . . . ¡Ay! ¡Ya son las dos! ¿Qué hago ahora? ¡Dios mío! ¡Qué mujer! ¿Nervioso, yo?

(Se vuelve al boletero.)
Dígame, señor, por favor, dígame . . . ¿a qué hora sale el avión de las cinco?

arettes, lighter, matches—you know? my lighter never works right—aspirin, nail polish, hairpins, curlers—What's this? Oh yes, the dog's muzzle. What luck! I've been looking for it for days!

V. This is never going to end. Please, miss . . .

S. Sir, you're not very much of a gentleman. . . . Let's see . . . oh my! Now I remember. The reservation is in my red purse!

B. I'm going to see if I can find another copy here. It's going to take time, but . . . What is your name?

S. Alice Mendoza.

B. And your address?

S. 10, Fifth of May Avenue.

V. Please, won't you let me buy my ticket? They're closing the gates in five minutes and . . .

B. But sir, this young lady also wants to take the two o'clock plane. Let's see . . . Luria . . . Maldonado . . . Martinez . . . Mendoza, Albert . . . Mendoza, Alice. At last! But miss, I'm very sorry. Your reservation isn't for today. It's for tomorrow.

V. Miss, I have only two minutes left.

S. Tomorrow? Impossible! Isn't today April 5?

B. No, miss, it's the fourth.

S. The fourth? Are you sure?

V. (Beside himself) Yes, the fourth, fourth —1, 2, 3, 4.

S. You count very well. But do you know, mister? You're very nervous. You should speak to your doctor.

V. To my doctor, you say? You mean to my lawyer, because if I miss the plane . . . Oh my! It's two o'clock already! What do I do now? Good Lord! What a woman! Nervous, me?
(He turns to the ticket seller.)
Tell me, mister, please, tell me . . . what time does the five o'clock plane leave?

Vocabulario Activo

bolsa *purse*	la	gente *people*
cartera *wallet*	la	llave *key*
cigarrillo, cigarro *cigarette*		novio *boyfriend, fiancé*
el encendedor *lighter*	el	peine *comb*
fósforo *match*		pañuelo *handkerchief*
tiempo *(period of) time*	una vez *a time, an instance*	

acabar *to end, finish*	comprar *to buy*
buscar *to look for*	vender *to sell*

lleno de *full of, filled with*	otro *another*
medio *half (+noun or adj.)*	primero *first*
muerto *dead*	rojo *red*

sin *without*	ya *already*

a ver *let's see*	tener (mucha) prisa *to be in a hurry*
No tenga cuidado. *Don't worry.*	por fin *finally*

❧ *Preguntas*

1. ¿Cuánta gente hay en el aeropuerto?
2. ¿Quién se acerca a la boletería?
3. ¿Qué pregunta al boletero?
4. ¿Por qué está nerviosa la señorita?
5. ¿Qué dice el boletero para asegurarla (to reassure her)?
6. ¿Ya tiene su boleto la señorita?
7. ¿Dónde busca su reservación?
8. ¿Qué artículos tiene en la bolsa?
9. ¿Qué otra persona se acerca a la boletería?
10. ¿Dónde está la reservación de la señorita?
11. ¿Dónde vive ella?
12. ¿Por qué está tan impaciente el otro viajero?
13. ¿Cuánto tiempo le queda para coger el avión?
14. ¿Para qué día es la reservación de la señorita?
15. ¿Y qué día es hoy (en el cuento)?
16. ¿Por qué dice la señorita que el otro viajero debe hablar con su médico?
17. ¿Qué dice el viajero a la señorita?
18. ¿Qué pregunta entonces el viajero al boletero?
19. ¿Por qué cree Ud. que tiene que coger el avión de las dos el otro viajero? ¿Qué profesión, oficio, o negocio cree Ud. que tiene?

III. ESTRUCTURA

29. Radical Changing Verbs

Radical changing verbs are those whose *root* vowel, **e** or **o**, becomes a diphthong when stressed. Although these verbs do not belong to what are normally considered regular conjugations, they are not really irregular because they all conform consistently to a pattern. Radical changing verbs are of two general types: **-ar** or **-er** verbs and **-ir** verbs. The present indicative of *all* radical changing verbs conforms to the same pattern of changes. Generally, **e** becomes **ie,** **o** becomes **ue** when stressed. A few **-ir** verbs change **e** to **i**. This is the pattern:

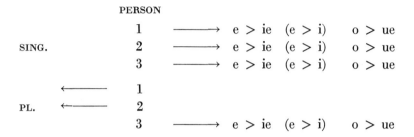

	PERSON			
	1	⟶ e > ie	(e > i)	o > ue
SING.	2	⟶ e > ie	(e > i)	o > ue
	3	⟶ e > ie	(e > i)	o > ue
⟵	1			
PL. ⟵	2			
	3	⟶ e > ie	(e > i)	o > ue

Say the following conjugations in rhythm (1, 2, 3 →; ← 1, 2; and back →):

cerrar (to close)	**perder** (to lose)	**sentir** (to feel, regret)
c*ie*rro	p*ie*rdo	s*ie*nto
c*ie*rras	p*ie*rdes	s*ie*ntes
c*ie*rra	p*ie*rde	s*ie*nte
cerramos	perdemos	sentimos
cerráis	perdéis	sentís
c*ie*rran	p*ie*rden	s*ie*nten

contar (to count)	**volver** (to return)	**dormir** (to sleep)
c*ue*nto	v*ue*lvo	d*ue*rmo
c*ue*ntas	v*ue*lves	d*ue*rmes
c*ue*nta	v*ue*lve	d*ue*rme
contamos	volvemos	dormimos
contáis	volvéis	dormís
c*ue*ntan	v*ue*lven	d*ue*rmen

Pedir (to ask for, request) and **servir** (to serve) are two **-ir** verbs that change the stressed **e** to **i**.

pedir	**servir**
p*i*do	s*i*rvo
p*i*des	s*i*rves
p*i*de	s*i*rve
pedimos	servimos
pedís	servís
p*i*den	s*i*rven

Some irregular verbs are radical changing in the present:

querer (to want; to like someone)   **poder** (to be able)

qu*ie*ro	p*ue*do
qu*ie*res	p*ue*des
qu*ie*re	p*ue*de
queremos	podemos
queréis	podéis
qu*ie*ren	p*ue*den

Exercise

Give the proper present tense forms as indicated:

1. yo: cerrar, perder, dormir, sentir, encontrar, mover, poder
   ella: morir, pedir, contar, entender, querer, sentir
   tú: perder, querer, dormir, encontrar, poder, volver
   nosotros: querer, perder, contar, sentir, mover
   Ud.: cerrar, entender, dormir, poder, volver
   ellos: perder, servir, pedir, encontrar, querer

2. él (dormir), María y yo (contar), tú (cerrar), Ud. (pedir), vosotros (mover), yo (volver), Juan y yo (entender), Ud. (poder), mis amigos (querer), las mujeres (servir), el niño (perder)

Rearrange the following subjects, verbs, and phrases to form complete, logical sentences:

a. Mis padres	sirven Uds.	su boleto.
b. Esta mujer sólo	me piden mucho	la lección?
c. ¿Por qué	cuenta muy bien	las ventanas?
d. La señorita	no quieren	comprender?
e. El niñito	piensa en	hacer nada.
f. ¿Quién	no cierran	dinero.
g. Mi mujer y yo	no encuentra	casarse.
h. ¿A qué hora	¿empiezas a	de 1 a 20.
i. Hay personas que	perdemos	la comida?
j. Amigos,	siento	de Europa esta tarde.
k. Esos perezosos	no duermen	verla tan triste.
l. Yo, más que todos,	vuelven	por la noche.
m. Uds. siempre	no entiende	venir mañana?
n. Pepe,	¿podéis	paciencia con ella.

30. Further Uses of the Present Tense

Recall: the present tense describes all actions that are still happening now (even if they began some time ago in the past).

A. Time expressions with **desde** (since)

The present tense is used for an action that has been going on *since* a certain date or time and still *is*. (The English *has been* is misleading.)

Estamos casados desde junio.   We have been married since June (and still are).

Viven aquí desde 1956.   They have been living here since 1956.

¿Desde cuándo le conoce Ud.?   Since when have you known him?

B. Time expressions with **hace**

When an action *has been going on for a period of time*, and still *is*, **hace** . . . **que** (now it makes . . .) states the length of time, and the following verb is, of course, in the present.

Hace un mes que estudio el español.   I have been studying Spanish for a month (and still am).

Hace quince años que volamos.   We have been flying for fifteen years.

¿Cuánto tiempo hace que trabaja?   How long has he been working?

Hace días que lo busco.   I have been looking for it for days.

⤳ *Exercise*

Diga en español:

1. Richard has been living with us for six months. 2. They have been traveling in Europe for a year. 3. How long have you been studying Spanish? —I have been studying Spanish for three years and I'm still in Spanish 1. 4. She has been looking for the letter for five days. 5. He has known us for many years. 6. We have been waiting (esperar) here since one o'clock. 7. He has been sick since Sunday.

C. The present tense to express future

The present tense is often used to give a sense of immediacy to a future action.

Te veo mañana.   (I'll) see you tomorrow.

El año que viene vamos a Europa.   Next year we'll go to Europe.

¿Me hace el favor de . . . ?   Will you please . . . ?

¿Qué hago ahora?   What shall I do now?

⤳ *Exercise*

Diga en español:

1. I'll call you tomorrow, Frank. 2. He says that he'll come tonight. 3. Will you please pass the salt and pepper? 4. They'll be here in ten minutes. 5. She'll arrive this afternoon.

31. First and Second Person Object Pronouns

	DIRECT	INDIRECT	REFLEXIVE
me	me	to me	myself, to myself
te	you (fam.)	to you	yourself, to yourself
nos	us	to us	ourselves, to ourselves
os	you (fam. pl.)	to you	yourselves, to yourselves

Me ve. Me habla. Pero no me quiere.
  Me digo: Me mato.
	He sees me. He talks to me. But he doesn't
	  love me. I say to myself: I'll kill myself.

Te conozco bien.	I know you well.
No te conoces.	You don't know yourself.
Nunca nos ocurre nada.	Nothing ever happens to us.
Nos divertimos con ellos.	We enjoy ourselves with them.
Os digo, niños, . . .	I tell you, children, . . .

32. Position of Object Pronouns in Relation to the Verb

Object pronouns are placed immediately before a conjugated verb form, except with a direct affirmative command.

No me da nada.	He doesn't give me anything.
Nos hablan demasiado.	They talk to us too much.
Te prometo que . . .	I promise you that . . .
Me divierto.	I'm enjoying myself.

They MUST be attached to the end of a direct affirmative command.

Dígame . . .	Tell me . . .
Espérenos.	Wait for us.
Escríbame.	Write to me.

They usually are attached to the end of an infinitive.[1]

Vienen a vernos.	They're coming to see us.
Voy a visitarte.	I am going to visit you.

ॐ *Exercise*

Diga en español:

1. He sees us very often (a menudo). 2. Mary, when is Johnny calling you? 3. I tell you, friends . . . 4. We are going to give you a present, Frankie. 5. They don't know me yet. 6. I'm talking to you. 7. Are they waiting for me? 8. We are preparing ourselves. 9. Does he know you? 10. Tell us . . . 11. Write to me tomorrow. 12. Please pass me the salt.

33. Cardinal Numbers 11–20

11	once	16	diez y seis (dieciséis)[2]
12	doce	17	diez y siete (diecisiete)
13	trece	18	diez y ocho (dieciocho)
14	catorce	19	diez y nueve (diecinueve)
15	quince	20	veinte

---

[1]Or a present participle.

[2]The one word forms for 16–19 are equally correct and occur frequently, especially in business letters. However, the three word forms involve no spelling changes or written accents, and so may be preferable for student use.

Exercise

Diga en español:
a. $2 \times 10 = 20$ b. $15 - 8 = 7$ c. $12 + 7 = 19$ d. $5 \times 3 = 15$ e. $19 - 9 = 10$
f. $13 + 4 = 17$ g. $11 + 3 = 14$ h. $6 \times 3 = 18$

Review Exercise

Traduzca al español:

There are many people at the airport. A young lady is speaking to the ticket seller.

(L. = Lady; T. = Ticket seller; Tr. = Traveler)

L. Mister, can you tell me at what time the two o'clock plane leaves?

T. At two o'clock, of course.

L. I'm so nervous that I don't know what I'm saying. It's the first time that I'm taking a trip by plane.

T. Don't worry, miss. We have been flying for many years without an accident. Nothing ever happens to us. Do you have your reservation?

L. Yes, right here in my pocketbook. Let's see . . . comb, eyeglasses, handkerchief, cigarettes, matches, my lighter that never works, needle, thread, hairpins, nail polish . . . What's this? My boyfriend's pen knife! Good! I have been looking for his pen knife for a week!
(Another traveler comes along.)

Tr. Please, miss, I have to catch the two o'clock plane.

L. Just a minute, sir. I'm looking for my reservation. Let's see now . . . pen, pencil, gloves, aspirins, wallet, notebook . . .

Tr. Miss, if I miss the plane, I don't know what I'll do.

L. Oh my! Now I remember. My reservation is in my red purse at home.
(She turns to the ticket seller)
Do you have a copy here?

T. I'll see, but it's going to take time.
(He looks for the reservation and the minutes pass.)

Tr. Please, mister, won't you sell me my ticket?

T. You have to wait, sir. Good. Here it is. But miss, I'm sorry. It's for tomorrow.

L. Impossible. Isn't today the fifth?

Tr. No, it's the fourth, the fourth, 1, 2, 3, 4. Good Lord! My plane has just left!

L. Mister, you're a very nervous man. You ought to speak to your doctor.

Tr. Me? Nervous?
(He turns to the ticket seller.)
Please, mister, tell me, what time does the five o'clock plane leave?

IV. CONVERSACION

Vocabulario Especial: *Viajes* (*Trips*)

medios de transporte *means of transportation*

el coche, carro, auto(móvil) *car*
el avión *airplane*
el autobús; colectivo (Sp. Am.) *bus*
el vapor *steamship*
el bote *small boat, rowboat*
el tranvía *trolley*
el coche de alquiler *hired car*
  subterráneo, metro *subway*
  caballo *horse*

el tren *train*
helicóptero *helicopter*
el camión *truck; bus (Mex.)*
barco *ship*
lancha *launch*
el taxi *taxi*
el ferrocarril *railroad*
submarino *submarine*
burro *donkey*

en coche *by car*
en avión, por avión *by plane*
por mar *by sea*
en tren *by train*
a caballo *on horseback*
a pie *on foot*

hacer un viaje *take a trip*
hacer una parada *make a stop*
hacer escala *stop (at a port)*
despegar *take off (a plane)*
aterrizar *land (a plane)*
atracar *dock*

carretera *highway*
camino *road*
la estación *station*
el salón de espera *waiting room*
horario *timetable*
boletería (Sp. Am.); taquilla (Sp.) *ticket office*

el muelle *dock, pier*
aeropuerto *airport*
parada (de autobús) *bus stop*
portero *porter*
boleto (Sp. Am.); billete (Sp.) *ticket*
boletero (Sp. Am.); taquillero (Sp.)
  ticket seller

alojamiento *lodging*

el hotel *hotel*
el mesón, la posada *inn*
el zaguán *lobby*
maleta *suitcase*
el equipaje *baggage*
agua corriente *running water*
un cuarto doble (*or* para dos) *double room*

la recepción (*hotel*) *desk*
el botones *bellhop*
propina *tip*
el baúl *trunk*
la calefacción (*steam*) *heat*
aire acondicionado *air conditioning*
un cuarto para uno *single room*

Discusión

1. ¿Ha hecho Ud. alguna vez (Have you ever taken) un viaje? ¿A dónde?
2. ¿Qué medio de transporte le gusta más?
3. ¿Ha volado Ud. alguna vez? (Have you ever flown?) ¿Cuándo? ¿A dónde?

4. Para ir (To go) a Europa, ¿prefiere Ud. ir en avión o por mar? Para ir a California (o a Nueva York), ¿prefiere Ud. ir en coche, en tren, o en avión?

5. ¿Sabe Ud. manejar (drive) un coche? ¿Maneja Ud. bien? ¿Cuánto tiempo hace que maneja Ud.?

6. ¿Sabe Ud. conducir (drive) una lancha de motor? ¿Un avión? ¿Quiere Ud. aprender a conducir un avión?

7. En su opinión, ¿quiénes son generalmente más ordenados (orderly, efficient), los hombres o las mujeres? ¿Quiénes son más egoístas (selfish)? ¿Más razonables (reasonable)? ¿Más sinceros?

8. (A las muchachas) ¿Qué tiene Ud. ahora en la bolsa?

9. (A los hombres) ¿Qué tiene Ud. ahora en el bolsillo (pocket)?

Fill in:

PASAPORTE

Nombre _____   _____   _____
                  APELLIDO   NOMBRE DE PILA   INICIAL

Dirección _____   _____   _____   _____
                  CALLE   NUMERO   CIUDAD   PAIS

Fecha de Nacimiento _____ de _____ de _____
                                    DIA   MES   AÑO

Lugar de Nacimiento _____   _____
                                PUEBLO O CIUDAD   PAIS

Ciudadanía _____

Estado Civil ____Casado(a)   ____Soltero(a)   ____Viudo(a)   ____Divorciado(a)

Nombre de su Esposo (Esposa) _____   Hijos _____

Profesión u Oficio _____

Altura _____   Peso _____

Ojos _____   Pelo _____

Países que Piensa Visitar:

Razón del Viaje:

Ponga aquí una
foto reciente

REPASO I

I. Tema: ¿Qué Es un Español?   (Tape)
   Vocabulario, p. 390

II. Dictado y Ejercicio de Comprensión (Tape)

III. Repaso de Gramática

   A. Articles

   > Definite: el, la; los, las   *But:*   el agua
   > Indefinite: un, una   *But:*   un alma

   B. Contractions

   > a + el = al   de + el = del

   C. Present Indicative

   1. Regular verbs

hablar	**comer**	**vivir**
hablo	como	vivo
hablas	comes	vives
habla	come	vive
hablamos	comemos	vivimos
habláis	coméis	vivís
hablan	comen	viven

   2. Irregular verbs

   > ser: soy, eres, es, somos, sois, son
   > tener: tengo, tienes, tiene, tenemos, tenéis, tienen
   > venir: vengo, vienes, viene, venimos, venís, vienen
   > decir: digo, dices, dice, decimos, decís, dicen
   > estar: estoy, estás, está, estamos, estáis, están
   > ir: voy, vas, va, vamos, vais, van

   3. Irregular first person singular

dar doy	traer traigo
hacer hago	conocer conozco
salir salgo	producir produzco
valer valgo	saber sé
poner pongo	ver veo
caer caigo	

70

4. Radical changing verbs

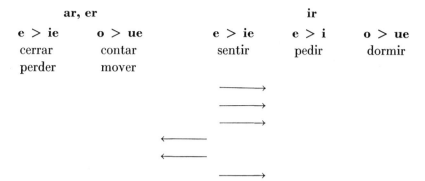

ar, er		**ir**		
e > ie	**o > ue**	**e > ie**	**e > i**	**o > ue**
cerrar	contar	sentir	pedir	dormir
perder	mover			

D. Pronouns

1. Subject and object of preposition

SUBJECT	OBJECT OF PREPOSITION
yo	(de) mí
tú	ti
él	
ella	
Ud. (usted)	
nosotros(as)	
vosotros(as)	
ellos	
ellas	
Uds. (ustedes)	

But: conmigo, contigo

2. First and second person objects of verb

DIRECT	INDIRECT		REFLEXIVE
me	me	to me	myself, to myself
te	you	to you	yourself, to yourself
nos	us	to us	ourselves, to ourselves
os	you	to you	yourselves, to yourselves

3. Placement of object pronouns
   a. Before a conjugated verb form (except a direct affirmative command):

   Me conoce.   Nos hablan.
   Te quiero.   Os ve.

   b. Attached to the end of (1) a direct affirmative command, (2) an infinitive, (3) a present participle:

   Dígame . . .   Va a llamarnos . . .

E. Ser and Estar

ser	**estar**
(Who–What)	(Where–How)

ser	estar
1. Joins subject with noun or pronoun	1. Location
2. Origin, material, destination, possession	2. Position
3. With adjectives: *characteristic, quality*	3. With adjectives: *state, condition, semblance of being*

F. Adjectives

1. All adjectives agree with the noun they describe.
2. Possessives are placed before the noun and agree with the noun in gender and number.

    mi(s)   *my*
    tu(s)   *your*
    su(s)   *his, her, your* (de Ud., de Uds.), their

    nuestro(a), nuestros(as)   *our*
    vuestro(a), vuestros(as)   *your (belonging to all of you)*
    su(s)   *his, her, your (de Ud., de Uds.), their*

3. Position of adjectives

Descriptive adjectives that set off the noun from others of its type *follow* the noun. **Bueno, malo, joven, viejo** may either precede or follow.

IV. Composición

Escriba una composición sobre:
1. Mi Familia
2. Mi Amigo Favorito
3. Mi Casa
4. Un Viaje
5. La Escuela
6. La Profesión que Me Interesa Más
7. Comidas
8. Gentes y Países del Mundo
9. Yo

LECTURA III: LA ROMANIZACION DE ESPAÑA

La romanización de España no es inmediata. Aunque los romanos entran en España en el año 218 AC y *expulsan a* los cartagineses *hacia* 206 AC, todavía tienen que *pacificar a* los *naturales*. Los iberos y celtiberos del centro y del norte, determinados a conservar su independencia, resisten el *avance* de las legiones romanas, y los romanos responden *cada vez con mayor crueldad*. España es ahora una provincia romana, y tiene que aceptar el *dominio* de Roma. Las luchas continúan. *A mediados* del siglo dos AC, un *jefe* celtibero, el *pastor* Viriato, *inicia una serie* de ataques contra los romanos, y *sale* victorioso. Sus ataques continúan *hasta que los altivos romanos firman una paz* ignominiosa con las fuerzas *guerrilleras* del jefe español. Pero una noche, *mientras* Viriato duerme, un *traidor pagado por los romanos le clava un puñal*, y la *muerte* del primer héroe español *resuena por* la península.

Los romanos *se dirigen* ahora a Numancia, una pequeña ciudad fortificada en el norte de Castilla. Es el año 134 AC. Hace más de veinte años que Numancia es el núcleo de la resistencia contra los romanos. Los *soldados* romanos empiezan a tener miedo y buscan *cualquier* pretexto para no tener que servir en España. Ahora Roma quiere *vengarse*. Manda un *ejército* de 60,000 (sesenta mil) hombres *para poner cerco* a la ciudad. *Por* ocho meses, los *numantinos* resisten. Mueren de hambre y de pestilencia, *pero no se rinden*. Por fin, *obligados* ya a comer *cuero*

expel . . . by

pacify . . . natives

advance   5

with more and more cruelty

rule . . . Around
the middle . . . chief . . .
shepherd . . . launches a

series . . . comes out
until the haughty Romans 10
sign a peace

guerrilla . . . while
traitor paid by the
Romans stabs him

death . . . resounds through

turn

15

soldiers . . . any

to take revenge

army . . . to set siege

For . . . Numantians   20
they don't surrender
obliged . . . cooked leather

El acueducto de Segovia, estructura romana en uso todavía. (Courtesy of the Spanish National Tourist Department)

Teatro romano, Mérida, España. (Courtesy of the Spanish National Tourist Department)

cocido y los cadáveres de sus *compañeros*, los numantinos (como sus *antecesores* saguntinos) prefieren el suicidio colectivo. Ponen fuego a sus casas y *se arrojan unos a las llamas, otros contra sus espadas*. Así cae
25 la ciudad. Aunque continúan *las guerrillas por unos cien* años más, España es ahora parte del imperio romano.

Los seis siglos de la dominación romana *dejan su sello* en toda la historia de España. Los romanos *construyen* nuevas ciudades, cada una con su plaza central. Construyen *edificios* públicos y particulares, y
30 *puentes*, y templos y baños y acueductos y *caminos*. Y los soldados y colonos que pasan por esos caminos traen *consigo* su lengua—el latín vulgar[1]—que forma la base del español que hablamos hoy y de todas las lenguas romances. Los romanos introducen su arte, su sistema de *leyes*, su concepto democrático del *municipio*, sus instituciones eco-
35 nómicas y sociales. Y la tolerancia romana permite el *crecimiento* de la *fe* cristiana.

Margin glosses:
companions
ancestors
some hurl themselves into the flames, others against their swords
the guerrilla warfare for about a hundred
leave their stamp
build
buildings
bridges . . . roads
with them
laws . . . municipality
growth
faith

---

[1] La lengua hablada por el pueblo y un tanto (somewhat) diferente del latín clásico de los escritores y grandes oradores.

España también contribuye a la cultura romana. Nacen en España tres emperadores romanos, *Trajano*, *Adriano*, *y Teodosio*, y muchos grandes escritores latinos, entre ellos Séneca, *Lucano*, y Marcial. Y España contribuye a Roma la *riqueza* de sus minas, su *ganadería*, su agricultura, y sus *recursos* naturales. España, la primera colonia romana, *llega a ser* la más importante y la *influencia* de esa época *se siente* hasta hoy.

Trajan, Hadrian, and Theodosius

Lucan

wealth . . . stock raising   40

resources

becomes . . . mark . . . is felt

Puente romano, Salamanca. (Courtesy of the Spanish National Tourist Department)

✑ *Preguntas*

1. ¿Cuándo entran en España los romanos? ¿En qué año expulsan a los cartagineses?
2. ¿Qué hacen los iberos y celtiberos del centro y del norte?
3. ¿Quién es Viriato? ¿Qué hace? ¿Cómo muere?
4. ¿Qué es Numancia? ¿Por qué deciden los romanos atacar esta ciudad?
5. ¿Cuántos soldados romanos ponen cerco a Numancia? ¿Qué hacen los numantinos?
6. ¿Por cuánto tiempo continúan todavía las guerrillas?
7. ¿Qué construyen en España los romanos?
8. ¿Qué es el latín vulgar? ¿Qué importancia tiene para nosotros?
9. ¿Qué más (What else) introducen en España los romanos?
10. ¿Qué evidencia tenemos de la completa incorporación de España en el imperio romano?
11. ¿Qué grandes escritores latinos nacen en España?
12. ¿Qué más contribuye España a Roma?
13. ¿Cuántos siglos dura la dominación romana de España?

Lección Sexta

I. PRONUNCIACION: *r, rr*

1. **r** in Spanish is formed by placing the tip of the tongue very gently on the hard palate. When the breath hits it forcibly, it causes the tongue to bounce against the hard palate. Important: Remember that the lips MUST NOT MOVE, as they do in English. Listen and repeat:

> pero, para, cara, toro, cero, mero, moro, torero, coro, caro,
> muro, puro, comer, por, andar, hablar, decir, poner, ahora

2. **rr** is formed exactly like the **r**, but the tongue is made to bounce several times against the hard palate by the even more forcible expulsion of breath. The **rr** often affects the sound of the vowel that precedes it: the **e** becomes more like the *e* in *met;* the **o,** shorter, less open.

> perro, parra, carro, torre, cerro, corro, ahorra,
> correr, cerrar, tierra, carrera, barrera, carretera

3. When **r** begins a word, it is pronounced **rr,** and an **s** that precedes it often disappears:

> rato, rata, rico, rey, rebelde, los reyes, los ricos

II. MOMENTO DE VIDA: *EN UN ALMACEN*

Estamos en un *almacén* del centro. Una señora se acerca a la *Información*.   *department store information booth*

        (S. = Señora; I. = Señor de la Información;
        D. = *Dependienta;* 2ªS. = Segunda Señora)   *saleslady*

S.   ¿Me hace el favor de decirme en qué piso venden *cortinas para la cocina?*   *kitchen curtains*

I.   En el *quinto,* señora.   *fifth*

76

S. ¿Y dónde está el *ascensor?*   elevator

I. *Ahí no más, a la derecha.* Pero no funciona hoy.   Right there, on the right.

S. ¿Y la *escalera movediza?*   escalator

I. *A la izquierda.* Pero *tampoco funciona.*   On the left . . . it's not working either.

S. *Entonces, ¿cómo subo* al quinto piso?   Then how do I go up

I. *Por la escalera. Esa sí funciona.*   By the stairway. *That's* working.

S. Gracias.

(*Al principio*, la pobre señora no sabe qué hacer. Por fin, decide subir por la escalera. Llega *cansadísima* al quinto piso. *Se dirige a* una dependienta.)   At first very tired . . . She goes over to

S. Señorita, ¿venden Uds. cortinas en *este* departamento?   this

D. Sí, señora. ¿Para qué habitación *las desea Ud.?*   do you want them?

S. Para la cocina.

D. *¡Cuánto lo siento!* Aquí las tenemos sólo para la sala. Las cortinas para la cocina *se hallan en la planta baja.*   I'm so sorry. are (found) on the ground floor.

S. ¡Dios mío! Acabo de subir a pie cinco pisos y ahora me dice Ud. que están en la planta baja. No puedo *dar un paso más.*   take another step

D. *Es una gran lástima*, señora . . . *Aquí tiene Ud. una silla.* ¿Por qué no *descansa* un momentito? Bueno, *así es mucho mejor*, ¿no?   It's really a shame . . . Here's a chair

rest . . . that's much better

S. Gracias, pero sólo por un momento.

D. *¡Cómo no*, señora! Y *mientras tanto puedo mostrarle unas* elegantísimas cortinas para la sala, que *liquidamos hoy a un precio muy reducido, menos que al por mayor.*   Of course . . . in the meantime I can show you some we're closing out today at a very reduced price, less than wholesale.

S. Pero ya tengo cortinas nuevas en la sala. Las necesito sólo para la cocina.

D. Lo sé, señora. Pero son las cortinas *más finas* que tenemos, y si le digo el precio *a que* las vendemos hoy—sólo hoy—no va a *creerlo.*   finest

at which

believe it.

S. ¿Sí? *¿Cuánto valen?*   How much are they?

D. Ayer, *cien* pesos. Hoy, *cincuenta.* Mañana, cien pesos otra vez.   100 . . . 50

S. Pero . . .

D. ¿Me hace un favor? Sólo *permítame mostrárselas.* No tiene Ud. obligación de comprar. *Aquí las tiene Ud.* ¡Qué bonitas son! ¿No le gustan?   let me show them to you

Here they are

S. Sí, me gustan. Pero son azules, y mi sala es verde. ¿No las tiene Ud. de otro color?

D. No, señora. Es el *último par.* Pero la verdad, *hoy día está de moda* mezclar los colores. Todo el mundo *lo hace.*   last pair . . . nowadays it's fashionable . . . is doing it.

S. Sí, pero yo soy un poco *conservadora.*   conservative

D. ¿Conservadora, Ud.? ¿*A su edad?* Una mujer *tan joven como Ud.* debe tener ideas jóvenes. *A mí no me dan miedo los colores.*   At your age? . . . as young as you . . . Colors don't scare me.

S. Pero . . .

D. Una oportunidad *como ésta*, no la tiene Ud. todos los días.   *like this one*

S. Bueno, *me quedo con ellas*.   *I'll take them.*

D. *Me alegro.* ¿Tiene Ud. una *cuenta de crédito* aquí?   *I'm glad . . . charge account*

S. No. *Pago al contado.* Le doy *sesenta* pesos.   *I pay cash . . . 60*

D. Muy bien. *La vuelta*, diez pesos. Y aquí tiene Ud. sus cortinas.   *Your change*

Adiós, señora, y gracias.

S. Gracias a Ud.

(La señora se dirige a la escalera.)

D. Señora, Ud. puede tomar el ascensor. *Aquí mismo* está, a la   *Right here*

derecha.

S. ¿Funciona ya?

D. Sí, pero *sólo baja*.   *it only goes down*

(La dependienta se vuelve a otra dependienta y *le susurra al*   *whispers into her ear*

oído.)

¿Sabes, María?, tu idea *sale* estupenda. El señor de la Información   *is turning out*
   wonder. Look . . .
es una *maravilla*. *Mira*, aquí viene *otra*.   *another one*

(Se acerca otra señora, totalmente *agotada* después de subir a pie   *exhausted*

los cinco pisos.)

2ªS. ¡Dios mío! No puedo dar un paso más.

(Habla a la dependienta.)

Señorita, me dice el señor de la Información que venden Uds. en

este departamento *sábanas y fundas*.   *sheets and pillowcases*

D. ¡Cuánto lo siento, señora. *Esas se venden* en el primer piso. Pero   *Those are sold*

aquí tiene Ud. una silla. ¿Por qué no descansa un momentito?

Y mientras tanto puedo mostrarle unas magníficas cortinas para

la sala . . . el último par . . . una *ganga increíble* . . . hoy . . . sólo   *incredible bargain*

hoy a este precio . . . menos que al por mayor. . . .

Vocabulario Activo

el ascensor *elevator*
la edad *age*

bajar *to go down*
deber *ought, should*
descansar *to rest*
desear *to desire, wish*
funcionar *to work (a mechanism)*

azul *blue*
poco *little (in amount)*

piso *floor, story*
precio *price*

subir *to go up*
llegar *to arrive, reach*
mirar *to look at*
mostrar (o > ue) *to show*
pagar *to pay*

verde *green*
último *last*

por   *by; for (during a period of time)*

a la derecha   *on the right*
a la izquierda   *on the left*
al por mayor   *wholesale*
al principio   *at the beginning*

tampoco   *neither, not . . . either*

aquí las tiene Ud.   *here they are*
aquí mismo   *right here*
dar un paso   *take a step*
hoy día   *nowadays*

ᛞ *Preguntas*

1. ¿Dónde tiene lugar este episodio?
2. ¿A quién se acerca la señora? ¿Qué le pregunta (does she ask him)?
3. ¿En qué piso dice el señor de la Información que venden cortinas para la cocina?
4. ¿Dónde está el ascensor? ¿Y la escalera movediza?
5. ¿Por qué tiene que subir a pie la señora?
6. ¿Cómo llega al quinto piso?
7. ¿Qué clase de cortinas venden en el quinto piso? ¿Dónde las venden para la cocina?
8. ¿Qué ofrece (offers) la dependienta a la señora?
9. ¿Qué quiere mostrarle la dependienta mientras (while) descansa?
10. ¿Por qué no quiere la señora comprar cortinas para la sala?
11. ¿De qué color son las cortinas que le muestra la dependienta?
12. ¿De qué color es la sala de la señora?
13. ¿Qué dice la dependienta sobre las combinaciones de colores?
14. ¿Por qué decide comprarlas la señora?
15. ¿Cuánto cuestan hoy? ¿Y mañana? ¿Cómo paga la señora?
16. ¿Baja por la escalera la señora? ¿Por qué?
17. ¿Qué dice la dependienta a la otra dependienta?
18. ¿Quién llega muy cansada ahora al quinto piso?
19. ¿Qué quiere comprar la segunda señora?
20. ¿Qué va a venderle la dependienta?

III. ESTRUCTURA

34. The Personal *a*

Except after **tener, a** is used before a direct object that refers to a person. In this usage, **a** cannot be translated into English.

¿Conoce Ud. a María?   Do you know Mary?
Veo a mis padres todos los días.   I see my parents every day.
Llama a Juan, no a Ud.   He's calling John, not you.
But: Tengo dos hijos.   I have two sons.

The personal **a** is often very important in distinguishing between the subject and the object of a verb.

¿Llama tu madre?	Is your mother calling?
¿Llama a tu madre?	Is he calling your mother?
¿Conoce Diego a la maestra?	Does Jim know the teacher?
¿Conoce a Diego la maestra?	Does the teacher know Jim?

⸏ *Exercise*

Diga en español:

1. I see Henry. 2. Do you know the boy's uncle? 3. We have fifteen cousins. 4. They are going to visit his family. 5. He isn't bringing (llevar) Johnny this afternoon. 6. She loves her husband very much.

35. Third Person Object Pronouns

DIRECT		INDIRECT		REFLEXIVE	
lo	it, him, you (Ud.)	le	{ to him / to her / to it / to you	se	{ (to) himself / (to) herself / (to) itself / (to) yourself
le	him, you (Ud.)				
la	her, it, you (f.)				
los	them, you (Uds.)	les	{ to them, / to you (m. and f.)		{ (to) themselves / (to) yourselves
les[1]	them, you (Uds.)				
las	them (f.), you				

Notice that only the direct object has masculine and feminine forms, that the indirect has only singular and plural, and the reflexive, only the one form, **se,** for the entire third person. Note also that **lo** may refer to a masculine person or a thing, but that the direct object **le** refers only to a person.

Lo (le) vemos todos los días.	We see him every day.
¿María? La conozco bien.	Mary? I know her well.
¿Tienes los libros? —Sí, los tengo aquí.	Do you have the books? —Yes, I have them here.
Le hablan como a un niño.	They speak to him as to a child.
Les explica la lección.	He is explaining the lesson to them.
¿Se divierten Uds.?	Are you enjoying yourselves?
Nadie se conoce bien.	No one knows himself well.

When **le** or **les** needs clarification, **a él, a ella, a Ud., a ellos, a ellas, a Uds.** may be added.

Le hablo a ella, no a él.	I'm talking to her, not to him.

---

[1]**Le** and **les** are very frequent in Spain as direct objects referring only to male persons.

∾ Exercise

1. Change all object nouns to pronouns:
   a. ¿Conoce Ud. a María? b. Hablo a mi amigo todos los días. c. Tienen que dar la respuesta mañana. d. ¿Tiene Ud. mi lápiz? e. Terminamos esta lección hoy. f. Voy a ver las fotos mañana. g. Manda algo a sus padres cada semana. h. Juanito va a comprar los guantes. i. Tomo el ascensor.

2. Change the object pronouns to reflexive pronouns:
   a. Le compro un reloj. b. Me miran. c. Nos habla. d. La quiere mucho. e. Voy a quitarle el abrigo. f. Le alabas mucho. g. Vamos a comprarle una televisión.

36. Placement of Object Pronouns in Relation to Each Other

When a verb has more than one object pronoun, they are placed as follows:

INDIRECT BEFORE DIRECT, REFLEXIVE FIRST OF ALL

Nos lo manda.	He is sending it to us.
Me la dan hoy.	They're giving it to me today.
Quiere comprárselo.	He wants to buy it for himself.

However, if the *direct* object is **me, te, nos,** or **os** (me, you [fam.], or us), the indirect object pronoun is not used. Instead, the phrase **a él, a ella, a Ud.,** etc., follows the verb.

Me llevan a ella mañana.	They're taking me to her tomorrow.
Va a presentarnos a ellos.	He is going to introduce us to them.

∾ Exercise

Diga en español:
1. He is reading it to us. 2. They are giving them to me. 3. I am telling it to you, Mary. 4. Are they going to introduce her to us? 5. Are they going to introduce us to her? 6. He isn't sending them to me. 7. He isn't sending me to them.

37. Special Use of *Se*

When both the direct and the indirect object pronouns are in the *third* person (when both begin with *l*), the indirect becomes **se.**

INDIRECT		DIRECT			
le		lo			lo
	+	la	=	SE	la
les		los			los
		las			las

Vamos a decírselo.	We are going to tell it to him.
Se lo mando a Ud. en seguida.	I'll send it to you at once.
No quiere dárselo.	He doesn't want to give it to him.

The **se** may be clarified by adding **a él, a ella, a Ud.,** etc., whenever necessary.

Se lo digo sólo a ella.	I'll tell only *her*.

❧ *Exercise*

Change all object nouns to pronouns:

1. Manda el libro a su hermano. 2. Dan el dinero al empleado. 3. Muestra las cortinas a la señora. 4. Lee los cuentos a sus niños. 5. Va a escribir una carta a su novia. 6. No quiere vender su casa al señor López.

38. The Redundant *a mí, a ti, a él*

For emphasis or for clarification (in the case of the possibly ambiguous **le, les,** or **se**), the phrases **a mí, a ti, a él, a ella, a Ud., a nosotros,** etc., are used *in addition to* (*not* in replacement of) the normal direct or indirect object pronoun. Adding the extra phrase is equivalent to stressing the object pronoun with the voice in English.

A mí no me engañas así.	You don't fool *me* that way.
La veo siempre a ella; a él nunca.	I always see *her; him* never.
No se lo dan a Ud. Se lo dan a ellos.	They're not giving it to *you.* They're giving it to *them.*
Te lo digo a ti.	I'm telling *you.*
Vamos a mandárselos a ellas.	Let's send it to *them.*

❧ *Exercise*

Diga en español:

1. a. I am giving John the book. b. I am giving him the book. c. I am giving it to John.
   d. I am giving it to him.
2. a. They are sending us the letter. b. They are sending it to *us.*
3. We are going to tell it to Mary, not to *him.*
4. Are you giving them to *me* or to *them?* —I'm giving them to *you.*

39. *Gustar*

Gustar means TO BE PLEASING. It does NOT mean *to like.* To translate the English *to like,* Spanish uses as subject of **gustar** the thing that *is pleasing.* The person *to whom* it is pleasing is the *indirect object.*

Me gusta ese niño.	I like that boy. (That boy is pleasing to me.)
No me gustan ésos.	I don't like those. (Those are not pleasing to me.)
¿Te gusta bailar?	Do you like to dance? (Is dancing pleasing to you?)
Sí, pero a mi padre no le gusta.	Yes, but my father doesn't like it. (To my father it is not pleasing.)
No nos gusta esa comedia.	We don't like that play. (It is not pleasing to us.)
Nos gustan más los dramas.	We like dramas better. (Dramas are more pleasing to us.)
¿No le gustan las cortinas?	Don't you like the curtains? (Aren't they pleasing to you?)
A ese muchacho le gustan demasiado las mujeres.	That boy likes women too much. (They are too pleasing to him.)
¿No les gustan a Uds.?	Don't you like them? (Aren't they pleasing to you (-all)?)

⌒~⊙ *Exercise*

Conteste con frases completas:
1. ¿Le gusta a Ud. viajar? ¿Les gusta a sus padres?
2. ¿Les gusta a sus amigos bailar? ¿Leer? ¿Estudiar? ¿Les gusta a Uds.?
3. ¿Le gustan a Ud. las películas (films) sentimentales? ¿Les gustan más a las mujeres o a los hombres?
4. ¿Te gusta ir al teatro? ¿Te gusta más la televisión o el cine?
5. ¿Le gustan a Ud. más las mujeres bonitas o inteligentes? ¿Le gustan más los hombres guapos o ricos?

40. *Pedir* and *Preguntar*

Pedir means *to ask for, to request.* No preposition is used to translate *for* after **pedir** because the English *for* is included within the meaning of the verb.

Preguntar means *to inquire, to ask* (a question).

Pedimos pan, no tortas.	We're asking for bread, not cake.
¿Quién quiere preguntar algo? —Yo.	Who wants to ask (about) something? —I do.

With both these verbs, the person *to whom* the request is made or the question addressed is the *indirect object*. *What* the speaker is requesting or inquiring about is, of course, the *direct object*.

Pepe me lo pide siempre.	Joe always asks me for it.
Esta vez se lo pido a él.	This time I'm asking *him* for it.
Van a preguntarnos quién es.	They're going to ask us who he is.
Vamos a preguntárselo.	Let's ask them (about) it.

⌒~⊙ *Review Exercise*

Traduzca al español:

A woman enters a department store. She goes over to the information booth and asks the gentleman who is there, "Would you please tell me on what floor they sell kitchen curtains?" The man tells her that they are on the fifth floor, and that she has to go up by the stairs because the elevator isn't working.

The poor woman reaches the fifth floor completely exhausted. But when she asks the saleslady for kitchen curtains, the saleslady tells her that they are on the ground floor. She offers the woman a seat, and then shows her some elegant living room curtains that they are selling only today at a very reduced price. Really, the woman does not want living room curtains, because she has just bought new curtains for that room, but finally the saleslady sells them to her.

The poor woman goes toward the stairs, but the saleslady tells her that she can take the elevator. "It's working now, madam, but it only goes down." The saleslady then speaks to another saleslady. "You know, your idea is great! And the man in the information booth is a wonder! Look, here comes another woman."

Another lady approaches, also completely exhausted after climbing up five stories. But when she asks the saleslady for the sheets and pillow cases that the man in the information booth says are on this floor, the saleslady offers her a seat and says to her, "Here, madam, isn't this better? And while you're resting, I can show you some magnificent living room curtains . . . an incredible bargain . . . only today at this price. . . ."

IV. CONVERSACION

Vocabulario Especial: *Tiendas y Oficios* (Stores and Occupations)

zapatería	shoe store	zapatero
ropería	clothing store	ropero
costurería	couturier	costurero
sombrerería	hat store	sombrerero
sastrería	tailor shop	sastre
el bazar (Sp.)	department store	tendero; dueño de bazar
el almacén (Sp. Am.)	department store	almacenista; dueño de almacén
peletería	fur store	peletero
abarrotería (Sp. Am.)	grocery	abarrotero
bodega, ultramarinos	grocery	bodeguero
lechería	dairy (store, bar, etc.)	lechero
quesería	cheese store	quesero
carnicería	butcher shop	carnicero
verdulería	greengrocery	verdulero
panadería	bakery	panadero
barbería	barber shop	barbero
peluquería	barber shop	peluquero
salón de belleza	beauty shop	peinadora; manicurista
lavandería	laundry	lavandero
lavandería en seco	dry cleaner shop	lavandero en seco
tintorería	cleaner's and dyer's	tintorero
ferretería	hardware store	ferretero
quincallería (Sp. Am.)	hardware store	quincallero
mueblería	furniture store	mueblero
carpintería	carpenter's shop	carpintero
plomería	plumber's shop	plomero
librería	book shop	librero
imprenta	printing shop	impresor
relojería	watchmaker's shop	relojero
joyería	jewelry store	joyero

botica	drug store	boticario
farmacia	pharmacy	farmacéutico
droguería	drug store	droguista
clínica	doctor's office	médico
clínica dental	dentist's office	dentista
banco	bank	banquero
prendería	pawn shop	prendero
agencia de viajes	travel agency	agente de viajes
agencia de seguros	insurance agency	agente de seguros
agencia funeraria	funeral parlor	director de funeraria
agencia de bienes raíces	real estate agency	agente *or* corredor de bienes raíces
el hotel	hotel	hotelero
el garage	garage	mecánico
la estación de servicio	service station	mecánico
bomba	gasoline pump	

Discusión

1. ¿A dónde voy para comprar: un par de zapatos, un sombrero, un nuevo vestido, carne, una comida, leche, guantes, un abrigo, una casa, una póliza de seguros, legumbres, mantequilla, tortas, libros, clavos y tornillos, una mesa, gasolina para el coche, un reloj, un anillo de diamantes, medicinas?
2. ¿A quién llamo si me siento enfermo? ¿Si tengo dolor de muelas? ¿Si muero?
3. ¿A dónde voy para depositar mi dinero? ¿A dónde voy si quiero pasar la noche en otra ciudad? ¿Si quiero alquilar una casa o una oficina? ¿Si no quiero comer en casa? ¿Si necesito dinero? ¿Si mi coche no anda bien? ¿Si quiero visitar a un amigo enfermo? ¿Si no me sienta (doesn't fit) bien un traje? ¿Si está sucio mi abrigo?
4. ¿Cómo se llama el hombre que le vende: zapatos, sombreros, vestidos, leche, carne, una póliza de seguros, una casa, pan, libros, una mesa, un reloj, legumbres, medicinas?

Lección Séptima

I. PRONUNCIACION

1. **s** between vowels is always unvoiced, like the *ess* in *dresser*. This is an important difference from the voiced *s* (the *z* sound) between vowels in most English words. Listen and pronounce:

   museo, casa, representa, presidente, presente, vaso, cosa, posición, causa

2. Before a voiced consonant, **s** is slightly voiced, like a softly uttered English *z:*

   mismo, entusiasmo, comunismo, los días, los botones

   Before an initial **r**, **s** often disappears completely.

3. **p** in Spanish, although not voiced, does not have the light, breathy quality of the English. This effect is gotten by keeping the lips closed until the next sound is enunciated, thus preventing the slight escape of air that follows the English *p*.

   padre, papa, patata, popa, para, por, importante, parte, pampa

   In a few words, the **p** that appears before an **s** at the beginning of a word is not pronounced. Some words of this type are also written without the initial **p.**

   psicología, psiquiatra, pseudo, psicoterapia

II. MOMENTO DE VIDA: *VISITA AL PSIQUIATRA*

    Estamos en la oficina de un famoso *psiquiatra*. Entra un nuevo pa-   psychiatrist
ciente y se dirige a la recepcionista.

       (P. = Paciente; R. = Recepcionista; M. = Médico;
            O. = Otro Paciente)

P.   ¿Está el Dr. Ocantos?
R.   Sí, señor. ¿Tiene Ud. una *cita* con él?   appointment

P.   Sí, para esta tarde a la una y media.

R.   Pero ahora son las diez de la mañana.

P.   Lo sé. Pero no puedo esperar más. Si no me ve *ahora mismo* . . .   right now

R.   Bueno, voy a ver si el doctor puede recibirle *antes*. Con permiso.   sooner
     (*Se va.* Vuelve en un momento.)   She leaves.
     Tiene Ud. mucha suerte, señor. El otro paciente *está para* salir.   is about to
     El doctor Ocantos puede verle *en seguida*.   right away

P.   Un millón de gracias, señorita.
     (*Se abre la puerta del consultorio.* Sale el médico con otro paciente.)   The door of the consulta-
                                                                                  tion room opens.

M.   Pues, adiós. *Nos vemos* el viernes, ¿no?   We'll see each other

O.   Sí, doctor.

M.   Pues *dé mis recuerdos* a sus padres.   give my regards

O.   No. Los odio.

M.   Buen muchacho. Creo que está Ud. *casi curado* ya.   almost cured

O.   Gracias, doctor. Gracias por todo.

M.   De nada.
     (Se vuelve al nuevo paciente.)
     Buenos días, señor. Me dice la recepcionista que *el suyo es* un   yours is
     caso urgente.

P.   Sí, doctor. Sufro horriblemente.

M.   *¿Le duele algo?*   Does something hurt you?

P.   Me duele todo, desde la cabeza hasta los pies.

M.   Ajá. *Jaquecas* y . . .   headaches

P.   No es eso. Es que sufro de un terrible complejo de inferioridad.
     Si no me quita Ud. este complejo, no sé qué voy a hacer. No puedo   If you don't take away
     vivir más *así*.   like this

M.   *Cálmese, se lo ruego.* Por favor, señor, *recuéstese en aquel sofá* . . . . Calm yourself, I beg
     Ahora, quiero saber algo de Ud. ¿Su nombre?   you . . . lie down on
                                                                                  that sofa over there

P.   ¿Mi nombre? A ver *si lo recuerdo* . . . Ah, sí . . . Víctor . . . no . . . if I remember it . . .
     Héctor Ortega. Siempre *me confundo*.   I get mixed up

M.   Muy bien. ¿Y cuántos años tiene Ud.?   About

P.   *Unos* veinte o treinta.

M.   Ahora, ¿me hace el favor de decirme por qué cree que tiene un
     complejo de inferioridad?

P.   Pues no sé exactamente. *Tal vez porque no hablé hasta los once*   perhaps because I didn't
     años de edad, o porque *todavía me cuesta trabajo* recordar mi nombre.   speak until I was 11 . . . it
     Esto me hace creer *a veces* que soy un poco inadecuado.   still is hard for me
                                                                                  This . . . at times

M.   Sí, comprendo. Ahora, dígame, ¿*asistió* Ud. a la escuela?   did you attend

P.   Sí, *asistí* por muchos años. Por fin me *enseñaron* a leer. *Fui* muy   I attended . . . they taught
     mal estudiante, me dicen.   . . . I was

M.   Y después de graduarse, ¿adónde *fue?*   did you go?

P.   *No me gradué.* Nunca *aprendí* a escribir. *Me fui* a trabajar, pero *eso tampoco me gustó.* *Así que decidí* no trabajar más.

I didn't graduate . . . learned . . . I went I didn't like that either. So I decided

M.   Entonces, *¿de qué vivió Ud.?*

what did you live on?

P.   Pues, mis padres *me dejaron* una gran fortuna.

left me

M.   *Menos mal.*

Not so bad, then.

P.   Pero *la perdí toda* en una semana.

I lost it all

M.   ¿Cómo *la perdió Ud.* tan rápidamente?

did you lose it

P.   Pues se *la di* a mi novia.

I gave it

M.   *¿Se la dio* a su novia?   ¿Y . . . ?

You gave it

P.   Y *se casó con otro.* Pero dice que me quiere todavía.

she married someone else

M.   Pues *así son las mujeres.* Pero dígame, Héctor . . .

that's how women are

P.   Víctor.

M.   Dígame, Héctor o Víctor, ¿no cree Ud. que debe buscar trabajo ahora?

P.   Sí, pero con este complejo de inferioridad que tengo . . . Doctor, ¿no puede Ud. hacer algo por mí?

M.   Amigo, no tiene Ud. que *preocuparse ni un momento más por ese* complejo. Le digo sinceramente que no lo tiene.

to worry one more minute about that

P.   ¡Doctor! ¡Qué me dice! ¿No tengo un complejo de inferioridad?

M.   No, señor. Es Ud. *verdaderamente* inferior.

really

P.   Gracias, gracias, doctor. *¿Cómo puedo pagarle?*

How can I ever repay you?

Vocabulario Activo

cita	*appointment, date*	recuerdos	*regards*
acercarse a	*to approach*	irse	*to go away, leave*
asistir a	*to attend*	quitar	*to take away*
dirigirse a	*to go over to; to address*	recibir	*to receive*
doler (o > ue)	*to hurt*	recordar (o > ue)	*to remember*
antes (adv.)	*before, sooner*	bastante	*enough; quite, rather*
así	*so, thus; this way, like this*	verdaderamente	*truly, really*
ahora	*now*	entonces	*then*
ahora mismo	*right now*	en seguida	*right away, immediately*

Preguntas

1. ¿Dónde ocurre esta escena?
2. ¿Quién entra en la oficina del psiquiatra?
3. ¿Cómo se llama el psiquiatra?
4. ¿Para qué hora tiene su cita el nuevo paciente? ¿Qué hora es ahora?
5. ¿Por qué dice el paciente que tiene que ver en seguida al médico?
6. ¿Qué síntomas tiene?

7. ¿Cómo se llama el joven?
8. ¿Cuántos años tiene?
9. ¿A qué edad aprendió a hablar?
10. ¿Qué otra dificultad tiene?
11. ¿Qué aprendió en la escuela?
12. ¿De qué vivió cuando decidió no trabajar más?
13. ¿Cómo perdió toda su fortuna? ¿En cuánto tiempo?
14. ¿Con quién se casó su novia?
15. ¿Por qué decide el psiquiatra que su nuevo paciente no tiene un complejo de inferioridad?

III. ESTRUCTURA

41. The Preterite (Past) Tense of Regular Verbs

comprar (to buy)	**comer**	**vivir**
compré (I bought)	comí (I ate)	viví (I lived)
compraste	comiste	viviste
compró	comió	vivió
compramos	comimos	vivimos
comprasteis	comisteis	vivisteis
compraron	comieron	vivieron

Notice: (1) In **-ar** verbs, the first person plural of the preterite is the same as that of the present. The context clarifies the meaning. (2) **-er** and **-ir** verbs have identical preterite endings.

Exercise

1. Conjugate in the preterite:
   hablar, amar, contar, tomar
   beber, meter, asistir, abrir

2. Give the appropriate preterite forms:
   yo: viajar, trabajar, estudiar, vender, comer, insistir
   tú: acabar, comprar, hablar, coser, romper, abrir
   Juan: viajar, hablar, aprender, resistir, llamar
   nosotros: trabajar, comprar, amar, vender, beber, vivir
   vosotros: estudiar, comer, abrir, tomar, viajar, aprender
   Uds.: trabajar, comprar, hablar, vender, comer, asistir

3. Use the preterite with the following subjects and verbs:
   yo (llevar), nosotros (abrir), tú (llegar), Pepe y Juan (comer), ella (beber), tú y él (meter), María y Elena (viajar), Ud. (vivir), mis amigos (pasar), Uds. (vender), yo (abrir), Pablo (asistir)

4. Change the following sentences from present to preterite:

    a. Habla bien. b. Abro la puerta. c. No beben. d. ¿Viven Uds. aquí? e. No canta. f. ¿Les gusta la comida? g. Lo llamamos. h. Le dejo. i. ¿Las compráis? j. No comes mucho. k. Trabajo poco. l. ¿Aprende Ud.?

42. Meaning of the Preterite

Spanish has two simple past tenses: the preterite and the imperfect. Each of these tenses has its own meaning and functions, and the use of one or the other depends entirely on the *idea* that the speaker wishes to convey.

THE PRETERITE IS THE RECORDING PAST. It records, reports, narrates. It views a past action as a completed unit, stating only the fact that it took place at some point in time.

Me dejaron una fortuna.	They left me a fortune.
La perdí toda.	I lost it all.
Mi novia se casó con otro.	My fiancee married someone else.
Lo compramos ayer.	We bought it yesterday.
¿Dónde lo encontraste?	Where did you find it?

Exercise

Diga en español:

    1. John spoke to me yesterday. 2. He earned (ganar) a great deal last year. 3. Mary's brother attended the University of Madrid. 4. He lived in Spain (for) five years. 5. Where did you buy that hat? 6. Who won (ganar)? 7. Did Johnny drink all his milk? 8. They took it. 9. Our uncle sent it to us. 10. Did you call him?

43. The Preterite of *ser*, *ir*, and *dar*

ser	ir	dar
fui	fui	di
fuiste	fuiste	diste
fue	fue	dio
fuimos	fuimos	dimos
fuisteis	fuisteis	disteis
fueron	fueron	dieron

As you see, the preterite of **ser** and **ir** are identical. The context clarifies any possible ambiguity.

Exercise

Diga en español:

    1. Helen went to see him. 2. Did you (Uds.) give them the letter? 3. Yes, I gave it to them. 4. We went to the movies last night. 5. George Washington was the first president of the United States. —No. *I* was. —Yes, dear.

44. Demonstratives: this, that, these, those

MASCULINE	FEMININE		MASCULINE	FEMININE	
este	esta	this	estos	estas	these
ese	esa	that (near you)	esos	esas	those (near you)
aquel	aquella	that (over there)	aquellos	aquellas	those (over there)

Notice that in Spanish, *this* and *these* both have *t*'s.

Quiero este libro.	I want this book.
Viene esta tarde.	He's coming this afternoon.
¿Conoces a estos niños?	Do you know these children?
Compró ese traje.	He bought that suit.
No me diga esas cosas.	Don't tell me those things.
En aquellos tiempos . . .	In those (bygone) days . . .
Deme este lápiz, esa pluma, y aquel libro.	Give me this pencil, that pen, and that book over there.

Demonstratives *point out* (demonstrate) which one(s) of a group the speaker is indicating. They agree in gender and number with the noun to which they refer and are usually repeated before each noun. A demonstrative adjective may be made into a pronoun (this one, that one, these, those) by adding an accent mark above the stressed vowel.

Quiero éste, no ése.	I want this one, not that one.
Aquéllas son las mejores.	Those (over there) are the best ones.

Exercise

Diga en español:
1. this boy, that coat you're wearing, that mountain in the distance, these pencils, those pens (near you), those books (over there), this time (vez), that moment

2. Replace all the nouns in the above phrases with demonstrative pronouns; for example, este niño—éste.

45. Neuter Demonstratives

esto this   **eso** that   **aquello** that

Esto, eso, and, more rarely, **aquello** are demonstratives that refer to a whole idea rather than to a specific noun. (Remember: demonstratives that end in a [zer]**o** refer to nothing specific.) Therefore, they are invariable and never need a written accent.

Esto me hace creer . . .	This makes me think . . .
No, no es eso.	No, it's not that.
Eso no es verdad.	That's not true.

Exercises

Diga en español:

1. She bought this chair, that table, and those curtains. —All that? 2. I don't like that. That's not fair. 3. That's the man who took it. 4. This is why he wants it. 5. These children are impossible. —Those are worse.

46. More Uses of the Definite Article

The definite article is much more important in Spanish than in English. It is generally used before every noun, unless the meaning *some* or *any* is implied.

Just as in English, it refers to something specific.

Esta es la mesa que compré.	This is the table I bought.
Vamos a ver al presidente.	We're going to see the president.
El agua está muy fría.	The water is very cold.

It *differs from English* in the following ways:

A. It is used when the noun is given a general or abstract sense.

Las mujeres son así.	Women are like that.
Así es la vida.	That's life.
Los animales son menos crueles que los hombres.	Animals are less cruel than men.
El agua refresca.	Water is refreshing.

B. It precedes a person's title (except **don**[1] and **santo**) when speaking *about* him (not *to* him).

¿Está el doctor Ocantos?	Is Dr. Ocantos in?
¿Conoce Ud. al señor Rojas?	Do you know Mr. Rojas?
Aquí viene el profesor Mera.	Here comes Professor Mera.
But: Buenos días, señor Mera.	

C. It is used to tell time and normally precedes days of the week and seasons of the year (except after **ser**).

Son las dos y media.	It's half past two.
Te veo el martes.	I'll see you on Tuesday.
Tenemos clase los lunes, miércoles y viernes.	We have class on Mondays, Wednesdays, and Fridays.
Me gusta más el invierno que el verano.	I like winter better than summer.
But: Ahora es invierno.	Now it is winter.
Hoy es martes.	Today is Tuesday.

---

[1]Don is a title of respect used only before a person's *first* name: Don Juan, Don Quijote, Don Fernando. It is capitalized only at the beginning of a sentence.

D. It is used instead of the possessive adjective with parts of the body or articles of clothing, unless the one to whom they belong is left unclear.

Deme la mano.	Give me your hand.
Me duele la cabeza.	My head hurts.
Cerró los ojos.	He closed his eyes.
Se quitó el sombrero.	He took off his hat.

⤫ *Exercise*

Complete las frases siguientes:

1. (Money) es la raíz de todo mal. 2. (Bread) es el sostén de (life). 3. Mamá, quiero (bread). 4. (Wine) es la bebida que refresca más. 5. (Liberty) is worth more than (wealth). 6. (The children) no se lavaron bien (their hands). 7. Ese niño siempre se quita (his gloves). 8. Buenas noches, (Mr. Rosado). ¿Cómo está (Mrs. Rosado)? 9. (I don't like Dr. Cordero), y no quiero verle nunca . . . Hola, (Dr. Cordero). ¡Tanto gusto en verle! 10. (Today is Wednesday). No voy (to school on Wednesdays). 11. ¿Qué hora es? —(It's half past four). 12. Nos visitó (last Friday).

⤫ *Review Exercise*

Traduzca al español:

A young man enters a psychiatrist's office. He goes over to the receptionist.

(P. = Patient; D. = Doctor; R. = Receptionist)

P. I must see Dr. Ocantos at once.

R. He's busy now. Will you please be seated? Do you have an appointment?

P. Yes, for three o'clock this afternoon.

R. But it's only 10:30 now.

P. I know, but my case is very urgent.

R. Very well. I'll see if the doctor can see you now. . . . You're in luck. The other patient is leaving right now. You may go in.

P. Thank you, miss. . . . Good morning, doctor.

D. Good morning. My receptionist tells me that yours is a very urgent case. What's the matter?

P. Everything, from my head to my feet.

D. Headaches and . . . ?

P. No, it's not that. I have a terrible inferiority complex.

D. Why do you say that?

P. Well, I didn't learn to speak until I was 11, I never learned to read or write, and I still can't remember my name. I think it's Hector . . . or Victor. That's it (Eso es) . . . Victor.

D. Did you go to school?

P. Yes, for many years, but I didn't graduate.

D. Did you ever work (alguna vez)?

P. Yes, but I didn't like it, so I decided not to work any more.

D. Then what did you live on?

P. My parents left me a fortune — but I spent it all in one week. I gave it to my girl-friend, and then she married someone else.

D. Well, that's the way women are. But tell me, don't you think you ought to look for a job?

P. With this inferiority complex? Doctor, can't you help me? Can't you take away (quitarme) this terrible complex?

D. Yes, of course. My friend, you don't have an inferiority complex.

P. Really? Then what's the matter with me?

D. You're really inferior, that's all (nada más).

IV. CONVERSACION

Vocabulario Especial: *El Cuerpo Humano* (The Human Body)

cara *face*

cabeza *head*

pelo *hair*

la **nariz** *nose*

ceja *eyebrow*

oreja *ear*

brazo *arm*

la **mano** *hand*

pecho *chest*

el **corazón** *heart*

espalda *back; shoulder*

uña *fingernail*

la carne *flesh*

músculo *muscle*

vena *vein*

el diente, la muela *tooth*

el **pie** *foot*

ojo *eye*

boca *mouth*

pestaña *eyelash*

garganta *throat*

pierna *leg*

dedo finger; — del pie *toe*

estómago *stomach*

el pulmón *lung*

tobillo *ankle*

muñeca *wrist*

la piel, el cutis *skin*

la voz *voice*

nervio *nerve*

arteria *artery*

labio *lip*

la enfermedad *illness*

catarro, resfriado *cold*

un ataque al corazón *a heart attack*

la gripe *grippe*

la indigestión *indigestion*

pulmonía *pneumonia*

jaqueca *headache*

un dolor de cabeza, muela(s), etc.
    headache, toothache, etc.

medicina, medicamento *medicine*

píldora *pill*

tableta *tablet*

ungüento *salve, ointment*

el jarabe *syrup*

pastillas para la tos *cough drops*

aspirina *aspirin*

venda *bandage*

el calmante *sedative*

respirar *to breathe*   digerir (e > ie) *to digest*

toser *to cough*   estornudar *to sneeze*

vestidos, ropas *clothes*   **sombrero** *hat*

abrigo, sobretodo *overcoat*   bufanda *scarf*

el **guante** *glove*   media *stocking*

el calcetín *sock*   **zapato** *shoe*

camiseta *undershirt*   calzoncillos *underdrawers*

falda *skirt*   refajo *slip*

el **traje** *suit; outfit*   los pantalones *trousers*

blusa *blouse*   **chaqueta** *jacket*

camisa *shirt*   **corbata** *tie*

Discusión

1. ¿En qué parte del cuerpo tenemos los ojos? ¿El corazón? ¿La boca? ¿Las uñas? ¿La lengua? ¿Los dedos? ¿Los dientes? ¿Las cuerdas vocales? ¿Las pestañas? ¿Los pulmones? ¿El pelo? ¿El cutis? ¿La voz?

2. ¿Qué llevamos en la cabeza? ¿Los pies? ¿Las piernas? ¿Las manos? ¿Los pies? ¿El pecho?

3. ¿Qué partes del cuerpo usamos para comer? ¿Bailar? ¿Cantar? ¿Jugar al béisbol? ¿Tocar el piano o el órgano? ¿Estudiar? ¿Tocar el clarinete? ¿Oir? ¿Besar?

4. Si le duelen las muelas, ¿a quién va Ud.? ¿Si sufre una indigestion? ¿Si tiene un complejo de inferioridad?

5. ¿Qué toma Ud. si tiene jaqueca o catarro?

6. ¿Es Ud. hipocondriaco? ¿Conoce Ud. a un hipocondriaco? ¿Quién es?

7. ¿Le gustaría a Ud. (Would you like to) ser médico? ¿Dentista? ¿Psiquiatra? ¿Enfermera (nurse)?

8. Hablando en serio (seriously), tiene Ud. confianza en la psiquiatría moderna? ¿Por qué?

LECTURA IV: EL PERIODO GOTICO Y LA INVASION MUSULMANA

Al principio del siglo cinco *DC*, Roma está en decadencia. *Guerras* continuas, *tanto internas como* externas, *desangran* la nación, y el énfasis en *el lujo debilita* el espíritu del pueblo. *Godos, visigodos*, y otras tribus germánicas atacan sus *fronteras*, y los romanos, antes *amos* absolutos
5 del mundo occidental, no pueden defenderse. Deciden *pactar* con los *invasores*, pero la paz *dura* muy poco tiempo. En 409 (cuatrocientos nueve), los *feroces hunos*, de origen asiático, invaden Europa, y los godos tienen que buscar refugio. Rompen las fronteras del imperio romano, cruzan los Alpes y los Pirineos, y toman posesión del vasto territorio de
10 los Césares.

La invasión de los godos no es una conquista colonialista, sino la emigración en masa de un pueblo *entero*. Los godos *llegan a ser* la clase dominante de España. Establecen una economía y sociedad semi-feudal y un sistema de *gobierno encabezado* por un *rey* electivo, con *poderes* casi
15 absolutos, pero responsable a los nobles.

Al principio, los godos se mantienen separados social y legalmente de los hispano-romanos. Pero con el tiempo, los reyes ven la necesidad de *unificar* el país, *tarea dificilísima*, si no imposible en *vista* de la tendencia al separatismo inherente en el español. Poco a poco los godos se
20 asimilan a la cultura hispano-romana. *Se sustituye* el latín por el lenguaje gótico como lengua *culta*. *Se suprime la ley* que prohibe el matrimonio entre godos e hispanos. *Se adopta* el catolicismo como religión oficial, y la *iglesia*, que tiene mucha influencia sobre la monarquía, se hace el instrumento más importante del *estado*, del *orden* social, y de la educación.
25 Hacia fines del siglo seis, los numerosos *judíos*, que antes tuvieron *bastante* libertad y *aun* influencia, empiezan a sufrir persecución *en nombre* de la unidad peninsular. Pero la unidad deseada *no se logra*. La monarquía *sigue a merced* de facciones rivales, y el país está dividido todavía en grupos heterogéneos.

30 En general, el periodo de la dominación gótica es uno de *retroceso* cultural. Su arte, literatura, y arquitectura son imitativas más que *creadoras*. Su contribución principal es de tipo administrativo y militar, y al empezar el siglo ocho, una España decadente está lista para *el cambio*.

35 El cambio viene en la forma de una serie de invasiones *musulmanas* que empiezan en el año 711. *Según la leyenda, un conde español, enfurecido* porque Rodrigo, el rey godo, *había seducido* a su hija, invitó a los árabes a invadir España y los ayudó a *llevar a cabo* la rápida conquista militar. No sabemos si es verdad o no esta versión de la

---

A.D. ... Wars

both internal and ... bleed
luxury weakens ... Goths
Visigoths

frontiers ... masters

make a pact

invaders ... lasts

fierce Huns

entire ... become

government headed ... king
... powers

unifying ... an extremely
difficult task ... view

is substituted
cultured. The law is abolished

is adopted

church

state ... order

Jews ... a good deal of

even ... in the name

is not achieved

remains at the mercy

retrogression

creative

change

Moslem
According to legend, a
Spanish count, infuriated

had seduced

bringing about

96

Interior de La Alhambra con el Patio de los Leones. Arquitectura árabe. Granada.
(Courtesy of the Spanish National Tourist Department)

La Mezquita de Córdoba, ejemplo sobresaliente del arte árabe. (Courtesy of the Spanish National Tourist Department)

40 historia, pero *sí sabemos* que en siete años los árabes se extienden por   we do know
casi toda la península *hasta que son derrotados* en los Pirineos por el   until they are defeated
general español Pelayo y su pequeño bando de *guerreros*. Los árabes   warriors
abandonan el norte, pero quedan en posesión de la mayor parte de la
península. Establecen en Córdoba un *emirato* independiente, y Al   emirate
45 Andalus (hoy Andalucía) se hace el centro del estado musulmán y la
potencia marítima más importante del Mediterráneo.   sea power

En el siglo diez, Córdoba, ya completamente independiente de Africa,
llega a ser el *foco* de la cultura más brillante del mundo occidental.   focal point
Granada, Valencia, y Toledo también son centros de lujo y esplendor.
50 Los árabes,[1] en contacto con la civilización oriental y *herederos* de la   inheritors
cultura bizantina, traducen las *obras* de los principales autores latinos,   works
griegos, y asiáticos. Y su arte, su arquitectura, sus técnicas industriales
y agrícolas, su sistema de irrigación, sus conocimientos científicos y
estudios filosóficos empiezan a resucitar a una España casi *perdida* en la   lost
55 oscuridad.

---

[1]Aunque hablamos de la invasíon de los árabes en España, hay que recordar que la mayor parte de las fuerzas musulmanas en España *eran moros y bereberes* (were Moors and Berbers). Los árabes eran la clase superior, y tenían (had) una cultura mucho más avanzada.

Preguntas

1. ¿Por qué está decadente Roma al principio del siglo cinco?
2. ¿Quiénes son los godos? ¿Por qué invaden España? ¿En qué año empieza la invasión de los godos?
3. ¿Qué clase de economía y gobierno establecen en España?
4. ¿Por qué encuentran dificilísima la tarea de unificar España?
5. ¿Qué lengua sustituye al lenguaje gótico?
6. ¿Qué ley se suprime?
7. ¿Qué papel hace la iglesia (What role does the church play) en este periodo?
8. ¿Cuál es la contribución principal de los godos?
9. ¿Cuándo invaden España los musulmanes?
10. Según la leyenda, ¿quién los ayudó a llevar a cabo la conquista? ¿Por qué lo hizo?
11. ¿Cuándo son derrotados por primera vez los árabes? ¿Dónde? ¿Cómo se llama el general español que los derrotó?
12. ¿Dónde establecen los árabes el centro de su estado?
13. ¿Cómo es Córdoba en el siglo diez? ¿Qué otras grandes ciudades hay en la España musulmana?
14. ¿Qué cultura transmiten (transmit) a España los árabes? ¿Qué obras traducen?
15. ¿Cuál es la contribución de los árabes en España?

*L*ección Octava

I. PRONUNCIACION: *x, y*

1. **x** is pronounced two ways. Before a consonant, it is usually an *s:*

   explicar, extraordinario, extranjero, extraño, expresión, extremo

2. Between vowels, the Spanish **x** is a compromise between the English *egz* as in *exact*, and *eks* as in excellent. In Spanish, it sounds like a rather softly spoken hard *g*, followed by an *s: egs*.

   examen, examinar, hexámetro, exorbitante, exageración, exaltar, hexágono

   In Mexico, the words **México** and **mexicano** are written with an **x,** but pronounced with the Spanish **j.** In Spain, these words are written with a **j.**

   México (Méjico), mexicano (mejicano)

3. The consonant **y** is generally pronounced like the *j* in *judge* when it follows an **n:**

   inyectar, conyugal, inyección

II. MOMENTO DE VIDA: *EN UNA OFICINA COMERCIAL*

(F. = Sr. Fernández; S. = Secretaria; M. = Sr. Montes)

F. Señorita Olmedo, quiero dictarle una carta urgente. ¿Tiene Ud. tiempo ahora?

S. ¡Cómo no, señor! Aquí mismo tengo mi cuaderno. ¿A quién se la mando, señor?

F. Al Sr. Francisco Sótano Larrea, *Gerente*, Compañía *Distribuidora* General, *Avenida* 10 de Diciembre, 253 Quito, Ecuador. *Muy señor mío, Acabo de saber de parte de un cliente nuestro que el último envío de máquinas de escribir que le despachamos por medio de la firma de Uds.* llegó en muy malas condiciones y . . . [Manager . . . Distributing Avenue — Dear Sir, I have just learned from a client of ours that the last shipment of typewriters that we sent him through your firm]
(*Suena el teléfono. Lo toma la secretaria.*) [The telephone rings]

S. Buenas tardes. Fernández y Compañía.

M. (*Al* teléfono) Muy buenas, señorita. ¿Me hace el favor de *comunicarme* con el Sr. Fernández? [on the — connect me]

S. *¿De parte de quién*, por favor? [Who's calling . . . ?]

M. Del señor Montes, Alonso Montes.

S. Un momentito, señor, por favor. Voy a ver *si está el señor Fernández.* [if Mr. Fernandez is in.]

F. ¿Quién es?

S. (*Cubre* el teléfono con la mano.) El señor Montes, dice. Alfonso Montes. Llamó tres veces la semana pasada. ¿Le conoce Ud.? [She covers]

F. Sí, le conozco. Pero no sé por qué me llama ahora. Es el primo rico de mi mujer. Parece que no quiere *tratarnos mucho* porque tenemos menos dinero que él. Hace años que no le vemos. [bother much with us]

S. Entonces, *¿le digo* otra vez que no está? [should I tell him]

F. No. Tengo una idea estupenda. Esta vez quiero hablar con él. Voy a decirle cosas que *le van a abrir los ojos, ¡pero bien*! [will open his eyes, and how!]
(Toma el teléfono.)
¿Sí?

M. ¿Sr. Fernández?

F. Sí, Montes. ¿Cómo está?

M. Bien, gracias, ¿y Ud.?

F. Muy bien, excelente.

M. Le llamé dos o tres veces la semana pasada, pero *me dijo* la secretaria . . . [told me]

F. Sí, lo sé. *Acabo de volver. Estuve fuera del país.* [I have just gotten back. I was out of the country.]

M. ¿Por mucho tiempo?

F. Tres meses, *nada más. Hice un viaje* a Europa. [that's all. I took a trip]

M. ¿De negocios? [On business?]

F. No, de vacaciones. *Llevé* a toda la familia, *hasta a los criados. Fuimos todos en primera clase, por supuesto.* [I brought . . . even the servants. We all went first class, of course]

M. ¿De veras? ¿Les gustó mucho Europa?

F. ¿Si nos gustó, pregunta Ud.? Nos gustó *tanto* que compramos allí una *casa de verano*, con *piscina* y todo, en la Riviera francesa. [so much — summer house . . . pool]

M. Entonces ¿piensan Uds. ir a Europa todos los años?

F.   Seguramente.   Y con el nuevo yate que compré, podemos hacer otros viajes también—al Oriente, al Africa . . .

M.   ¿Un yate, dice, *para cruzar* el Oceano?   Eso *debe* costar mucho.   *to cross . . . must*

F.   Pues a mí, ¿qué me importa el precio?   Si no compro para mi mujer *una pulsera de diamantes* este año, ya tengo los cien mil pesos para el yate.   *a diamond bracelet*

M.   *¿Ah, sí?*   Parece que le van muy bien los negocios.   *Is that so?*

F.   *Mejor que nunca.*   Muy pocos lo saben—*el gobierno*, Ud. comprende —pero el año pasado vendimos más máquinas de escribir que *todas las demás compañías juntas*, no menos de *cincuenta mil*, ¿sabe Ud.?, y de *sumadoras eléctricas*, más de veinte mil.   Y eso sin contar los . . .   *Better than ever . . . the government*

                                                                    all the other companies together . . . fifty thousand electric adding machines

M.   Pues todo esto es muy interesante.   Quiero *discutirlo* más con Ud. ¿Puede Ud. venir a mi oficina esta tarde?   *discuss it*

F.   No puedo.   Estoy ocupadísimo.

M.   Mañana entonces.

F.   Pues no sé . . .

M.   Mañana, digo yo, a las diez en punto.   Y traiga sus *libros de cuentas* . . .   *account books*

F.   *¿Los míos?*   ¿Por qué?   *Mine?*

M.   Sí, *los suyos*, porque quiero ver si *pagó Ud. todos los impuestos debidos.*   *yours . . . if you paid all the taxes due.*

F.   Pero Alfonso . . .

M.   Soy Alonso Montes, *cobrador* de impuestos del gobierno federal. Adiós, señor Fernández.   Hasta mañana a las diez.   *collector*

Vocabulario Activo

criado	*servant*	máquina de escribir	*typewriter*
dinero	*money*	negocio(s)	*business*
envío	*shipment*	oficina	*office*
coger	*to catch; pick up*	mandar	*to send; to order*
cubrir	*to cover*	sonar (o > ue)	*to sound; to ring (telephone)*
rico	*rich*	ocupado	*busy*
fuera (de)	*outside (of)*	juntos	*together*
hasta	*until; even*	tanto	*so much*
la semana pasada	*last week*	por supuesto	*of course*
hacer un viaje	*to take a trip*	de costumbre	*as usual*

Preguntas

1. ¿Dónde tiene lugar este episodio?
2. ¿Cómo se llama la compañía?
3. ¿Cómo se llama la secretaria?
4. ¿Qué dice el señor Fernández en la carta que dicta a su secretaria?
5. ¿Quién llama por teléfono?
6. ¿Qué nombre repite la secretaria?
7. ¿Cuántas veces llamó la semana pasada el Sr. Montes?
8. ¿Con quién cree el Sr. Fernández que habla?
9. ¿Le gusta su primo Montes? ¿Por qué?
10. ¿Por qué quiere hablar con él esta vez?
11. ¿Dónde le dice que estuvo?
12. ¿Cuánto tiempo dice que estuvo en Europa? ¿Con quiénes fue?
13. ¿Qué compró en la Riviera? ¿Qué otra cosa compró para hacer otros viajes?
14. ¿Cómo dice que le van los negocios?
15. ¿Cuántas máquinas de escribir dice que vendió el año pasado?
16. ¿Qué le dice el señor Montes?
17. ¿Quién es el Sr. Alonso Montes?

III. ESTRUCTURA

47. The Preterite of *-ir* Radical Changing Verbs

-ir radical changing verbs change **e** to **i**, **o** to **u** in the third person of the preterite. **-ar** and **-er** radical changing verbs have no change in the preterite.

sentí	dormí
sentiste	dormiste
⟶ sintió	⟶ durmió
sentimos	dormimos
sentisteis	dormisteis
⟶ sintieron	⟶ durmieron

Exercise

1. Complete las conjugaciones siguientes:

   pedí, pediste, _____, _____, _____, _____

   serví, _____, _____, _____, _____, _____

   morí, _____, _____, _____, _____, _____

   mentí, _____, _____, _____, _____, _____

2. Diga en español:

   a. I slept, I felt, I asked for it, I lied. b. He died, he served, he slept, he felt. c. They asked for it. d. She slept all day. e. We served them. f. Mr. Ramos died last night. g. You (tú) lied. —No. *He* lied. h. I regretted it (sentir).

48. The Pattern of Irregular Preterites

Most irregular preterites fall into a very clear pattern:

1. The first person singular ends in an *un*stressed **e.**
2. The third person singular ends in an *un*stressed **o.**
3. The whole conjugation repeats the stem of the first person singular.

A. **u** stems

tener	estar
tuve	estuve
tuviste	estuviste
tuvo	estuvo
tuvimos	estuvimos
tuvisteis	estuvisteis
tuvieron	estuvieron

ᘓᘏᘓ *Exercise*

Complete las conjugaciones siguientes:

andar (to walk): anduve, _____, _____, _____, _____, _____

saber (to know): supe, _____, _____, _____, _____, _____

poder (to be able): pude, _____, _____, _____, _____, _____

poner (to put): puse, _____, _____, _____, _____, _____

traducir[1] (to translate): traduje, _____, _____, _____, _____, _____

B. **i** stems
querer (to want; to like, love): quise, quisiste, quiso, quisimos, quisisteis, quisieron
decir (to say, tell): dije, dijiste, dijo, dijimos, dijisteis, dijeron

ᘓᘏᘓ *Exercise*

Complete las conjugaciones siguientes:

hacer (to do; to make): hice, _____, _____, _____, _____, _____

venir (to come): vine, _____, _____, _____, _____, _____

C. **a** stem
traer (to bring): traje, trajiste, trajo, trajimos, trajisteis, trajeron

ᘓᘏᘓ *Exercise*

1. Give the proper preterite forms:

él: hacer, decir, estar, poder, poner, traer

yo: tener, saber, traducir, venir, andar, querer

nosotros: estar, saber, hacer, venir, decir

---

[1]All verbs ending in **-ducir** (**producir, conducir, reducir,** etc.) are conjugated like **traducir.**

María y Elena: poner, venir, estar, tener, hacer

tú: querer, decir, venir, estar, hacer, poder

Ud.: saber, traer, querer, venir, decir, estar

2. Diga en español:

a. they said. b. we had. c. he brought. d. my parents were here. e. I did.

f. Paul came. g. she made. h. you (Ud.) put. i. they weren't able

49. Unequal Comparison of Adjectives: more, less . . . than

A. Regular comparisons

Unequal comparisons are regularly formed in Spanish by placing **más** (more) or **menos** (less) before the adjective.

alto	más alto	bonita	menos bonita
grandes	más grandes	cómodas	menos cómodas

Than is normally translated by **que.** However, **de** is used for *than* before a number.

Paco es más alto que yo.	Frank is taller than I.
Estos son más grandes que ésos.	These are larger than those.
Elena es menos bonita que María.	Helen is less pretty than Mary.
Escribió más de cien dramas.	He wrote more than a hundred dramas.
Me quedan menos de cinco minutos.	I have less than five minutes left.

B. Irregular comparisons

Only six adjectives are compared irregularly in Spanish:

mucho(s)	más	*more*	poco(s)	menos	*less, fewer*
bueno(s)	mejor(es)	*better*	malo(s)	peor(es)	*worse*
grande(s)	mayor(es)	*larger, older*	pequeño(s)	menor(es)	*smaller, younger*

Más grande refers only to size or greatness, **más pequeño,** to size alone.

Raúl es más grande, pero Esteban es mayor.	Ralph is bigger, but Steven is older.
Anita es más pequeña que su hermana menor.	Anita is smaller than her younger sister.
Un hombre bueno es más grande que un hombre ambicioso.	A good man is greater than an ambitious man.

50. Superlatives

Superlatives use the same form as the comparatives, generally preceded by the definite article. Notice that after a superlative, *in* is translated as **de.**

Pablo es el mejor atleta que conozco.	Paul is the best athlete I know.
Es el más alto de la familia.	He is the tallest in the family.
Elsa es la mayor.	Elsa is the oldest.
Los mellizos son los menores.	The twins are the youngest.
Soy la muchacha más feliz del mundo.	I am the happiest girl in the world.

ᥫ᭼ᦢ *Exercise*

Diga en español:

1. I know that Richard is handsomer and more intelligent than I. Why do you love *me* (a mí)? —Because you're richer. —Darling, you have just made me the happiest man in the world. 2. Who is the best student in this class? 3. That was the worst day of my life. 4. His younger brother is much taller than he.

51. -ísimo

-ísimo is an ending that adds *very, extremely, exceptionally*, and the like, to the meaning of an adjective or adverb.

Este es un libro malísimo.	This is a very bad book.
Marta es hermosísima.	Martha is very beautiful.
Habló rapidísimamente.	He spoke very rapidly.
Es un hombre rarísimo.	He's a most (highly) unusual man.

ᥫ᭼ᦢ *Exercise*

Diga en español:

1. This lesson is extremely difficult. 2. It's the most difficult in the book. 3. *I* understand it. —Well, you're exceptionally intelligent. 4. We're very tired. We worked very hard (mucho) today.

52. Stressed Forms of the Possessive

English *mine* or *of mine*, etc. is translated in Spanish by a stressed possessive that either follows the noun or stands alone after *ser*. Notice that all these forms have both feminine and plural endings that agree with the *noun* to which they refer (*not* with the possessor.)

mío (a, os, as) *mine, of mine*	nuestro (a, os, as) *ours, of ours*
tuyo (a, os, as) *yours, of yours*	vuestro (a, os, as) *yours, of yours*

suyo (a, os, as) *his, of his; hers, of hers; yours (de Ud., de Uds.),
of yours; theirs, of theirs*

Es muy amigo nuestro.	He's a very good friend of ours.
Estos lápices son suyos.	These pencils are his (or hers, yours, theirs).

Just as with the unstressed **su**, the third person **suyo** may be replaced for reasons of emphasis or clarification by:

de él, de ella, de Ud., de ellos, de ellas, de Uds.

Estos lápices son de él (de ella).	These pencils are his (hers).

However, in actual conversation or writing, clarification is not needed as often as in isolated sentences. The context usually supplies the person referred to.

◇✺◇ *Exercise*

Complete las frases siguientes:

1. ¿De quién es este libro? —Creo que es (mine). —(No, it's not yours. It's his.) —Muy Bien. (It's ours.) 2. (Two friends of theirs) fueron a visitarles anoche. 3. Aquí tiene Ud. (your hat). El otro debe ser (hers). 4. Estas ropas son (ours); (his) (las _____) están en su cuarto. 5. No sé dónde tienen (their house). (Mine) está muy cerca de aquí.

53. Cardinal Numbers 20-100

20	veinte	
	21	veinte y un(o), veinte y una (veintiún, veintiuno, veintiuna)
	22	veinte y dos (veintidós)
	23	veinte y tres (veintitrés)
	24	veinte y cuatro (veinticuatro)
	25	veinte y cinco (veinticinco)
	26	veinte y seis (veintiséis)
	27	veinte y siete (veintisiete)
	28	veinte y ocho (veintiocho)
	29	veinte y nueve (veintinueve)
30	treinta	
	31	treinta y un(o), treinta y una
	32	treinta y dos
40	cuarenta	
50	cincuenta	
60	sesenta	
70	setenta	
80	ochenta	
90	noventa	
100	ciento (cien)	
	101	ciento uno
	116	ciento diez y seis (dieciséis)
	155	ciento cincuenta y cinco

A. Cardinal numbers ending in *one* (21, 31, 41, etc.) change **uno** to **un** before a masculine noun, **uno** to **una** before a feminine noun.

cuarenta y un años *41 years*   veinte y una (veintiuna) horas *21 hours*

B. After 29, **veintinueve,** there are no one-word forms.

treinta y cinco días *35 days*   setenta y ocho trombones *78 trombones*

C. **Ciento** becomes **cien** when it immediately precedes *any* noun, including **millón** (million).

cien dólares *100 dollars*   cien millones de habitantes *100,000,000 inhabitants*
But: ciento diez dólares *110 dollars*
        ciento cincuenta millones *150,000,000*

ℰ∿ℯ *Review Exercise*

Traduzca al español:

(F. = Sr. Fernández; S. = Sr. Suárez)

S. Hello, Fernandez. What's the matter? You look pale, and worried. Where are you going?

F. To jail.

S. What are you saying? Are you mad? Tell me, what happened?

F. Well, yesterday, March 21, at two o'clock in the afternoon, the phone rang. That pretty secretary of mine picked it up and said to me, "Mr. Fernandez, it's for you. It's a Mr. Alfonso Montes. He called several times last week. Do you know him?" Well, I took the phone and spoke to him. You see, I know an Alfonso Montes, a relative of mine, or rather (mejor dicho) of my wife. He is richer than Rockefeller and Patiño together, and he doesn't bother much with us because we have less money than he. Well, I decided to tell him a few things to (para) open his eyes. I told him that I took a trip to Europe, that I brought my family, even the servants, and that we were all there for three months, that I bought a yacht and a house on the Riviera, that last year we sold more than fifty thousand typewriters, and, in short (en fin), I made such an (tal) impression that he invited me to his office.

S. Well, that's not so bad.

F. Oh no? He also asked me for my account books to see whether I paid all my taxes. You see, he isn't Alfonso Montes, that rich cousin of ours. He is Alonso Montes, tax collector. Now what am I going to do?

S. My friend (amigo mío), shall I bring you soup every day?

IV. CONVERSACION

Vocabulario Especial: *Los Negocios* (Business)

secretaria *secretary*
mecanógrafa *typist*
taquígrafa *stenographer*
recepcionista *receptionist*
telefonista *operator*
(representante) viajante *traveling salesman*
agente *agent*
fabricante *manufacturer*
tendero *storekeeper*
socio *partner*
Sociedad Anónima *Corporation*; (S.A. *Inc.*)
firma, casa *firm*

patrón, jefe *boss*
dueño, propietario *owner*
empleado *employee*
dependiente, dependienta *clerk*
tenedor (de libros) *bookkeeper*
contador *teller; accountant*
corredor *broker*
gerente *manager*
hombre de negocios *businessman*
comerciante *businessman, merchant*
obrero *worker*
cajero *cashier*

oficina   *office*
el almacén   *warehouse; store*

máquina de escribir   *typewriter*
el conmutador   *switchboard*

La línea está ocupada.   *The line is busy.*
Le comunico ahora.   *I'll connect you now.*

carta   *letter*
sello   *stamp*
el paquete   *package*
a vuelta de correo   *by return mail*
la dirección   *address*
las señas   *address*
remitente   *sender*
el porte   *postage*
entrega inmediata   *special delivery*

Muy señor(es) mío(s)
Muy señor(es) nuestro(s)

Obra en nuestro poder su favor (su atenta *or* su grata) del 5 del corriente
Acusamos recibo de . . .

fábrica   *factory*
la recepción   *waiting room*

teléfono   *telephone*
el telegrama   *telegram*

No comunica.   *There's no answer.*
marcar un número   *to dial a number*

tarjeta postal   *post card*
el sobre   *envelope*
envío, remesa   *shipment*
por avión, vía aérea, correo aéreo   *air mail*
(casa de) correos, casa del correo, oficina de correos   *post office*
destinatario   *addressee*
certificación   *registry (of mail)*

Dear Sir(s)
Dear Sir(s)

We have your letter of the 5th inst. (of this month)
We acknowledge receipt of . . .

De: Fernández y Cía., S.A.
Calle San Martín, 35
Valparaíso, Chile

A:
Sr. Rodrigo Mata Ortiz
Avenida 2 de Mayo, 97
Caracas, Venezuela

Discusión

1. ¿Qué tipo de trabajo le interesa a Ud.? ¿Le gustan los negocios? ¿Es hombre de negocios su padre? ¿Otro miembro de su familia?
2. ¿Qué negocio le interesa más? ¿Ha trabajado Ud. alguna vez (Have you ever worked?) ¿Cuándo? ¿Dónde?
3. ¿Prefiere Ud. trabajar en una oficina, en una tienda, en una fábrica, o al aire libre (in the open air)?
4. ¿Le gustaría viajar en su trabajo o trabajar en la misma ciudad donde vive?

5. ¿Le gusta más trabajar en una gran ciudad o en un pueblo pequeño? ¿Dónde le gusta más vivir? ¿Por qué?

6. ¿Prefiere Ud. trabajar para una compañía grande o para un negocio pequeño? ¿Prefiere Ud. trabajar para otra persona o ser dueño de su propio negocio? ¿Por qué?

7. ¿Ha visitado Ud. alguna vez (Have you ever visited) una oficina comercial? ¿Cuántos empleados tiene? ¿Qué son?

8. ¿Sabe Ud. escribir a máquina? ¿Cree Ud. que debe ser obligatorio para todo (every) estudiante universitario aprender a escribir a máquina?

9. ¿Cree Ud. que va a ser rico algún día? ¿Como piensa Ud. (How do you intend to) hacer su fortuna?

10. ¿Cree Ud. que la mayor parte (the majority) de los hombres de negocios son honrados (honest)? ¿Piensa Ud. ser completamente honrado en los negocios?

Lección Novena

I. PRONUNCIACION: LINKING

One of the most important aspects of Spanish pronunciation is linking. A word that ends in a vowel must be joined with a following word that begins with a vowel, unless, of course, the words are separated by a comma or by any logical pause. Listen and pronounce:

Le he visto. Me es imposible ir con Uds. Se ha vuelto loco. Empiezo a hacerlo ahora. ¿Habla Ud. español? Nuestro profesor de español. . . . La voz de ese niño . . . Va a cantar. Va a hacer un viaje. No es ella. Fue él. La amo mucho. No se entienden.

II. MOMENTO DE VIDA: *UN PROGRAMA DE RADIO*

(M. = María; Sra. = Sra. Gómez; L. = Locutor)

María Gómez *acaba de poner* la radio. El programa está *a medio terminar. Se oye* la voz de un hombre: has just turned on
half over. is heard

El.   Ud., señorita Lagos, mi *fiel* secretaria, que me *ayuda* siempre con todos mis problemas, tiene Ud. que ayudarme una vez más. *Se lo ruego.* Es la decisión más importante de mi vida. faithful . . . helps
I beg you

Ella.   Siempre estoy aquí para ayudarle, señor Hurtado, si puedo.

El.   Tengo que hacerle una confesión. Por primera vez en mi vida, estoy *enamorado*, locamente enamorado. Y no sé si debo decírselo a ella inmediatamente o *guardar* el secreto en este pobre corazón mío. ¿Qué me dice Ud., señorita Lagos? in love
keep

Ella.   No sé. ¿Cuánto tiempo hace que la conoce Ud.?

El.   Parece que toda mi vida, aunque en realidad, *la conocí sólo hace tres días*, en un almacén del centro. I met her only three days
ago

Ella.   ¿Y *cómo fue eso?* how did that happen?

111

El.   Pues *yo salía y ella entraba* por la misma puerta. La miré . . . Ella me miró . . . *Chocamos en el portal*, y sin saber cómo, *quedamos atrapados* en esa puerta *giratoria* que tienen. Por cinco minutos *dimos vueltas* en esa puerta . . . ella y yo . . . yo y ella . . . *solos* en un mundo lleno de gente. Nadie *podía* salir. Nadie podía entrar. El mundo *era* nuestro . . . . Cuando *nos sacaron* de la puerta, no hablamos. No dijimos *ni una palabra*. Pero *sabíamos* . . . sí, sabíamos . . . Pero, señorita Lagos, ¿por qué *llora* Ud.? Porque es tan romántico el caso, ¿no?

> I was going out and she was entering . . . . We collided in the doorway . . . we were trapped . . . revolving
>
> we went round and round
>
> alone . . . could
>
> was . . . they got us out
>
> a single word
>
> we knew
>
> are you crying?

Ella.   No sé qué decir, señor. ¿Es bonita ella?

El.   Sí, muy bonita.

Ella.   ¿Más bonita que yo?

Sra.   (*Adentro*) María, *apaga* la radio.

> (From inside) . . . turn off

M.   No puedo, mamá. Es el momento más hermoso del cuento.

El.   ¿Más bonita que Ud.? *No lo creo.*

> I don't think so.

Ella.   ¿Y es joven?

El.   Muy joven.

Ella.   ¿Más joven que yo?

El.   No, no lo creo.

Ella.   ¿Y le quiere a Ud.?

El.   Mucho.

Ella.   Pero no más que yo. ¡Ay, señor Hurtado! No puedo *soportarlo* más. *Ya no* puedo vivir así . . . Ud. es mío, mío, mío. No puede ser de ella.

> stand it
>
> No longer

El.   ¡Silvia!

Ella.   ¡Jorge!

El.   Pero *no tenía* la menor idea. No sabía . . . ¿Por qué no me lo dijo Ud. antes?

> I didn't have

Ella.   *Hacía meses que quería decírselo*, pero no podía. Pero hoy, *se me escapó de la boca.*

> For months I had been wanting to tell you . . . it slipped out of my mouth.

El.   Silvia. Soy tuyo, tuyo, tuyo. *Para siempre.*

> Forever

Ella.   Y yo soy tuya. Pero, ¿*y la otra?*
   (Música. Se oye *la voz del locutor*.)

> what about
>
> the announcer's voice

L.   Silvia y Jorge acaban de encontrar la *felicidad* donde menos la *esperaban*, en su propia oficina. Pero, ¿va a durar este nuevo amor? ¿O *piensa* volver *Jorge* al almacén del centro? ¿Qué va a pasar si queda atrapado otra vez en esa puerta giratoria y encuentra . . . a "Ella"? *Escuchen* Uds. mañana a la misma hora el próximo *capítulo* de nuestro drama de amor y *peligro*. Y hasta entonces, *no olviden* comprar "Adiós," el *único jabón* que dice "adiós" a todo *olor desagradable* y "hola" al amor. Hasta mañana, señoras. Adiós, Adiós, Adiós.

> happiness
>
> they expected
>
> does George intend to
>
> Listen
>
> chapter . . . danger
> don't forget . . . the only soap
>
> disagreeable odor

Vocabulario Activo

el amor	*love*	peligro	*danger*
palabra	*word*	vida	*life*

ayudar	*to help*	pensar (e > ie)	*to think; intend to*
durar	*to last*	parecer (parezco)	*to seem, appear, look*
escuchar	*to listen (to)*	rogar (o > ue)	*to beg*
llorar	*to cry*	sacar	*to take out*
olvidar	*to forget*	soportar	*to stand, endure*

antes (adv.)	*before, sooner*	adentro	*(from) within, inside*

poner (la radio, etc.)	*to turn on*	apagar (la radio, etc.)	*to turn off*
para siempre	*forever*	ya . . . no	*no longer, not . . . any more*

∽ Preguntas

1. ¿Qué acaba de hacer María Gómez?
2. ¿Qué oye (does she hear)?
3. ¿Qué problema tiene el Sr. Hurtado?
4. ¿Por qué necesita la ayuda de su secretaria? ¿Cómo se llama ella?
5. ¿Cuánto tiempo hace que conoce el Sr. Hurtado a su amor?
6. ¿Dónde la conoció?
7. ¿Qué les pasó en el portal del gran almacén?
8. Cuando los sacaron de la puerta giratoria, ¿qué dijeron?
9. ¿Qué hace la secretaria cuando oye este cuento de amor?
10. ¿Qué quiere saber de la otra mujer?
11. Por fin, ¿qué confiesa (does she confess) a su jefe (boss)?
12. ¿Lo sabía el Sr. Hurtado?
13. ¿Cuánto tiempo hacía que ella quería decírselo?
14. ¿Qué dice el Sr. Hurtado cuando sabe (finds out) que su secretaria está enamorada de él?
15. ¿Qué producto quiere vendernos el locutor del programa de radio?

III. ESTRUCTURA

54. The Imperfect

As you recall, Spanish has two simple past tenses: the preterite and the imperfect. Here are the forms of the imperfect. They are usually translated as *was doing, used to do, would do,* and so forth (for example, I was buying, I used to buy, I would buy).

-ar	**-er**	**-ir**
comprar	**comer**	**vivir**
compraba	comía	vivía
comprabas	comías	vivías

compraba	comía	vivía
comprábamos	comíamos	vivíamos
comprabais	comíais	vivíais
compraban	comían	vivían

Only three verbs are irregular in the imperfect:

ser	**ir**	**ver**
era	iba	veía
eras	ibas	veías
era	iba	veía
éramos	íbamos	veíamos
erais	ibais	veíais
eran	iban	veían

Exercise

1. Conjugate in the imperfect:
   a. hablar, dar, estar, caminar
   b. beber, tener, poner, venir, sentir

2. Give the appropriate imperfect form:
   yo: tomar, dar, empezar, meter, vivir, dormir, ser
   tú: acabar, comprar, coser, tener, esperar, ir
   Ud.: jugar, tocar, amar, conocer, saber, sentir
   ella y yo: estudiar, vender, hacer, ser, ver
   vosotros: dar, ir, estar, poner, poder, ser
   todos: morir, acabar, sacar, ser, ir, tener, hacer, salir

3. Change to the imperfect:
   él (hablar), nosotros (tener), María (ser), mis amigos (ir), Elena y yo (vivir), tú (ver),
   Juan y Pedro (dormir), yo (estar), ella (saber), vosotras (ser), Uds. (conocer),
   estos niños (pedir)

55. The Preterite and Imperfect Contrasted

Although the preterite and the imperfect are both simple past tenses, they imply totally
different meanings. Their use depends on the *idea* that the speaker wishes to communicate, and
they can never be interchanged without changing the meaning of the sentence. The difference
between the preterite and the imperfect can best be seen in the following diagram.

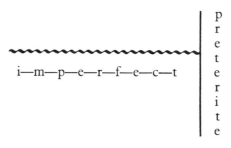

The imperfect is the pictorial past. Its continuous, moving line describes a past action in progress. (We *were leaving* the building when . . .) It relives what *used to be.* (They *used to* or *would play* there every day.) It paints the background of an event, sets the stage upon which another act is performed. (It was midnight. It was hot out. There was nobody in the street.)

The preterite is the recording past. It cuts into the past, recording its events as units completed at a certain time, reporting merely the fact that they took place. (I came, I saw, I conquered.)

56. Uses of the Imperfect

A. It tells what *was happening* at a certain time.

Yo entraba y ella salía.	I was going in and she was coming out.
Cantaban y reían.	They were singing and laughing.
No se movía ni una criatura.	Not a creature was stirring.

B. It recalls what *used to be or happen* over a period of time. (In English, *would* sometimes means *used to.*)

Cuando éramos niños, jugábamos en el parque.	When we were children, we used to (or would) play in the park.
Nos levantábamos a las seis.	We used to (would) get up at six.

C. It describes a state of mind, a situation, or an emotional or physical condition in the past.

La casa no era muy grande.	The house wasn't very large.
La amaba mucho.	He loved her very much.
¡Qué hambre teníamos!	How hungry we were!
Estaban tan cansados.	They were so tired.
No sabía qué decir.	He didn't know what to say.

D. It sets the stage upon which another action was laid. It tells time in the past.

Era medianoche.	It was midnight.
La casa estaba a oscuras.	The house was dark.
Hacía mucho calor.	It was very hot out.
No había nadie en la calle.	There was no one in the street.
But: De repente, oí un grito.	Suddenly, I heard a shout.

Exercise

Translate into Spanish, distinguishing carefully between preterite and imperfect:
1. She was very fat when I met her. 2. The children were so tired when they came in. 3. He used to live with us. 4. I always drank a glass of milk before going to bed (acostarme). 5. I drank ten glasses of water yesterday. Oh, was I thirsty! 6. They would get up early every morning, except when they had to go to school. 7. He was tall and handsome, and all the girls adored him. 8. They came to visit us last week. 9. Who won? —They won, as always.

57. Changes of Translation with Imperfect and Preterite

As we have noted, the use of imperfect or preterite always implies a difference in meaning.

Estuvo enfermo ayer.	He was sick yesterday. (He took sick and has recovered.)
Estaba enfermo ayer.	He was sick yesterday. (Such was his condition at the time. When he took sick and whether or not he has recovered is not indicated.)

With some verbs, this change in meaning actually produces a change in translation.

¿Lo sabía Ud.?	Did you know it? (This describes the mental state of knowing.)
Sí, lo supe anoche.	Yes. I found it out (learned it) last night. (Here the moment of finding out is recorded.)
No quería ir.	He didn't want to go.
No quiso ir.	He refused to go. (At some point he put his unwillingness into action.)
Le conocíamos bien.	We knew (used to know) him well.
Le conocimos en 1959.	We met him in 1959. (At that time we made his acquaintance.)

58. Time Expressions with Hacer

A. Hacía . . . que

As you recall, the present tense describes an action that began some time ago and is still going on now. **Hace . . . que** states the length of time and the following verb is in the *present*.

The imperfect, then, describes an action that *had begun* previously and *was still going on* at a later time in the past. **Hacía . . . que** states the length of time and the following verb is in the *imperfect*.

Hace dos meses que vivo aquí.	I have been living here for two months (and still am).
Hacía dos meses que vivía aquí.	I had been living here for two months (and still was when . . .).
Hace tres semanas que trabaja.	He has been working for three weeks.
Hacía tres semanas que trabajaba.	He had been working for three weeks.
¿Cuánto tiempo hace que estudia el español?	How long have you been studying Spanish?
¿Cuánto tiempo hacía que estudiaba el español?	How long had you been studying Spanish?

B. Hace

After a verb in the preterite or imperfect, **hace** (+ period of time) means *ago*.

La conocí hace tres días.	I met her three days ago.
Vino hace una hora.	He came an hour ago.
Cantaba muy bien hace unos años.	She used to sing very well a few years ago.

Exercise

Diga en español:

1. I saw them two weeks ago. 2. We have been waiting here for an hour. 3. We had been waiting for an hour when they arrived. 4. They used to visit us often many years ago. 5. He sang at the theater ten days ago. 6. He has been singing for a long time (mucho tiempo). 7. He had been singing for a long time. 8. When did he come? A half hour (media hora) ago.

59. Acabar de + Infinitive

In the present tense, **acabar de** means *to have just* (done, gone, etc.). In the imperfect, it means *had just*.

Acaba de volver.	He has just returned.
Acababa de volver.	He had just returned.

Exercise

Diga en español:

1. They have just come. They had just come. 2. I have just eaten. I had just eaten. 3. We have just done it. We had just done it. 4. She has just sent it to him. She had just sent it to him.

Review Exercise

Traduzca al español:

Mary Gomez turns on the radio. A man's voice is heard.

He. Miss Lagos, my faithful secretary, you have to help me. I lost my heart three days ago.

She. You lost your heart? To whom? How did it happen?

He. Well, I went to a department store, and had just bought myself a new hat and then—I met her. As I was going out, a young lady was coming in. We collided in the doorway. I looked at her . . . she looked at me . . . and without knowing how, we were caught in the revolving door. It was wonderful. Nobody could get in or go out as (mientras) we turned round and round in the door. The whole world was ours. Finally, when they got us out, we knew, although we didn't say a word, we knew that this was love. But now I don't know whether to wait or to tell her (it) at once.

She. Oh, Mr. Hurtado. How can I answer when my heart is crying? Tell me, is she pretty?

He. Yes, very pretty.

She. Prettier than I?

He. No, I don't think so.

She. Is she younger than I?

He. No, I don't think so.

She. Ah, but she can't love you more than I.

He. Sylvia!

She. George!

He. Why didn't you tell me before?

She. I had been wanting to for months, but I couldn't, I couldn't . . .

He. Sylvia, I am yours.

She. And I am yours, yours, yours.

The announcer speaks:

George and Sylvia have just found happiness where least they expected it. But how long is this new love going to last? Is George going to return to the store, to the revolving door, and . . . to "Her"? Listen again tomorrow, and until then, ladies, Goodbye, Goodbye, Goodbye, from Adiós, the world's most romantic soap.

IV. CONVERSACION

Vocabulario Especial: *Entretenimientos* (Entertainment[s])

locutor *announcer*
comediante *comedian; actor*
actor *actor*
actriz *actress*

el cine *the movies*
teatro *theater*
la función de variedades *vaudeville*
circo *circus*
orquesta *orchestra*
obra dramática *dramatic work*
zarzuela, comedia musical *musical comedy*

radio (*m.* or *f.*) *radio set*
la radiodifusión *broadcasting*
la estación *station*
la televisión *television; television set*
el televisor *television set*
un programa *a program*
anuncio *commercial advertisement*

la estrella *the star*
galán *leading man*
payaso *clown*
empresario, productor *producer*

comedia *play; comedy*
película *film*
noticiero *newsreel*
escenario *scenery*
escena *the scene; the stage*
estar en escena *to be on stage*
el telón *curtain*
fondo *backdrop*

las noticias *the news*
presentar *or* dar (un programa) *to present*
tubo *tube*
pantalla *screen*
el canal *channel*
arreglar *to fix (a set)*

Discusión

1. ¿Cuántas horas al día (a day) escucha Ud. la radio? ¿Cuántas horas la escucha su madre?
2. ¿Cuántas horas al día mira Ud. la televisión? ¿Cuántas horas la miran otros miembros de su familia?
3. ¿Qué tipo de programa le gusta más a Ud.? ¿Cuál es su programa favorito?
4. ¿Cree Ud. que la mayor parte de los programas de radio y televisión son buenos?
5. ¿Qué le parecen a Ud. (What do you think of) los anuncios comerciales que se oyen en la radio y la televisión? ¿Compra Ud. muchos artículos que anuncian por la radio o la televisión? ¿Y su madre? ¿Y sus hermanos?
6. ¿Prefiere Ud. la televisión o el cine? ¿Por qué?
7. ¿Prefiere Ud. el cine o el teatro? ¿Por qué?
8. ¿Le gustaría a Ud. ser actor o actriz?
9. ¿Quién es su actor favorito? ¿Su actriz favorita? ¿Por qué le gusta?
10. ¿Le gustaría escribir para la televisión o para el cine?

LECTURA V: LA ESPAÑA MEDIEVAL

La España de la *Edad Media* era un mosaico multicolor. Por más de
tres siglos, cristianos, musulmanes, y judíos vivieron juntos con bastante
tolerancia *mutua*. De vez en cuando, los pequeños *reinos* cristianos del
norte, ocupados con sus propios problemas internos y *metidos* en cons-
5 tantes luchas y rivalidades, hacían *incursiones* en territorio árabe,
pero no existía entre ellos una verdadera *conciencia* de la unidad cristiana
frente a los infieles. Muchos cristianos vivían bajo el dominio de los
árabes y conservaban sus costumbres, su religión, sus leyes, y su lengua.
El Califa hasta nombraba a los obispos y convocaba los concilios de la
10 iglesia católica. Estos cristianos arabizados (llamados mozárabes) y
los musulmanes que vivían en territorio cristiano (llamados mudéjares)
eran el *eslabón* principal entre la cultura oriental y la occidental.

En los siglos once y doce, con la llegada de nuevos elementos fanáticos
del norte de Africa, la tolerancia musulmana *se convirtió en* persecución.
15 La paz se hizo guerra y la España cristiana se preparó para defender
la fe.

El primer héroe de la Reconquista fue El Cid, Rodrigo Díaz de Vivar,
que luchó contra los nuevos invasores musulmanes y tomó de sus manos
la ciudad de Valencia. El Cid, que murió en 1099 (mil noventa y nueve),
20 queda *inmortalizado* en el primer poema épico de lengua castellana y en
infinitos *romances* de épocas posteriores. Poco a poco, los reinos cristianos empezaron a extenderse por tierras musulmanas. En 1085 (mil
ochenta y cinco) tomaron Toledo; en 1236 (mil doscientos treinta y

Middle Ages

mutual . . . kingdoms

involved

forays

consciousness

against the infidels

The Caliph even appointed the bishops and convoked the councils

link

turned into

immortalized

ballads

Estatua del Cid Campeador por Anna Hyatt Huntington. (Courtesy of the Hispanic Society of America)

Alfonso el Sabio, rey de Castilla y patrón de las artes. (Courtesy of the Hispanic Society of America)

seis), tomaron Córdoba, y en 1248, llegaron a Sevilla. Aragón y Castilla eran ya los reinos principales del norte, y el *único fuerte que les quedaba a los musulmanes* era Granada. Pero durante los dos siglos siguientes las fuerzas cristianas, divididas entre sí, *no prosiguieron* la Reconquista. España todavía no era una.

La característica distintiva de la Edad Media en España es la fusión de tres culturas: la hispano-romana, la islámica (*transmisora* del pensamiento griego y oriental), y la judía. La corte de Alfonso X de Castilla, llamado el *Sabio* (que *reinó* de 1252 a 1284), es el mejor ejemplo de este *intercambio* cultural. Alfonso, escritor él mismo de poesía y de otras obras técnicas, *reunió alrededor de sí* un grupo distinguido de *historiadores*, filósofos, y *eruditos* de las tres razas e hizo con ellos *la labor* enciclopédica más importante de la época. *Cuentos y fábulas* de la India,

only stronghold the Moslems had left 25

didn't pursue

transmitter 30

Wise . . . reigned

interchange

gathered about himself

historians . . . scholars . . . work 35

stories and fables

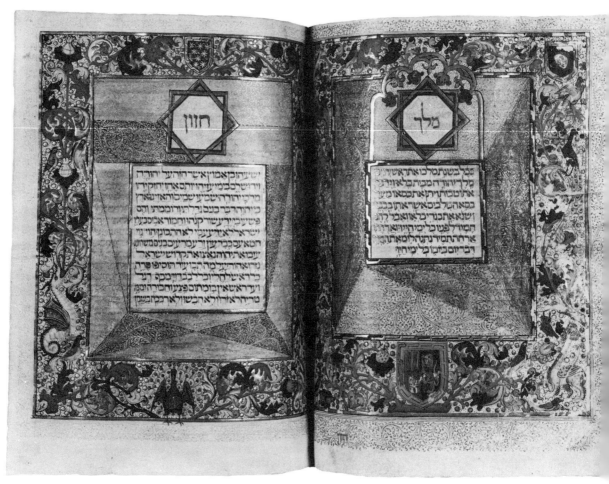

Bibila hebrea, siglo quince. (Courtesy of the Hispanic Society of America)

de la antigua Persia, de todo el mundo oriental, fueron incorporados a
la tradición española, y los encontramos aun en *El Conde Lucanor*, [Count Lucanor]
obra maestra del gran *prosista* del siglo catorce don Juan Manuel, [prose writer]
40 *príncipe* de Castilla y sobrino del rey Alfonso. Y *se escribió* una rica [prince ... there was written]
poesía en español, pero con letras *arábigas o hebreas*. Esta literatura, [Arabic or Hebrew]
que llamamos "aljamiada," es *anterior* al *desarrollo* de la poesía lírica [prior ... development]
castellana.

El pensamiento del hombre medieval estaba dominado mayormente
45 por la religión. El cristiano de esa época se sentía pequeño y *anónimo* [anonymous]
dentro de la gran colectividad, y consideraba su vida en este mundo
como una preparación para la vida eterna después de la muerte. La
educación estaba en manos de la iglesia, y la clase baja recibía muy
poca. Así, gran parte de la literatura medieval (como el arte y la escul-
50 tura) era de tipo religioso y era *escrita o por clérigos o* por miembros de [written either by clergy or]
la clase alta. Pero aun un clérigo medieval puede *sonreír ante la vida*. [smile at life]
Y así lo hizo Juan Ruiz, el *Arcipreste* de Hita, un *humilde cura* del siglo [archpriest ... humble priest]
catorce. En su gran obra, El Libro de Buen Amor, nos da, entre ser-

mones sobre la vida buena, una sátira humana *tan llena de comprensión y humorismo* que todavía podemos leerla con *deleite*.

    so full of understanding and humor ... delight 55

La Edad Media era una edad de lucha—lucha por el poder, lucha por la autonomía, lucha contra los infieles. Así nace la poesía épica, *cantada por juglares* que iban de pueblo *en pueblo recitando las hazañas* de sus héroes. La Edad Media era una edad de reyes—de la corte, de la *caballería* y de la idealización de la mujer. Y por eso nay poesía *cortesana* y canciones de amor.

    sung by minstrels ... to town reciting the deeds

    chivalry ... courtly 60

El mosaico multicolor produce nuevos *matices, y a medida que* pasa el tiempo, una nueva España, parte europea, parte semita, parte oriental, empieza a buscar su identidad nacional.

    hues, and as

Preguntas

1. ¿Cómo vivieron por más de tres siglos cristianos, musulmanes, y judíos?
2. ¿Qué hacían de vez en cuando los reinos cristianos del norte? ¿Qué les hacía falta (were they lacking)?
3. ¿Quiénes eran los mozárabes? ¿Cómo vivían bajo el dominio de los árabes?
4. ¿Quiénes eran los mudéjares? ¿Cuál es la contribución cultural de los mozárabes y los mudéjares?
5. ¿Qué ocurrió en los siglos once y doce? ¿Qué tuvieron que hacer los cristianos?
6. ¿Quién fue el primer héroe de la Reconquista? ¿Qué hizo? ¿Cuándo murió? ¿En qué forma queda inmortalizado?
7. ¿Qué empezaron a hacer entonces los reinos cristianos? ¿Cuáles eran los más importantes en el siglo trece?
8. ¿En qué año reconquistaron Toledo? ¿Cuándo llegaron a Sevilla? ¿Cuál era entonces el único fuerte que les quedaba a los musulmanes?
9. ¿Por qué no prosiguieron los reinos cristianos la reconquista de Granada?
10. ¿Cuál es la característica distintiva de la Edad Media en España?
11. ¿Quién fue Alfonso el Sabio? ¿Qué gran labor hizo?
12. ¿Quién fue don Juan Manuel? ¿Cuál es su obra maestra? ¿De qué origen son muchos de sus cuentos?
13. ¿Cómo se llama la literatura española escrita con letras arábigas o hebreas?
14. ¿Qué dominaba el pensamiento del hombre medieval?
15. ¿Cómo se sentía el cristiano de la Edad Media? ¿Cómo consideraba su vida en este mundo?
16. ¿En manos de quiénes estaba la educación? ¿Por quiénes era escrita la mayor parte de la literatura medieval? ¿De qué tipo era gran parte de esa literatura?
17. ¿Quién fue Juan Ruiz? ¿Qué contiene su Libro de Buen Amor?
18. ¿Qué eran los juglares?
19. ¿Qué otros tipos de poesía encontramos en la Edad Media?
20. ¿Cómo era España a fines de la Edad Media? ¿Qué empezaba a buscar?

Lección Décima

PRONUNCIACION: INTONATION

Although studies have been made concerning correct or usual intonation among cultured speakers, sufficient variety exists among individuals and area groups to make an exact chart of intonation patterns impossible. However, certain characteristics of normal Spanish intonation may be noted, and may best be practiced by aural observation and repetition rather than by visual representation. Therefore, no attempt will be made here to reproduce with diagrams the rise and fall of the speaker's voice in the enunciation of phrases or sentences. Listen and repeat as accurately as possible what you hear:

1. Juan acaba de llegar. Ha estado en Europa. Piensa venir a vernos mañana. No le gustó el viaje por avión. Parece muy cansado.
2. Hola, Enrique. ¿Cómo estás? Mucho tiempo que no te veo. ¿Y cómo está tu familia? Dime, ¿dónde está esa bonita hermana tuya? No la veo mucho. ¿Casada? ¿Está casada, dices? ¡No me digas! ¡Ay, Dios mío! ¡Qué vida!
3. Vamos a leer un poema.

> ¿Qué es poesía?, dices mientras clavas
> En mí tu pupila azul;
> ¿Qué es poesía? ¿Y tú me lo preguntas?
> Poesía . . . ¡eres tú!

El poeta que escribió este hermoso poemita es Gustavo Adolfo Bécquer, un español que vivió en el siglo diez y nueve. Ahora vamos a leer un poemita por Ramón de Campoamor, otro español de fines del mismo siglo: Se titula "Cosas del tiempo."

> Pasan veinte años; vuelve él,
> Y al verse, exclaman él y ella:
> (—¡Santo Dios! ¿y éste es aquél? . . .)
> (—¡Dios mío! ¡y ésta es aquélla? . . .)

II. MOMENTO DE VIDA: *LAS NOTICIAS* (THE NEWS)

(M. = María Gómez; Sra. = Sra. Gómez; L. = Locutor)

M.　Mamá, ¿*apago* la radio ahora? *(shall I turn off)*

Sra.　¿Qué hora es?

M.　Las tres.

Sra.　*Espera.* Quiero oír las noticias. *(Wait.)*

M.　Muy bien, mamá.

　　(Termina la música. Se oye la voz de otro locutor.)

L.　Buenas tardes, damas y caballeros. La *Compañía Petrolífera Cero* tiene el gusto de presentarles un *resumen* de las *últimas* noticias. *(Zero Oil Company / résumé ... latest)*

　　Montarraz. La pequeña ciudad de Montarraz *se despertó* esta mañana *ante una nueva serie de temblores de tierra.* Los temblores *se siguen* a intervalos de quince minutos. Gran parte de la *afligida* ciudad colonial *está consumiéndose en llamas. No se sabe aún* el número exacto de las víctimas *ni hasta qué punto llega el daño a propiedades. Por todas partes, los bomberos, ayudados* por miles de voluntarios, *van combatiendo* los muchos *incendios.* La gente anda por las calles, *buscando a sus familiares, ayudándose unos a otros.* El gobierno acaba de declarar un *estado* de emergencia y la *Cruz Roja está estableciendo campamentos* para ayudar a las víctimas. . . . *(awoke / faced with a new series of earthquakes / follow each other ... / stricken / is going up in flames. ... / isn't known yet / nor the extent of damage to property. Everywhere the firemen, aided / go about combating ... fires / looking for relatives, helping each other / state / Red Cross is establishing camps)*

　　¡Boletín! *Interrumpimos* este programa para comunicarles un boletín especial . . . ¡Hombre a la *luna! Acaba de anunciarse el lanzamiento de un nuevo cohete* que puso en órbita esta mañana un satélite en que va el primer viajero interplanetario. En este momento, el satélite está *girando alrededor de* la luna y el piloto *mismo,* que parece estar en perfecta *salud, está transmitiendo señales* que dan su posición y otros *datos* atmosféricos. *Según cálculos de los científicos,* el satélite va a empezar *su vuelta hacia tierra* dentro de 72 horas. *Más detalles después.* *(We interrupt / to the moon! There has just been announced the launching of a new rocket / spinning around / himself ... health, is transmitting signals ... data ... According to calculations of the scientists ... its return toward earth ... More details later.)*

　　La Habana. Empezó esta mañana *ante* una multitud enorme el *proceso* criminal *instituido por* el gobierno revolucionario contra 127 *oficiales* del *antiguo régimen.* El gran *estadio* donde *se reúne* el tribunal militar *se llenó de* gente dos horas antes de *la llegada de los jueces,* todos *pidiendo* la ejecución de los "*traidores.*" *(before / trial ... instituted by / officers ... old regime. ... stadium ... meets / filled up with ... the arrival of the judges ... demanding ... traitors)*

　　Lima. Murió *súbitamente* anoche a la edad de 51 años el distinguido escritor, Dr. Don Armando Paredes Ortega, *fundador* de la *revista* "Moderación." Le *sobreviven* su inconsolable *viuda* *(suddenly / founder / magazine ... survive ... widow)*

Doña Eugenia Mercedes de Paredes y sus hijos Antonio, Miguel, Rosario, Cintia, Carlos, Pedro, Ramón, Rosalinda, Alicia, Enrique, Dorotea, Armando, y Esteban.

Quito. Esta tarde a las tres y media *se celebra* el último *partido* de sóquer entre el *equipo* victorioso del Ecuador y los *campeones* nacionales del Perú. El *vencedor se queda con* el título de campeón internacional de sóquer. | takes place . . . game

team . . . champions

winner gets

Y ahora, *el tiempo de hoy.* Temperatura: 76 grados. *Humedad:* 35 por ciento. *Viento* del nordeste a 22 kilómetros por hora. Cielo *despejado.* Mañana: *nublado* por la mañana. *Aguaceros* esporádicos por la tarde, *cambiando* a despejado y *más fresco.* El jueves: *lluvia.* | today's weather . . . Humidity
Wind
clear . . . cloudy . . . Showers
changing . . . cooler
rain

Ahora, amigos, un *mensaje* de la Compañía Petrolífera Cero. *Se aproximan* las vacaciones de verano. Y cuando *hace calor,* ¿a quién no le gusta *hacer una excursión en coche a la playa,* a las montañas, al campo, *a cualquier parte?* Pero ¡qué pronto se *arruinan estos días de placer si no anda bien su coche!* Y así, amigos, si quieren Uds. *garantizarse* el viaje más cómodo posible, usen Uds. exclusivamente la gasolina Cero, que hace funcionar su motor sin *ruido* y con la mayor economía. La gasolina Cero, C–E–R–O, para la felicidad de su motor. | message
are getting close . . . it is warm out
take a motor trip to the beach
anywhere at all? . . . how quickly these days of pleasure are spoiled if your car doesn't run well!
guarantee yourselves

noise

Muchas gracias por su amable atención esta tarde. *Compren* Uds. la gasolina Cero, y *recuerden,* amigos, *ante todo: Manejen con cuidado.* La vida que *salven* puede ser la suya. | Buy

remember . . . above all:
Drive carefully
you may save

Vocabulario Activo

bombero *fireman*	noticia *news item;* pl. *news*
el cohete *rocket*	playa *beach*
daño *damage, harm*	ruido *noise*
gusto *pleasure, taste*	la salud *health*
luna *moon*	tierra *land, earth*
montaña *mountain*	vuelta *return*
andar *walk; work (mechanism)*	empezar (e > ie) *to begin*
arder *to burn, be on fire*	girar *to spin (around)*
celebrarse *to take place*	terminar *to finish, end*
antes de (prep.) *before*	dentro de *within, inside of*
alrededor de *around*	después *later, afterwards; then*
contra *against*	hacia *toward*

⌒ *Preguntas*

1. ¿Qué quiere oír la Sra. Gómez?
2. ¿Qué compañía presenta el programa de noticias? ¿Qué producto venden?
3. ¿Qué ocurrió esta mañana en la ciudad de Montarraz? ¿A qué intervalos se siguen los temblores? ¿Quiénes están combatiendo los incendios? ¿Qué acaba de declarar el gobierno? ¿Qué está haciendo la Cruz Roja?
4. ¿Por qué interrumpen el programa? ¿Qué acaba de anunciarse?
5. ¿Dónde está el nuevo satélite en este momento? ¿Quién va en él? ¿Cómo sabemos que el astronauta está en buena salud todavía?
6. ¿Qué pasó esta mañana en La Habana? ¿A qué hora se llenó de gente el estadio? ¿Qué piden los espectadores?
7. ¿Quién fue D. Armando Paredes Ortega? ¿Qué revista fundó? ¿Cuántos hijos le sobreviven?
8. ¿Qué partido se va a jugar esta tarde? ¿Con qué título va a quedarse el vencedor?
9. ¿Cómo es el tiempo de hoy? ¿Cómo va a ser mañana? ¿Qué estación del año es? ¿Cómo lo sabe Ud.?
10. ¿Qué necesita uno para disfrutar de (enjoy) sus vacaciones? Según el locutor, ¿qué producto garantiza la felicidad de su motor?

III. ESTRUCTURA

60. The Present Participle

The present participle (English **-ing**) is formed regularly by adding **-ando** to the stem of **-ar** verbs, **-iendo** to the stem of **-er** and **-ir** verbs:

> hablando *speaking*   comiendo *eating*   viviendo *living*

⌒ *Exercise*

Form the present participle of:
    llevar, dar, entrar, trabajar, poner, ser, dirigir, volver, estar, meter, saber

61. *Estar* + the Present Participle

Estar followed by the present participle gives a vivid description of an action *in progress* at a given moment. Unlike English, it is *not* used to describe a general condition or situation.

Notice that object pronouns are normally attached to the end of the present participle.

Está comiéndolo ahora.	He's eating it (right) now.
Están preparándolos.	They are (now in the process of) preparing them.
Estábamos jugando cuando llegó.	We were playing (at the very moment) when he arrived.

But remember: the *simple* present is used for an action that happens as a general rule.

Juan trabaja ya.	John is working already. (He has a job.)
¿Come más ahora?	Is he eating better (more) now?

❧ *Exercise*

Change the following sentences to the progressive tense (estar + present participle):
1. Estudian ahora. 2. Mi padre no trabaja hoy. 3. María prepara la comida. 4. Su madre miraba la televisión cuando entramos. 5. Andábamos y hablábamos.

62. The Reciprocal Reflexive

We have already seen that in Spanish, just as in English, reflexive pronouns (myself, to myself, and so forth) are used whenever the subject does the action to itself.

Me hice daño ayer.	I hurt myself yesterday.
Se divertía mucho.	He was enjoying himself greatly.

In Spanish, they may also be used to express the idea (*to*) *each other*.

Se quieren mucho.	They love each other.
No se conocían entonces.	They didn't know each other then.
Nos escribimos todos los días.	We write to each other every day.

For clarification or emphasis, *uno(s) a otro(s)* may be added after the verb. The reflexive remains.

Siempre se ayudaban uno(s) a otro(s).	They always used to help each other.

❧ *Exercise*

Diga en español:
1. The boys are looking for each other. 2. Do you love each other? 3. They have known each other for ten years. (Remember: Hace diez . . .) 4. We always help each other with our work. 5. They are not going to visit each other any more (más).

63. The Impersonal *se*

The third person singular **se** may be used impersonally with the meaning *one*. This construction is often translated by the passive voice in English.

¿Por dónde se sale de aquí?	How does one get out of here?
Aquí se habla español.	Spanish is spoken here. (One speaks Spanish here.)
Eso no se sabe.	That isn't known. (One doesn't know that.)
Se cree que . . .	It is believed that . . .

∽ *Exercise*

Diga en español:

1. When one studies, one learns. 2. How does one eat so much (tanto)? 3. It is said that . . . 4. When one loves truly (de veras), as I love you . . . 5. It is believed that he is never going to return. 6. It is also believed that I can't learn Spanish. —Nonsense! (¡Qué va!)

64. Effects of the Reflexive on Verbs

A. The reflexive makes transitive verbs intransitive.

Many English verbs that cannot take an object (often because the subject is actually doing the action to itself) are expressed in Spanish by making a normal transitive verb reflexive.

levantar *to raise, lift up*	levantarse *to rise, get up*
acostar *to put to bed*	acostarse *to go to bed, lie down*
sentar *to seat*	sentarse *to sit down*
abrir *to open (something)*	abrirse *to open (itself), be opened*
detener *to stop (something)*	detenerse *to (come to a) stop*
despertar *to wake (somebody else)*	despertarse *to awaken (by yourself)*

Siéntese, por favor.	Sit down, please.
Se abren las puertas a las doce.	The doors open at twelve.
Se detuvo el tren.	The train stopped.
Entonces me levanté y . . .	Then I got up and . . .

B. It may change or intensify the meaning of a verb. Often it adds the idea *to become* or *get* to the action described by the verb.

ir *to go*	irse *to go away*
llevar *to bring, carry*	llevarse *to take away*
dormir *to sleep*	dormirse *to fall asleep*
perder *to lose*	perderse *to get lost*
enojar *to anger*	enojarse *to get angry*
sorprender *to surprise*	sorprenderse *to become (get, be) surprised*
cansar *to tire, bore*	cansarse *to get tired, bored*
llenar *to fill*	llenarse *to become filled*

C. A few verbs are always reflexive. Examples are:

quejarse (de) *to complain (about)*	arrepentirse (de) *to repent*
atreverse (a) *to dare (to)*	arrodillarse *to kneel*

☙ *Exercise*

Diga en español:

1. Johnny always complains about his teachers. —Well, that's all right. They always complain about *him*, too. 2. I don't like to get up early. 3. We got lost in the park yesterday. 4. I fell asleep in the movies last night. I'm getting tired of cowboys. 5. You get angry too fast. —Only with you, dear.

65. Reflexive Objects of a Preposition

In the third person, the reflexive object of a preposition is **sí**. All other persons are the same as the nonreflexive.

(para) mí *(for) myself*	(para) nosotros(as) *(for) ourselves*
(para) ti *(for) yourself*	(para) vosotros(as) *(for) yourselves*
(para) **sí** *(for) himself, herself, itself, yourself (Ud.), themselves, yourselves (Uds.)*	

Lo compró para sí.	He bought it for himself.
No debes hablar tanto de ti.	You shouldn't talk so much about yourself.

After the preposition **con** (with), **sí** becomes **-sigo.**

Se lo llevó consigo.	He took it away with him(self).

66. *Mismo*

Mismo, often translated *myself, yourself, himself,* etc., is an adjective that intensifies the meaning of the word it follows. It is NOT a reflexive pronoun, but does appear frequently after the reflexive object of a preposition.

Yo misma lo hago.	I myself do it.
Habló con el presidente mismo.	He spoke to the president himself.
Vamos hoy mismo.	We're going this very day.
Piensan sólo en sí mismos.	They think only of themselves.
Siempre habla consigo mismo.	He always talks to himself.

☙ *Exercise*

Complete las frases siguientes:

1. Lo compró Ud. para (me)? —No, lo compré para (myself). 2. Lo hicieron por (themselves). 3. María se admira sólo a (herself). 4. Creo que quiere (take it away with him). 5. Narciso estaba enamorado de (himself). 6. Vengan Uds. (right now).

67. Numbers by Hundreds

100	ciento (*cien* before a noun)	600	seiscientos(as)
200	doscientos(as)	700	setecientos(as)
300	trescientos(as)	800	ochocientos(as)
400	cuatrocientos(as)	900	novecientos(as)
500	quinientos(as)	1000	mil

Beyond 1000, Spanish does not count in hundreds: 1950 is **mil novecientos cincuenta** (one thousand nine hundred fifty).

1502	mil quinientos dos
55, 843	cincuenta y cinco mil, ochocientos cuarenta y tres
May 2, 1961	el dos de mayo de mil novecientos sesenta y uno

Notice that **y** appears *only* between 16 and 99 (diez y seis, dieciséis . . . noventa y nueve).

∽ *Exercise*

Conteste en español:

1. ¿Cuándo declararon su independencia los Estados Unidos de América?
2. ¿Cuándo descubrió Cristóbal Colón las Américas?
3. ¿Cuándo nació Ud.? ¿Y su madre? ¿Su padre? ¿Sus hermanos?
4. ¿En qué año espera Ud. graduarse de la universidad?
5. ¿En qué año empezó la Guerra Civil? ¿En qué año terminó? ¿En qué año empezó la Primera Guerra Mundial? ¿La Segunda Guerra Mundial? ¿En qué años terminaron?

∽ *Review Exercise*

Traduzca al español:

Ladies and gentlemen, we are pleased to present to you now a summary of the latest news.

Montarraz. This city awakened this morning faced with a series of earthquakes that follow each other at intervals of fifteen minutes. Firemen, aided by thousands of volunteers, are combating the many fires. The government has just declared a state of emergency and the Red Cross is setting up camps to help the victims. It is not known yet to what extent there is damage to property and lives. It is hoped that . . .

Bulletin! We interrupt this program to bring you a special bulletin. Man to the moon! The launching of a new rocket has just been announced. The rocket put into orbit a satellite in which there goes the first interplanetary traveler. The satellite is now circling around the moon and the pilot himself is transmitting signals that give his position and other data about atmospheric conditions. The pilot seems to be in perfect health. It is believed that the satellite is going to begin its return to earth within 72 hours. More details later.

Lima. The distinguished writer Don Armando Paredes Ortega died suddenly last night. He was the founder of the magazine Moderation. His twenty-two children were with him when death (*la muerte*) came.

And now, the weather. Today, clear and warm. Tomorrow, showers. Thursday, wind(y) and cooler.

Until tomorrow, friends, remember: buy Zero Gasoline, the best for your car, and drive carefully. Good afternoon.

IV. CONVERSACION

Vocabulario Especial: *El Mundo de Hoy* (Today's World)

las Naciones Unidas   *the United Nations*

la Organización de Estados Americanos (OEA)
   Organization of American States (OAS)

la Guerra Fría   *the Cold War*

la revolución   *revolution*
la sublevación   *uprising*
el ataque   *attack*

presidente   *president*
primer ministro   *prime minister*
dictador   *dictator*
rey, monarca   *king, monarch*
emperador   *emperor*
gobernador   *governor*
senador   *senator*
representante   *representative*
diputado   *Congressman, deputy*
delegado   *delegate*
ministro   *minister, secretary*
embajador   *ambassador*
cónsul   *consul*

democracia   *democracy*
las elecciones   *election(s)*
la política   *politics; policy*

la ley   *law*
juez   *judge*
el policía   *policeman*
bombero   *fireman*

ejército   *army*
tropas   *troops*
marina   *navy*
fuerza aérea   *air force*
flota   *fleet*

bomba   *bomb*
bombardeo   *bombardment*
el proyectil   *missile*

república   *republic*
Parlamento[1]   *Parliament*
dictadura   *dictatorship*
monarquía   *monarchy*
imperio   *empire*
gobierno   *government*
Senado   *Senate*
Congreso   *Congress*
Cámara de Diputados   *House of Repre-*
   sentatives or Deputies
ministerio   *ministry, department*
embajada   *embassy*
consulado   *consulate*

comunismo   *communism*
nombramiento   *appointment*
el régimen   *regime*

la corte, el tribunal   *court*
justicia   *justice*
la policía   *police force; police*
cuerpo de bomberos   *fire department*

---

[1]In Spain, the Parliament is called **las Cortes.**

unión, sindicato de obreros   *union*
sindicalismo   *unionism*

huelga   *strike*
paro   (*work*) *stoppage*

el   huracán   *hurricane*
tormenta   *storm*
el   derrumbe   *landslide*

crecida (de agua), inundación   *flood*
terremoto, temblor de tierra   *earth-quake*

Discusión

1. ¿Dónde se reúnen (meets) las Naciones Unidas? ¿Cuántos años hace que (How many years ago) fue inaugurada esta institución? ¿Cuántas naciones incluye (does it include) ahora?

2. ¿Quién es Presidente de los Estados Unidos ahora? ¿Y antes de él? ¿Y antes de aquél? ¿Quién es el Primer Ministro de Inglaterra ahora? ¿De Francia? ¿De la Unión Soviética?

3. ¿Qué forma de gobierno tenemos en los Estados Unidos de América? ¿Qué forma de gobierno tiene Inglaterra? ¿Francia? ¿España? ¿Rusia? ¿Dinamarca? ¿Holanda? ¿La Argentina? ¿Bélgica? ¿Cuba?

4. ¿Puede Ud. nombrar (name) los dos senadores del estado en que vive Ud.? ¿Cinco miembros de la Cámara de Diputados? ¿Nuestro embajador ante las Naciones Unidas? ¿Cinco actores y cinco actrices del cine?

5. ¿Cree Ud. en la democracia? ¿Por qué? ¿Cree Ud. que la democracia va a triunfar sobre el comunismo?

6. ¿Cuál considera Ud. más importante para la defensa de nuestra nación: el Ejército, la Marina, o la Fuerza Aérea?

7. ¿Qué noticia de las últimas dos o tres semanas le impresionó más?

8. ¿Ha visto Ud. alguna vez (Have you ever seen) un terremoto? ¿Un huracán? ¿Una erupción volcánica? ¿Una crecida de agua (flood)? ¿El desbordamiento (overflowing) de un río? ¿Un motín (riot)? ¿Cuándo?

9. ¿Le gusta a Ud. hacer excursiones en automóvil? ¿A dónde ha ido Ud. (have you gone) en automóvil? ¿Cómo pasa Ud. sus vacaciones? ¿Qué hizo el verano pasado? ¿Qué va a hacer este verano?

REPASO II

I. Tema: La Navidad en España e Hispanoamérica (Tape)
   Vocabulario, p. 390

II. Dictado y Ejericicio de Comprensión (Tape)

III. Repaso de Gramática

A. The Preterite
   1. Regular

amar	beber	abrir
amé	bebí	abrí
amaste	bebiste	abriste
amó	bebió	abrió
amamos	bebimos	abrimos
amasteis	bebisteis	abristeis
amaron	bebieron	abrieron

   Note: -er and -ir verbs are alike in the preterite.

   2. -ir radical changing

pedir	morir
pedí	morí
pediste	moriste
pidió	murió
pedimos	morimos
pedisteis	moristeis
pidieron	murieron

   -ar and -er radical changing verbs are regular in the preterite.

   3. Irregular

   ser: fui, fuiste, fue, fuimos, fuisteis, fueron
   ir: fui, fuiste, fue, fuimos, fuisteis, fueron
   dar: di, diste, dio, dimos, disteis, dieron

   4. Pattern of irregular preterites
       First person singular ends in *un*stressed **e**; third person singular ends in *un*stressed **o**; entire conjugation repeats stem of first person singular.

   a. **u** stems

tener	tuve	poner	puse
estar	estuve	saber	supe
andar	anduve	haber	hube
poder	pude	traducir (and all verbs ending in -ducir) traduje

   b. **i** stems

   | querer | quise | decir | dije |
   | hacer | hice | venir | vine |

   c. **a** stem
       traer   traje

134

B. The Imperfect
   1. Regular

amar	beber	abrir
amaba	bebía	abría
amabas	bebías	abrías
amaba	bebía	abría
amábamos	bebíamos	abríamos
amabais	bebíais	abríais
amaban	bebían	abrían

   2. Irregular

ser	ir	ver
era	iba	veía
eras	ibas	veías
era	iba	veía
éramos	íbamos	veíamos
erais	ibais	veíais
eran	iban	veían

These are the only irregular imperfects in Spanish.

C. Preterite and Imperfect Contrasted

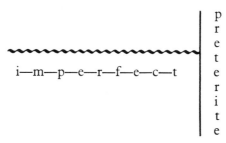

The preterite records, reports, narrates merely the fact that an action took place at some time in the past. The imperfect relives, describes what was happening at a certain time or what used to happen over a period of time. It sets the stage, paints the background of an event.

D. The Present Participle
   The present participle is formed by changing the infinitive ending **-ar** to **-ando, -er** and **-ir** to **-iendo.**

      amar   amando   beber bebiendo   vivir viviendo

    Estar + the present participle is the progressive tense. It describes an action in progress at a given moment. The object pronoun is usually attached to the end of the present participle: **Está escribiéndolo ahora** (He is writing it now).

E. Third Person Object Pronouns

DIRECT		INDIRECT		REFLEXIVE	
lo	it, him, you (Ud.)		to him		(to) himself
le	him, you (Ud.)	le	to her		(to) herself
la	her, it, you (f.)		to it		(to) itself
			to you	se	(to) yourself
los	them, you (Uds.)				
(les)	them, you (Uds.)	les	to them		(to) themselves
las	them, you (f.)		to you (m. and f.)		(to) yourselves

Special use of **se**: **Se** replaces a third person indirect object pronoun when the direct object is also in the third person.

INDIRECT		DIRECT			
le		lo			lo
	+	la	=	se	la
les		los			los
		las			las

For clarification or emphasis, **a mí, a ti, a él, a ella, a Ud., a nosotros(as), a vosotros(as), a ellos, a ellas, a Uds.** may be used *in addition* to the object pronoun: **Se lo di a ella** (I gave it to *her*).

F. Placement of Object Pronouns in Relation to Each Other

INDIRECT BEFORE DIRECT, REFLEXIVE FIRST OF ALL

G. Demonstratives

1. Adjectives

este	esta	this	estos	estas	these
ese	esa	that (near you)	esos	esas	those
aquel	aquella	that (over there)	aquellos	aquellas	those

Note: In Spanish, *this* and *these* both have **t**'s.

2. Pronouns

Neuter: esto *this;* eso *that;* aquello *that* (less frequent)

Other demonstrative pronouns (this one, that one, these, those) are formed by placing an accent over the stressed vowel of the adjective: éste, ésos, aquéllas, etc.

H. **Gustar** (to be pleasing)

When **gustar** is used in translating the English *to like, what is pleasing* is the *subject* of **gustar;** the person *to whom it is pleasing* is the *indirect object.*

Me gusta el español.	I like Spanish. (Spanish is pleasing to me.)
¿Le gustan a Ud. los animales?	Do you like the animals? (Are the animals pleasing to you?)
No nos gusta eso.	We don't like that. (That is not pleasing to us.)

I. Comparison of Adjectives
   1. Regular

rico	más rico
bonita	menos bonita
altos	más altos

   2. Irregular

mucho	más
poco	menos
bueno	mejor
malo	peor
grande	mayor
pequeño	menor

   3. Superlatives usually add the definite article before the comparative: **el más rico, la menos bonita, los más altos, las mejores.**

J. Stressed Possessives (After the Noun)

   mío(a, os, as) *mine, of mine*   nuestro(a, os, as) *ours, of ours*
   tuyo(a, os, as) *yours, of yours*   vuestro(a, os, as) *yours, of yours*
   suyo(a, os, as) *his, of his, hers, of hers, yours (de Ud., de Uds.), of yours, theirs, of theirs*

K. Uses of Reflexive Pronouns
   1. When the subject does the action to itself
   2. Reciprocal—*to each other*
   3. Impersonal **se** (one; often translated as passive in English)
   4. To make a transitive verb intransitive; to add the meaning *become* or *get:* **perder— perderse; cansar—cansarse; despertar—despertarse; levantar—levantarse**

L. **Hace** in Time Expressions
   1. **Hace . . . que,** followed by a verb in the present, states the length of time for which an action has been (and still is) going on: **Hace cuatro meses que le conocemos** (We have known him for four months).
   2. **Hacía . . . que,** followed by a verb in the imperfect, states the length of time for which an action had been (and was still) going on when . . . : **Hacía cuatro meses que le conocíamos** (We had known him for four months).
   3. **Hace** + period of time, after a verb in the preterite or imperfect, means *ago:* **Vino hace tres horas** (He came three hours ago).

M. More Uses of the Definite Article
   1. General or abstract sense: **Las mujeres son así** (Women are like that).
   2. Before a person's title (except **don** and **santo**) when speaking *about* (not to) him
   3. With days of the week, seasons of the year (except after **ser**), and to tell time

N. Cardinal Numbers 20–100 (See page 131)

IV. Composición

Escriba una composición sobre:
1. De Compras   (Shopping)
2. El Mundo de Hoy
3. Mi Ciudad o Pueblo
4. La Vida en los Estados Unidos
5. La Noticia Más Interesante de las Ultimas Dos Semanas

V. Canciones Navideñas

Noche de Paz (Silent Night)

Noche de paz, noche de amor;
Todo duerme en derredor
Entre los astros que esparcen su luz
Bella, anunciando al Niño Jesús,
Brilla la estrella de paz
Brilla la estrella de paz.

Noche de paz, noche de amor;
Oye humilde el fiel pastor
Coros celestes que anuncian salud
Gracias y glorias en gran plenitud
Por nuestro buen Redentor
Por nuestro buen Redentor.

Venid, Fieles Todos (Come All Ye Faithful)

Venid, fieles todos
A Belén marchemos
De gozo triunfantes
Henchidos de amor;
Al rey de los cielos
Todos adoremos;

Vengamos, adoremos,
Vengamos, adoremos,
Vengamos, adoremos
A nuestro Señor.

Oid un Son (Hark the Herald Angels Sing)

Oid un son en alta esfera,
En los cielos gloria a Dios;
Y al mortal paz en la tierra
Canta la celeste voz.
Con los cielos alabemos,
Al eterno rey cantemos,
A Jesús que es nuestro bien,
Con el coro de Belén,
Canta la celeste voz,
En los cielos, gloria a Dios.

Príncipe de paz y tierra
Gloria a ti, señor Jesús,
Entregando el alma tierna
Tú nos traes vida y luz.
Has tu majestad dejado,
Y a buscarnos te has dignado,
Para darnos el vivir,
A la muerte quieres ir.
Canta la celeste voz,
En los cielos, gloria a Dios.

LECTURA VI: LA EPOCA DE LOS REYES CATOLICOS

A medida que avanzaba el siglo quince, Europa salía de la Edad Media. En Italia, *el aumento* del comercio y el contacto con la cultura *bizantina* de Constantinopla *habían producido* ya un gran *florecimiento* artístico y literario. En Francia, *se desarrollaba* el concepto del estado moderno. En España, la ocupación musulmana *había diseminado* las culturas griega y oriental. Y el hombre cristiano, acostumbrado por siglos a *despreciar los placeres* de este mundo y pensar sólo *en* la vida eterna, despertaba a la importancia de esta vida *terrenal*. Levantaba la cabeza y empezaba a ver las infinitas posibilidades del mundo humano que le *rodeaba*.

El siglo quince en España era una continuación de la disensión política tan característica de su historia anterior. Dividida todavía en varios

increase
Byzantine...had produced
flourishing

was developing

had spread   5

scorn the pleasures...about

earthly

surrounded   10

Isabel I, esposa de Fernando. (Courtesy of the Spanish National Tourist Department)

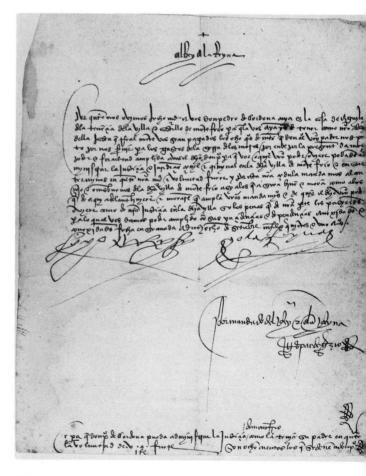

Edicto firmado por Fernando e Isabel. A la izquierda, "Yo el Rey"; a la derecha, "Yo la Reyna."

139

La Tragicomedia de Calisto y Melibea (1499), conocida generalmente como La Celestina, una de las obras maestras de la literatura española. Escrita por Fernando de Rojas, un judío converso, representa la transición entre la Edad Media y el Renacimiento.

reinos independientes, España sufría bajo reyes débiles, *incapaces de llevar a cabo* la unificación, *ni de imponer su voluntad sobre la* de los
15 nobles feudales.

En 1479, España *da el primer paso hacia* la verdadera unidad política. Isabel, *reina* de Castilla, se casa con Fernando, rey de Aragón. Aunque los dos reinos se mantienen separados en su administración y aun en ciertos aspectos de su *política exterior* durante la vida de Fernando e
20 Isabel, la unión personal de los *Reyes Católicos* conduce poco a poco al *acercamiento* político de los dos poderes principales de la península. Juntos Fernando e Isabel sofocan una rebelión de los nobles. Juntos formulan un plan para destruir los antiguos poderes feudales y establecer el concepto de una monarquía absolutista. *Aniquilan* a la vieja *nobleza,*
25 destruyen sus *órdenes* militares, *asaltan sus castillos, quitan a los grandes* de España sus privilegios tradicionales, *favorecen a la alta burguesía,* y crean una nueva nobleza *cortesana.*

incapable of effecting . . . nor of imposing their will over that

takes the first step toward

queen

foreign policy

Catholic King and Queen

drawing together

They annihilate . . . nobility orders . . . assault their castles, take from the grandees

favor the upper middle class

courtly

Los Reyes Católicos *se aprovechan* de la religión como base de la unidad nacional. En 1478, reorganizan la Inquisición como arma del estado, responsable al *trono*, no al *Papa*. Y usan la Inquisición no sólo para combatir la *herejía* religiosa, sino contra *toda amenaza* al poder absoluto de la *corona*. El fervor religioso, siempre inherente en el español, se convierte en acción política. Los reyes se dirigen ahora contra el último *baluarte* de los musulmanes en España. En enero de 1492 toman Granada. Tres meses después, expulsan a los judíos, que les *habían prestado valiosa ayuda* en su lucha contra los nobles, y que representaban gran parte de la burguesía y de la clase profesional. El 12 de octubre del mismo año, *Cristóbal Colón, patrocinado por* Isabel, descubre el Nuevo Mundo, y los barcos españoles empiezan a salir para la conquista de América. España acababa de llegar a la luna.

Pero *no disminuye* el ímpetu expansionista. Navarra cae bajo la *hegemonía* de Castilla y España se hace una nación. Los Reyes Católicos se dirigen hacia Italia, hacia Africa, hacia todo un concepto nuevo de la función del hombre y del estado.

Se introduce la imprenta. En 1492 Antonio de Nebrija publica el primer libro de gramática en lengua castellana, "porque *la lengua es compañera del Imperio.*" Los reyes establecen universidades y escuelas para el estudio de *humanidades*, e *inician* la preparación de una Biblia Poliglota. La corte sigue el ejemplo de los monarcas, y se extiende por toda España el entusiasmo por la cultura clásica y la erudición. España se va incorporando a la *corriente* del Renacimiento europeo. Su *estrella* está subiendo en el cielo internacional. Pronto va a llegar a la *cumbre*.

Margin glosses:
take advantage
throne . . . Pope (30)
heresy . . . every threat
crown
bulwark
(35)
had lent them valuable aid
Christopher Columbus, sponsored by
(40)
doesn't diminish
rule
Printing is introduced. (45)
language is
the companion of Empire
humanities . . . initiate
(50)
current . . . star
summit

ᘓᕽᗢ *Preguntas*

1. ¿Qué ocurría en la Europa del siglo quince?
2. ¿Qué factores contribuyeron al florecimiento artístico de Italia?
3. ¿Qué se desarrollaba en Francia?
4. ¿A qué estaba acostumbrado por siglos el hombre cristiano? ¿Qué empezaba a ver ahora?
5. ¿Cómo era la historia política de España en el siglo quince?
6. ¿Quiénes son los Reyes Católicos? ¿Cuándo se casaron?
7. ¿Cómo establecieron en España el concepto de la monarquía absolutista?
8. ¿Por qué reorganizan la Inquisición? ¿Cómo la usan?
9. ¿Qué ocurre en enero de 1492? ¿Qué hacen los reyes tres meses después? ¿Qué ocurre en octubre del mismo año? ¿Adónde acababa de llegar España?
10. ¿Adónde se dirigen entonces los Reyes Católicos?
11. ¿Cómo fomentan la educación? ¿A qué corriente se va incorporando España?

Lección Once

I. TEMA: ¿VERDAD? ¿MENTIRA? (TRUTH? LIE?)

Sentémonos por un momento, ¿está bien? Tengo un problema que quiero *discutir* con Ud. Pues, no es exclusivamente mío el problema. Lo tenemos todos. Pero como madre de familia . . . ¿no lo sabía Ud.? . . . Sí, de siete años el mayor, de cinco el menor . . . ¡y preciosos! *Bueno, como* le decía, como toda madre, *quiero que mis hijos sean buenos y que aprendan a ser honrados.* Pero a veces no sé si hago bien o mal en mi *manera de criarlos.*

Tomemos por ejemplo, ayer por la mañana *hubo un gran alboroto en el sótano* donde jugaban los niños. *Bajé a saltos* la escalera y vi al pequeño que lloraba *a más no poder.*

—¿Qué pasó, niño?, le pregunto. —*¿Te hiciste daño?*

—No, me contesta, *señalando* con el dedo a su hermano mayor. —*El me pegó* . . . aquí en el *costado.*

Me vuelvo al mayor:

—La verdad, le digo. —¿Le pegaste? *No mientas.*

Y *éste* me mira derecho en los ojos y dice:

—El me pegó primero a mí.

—Pero no te pregunto eso, contesto. —¿Le pegaste tú a él?

—No recuerdo.

Entonces hablo con los dos.

—*Vamos a pensarlo bien* y entonces quiero *que me digan* la verdad. ¿Quién le pegó primero a quién? Si me dicen la verdad, *no castigo a ninguno.*

Glosses (right margin):
- Let's sit down
- discuss
- Well, as
- I want my children to be good and to learn to be honest
- way of raising them
- Let's take . . . there was a big commotion in the basement . . . I leaped down
- uncontrollably
- Did you hurt yourself?
- pointing
- He hit me . . . side
- Don't lie.
- he
- Let's think it over . . . you to tell me
- I won't punish either.

Los dos me miran, llenos de *lágrimas* los ojos, y cada uno dice: tears
—¡El!

Pues bien, ¿qué hago yo? Les doy *un par de nalgadas y me pongo a*   a spanking and I
sermonearles: begin to lecture them:

—*Si quieren que Dios les ame, no mientan, no roben*, no hablen mal de   —If you want God to love
nadie, respeten a sus padres . . .   you, don't lie, don't steal

Y entonces me dice el mayor:

—Pero mamá, *si* tú no dices siempre la verdad. ¿No recuerdas *lo que*   what happened (don't trans-
pasó ayer?   late *lo*)

Eso me hizo pensar. El muchacho tenía razón, *perfecta razón.* ¡Cuán-   perfectly right
tas veces miento, a veces por necesidad, otras veces. . . . Cuando era
niña, si no tenía preparada la *tarea de la escuela*, decía que mi madre   homework
estaba enferma. Y cuando estaba *ausente* sin una buena excusa, decía   absent
que acababa de morirse mi abuela, o mi tía. . . . ¡Cuántos *parientes míos   relatives of mine died on me
se me morían* cada año!

Y el jueves, por ejemplo . . . Eran las cinco de la tarde. Yo estaba
muy ocupada preparando la comida. Suena el teléfono. Mi hijo contesta: —Mamá, me dice. —La señora Molinos quiere hablar contigo. Y
yo le digo: —*Dile, amor*, que no estoy.   Tell her, darling

Y recuerdo . . . la semana pasada, cuando perdí *un billete de diez*   a ten dollar bill
dólares y dije a los niños: —*Les ruego que no digan nada* a papá. No   I beg you not to say any-
quiero *que lo sepa.* ¿Entienden?   thing . . .
                                                                                      him to know

Y otra ocasión . . . cuando me mandó una amiga una gran *torta de*   fruit cake.
frutas. La probé y no me gustó. Pues se la di a la mujer que viene a   I tasted it
limpiar la casa, y entonces escribí una carta a mi amiga diciéndole *qué*   clean . . . how delicious it
deliciosa era. Un día vino a visitarnos la amiga, y *hablando* con los   was . . . while speaking
niños, les preguntó *si les gustó a ellos* la torta de frutas. Imagínese Ud.   if *they* liked
mi mortificación cuando *respondió* mi hijo menor: —No sé. Mamá se   answered
la dio a la *criada.*   maid

Ahora, como ve Ud., las mentiras que digo no son muy graves, *no*   they don't do harm . . .
hacen daño, pero es muy difícil *explicar* esto a los niños. ¿Cómo van a   explain
comprender que a veces es mejor mentir que decir la verdad?

¿Sabe Ud.?, yo tengo una tía que *se alaba de su franqueza*, y parece   boasts about her frankness
que se pasa toda la vida *creándose enemigos.* Por ejemplo, si una amiga   making enemies
suya *estrena* un nuevo vestido, mi tía le dice: —Eso te hace parecer muy   wears for the first time
gorda.— O, —¿Cincuenta dólares por ese vestido? Lo tienen ahora en   fat
todas las tiendas *baratas* por quince.   cheap

Mi tía dice la verdad, o *a lo menos* cree que la dice, pero ¡ay, *cuánto*   at least . . . oh! how much
descontento siembra por todas partes! Y cuando yo le hablo de eso, me   unhappiness she sows every-
contesta *rotundamente:* —Hay que decir la verdad.   where!
                                                                                      roundly

Ahora, ¿qué debo hacer para enseñar a mis hijos a hacer *bien*, si yo   good
misma no sé a veces qué es bueno y qué es malo?

Vocabulario Activo

el billete	*bill (money)*	mentira	*lie*
criada	*maid*	pariente	*relative*
lágrima	*tear*	verdad	*truth*
castigar	*to punish*	jugar (u > ue)	*to play (a game)*
contestar	*to answer*	limpiar	*to clean*
criar	*to raise, rear*	pegar	*to hit*
ausente	*absent*	honrado	*honest*
cada	*each*	precioso	*precious, adorable*
a lo menos	*at least*	ponerse a	*to begin to*
a veces	*at times*	por ejemplo	*for example*

Preguntas

1. ¿Cuántos hijos tiene la mujer que nos habla? ¿De qué edad son?
2. ¿Qué quiere la madre? ¿Por qué esta insegura (unsure)?
3. ¿Qué pasó ayer por la mañana? ¿Qué vio la madre cuando bajó al sótano?
4. ¿Por qué lloraba el niño menor? ¿Qué dice el niño mayor?
5. Según los dos niños, ¿quién le pegó primero a quién?
6. ¿Qué hace la madre entonces? ¿Qué lección quiere enseñarles?
7. ¿Qué dice el niño mayor cuando la madre insiste en que siempre digan la verdad?
8. ¿Miente a veces la madre? ¿Por qué?
9. ¿Qué decía la madre cuando era niña y no hacía la tarea de la escuela?
10. ¿Qué decía cuando estaba ausente sin una buena excusa?
11. ¿Quién llamó el jueves a las cinco de la tarde? ¿Qué dijo la madre al hijo mayor?
12. ¿Qué perdió la semana pasada? ¿Qué dijo entonces a los niños?
13. ¿Qué regalo (gift) recibió un día? ¿Qué hizo con la torta? ¿Qué dijo entonces en la carta a su amiga?
14. ¿Qué pasó cuando la amiga vino a visitar?
15. ¿De qué se alaba la tía de la señora que nos habla?
16. ¿Qué problema tiene ahora la madre?

II. ESTRUCTURA

68. The Present Subjunctive

The regular forms of the present subjunctive are exactly like those of the indicative, except that **-ar** verbs change their ending vowel to **-e,** and **-er** and **-ir** verbs to **-a.**

hablar	**comer**	**vivir**
hable	coma	viva
hables	comas	vivas

hable	coma	viva
hablemos	comamos	vivamos
habléis	comáis	viváis
hablen	coman	vivan

Exercise

1. Conjugate in the present subjunctive:
   estudiar, meter, trabajar, llevar, beber, tomar, escribir

2. Give the appropriate present subjunctive forms:
   yo: comer, mandar, abrir, llamar, vivir, tomar
   tú: escribir, llevar, viajar, insistir, estudiar
   Juan: aprender, notar, observar, andar, meter, creer, abrir
   nosotras: trabajar, tomar, mandar, leer, vivir
   Uds.: estudiar, comprender, caminar, asistir

3. Complete the following using the present subjunctive with the persons indicated:
   a. Quiero que: Juan (llevar), María (vivir), los niños (escribir), vosotros (trabajar), todos (leer)
   b. Insiste en que: yo (hablar), Ud. (estudiar), nosotros (llamar), tú (viajar), él (abrir), tú y yo (creer)

69. Direct Commands

A direct command is an order given by one person speaking directly to another: Go. Sit down. Give it to me. Don't say that.

All polite commands (**Ud.** and **Uds.**) and all negative commands (both familiar and polite) take their form from the present subjunctive.

Pase Ud. la sal, por favor.	Please pass the salt.
Escríbalo en la pizarra.	Write it on the blackboard.
Para mañana, lean Uds. . . .	For tomorrow, read . . .
No abran los libros.	Don't open your books.
No hables, niño.	Don't speak, child.
No comáis tanto.	Don't eat so much.

70. The Position of Object Pronouns with Direct Commands

OBJECT PRONOUNS MUST BE ATTACHED TO THE END OF A DIRECT AFFIRMATIVE COMMAND.

Hágame el favor de . . .	Do me the favor of . . . (Please)
Abranlos.	Open them.
Cómalo todo.	Eat it all.
Siéntese. (Siéntense.)	Sit down.
Pásemela.	Pass it to me.
Pregúnteselo a Juan.	Ask John (the question).

Object pronouns are placed before a negative command.

No lo escriba.	Don't write it.
No los abran.	Don't open them.
No se siente(n).	Don't sit down.
No me la pase.	Don't pass it to me.
No lo comas, hijo.	Don't eat it, son.
No se lo preguntéis.	Don't ask him.

❧ *Exercise*

Diga en español:

1. Write it. (Ud., Uds.) 2. Don't write it. (tú, vosotros, Ud., Uds.) 3. Speak to me. (Ud.) 4. Pass me the salt and the pepper. (Ud.) 5. Pass them to me at once. 6. Don't eat it all. (tú, vosotros, Ud., Uds.) 7. Ask Mary for it. (Ud.) (Remember: **pedir** to ask for.) 8. Don't ask me that. (Uds.) 9. Send it to us. (Ud.) Don't send it to *them.*

71. First Person Plural Commands

Let's or *Let us* (*go, do, sing*) is a direct command to *you* and *me.* It is expressed in Spanish in two ways:

A. The first person plural of the present subjunctive

Cantemos todos.	Let's all sing.
Tomemos por ejemplo . . .	Let's take for example . . .
Vendámosla.[1]	Let's sell it.
No le demos nada.	Let's not give him anything.

The only exception is **Vamos** (Let's go).

Vamos con ellos.	Let's go with them.

When **se** or the reflexive **nos** is attached, the final **-s** of the verb ending disappears. Notice that the normally stressed syllable requires a written accent when another syllable is added.

Mandémoselo.	Let's send it to him.
Sentémonos.	Let's sit down.
Vámonos.	Let's go (away).

B. Vamos a + infinitive

In the affirmative command *Let's . . .*, **Vamos a** + the infinitive may be used instead of the present subjunctive.

Vamos a comer.	Let's eat.
Vamos a leer ahora.	Let's read now.
Vamos a venderla.	Let's sell it.

---

[1]Notice again that object pronouns are attached to the end of an affirmative command, and that, as usual, they precede the verb in a negative command.

〜◎ *Exercise*

    1. Change to first person plural commands (Let's . . .):
        a. Bailen Uds.   b. Coma Ud.   c. No le hable.   d. Tómelo.   e. Siéntese.   f. Cante ahora.   g. Bébalo todo.

    2. Diga en español:
        a. Let's dance.   (Two ways)   b. Let's visit them.   (Two ways)   c. Let's not call him.   d. Let's invite him to the party (fiesta).   e. Let's not give it to *her*. Let's give it to *him*.   f. Let's open it now. —No, don't open it.

72. General View of the Subjunctive in English and Spanish

The subjunctive is used in correct English much more frequently than most of us realize. Only in a few verbs does its form differ noticeably from the indicative, and in most others, it is distinguishable only in the third person singular. However, it appears very often through the use of the auxiliaries *may*, *might*, and even *should*.

    A. It is often used after verbs that suggest, request, or state the speaker's will that something be done.

> He demanded that she *come* at once.
> They insist that you *be* there on time.
> I suggest that he *do* it.

    B. It appears also after expressions of emotion, usually when hope is implied.

> *May* the holiday season bring you joy.
> God *bless* you and *be* with you.
> How I wish Jim *were* here!

    C. It is found in situations that involve unreality, that is, the indefinite, uncertain, inconclusive, contrary to fact.

> It is possible that he *may* know her.
> Be it as it may . . .
> If I were you (but I'm not), I wouldn't do it.

These are precisely the concepts of the subjunctive in Spanish as well. Spanish maintains these concepts more consistently than English. The subjunctive appears in the *subordinate clause* whenever that clause bears the *implication of a command* or reflects the *color of an emotion*, whenever its positive reality is clouded by *doubt, indefiniteness, uncertainty, inconclusiveness, or an assumption that is contrary to fact*. These concepts, and not any particular verb, phrase, conjunction, or type of clause will call for subjunctive in the subordinate clause in Spanish.

These, then, are the concepts
    1. Indirect or implied command
    2. Emotion
    3. Unreality

73. The First Concept of the Subjunctive: Indirect or Implied Command

An indirect or implied command, as opposed to a direct order (Do it!), expresses one person's will or desire that someone else do[2] something (I want you to do it.). When the sentence is broken up into its component parts, the hidden command becomes apparent.

Le ruego que me lo dé.	I beg you to give it to me.
	(I beg you: Give it to me.)
Les escribe que vengan.	He is writing them to come.
	(He is writing to them: Come.)
Dígale que se vaya.	Tell him to go away.
	(Tell him: Go away.)

The force of that hidden command, no matter how mild or how emphatic it is, produces the subjunctive in the subordinate clause.

Insisto en que se disculpe.	I demand that he apologize.
No quieren que lo abra Ud.	They don't want you to open it.
Nos ha pedido que la ayudemos.	She has asked us to help her.

But notice that if there is no change of subject, there can be no command.

Quiero abrirlo.	I want to open it.

Sometimes, *Let*... is used in English not to request permission, but to state the speaker's will. Although the main clause is omitted in Spanish, *I want* is understood and the indirect command remains.

(Quiero) Que lo haga Jorge.	Let *George* do it.
Que decidan ellos.	Let *them* decide.
Que pague él, no yo.	Let *him* pay, not me.

Notice, of course, that object pronouns are placed *before* the verb in *indirect* commands.

After verbs of ordering, permitting or forbidding, either the infinitive or the subjunctive may be used. These verbs include **mandar** (to order), **dejar** (to allow, let), **permitir** (to permit), **prohibir** (to forbid), **impedir** (to prevent).

Le manda salir.	He orders him to go out.
Le manda que salga.	
No le deje hacerlo.	Don't let him do it.
No deje que lo haga.	

Exercise

Complete las frases siguientes:

1. Mi amigo no quiere (to speak). 2. Quiere (you to speak) en su lugar. 3. (Write it) en seguida. 4. Quiero (you to write it). 5. (Don't open it) hasta mañana. 6. No quieren (us to open it). 7. Quiero (to see him). 8. No quiero (her to see him). 9. Dígale (to

---

[2]Notice the subjunctive in English here for the same reason as the Spanish.

finish) lo antes posible.   10. Dígale (that I am finishing it) ahora.   11. Insiste en que (you speak to him).   12. Le mando (to leave).   13. Déjele (do it).   14. No les impida (from getting married).

Review Exercise

Traduzca al español:

I want you to help me with a problem that worries me a great deal. As you know, every mother wants her children to be honest and good. We all try to teach them to distinguish between right and wrong (el bien y el mal), but very often, we do things that are entirely different from what (lo que) we believe. For example, I always tell my children: —Don't lie. Always tell the truth, if you want God to love you.— But I lied many times when I was a child, and I still lie today. If I don't want to talk to my neighbor when she telephones, I tell my children: —Tell her I'm not in.— And when I lost a ten dollar bill in the store last week, I said to the children: —I don't want Daddy to know (it). I beg you not to speak to him about this.— Now I didn't have to lie. I only wanted to avoid the embarrassment (mortificación).

And speaking of embarrassment, let's take for example what happened with the big fruit cake that a friend of mine sent me a few weeks ago. I tasted it and didn't like it at all. So I gave it to the woman who cleans my house, and then I wrote a letter to my friend telling her how delicious it was. Imagine my embarrassment when she came to visit one day and asked the children if they liked the fruit cake too, and my younger son answered: —I don't know. Mommy gave it to the maid.

What am I going to do? I tell my children to be honest, I order them to tell the truth, and sometimes I'm not sure whether (si) I'm raising them as I ought to (debo).

III. CONVERSACION: *¿VERDAD? ¿MENTIRA?*

1. ¿Miente Ud.? ¿Frecuentemente? ¿De vez en cuando (once in a while)? ¿Casi (almost) nunca?
2. ¿Por qué miente Ud.? ¿Puede Ud. darnos un ejemplo específico? ¿Miente Ud. a su madre? ¿A su padre? ¿A sus amigos? ¿A sus profesores?
3. ¿Cree Ud. que hay mentiras "blancas" y mentiras "negras"? ¿Puede Ud. darnos un ejemplo?
4. ¿Cree Ud. que es mentira no decir nada cuando uno sabe la verdad?
5. ¿Cree Ud. que uno debe decir la verdad siempre? ¿Cuándo no debe decirla?
6. ¿Cree Ud. que hizo bien o mal en su trato (dealings) con los niños la madre que nos habló de su problema? ¿La considera Ud. una madre buena, mala, o mediana (average)? ¿Qué cualidades considera Ud. necesarias para ser una buena madre o un buen padre?
7. ¿Hizo bien o mal la madre en el caso de la Sra. Molinos? ¿En el caso del billete de diez dólares que perdió? ¿En el caso de la torta de frutas?
8. ¿Recuerda Ud. un momento de mortificación? ¿Una experiencia mortificante de un amigo o pariente suyo?
9. ¿Qué piensa Ud. de la tía de la señora que nos habló? ¿Conoce Ud. a alguien (someone) como ella? ¿Quién es?

10. Si no le gusta a Ud. el sombrero de su amigo (o amiga), ¿se lo dice Ud.? ¿Y si quiere su opinión?

11. ¿Se considera Ud. una persona honrada? ¿Ha robado Ud. algo (Have you stolen anything) alguna vez? ¿Y cuando era niño?

IV. COMPOSICION

Escriba una composición sobre:

1. La Experiencia Más Mortificante de Mi Vida
2. Por Qué Digo (o No Digo) Siempre la Verdad

Lección Doce

I. TEMA: *LA SUPERSTICION*

Conozco a una mujer que no hace *ningún* acto ni toma ninguna decisión importante si el día no es martes. Dice que se casó un martes, que *nació* su hijo también en ese día (no el mismo en que se casó, *por supuesto*), que compró su casa un martes, y que si es posible, va a morir un buen martes, y así puede estar segura de tener buena suerte *hasta* en el otro mundo.

any

was born . . . of course

even

Conozco a otra que *insiste* siempre *en que* el número de su casa, o de su teléfono, *tenga los más sietes posibles*, porque encuentra en esa *cifra* las mismas *cualidades mágicas* que la primera señora encontraba en el día martes.

insists that
contain the most seven's possible . . . number
magical qualities

Ridículo, ¿no? La superstición es sólo para gente primitiva, ignorante, no para personas tan educadas y modernas como nosotros. ¿Sabe Ud.?, yo no creo en esas cosas, y hasta ahora tengo una suerte maravillosa. (Perdóneme un momento. Tengo que *tocar un trozo de madera*.)

touch a piece of wood

La verdad es que hay un gran número de supersticiones viejas que sobreviven todavía y que forman parte de nuestra vida *diaria*. Por ejemplo, una señora *deja caer* su bolsa:

—¡Ay, Dios mío!, dice. —*Espero que no esté roto mi espejo*. No quiero tener siete años de mala suerte.

daily

drops
I hope my mirror isn't broken

Porque un espejo roto—todo el mundo lo sabe—trae mala fortuna. El *gato* negro también, y el número trece (éste es el peor de todos), o pasar por *debajo de una escalerilla de mano* o *derramar sal* en la mesa. *Una pata de conejo, al contrario*, trae excelente suerte. También hay amuletos y *figurillas y monedas* que la traen. Aun hay ciertos billetes de uno o dos dólares que tienen una *virtud* estupenda. Y *eso sin* mencionar el famoso *trébol de cuatro hojas, las herraduras de caballo*, ni las infinitas *estrellas que se preocupan* constantemente *de* nuestro destino.

cat
under a step ladder . . . spill salt
A rabbit's foot, on the contrary

little figures and coins

virtue (power) . . . that's without
four-leafed clover, the horseshoes
stars that worry . . . about

151

Es *todo un estudio* de psicología humana *tratar de* comprender el origen de estas supersticiones. ¿Por qué cree en esas cosas el hombre? ¿Por qué tiene más *confianza* en la pata de un conejo *muerto* que en sus propias *fuerzas*? — a whole study . . . to try to / confidence . . . dead / powers

Hay muchas *explicaciones* posibles, pero a mí me gusta más ésta: que el hombre quiere creer en ellas. Quiere creer porque tiene que poner su *fe* en algo fuera de sí. Quiere creer porque *se siente* pequeño *ante* la magnitud del universo, pequeño y *débil* ante las fuerzas exteriores que *le llevan* a su destino inevitable. Y *para luchar* contra el misterio, usa objetos que también le son misteriosos. — explanations / faith . . . he feels (himself) . . . before / weak / carry him . . . (in order) to fight

Se dice que la herradura, por ejemplo, es un símbolo de la fertilidad y que *se halla* este símbolo en todas partes del mundo porque la fertilidad representa la vida *continua* de la humanidad, la victoria de la creación *sobre* la destrucción. La pata de conejo y *los demás* amuletos y figurillas son principalmente mecanismos de defensa contra los malos *espíritus*, o contra el *mal de ojo*. Y las *ofrendas* y *sacrificios* que hacía el hombre primitivo tenían exactamente el mismo *propósito que la botella de champaña* que rompemos tan elegantemente en la *proa* de nuestros barcos nuevos. — is found / continuous / over . . . the other / spirits / evil eye . . . offerings . . . sacrifices / purpose as the bottle of champagne . . . prow

El espejo, o *cualquier superficie reluciente*, puede *captar temporalmente* el espíritu de la persona que se mira en él, y así el espejo roto puede representar la ruptura de una vida, y *por consecuencia*, la mala suerte. — any shiny surface . . . capture temporarily / consequently

El *estornudo*, esa exhalación de aire que sale tan *súbitamente* del cuerpo, representa para algunos *pueblos* la buena suerte—la posesión del hombre *por el alma de sus antepasados*. Pero, para otros, *incluso* nosotros, el hombre *corre* peligro de exhalar su alma con el estornudo, y *por eso* decimos "Salud," "Jesús," o en inglés, *"Que Dios le bendiga."* — sneeze . . . suddenly / peoples / by the soul of his ancestors . . . including / runs . . . therefore / God bless you

La sal tiene . . . ¡Ay! Le ruego *que me perdone*. Iba a decirle una cosa interesantísima pero *temo que no haya* tiempo. Ud. comprende. Tengo que *darme prisa* porque si puedo terminar este manuscrito *para* las tres de la tarde del *martes que viene*, que es el *tercer* martes del tercer mes del tercer año en que escribo este libro, *seguramente ¡qué gran éxito va a tener!* Adiós. — to excuse me / I'm afraid there's no / hurry . . . by / next Tuesday . . . third / surely, how successful it will be!

Vocabulario Activo

botella	*bottle*	gato	*cat*
la cualidad	*quality (of character)*	madera	*wood*
espejo	*mirror*	moneda	*coin*
estrella	*star*	pueblo	*(a) people*
la fe	*faith*	la suerte	*luck*
fuerza	*strength, force, power*	trozo	*piece*

casarse con *to marry*	luchar *to fight*
correr *to run*	nacer (nazco) *to be born*
insistir en *to insist (on)*	romper *to break*
débil *weak*	fuerte *strong*
diario *daily*	roto *broken*
darse prisa *to hurry*	por supuesto *of course*
dejar caer *to drop*	tener éxito *to be successful*

Preguntas

1. ¿En qué día de la semana hace todas sus decisiones importantes la primera mujer que conocemos? ¿Por qué prefiere ese día?
2. ¿Por qué quiere morir un buen martes?
3. ¿Cuál es el número favorito de la segunda mujer?   ¿Dónde insiste en que le den ese número?
4. ¿Para qué clase de persona debe ser la superstición?
5. ¿Es supersticiosa la persona que nos habla? ¿Cómo lo sabe Ud.?
6. Según la superstición popular, ¿qué consecuencias trae un espejo roto?
7. ¿Qué otras cosas traen la mala suerte?
8. ¿Qué cosas atraen (attract) la buena suerte?
9. ¿Por qué es supersticioso el hombre?
10. ¿Qué simboliza una herradura de caballo?
11. ¿Contra qué nos defienden la pata de conejo y otros amuletos?
12. ¿Qué hacía el hombre primitivo para aplacar (placate) a los malos espíritus?
13. ¿Qué hacemos nosotros cuando lanzamos (launch) un barco nuevo?
14. ¿Por qué se cree que es malo romper un espejo?
15. ¿Qué representa para algunos pueblos el estornudo?
16. ¿Por qué decimos "Salud" o "Que Dios le bendiga" cuando oímos un estornudo?
17. ¿Para cuándo quiere terminar este artículo el autor? ¿Por qué?

II. ESTRUCTURA

74. The Formation of Adverbs

Most adverbs are formed by adding **-mente** to the feminine singular of an adjective.

Lo hizo abiertamente.	He did it openly.
Habla lentamente.	He speaks slowly.
No lo haga inmediatamente.	Don't do it immediately.
La leí rápidamente.	I read it rapidly.
Escribe fácilmente.	He writes easily.

When two or more adverbs ending in **-mente** are used in succession, only the last retains **-mente.**

Nos lo explicó clara y francamente.   He explained it to us clearly and frankly.

ᴄᴧᴏ **Exercise**

Diga en español:

1. The famous philanthropist died suddenly. 2. John doesn't work quickly. 3. I am speaking to you sincerely. 4. Please pronounce the words clearly and emphatically. 5. I don't know (it) exactly. 6. They dominate the country politically and economically.

75. Unequal Comparison and Superlative of Adverbs

Adverbs are compared in the same way as adjectives. In regular comparisons, **más** or **menos** is placed before the adverb.

Hable Ud. más despacio.	Speak more slowly.
No puedo leer más rapidamente.	I can't read more rapidly.
El se expresa menos claramente que ella.	He expresses himself less clearly than she.
Viven más cerca que yo.	They live closer than I (do).

There are only four irregularly compared adverbs in Spanish.

mucho	*a great deal*	más	*more, most*
poco	*little (not much)*	menos	*less, least*
bien	*well*	mejor	*better, best*
mal	*badly*	peor	*worse, worst*

ᴄᴧᴏ **Exercise**

Complete las frases siguientes:

1. Enrique aprende (more rapidly) que yo. 2. María no escribe tan (correctly) como su hermana menor. 3. Camine Ud. (more slowly). 4. De todos los muchachos, Pablo canta (worst), pero toca el piano (best). 5. ¿Quién sabe (most) del béisbol? —Yo. —¿Y quién lo juega (best)? —El. —(At least) hablas (frankly).

76. Phrases in Place of Adverbs

Frequently Spanish may use **con** + a noun instead of an adverb ending in **-mente.**

claramente	con claridad	clearly
sinceramente	con sinceridad	sincerely
tristemente	con tristeza	sadly
irónicamente	con ironía	ironically, sarcastically
cuidadosamente	con cuidado	carefully

ᴄᴧᴏ **Exercise**

Diga en español:

1. Our teacher always explained things to us patiently. 2. He spoke nostalgically about his homeland. 3. Do your lesson more carefully. 4. She looked at him sadly. —What's the matter?, he asked.

77. The Present Subjunctive of *-ir* Radical Changing Verbs

The present subjunctive of **-ir** radical changing verbs follows the same basic pattern as the present indicative, but adds a second change: the *un*stressed **e** of the stem becomes **i**; **o** becomes **u** in the first and second persons plural.

sentir (to feel; to regret)	**dormir** (to sleep)
sienta	duerma
sientas	duermas
sienta	duerma
s*i*ntamos	d*u*rmamos
s*i*ntáis	d*u*rmáis
sientan	duerman

Exercise

Complete las conjugaciones siguientes:

mentir: mienta, _____, _____, mintamos, _____, mientan
morir: muera, _____, _____, muramos, _____, mueran
pedir: pida, _____, _____, pidamos, _____, _____
servir: sirva, _____, _____, _____, _____, _____

78. The Present Subjunctive of Irregular Verbs

ser	**saber**	**ir**
sea	sepa	vaya
seas	sepas	vayas
sea	sepa	vaya
seamos	sepamos	vayamos
seáis	sepáis	vayáis
sean	sepan	vayan

All[1] other irregular verbs that we have studied merely add the usual subjunctive endings to the stem of the first person singular of the present indicative. For example:

hacer (to do; to make)   **hago** (I do; I make)
Pres. Subj.: haga, hagas, haga, hagamos, hagáis, hagan

Exercise

1. Give the first person singular of the present indicative and present subjunctive of the following verbs:

decir, poner, tener, venir, salir, conocer, traer, caer, producir

---

[1]**Dar** is regular, except that the first and third person singular carries an accent mark—**dé**—to distinguish it from the preposition **de**. However, the accent becomes unnecessary in a direct affirmative command when *one* object pronoun is attached: **Deme la mano** (Give me your hand).

2. Complete the following sentences as indicated:
     a. Quiero que los niños me lo: decir, hacer, traer, poner
     b. Insisten en que nosotros: ir, salir, decir
     c. Le ruego que: venir, tenerlo, traerlo, no hacerlo, conocerle, decírmelo

79. The Second Concept of the Subjunctive: Emotion

The color, the warmth of an emotion—the fear, surprise, joy, pity, etc.—expressed in the main clause about the idea of the subordinate clause produces the subjunctive in the subordinate clause.

Me alegro de que vengas.	I'm glad that you're coming.
Sentimos que esté malo.	We're sorry that he is sick.
Es lástima que no lo sepa.	It's a pity he doesn't know.
¿No le sorprende que sea Juan?	Aren't you surprised it's John?
Temo que no lo reciban[2] a tiempo.	I am afraid that they won't receive it on time.

If there is no change of subject, it is normal to use the infinitive instead of a subordinate clause.

Me alegro de estar aquí.	I am happy to be here (or that I am here).
Siente no poder venir.	He's sorry he can't come.

Exercise

Diga en español:
1. We're sorry that you can't do it. 2. I hope he's well. 3. We hope to see you tomorrow.
4. She is afraid that it may rain. 5. I'm surprised that they're going. 6. It's a pity that Johnny isn't bringing it. 7. I want him to bring it.

80. *y* and *e* (and); *o* and *u* (or)

Y (and) becomes **e** before a word that begins with **i** or **hi**.

Estudio economía e historia.	I am studying economics and history.
Pedro e Irene	Peter and Irene
González e Hijos	González and Sons
But: González y Hermanos	González and Brothers

O (or) becomes **u** before a word that begins with **o** or **ho**.

La vajilla es de plata u oro.	The flatware is (made of) silver or gold.
But: La vajilla es de oro o plata.	The flatware is (made of) gold or silver.

---

[2]Notice that the present subjunctive covers both present and future actions.

❧ *Exercise*

Diga en español:

    1. Do you prefer to study geography or history this term? —Geography *and* history. 2. Manuel and Inés are brother and sister (*hermanos*). 3. Inés and Pedro are cousins. 4. I think that one or (the) other of them is coming. 5. No woman or man of intelligence believes that. 6. No man or woman of intelligence believes that.

❧ *Review Exercise*

Traduzca al español:

    —You want me to give you an answer today? I can't. It's impossible. Really, I'm sorry that today isn't Monday, because I make all my decisions on Monday. Monday is my lucky day.

    —Oh my! I have just dropped my purse. I hope my mirror isn't broken. You know, a broken mirror brings seven years of bad luck. Everybody knows that.

    —You ought to (debe) walk more carefully. Yesterday you walked under a stepladder. That's living (vivir) dangerously.

    —Remember, I don't want you to do anything, say anything, or go anywhere (a ninguna parte) tomorrow. I don't even (ni siquiera) want you to go out of the house. It's Friday the 13th.

    Believe it or not, people today are almost as (tan) superstitious as (como) they were many years ago. They carry amulets and figurines to protect them against bad luck and they carry rabbit's feet to bring them good luck. I know a woman who believes sincerely that the stars control not only her personal life but (sino) also the economy and history of the world. Primitive men used to offer sacrifices to the spirits of the sea. Modern man offers them a bottle of champagne. It seems to me that any (cualquier) woman or man of intelligence knows how silly (qué tonto) it is. Now, I don't believe in all these superstitions, and I'm happy to say that I always have marvelous luck. (Excuse me for a minute. I have to touch a piece of wood.)

III. CONVERSACION

    1. ¿Es Ud. supersticioso?

    2. ¿En qué supersticiones cree Ud.? ¿En qué supersticiones creen sus parientes o amigos u otras personas que conozca?

    3. ¿Conoce Ud. algunas supersticiones interesantes? ¿Conoce Ud. su origen?

    4. ¿Cree Ud. que trae mala suerte el múmero 13? ¿Viviría Ud. (Would you live) en una casa o en un apartamento con ese número?

    5. ¿Tiene Ud. un número favorito? ¿Por qué lo considera Ud. afortunado (lucky)?

    6. ¿Tiene Ud. un día favorito? ¿Cuál es? ¿Por qué le gusta ese día?

7. ¿Lleva Ud. consigo un amuleto, una moneda, una pata de conejo, o cualquier (any) otra cosa para traerle suerte? ¿Qué es?

8. ¿Cree Ud. que las estrellas tienen influencia en la vida del hombre?

9. ¿Lee Ud. los horóscopos que aparecen (appear) en los periódicos? ¿Por qué?

10. ¿Cree Ud. que ciertas personas tienen el poder (power) de pronosticar el futuro? ¿Cree Ud. que ciertas personas tienen poderes sobrenaturales?

11. ¿Le gustaría a Ud. conocer el futuro? ¿Por qué?

IV. COMPOSICION

Escriba una composición sobre:

1. Supersticiones Interesantes Que Conozco
2. Por Qué Soy (o No Soy) Supersticioso
3. Por Qué Me Gustaría (o No Me Gustaría) Conocer el Futuro

LECTURA VII: LAS CIVILIZACIONES
INDIGENAS DE AMERICA

"Y desde que vimos tantas *ciudades y villas pobladas* en el agua, y en tierra firme otras grandes *poblaciones*, y aquella *calzada tan derecha y por nivel como iba a México*, nos quedamos *admirados*, y decíamos que *parecía a las cosas de encantamiento* que cuentan en el libro de Amadís . . . "[1]

populated cities and villages towns . . . road so straight and level that led to Mexico (City) . . . amazed . . . it looked like the things of enchantment

Así describió Bernal Díaz del Castillo, un soldado de Cortés, su entrada en tierra de los aztecas, la tribu dominante de Méjico al tiempo de la llegada de los españoles. Y bien podía parecerle cosa de encantamiento lo que veía en Méjico, porque los aztecas representaban una civilización muy avanzada, y su capital, Tenochtitlán,[2] construida *en medio de un lago*, era una ciudad grande, con magníficos palacios, templos, y edificios públicos—una *Venecia* del Nuevo Mundo.

in the middle of a lake

Venice

Ahora bien, ¿cuándo llegaron los aztecas al *valle* de Anáhuac? ¿Cómo pudieron desarrollar una civilización tan grande? Según el testimonio de

valley

---

[1] *Amadís de Gaula*, la primera novela caballeresca (of chivalry) española, una obra llena de aventuras y cosas maravillosas.

[2] Tenochtitlán, en lengua de los aztecas, "ciudad de los tenochas," es ahora la Ciudad de México. "Tenochas" es el nombre original de los aztecas.

Ruinas de un antiguo templo azteca. Papantla, México. (Courtesy Mexican Government Tourism Department. Hamilton Wright Organization.)

Detalle del gran templo de Quetzalcoatl, dios azteca representado por la serpiente emplumada. Teotihuacán, Mexico. (Courtesy Mexican Government Tourism Department.)

su propio calendario y de su *escritura ideográfica*, los aztecas llegaron allí picture writing

15 en 1168. Una tribu pobre, primitiva y muy guerrera, *lograron subyugar* they succeeded in subjecting the other
a las demás tribus vecinas, y adaptaron la cultura más avanzada de los
toltecas y mayas. Para 1325, ya habían establecido la ciudad de
Tenochtitlán y un imperio que se extendía por gran parte de México.
Su economía era agraria, y se basaba en el cultivo del *maíz*. Pero corn

20 había poca tierra cultivable. Frecuentemente, los aztecas tenían que
hacer sus propias tierras en el agua. Hacían *cestas* enormes, que llena- baskets
ban de tierra y *en las que* plantaban árboles. Cuando los arboles *crecían*, in which ... grew, their roots
sus raíces se arraigaban en el fondo del lago, formando pequeñas *islas*. took hold in the bottom ... islands
Entonces los aztecas construían *puentes levadizos* para unir las numerosas drawbridges

25 islas, y de esta manera creció su capital, una ciudad entera *hecha* en el built
agua.

Los aztecas practicaban el matrimonio y el divorcio, y eran expertos en
hacer cerámica, y *tejidos* elegantes, y en labrar metales preciosos. Tenían woven fabrics
restaurantes y peluquerías, y sus mercados estaban llenos de *mercancía* handmade merchandise

30 *hecha a mano*. Tenían escuelas, y el azteca de clase noble estudiaba

160

La famosa piedra calendaria de los aztecas. (Courtesy Mexican Government Tourism Department.)

matemáticas, ingeniería, poesía, y el arte de la guerra. Cada hombre *pertenecía* a un clan, y los jefes de los clanes *elegían* representantes a *concejo* tribal, que *a su vez*, nombraba al rey. Como miembro de la comunidad, el azteca tenía que *prestar* sus servicios al estado, ayudando en la construcción de caminos, trabajando en las tierras del rey y de los *sacerdotes*, y luchando como soldado en la guerra.

Y la guerra era casi constante, no sólo por razones de expansión territorial y tributo, sino porque su religión *exigía* un gran número de víctimas para ser sacrificadas a sus numerosos dioses. Según cálculos de historiadores de la época, los aztecas sacrificaban *hasta* cincuenta mil personas cada año. Mezclaban su sangre caliente con el *barro* de los templos, ofrecían a sus ídolos los corazones *sacados* de sus víctimas *vivas*, comían sus *entrañas*, y bebían su sangre en ceremonias bárbaras, mientras los sacerdotes bailaban *en la piel de los muertos. ¡Extraña* combinación de civilización y *barbarie!*

Los incas[3] del Perú, que habían incorporado dentro de su imperio mucho de lo que es hoy el Ecuador y Bolivia, también tenían una cultura muy avanzada. Los largos caminos que construyeron en los altos Andes y *por los cuales corrían los mensajeros* del rey, están en uso todavía. Y se

belonged . . . elected
council . . . in its turn
contribute

35

priests

demanded

as many as   40

clay

taken out

live . . . entrails
in the skin of the dead.
Strange

barbarism   45

over which ran the messengers

---

[3]En realidad, el nombre verdadero de los indios que llamamos "incas" era "quechuas." El término "inca" se aplicaba originalmente sólo a los reyes y a la clase noble.

50 conservan también muchos de sus puentes y de sus inmensas estructuras
arquitectónicas. Aunque tenían grandes depósitos de metales preciosos,
la base de su economía, como *la* de los aztecas, era agraria. Las tierras
estaban divididas en tres partes: *las del Sol,* dios principal de los incas, las
del Inca, rey absoluto y descendiente directo del sol, y las de la comuni-
55 dad, y el indio común trabajaba en todas. *La pereza* era considerada un
crimen, y podía ser castigada hasta con la muerte.

El indio común tenía pocos privilegios bajo el imperio *incaico;* el Inca
los tenía todos. El indio común llevaba la misma ropa hasta que le
quedaba completamente *inútil.* El Inca se ponía ropa nueva todos
60 los días. El indio común tenía sólo una mujer, y *le estaba prohibido*
casarse con una *parienta.* El Inca tenía *centenares* de esposas, *siendo
las principales* sus propias hermanas. El indio común no tenía otra

architectural
that
those of the Sun

Laziness

Incan

useless
he was forbidden
relative ... hundreds ... the principal ones being

Ruinas de Macchu Picchu, gran ciudad pre-incaica nunca descubierta por los conquistadores españoles del Perú. (Courtesy of James Bernstein)

educación que su propia experiencia. El Inca y los nobles asistían a escuelas especiales y tenían tutores individuales.

Los incas eran excelentes *tejedores de algodón y de lana*, sabían mucho [weavers of cotton and wool 65] de medicina y del uso de *anestésicos*, y hasta hacían operaciones deli- [anesthetics] cadas. Pero, *a diferencia de* los aztecas, no tenían escritura de ningún [unlike] tipo, y sus eruditos aprendían de memoria la historia de su pueblo, para repetirla después a cada nueva generación. Esta historia llegó a su fin en 1532 con la venida del *conquistador* español. La segunda *etapa* de [conqueror ... stage 70] la historia de Hispanoamérica *estaba para* empezar. [was about to]

Preguntas

1. ¿Quién fue Bernal Díaz del Castillo? ¿Por qué le pareció cosa de encantamiento lo que veía en Méjico?
2. ¿Cuál era la capital del imperio azteca? ¿Dónde estaba construida? ¿Cómo era la ciudad?
3. ¿Cuándo llegaron los aztecas al valle de Anáhuac? ¿Cómo eran los aztecas en aquellos tiempos? ¿Qué cultura adaptaron?
4. ¿Qué tipo de economía tenían? ¿Cómo creaban nuevas tierras?
5. ¿Cómo estaban unidas las varias partes de la capital?
6. ¿Cuáles eran los aspectos positivos de la civilización azteca?
7. ¿Qué servicios tenía que prestar el azteca al estado?
8. ¿Por qué era casi constante la guerra? ¿Cuántas personas eran sacrificadas por los aztecas todos los años? ¿Qué hacían con ellas?
9. ¿De dónde eran los incas?
10. ¿Qué evidencia tenemos todavía de su cultura avanzada?
11. ¿Cuál era la base de su vida económica? ¿Qué más tenían?
12. ¿Cómo estaban divididas sus tierras?
13. ¿Quién era su dios principal? ¿Quién era el Inca?
14. ¿Cómo era la vida del Inca en comparación con la del indio común?
15. ¿Qué otras habilidades tenían los incas?
16. ¿Cómo enseñaban la historia de una generación a otra?

Lección Trece

I. TEMA: *LA PERSONA MAS INOLVIDABLE*

¿Me preguntas quién es la persona más *inolvidable* de todas *las que he conocido?* Es una pregunta muy difícil. He conocido—y conozco—a tantas. Recuerdo, por ejemplo, a la maestra que tuve en el cuarto año de la escuela elemental. Era una de esas mujeres altas, *enjutas*, de ojos azules y pelo *gris—de las que* nunca se casan y que *corrigen hasta* con cierta ofendida dignidad *al que* comete el error de llamarlas "señora":
—¡Me llamo señorita . . .!

Vestía con suma sencillez. Recuerdo una blusa blanca con una *cintilla de terciopelo negro en el cuello* y una *falda* gris (me gustaba verla *vestida* así porque la hacía un poco más joven), y una *ropa azul oscuro* con *lunares* blancos, y otra *serie de ropas de tela estampada que me parecían todas iguales.*

Según las *normas* de hoy, no era una buena maestra. Nos hacía aprender de memoria poemas y proverbios *sin fin*, no nos permitía hablar en la clase *sino* para contestar las preguntas que nos hacía sobre gramática o *fechas* históricas—y llevaba casi siempre en la mano una larga y *delgada varilla de madera* que usaba para indicar las capitales *europeas* en el gran mapa del mundo que había en la pared, o *para golpear fuertemente en nuestros pupitres si sonreíamos* o hablábamos entre nosotros. Y aprendíamos, *no lo dudes*.

Decíamos que nunca *había sido niña, que había nacido así, ya hecha una vieja*, que no nos quería, que no era más que una *odiosa* máquina de enseñar verbos y números.

unforgettable . . . those whom I have known?

skinny
gray—one of those who . . . correct even
anyone who

She dressed with great simplicity . . . black velvet ribbon at the neck . . . skirt . . . dressed
dark blue dress
polka dots . . . series of print dresses that all looked alike to me.

standards

without end

except

dates

thin wooden pointer

European . . . to hit hard on our desks if we smiled

don't you doubt it.
she never had been a child, that she had been born that way, already an old woman . . . hateful

164

Y recuerdo un día—era en diciembre, creo. *Hacía mucho frío y viento,* *había llovido* toda la mañana y ahora empezaba a *nevar.* Acabábamos de volver a la sala de clase después del *almuerzo* cuando la maestra recibió el *mensaje de que* un niño de nuestra clase *no había vuelto a su casa a almorzar.* Su madre estaba muy *preocupada.* No sabía dónde estaba. *¡Había que ver* la cara de la maestra! Se levantó y nos dijo: —Niños, quiero que escriban Uds. una composición. Yo voy a buscar a Juanito. *Temo que se haya perdido en el camino.—* Y se fue.

> It was very cold and windy out, it had rained . . . to snow
>
> lunch
>
> message that . . . had not returned home for lunch . . . worried
>
> You should have seen
>
> I'm afraid he has gotten lost on the way.

Volvió más tarde, cansada, *helada,* pero *feliz.* Dicen que encontró a Juanito *parado delante del escaparate* de una tienda donde vendían *juguetes,* y que *en vez de reñirlo,* lo abrazó y besó, y le compró un juguete.

> frozen . . . happy
> standing in front of a store window
> toys. . . instead of scolding him

No llegué a conocerla hasta muchos años después, y ahora me doy cuenta de que era una de las mujeres más simpáticas que *haya conocido* en toda mi vida. Y era tan fría *por fuera* porque tenía miedo de mostrar esa gran *ternura que sentía por dentro.*

> I didn't get to know her
>
> I have ever known
>
> on the outside
> tenderness that she felt on the inside

Y recuerdo a un viejo que *jugaba al fútbol* con nosotros en la calle hasta que un día. . . . Y hay otros, tantos otros.

> used to play soccer

Pero, ¿la persona más inolvidable, me preguntas? Sí, sé quién es. Tú lo conoces también. No es famoso. No *ha hecho* grandes descubrimientos. No sé si va a *conquistar* mundos. Sólo quiero que sea bueno, y feliz, nada más. Y aunque espero que algún día haga algo de importancia por la humanidad, no tiene que hacerlo. Si no hace nada más, ya *ha hecho* algo importantísimo en su vida. *Me ha dado una comprensión* de la vida y de la eternidad. A ver si sabes quién es. . . . ¿No? . . . Eres tú, hijo mío.

> hasn't made
>
> conquer
>
> he has already done. . . . He has given me an understanding

Vocabulario Activo

fecha *date*	persona (always f.) *person;* pl. *people*
pelo *hair*	ropa *dress;* pl. *clothes*
conquistar *to conquer*	nevar (e > ie) *to snow*
dudar *to doubt*	sonreír (sonrío) *to smile*
golpear *to hit, strike*	temer *to fear*
llover (o > ue) *to rain*	vestir(se) (e > i) *to dress*
delgado *slim*	largo *long*
feliz *happy*	oscuro *dark*
igual *equal, identical*	simpático *nice* (of a person)
aprender de memoria *to learn by heart*	hacer viento *to be windy*
hacer frío *to be cold* (out)	por dentro *on the inside*
hacer una pregunta *to ask a question*	por fuera *on the outside*

Preguntas

1. ¿Por qué es difícil para el narrador decir quién es la persona más inolvidable de todas?
2. ¿Cómo era de aspecto físico (physical appearance) la maestra que describe?
3. ¿Cómo vestía la maestra?
4. ¿Qué traje de la maestra le gustaba más al narrador cuando era niño?
5. ¿Qué otras ropas tenía?
6. Según las normas de hoy, ¿qué clase (kind) de maestra era?
7. ¿Qué tenían que aprender de memoria los niños?
8. ¿Qué había en la pared de la sala de clase?
9. ¿Qué llevaba casi siempre en la mano la maestra? ¿Para qué la usaba?
10. ¿Qué hacía la maestra cuando los niños sonreían o hablaban entre sí?
11. ¿Qué decían de ella los niños?
12. ¿Qué día recuerda el narrador? ¿Qué tiempo hacía (How was the weather) ese día?
13. ¿Qué acababan de hacer los niños?
14. ¿Qué mensaje recibió la maestra? ¿Qué hizo entonces?
15. ¿Cómo volvió la maestra? ¿Dónde encontró a Juanito? ¿Qué hizo la maestra cuando lo vio?
16. ¿Qué tipo de persona era en realidad la maestra? ¿Por qué era tan fría por fuera?
17. ¿A qué otra persona recuerda el narrador?
18. ¿Quién es para el narrador la persona más inolvidable de su vida?
19. ¿Con quién está hablando?

II. ESTRUCTURA

81. The Past Participle

The past participle (equivalent of English *been, seen, shown, spoken, begun,* and so forth) is regularly formed by replacing the infinitive ending **-ar** with **-ado; -er** or **-ir** with **-ido.**

hablar	hablado	spoken
comer	comido	eaten
ir	ido	gone
ser	sido	been

There are a few irregular past participles:

poner	puesto	put	volver	vuelto	returned
ver	visto	seen	cubrir	cubierto	covered
hacer	hecho	done	abrir	abierto	open(ed)
decir	dicho	said	morir	muerto	died, dead
escribir	escrito	written	romper	roto	broken

Exercise

Form the past participle of the following verbs:

dar, cerrar, saber, estar, ser, indicar, pensar, sentir, morir, volver, hacer, decir, enseñar, aprender, gustar, abrir, cubrir, venir, ir, andar, poner, poder, escribir

82. The Past Participle as an Adjective

One of the most important uses of the past participle in both English and Spanish is as an adjective. Of course, when the past participle is used as an adjective, it must agree with the noun it describes.

un niño consentido	a spoiled child
tres horas perdidas	three wasted hours
¡Qué cansados están!	How tired they are!

The past participle describes any *position that has already been assumed*, even though English may use a present participle (*-ing*). Remember that in Spanish the present participle refers to an *action in progress*, taking place at a certain moment, and NOT to the resultant condition.

Está sentada cerca de la ventana.	She is sitting (seated) near the window.
Estaban dormidos.	They were sleeping (asleep).
Vimos una figura acostada.	We saw a reclining figure.
Estaba arrodillado ante el altar.	He was kneeling before the altar.

Exercise

Diga en español:

1. an interested class, a lost boy, three tired children, the spoken word, the finished lessons
2. a sleeping child, a sitting duck, an open window, a broken promise, one enchanted evening, a boring class

83. The Auxiliary Verb *Haber*

We have already used certain forms of **haber** in the impersonal expressions **hay** (there is, there are) and **hay que** (one must). Here are three important tenses of **haber.**

PRESENT INDICATIVE	PRESENT SUBJUNCTIVE
he	haya (recall: **ir** vaya)
has	hayas
ha	haya
hemos	hayamos
habéis	hayáis
han	hayan

The preterite follows the usual **u** pattern of irregular verbs. You can complete this conjugation:

hube, hubiste, hubo, _____, _____, _____

The imperfect (**había,** etc.) is regular.

IMPORTANT: **Haber** means *to have* ONLY as an auxiliary verb before a past participle. As a main verb, only **tener** means **to have.**

Ya hemos ido.	We have already gone.
No tenemos tiempo.	We don't have time.

84. Compound or Perfect Tenses

Compound (or perfect) tenses have two parts: the auxiliary verb **haber** and the past participle following it. *Perfect* (from the Latin *perfectum*) means *completed*. And so, compound or perfect tenses deal with completed actions. The purpose of the auxiliary verb **haber** is merely to tell *when*.

A. The Present Perfect

The present perfect (in English, *has gone, have done*, etc.) is formed by using the *present of* **haber,** followed by a past participle. It states that as of now (present), the action is completed.

¿Dónde está Pepe? —Ha salido.	Where is Joe? —He has gone out.
La han terminado ya.	They have already finished it.
Los hemos visto.	We have seen them.

Notice that object pronouns are placed before the *whole* verb form, and that the past participle does *not* change when used with *haber*.

B. The Pluperfect (Past Perfect)

The pluperfect (in English, *had gone, had done*, etc.) is formed by the *imperfect of* **haber,** followed by a past participle.

La habían terminado ya.	They had already finished it.
Los habíamos visto.	We had seen them.

C. The Present Perfect Subjunctive

The present perfect subjunctive is formed by the *present subjunctive of* **haber,** followed by a past participle.

Siento que no lo haya hecho.	I am sorry that he hasn't done it.
Esperan que haya llegado.	They hope he has arrived.

◈◈◈ *Exercise*

1. Change each of the following to the present perfect and to the pluperfect:
   a. María llega. b. Termino el libro. c. Volvemos en seguida. d. Los muchachos cantan bien. e. Comes mucho. f. ¿Estudian Uds. la lección? g. ¿Preparáis la comida? h. No dice nada.

2. Change to the present perfect subjunctive:
   a. Espero que venga pronto. b. Es lástima que esté enferma. c. Siento que no tengas tiempo. d. Es la persona más interesante que conozca. e. ¿Le sorprende que sea su hermano?

3. Diga en español:
   a. Who has seen Johnny? —I have seen him. —Where is he? —He has gone out. b. They had already left when we arrived. c. He is afraid that they have seen him. d. We had been there before. e. I hope the letters have arrived. f. Have you done it? —Yes. I have just (acabo de) finished. g. We haven't had time. I hope we have time tomorrow.

85. Weather Expressions

A. Weather phenomena that are *felt* use **hacer**.

Hace mucho frío.	It is very cold (out).
Hace calor hoy.	It's warm today.
Hace poco viento.	It's slightly windy out (or not very windy).
Hace sol.	It is sunny. (I can feel it.)

Notice that **frío, calor, viento,** and **sol** are nouns and are modified by **mucho** and **poco.**

B. Weather phenomena that can be *seen* use **haber**.

Hay sol.	It is sunny. (The sun is out.)
Hay luna.	The moon is out.
Hay lodo.	It's muddy out.

C. **Llover** (**o** > **ue**) means *to rain;* **nevar** (**e** > **ie**) means *to snow.*

Llueve toda la tarde.	It's raining all afternoon.
Nieva en el invierno.	It snows in the winter.

☙ *Exercise*

Conteste en español:
1. ¿Qué tiempo hace (What is the weather like) hoy?
2. ¿Qué tiempo hace en el invierno? ¿En el verano? ¿En el otoño? ¿En abril?
3. ¿Qué tiempo hace en las zonas tropicales? ¿En la zona ártica?
4. ¿En qué meses nieva más aquí? ¿En qué meses llueve más? ¿En qué estación del año hace mucho viento?
5. ¿Cree Ud. que va a llover mañana? ¿Cree Ud. que va a nevar?
6. ¿Qué lleva Ud. cuando hace mucho frío? ¿Cuando hace calor?

☙ *Review Exercise*

Traduzca al español:

Who is the most unforgettable person of all those whom I have known? Well, it's hard to say. I have known so many people, and I have liked so many. For example, I remember the teacher I had in the fourth grade of elementary school. At first, I didn't like her. All the children thought that she had never been young, that she had been born that way, a skinny old woman who made us memorize verbs and all the capitals of Europe. But one day—it was very cold out, it had rained all morning and now was beginning to snow—she received a message that one of the children in our class was lost. He hadn't returned home for lunch, and his mother was very worried. Well, our teacher got up and said: —Children, I want you to write a composition and to be very good. I am going out now to look for Johnny. I'm afraid that he has gotten lost on the way.— And even though (aunque) it was very cold and windy and it was very muddy out too, she went out. And when she found him, standing in front of a store where they sold toys, instead of scolding him, she kissed him and bought him the toy that he wanted. Really, she was a wonderful person, and I'm sorry that you haven't had the opportunity to (de) know her.

But the most unforgettable person, you ask me? Well, yes, I know who it is. It is someone who lives very near here. He hasn't done anything important yet (todavía), but I know that he is going to be a good person, and I love him very much. I want him to be happy, and to have a good life, that's all. Who is he? He's you, my son.

III. CONVERSACION: *La Persona Más Inolvidable*

1. ¿Quién es la persona más inolvidable de todas las que ha conocido Ud.? ¿Por qué?
2. ¿Qué persona ha tenido más influencia en la vida de Ud.? ¿En la vida de su familia?
3. ¿Qué cualidades busca Ud. en un amigo? ¿En un profesor? ¿En un padre o una madre? ¿En el Presidente de los Estados Unidos?
4. ¿Ha tenido Ud. alguna vez un maestro (o maestra) como la maestra descrita (described) en este ensayo?
5. ¿A quién admira Ud. más? ¿Le gustaría a Ud. ser exactamente como él (o ella)?
6. En su opinión, ¿qué es una persona buena?
7. Según su propia experiencia, ¿quiénes han sido mejores maestros: los más estrictos o los más fáciles?
8. ¿Cree Ud. que un maestro de escuela superior o de escuela elemental tiene el derecho (right) de pegar a los alumnos (pupils)?

IV. COMPOSICION

Escriba una composición sobre:
1. La Persona Más Inolvidable
2. Mi Concepto de una Persona Buena
3. Mi Concepto de una Persona Interesante
4. La Persona que Admiro Más

LECTURA VIII: LA CONQUISTA DE AMERICA: REALIDAD Y MORALIDAD

Hernán Cortés desembarcó en tierra mejicana en la primavera de 1519. Iba acompañado *de* unos cuatrocientos soldados, *número escaso para emprender* la conquista de un imperio de millones de indios. Además, *se veía acosado* por otros problemas internos en su propio *real*. Sufrían hambre, y en más de una ocasión tuvieron que comer a sus propios perros. Algunos de sus soldados eran *partidarios* de su enemigo, el gobernador Velásquez de Cuba. Otros, *amedrentados* ante la enorme, si no imposible *tarea* de la conquista, querían volver a Cuba. Cortés tomó su decisión. A *los que* querían volver les permitió embarcarse en un solo barco, y luego *mandó quemar* los demás barcos que los habían llevado a Méjico. *De ahí, prosiguió adelante.* Había venido a conquistar aquella tierra en nombre de Dios y del rey Carlos I. Iba a conquistarla.

by . . . a scant number

to undertake
he found himself beset . . .
camp

5

partisans

fearful

task

those who

ordered burnt   10
From there, he continued
onward.

Mapa del mundo (detalle). Juan Vespucci, Sevilla, 1526. (Courtesy of the Hispanic Society of America)

Al principio, las circunstancias le resultaban favorables. Los indios, impresionados por los caballos de los españoles, y *creyendo* que aquellos hombres blancos de *barba* larga tenían que ser dioses, ofrecieron poca resistencia. Pero *a poco se dieron cuenta de* que los españoles no eran más que seres humanos, y *con seres humanos se podía luchar.* Pero las *trampas y emboscadas* que prepararon para derrotar a los españoles *les valieron poco.* Ayudado por una joven india, doña Marina, su *amante y fiel intérprete,* Cortés pudo aprovecharse de la hostilidad de otras tribus de indios contra los aztecas y los convirtió en *aliados.* El 8 de noviembre de 1519, el capitán español y sus hombres entraron en Tenochtitlán.

believing

beard   15

soon they realized
with human beings one
could fight . . . traps and
ambushes . . . were to no
avail

mistress and faithful interpreter

20

allies

Carta escrita por Hernán Cortés al rey
Carlos I describiendo detalladamente la
conquista de Méjico. (Courtesy of the
Hispanic Society of America)

Moctezuma, rey de los aztecas, los *hospedó* en su palacio, y el monarca, | lodged
en *cuya* presencia *temblaban de* miedo *sus súbditos,* "... *alzó las vestiduras* | whose . . . his subjects trembled with . . . lifted his garments
25 y me[1] mostró el cuerpo, diciendo a mí: *Veisme* aquí, que soy de *carne y* | You see me . . . flesh and
hueso como vos y como cada uno; veis que soy mortal y palpable." | blood (bone) like you

Los españoles, *temiendo* una nueva *conspiración,* tomaron prisionero | fearing . . . conspiracy
a Moctezuma, encerrándole en su propio palacio. Poco después, Mocte-
zuma murió accidentalmente, y los indios se rebelaron contra los con-
30 quistadores, obligándoles a abandonar la capital. Pero Cortés volvió, y
para fines de 1522, el imperio azteca había caído *para siempre.* | forever

El fervor de la conquista *se había apoderado* de España y Portugal. | had taken possession
Impulsados por el deseo de riqueza y de aventura, movidos también
por el espíritu de la expansión nacionalista y la propagación de la fe

---

[1]Cortés mismo nos dice esto en su Carta Segunda, dirigida al Emperador Carlos V (Carlos I de España) el 30 de octubre de 1520.

católica, sus exploradores penetraron en las selvas tropicales y cruzaron   35
desiertos, pampas y montañas ... De Soto, Ponce de León, Núñez
Cabeza de Vaca ... Los españoles llegaron a la Florida y a la *Baja*   Lower
California.² Balboa descubrió el Oceano Pacífico; Orellana descubrió el Amazonas, y *Magallanes* circumnavegó el mundo. En 1532, el   Magellan

Traducción inglesa de *Las Lágrimas de los Indios*, de Bartolomé de las Casas. Los ingleses, rivales económicos y políticos de España, usaron las obras de las Casas para diseminar la "leyenda negra" de la crueldad española. (Courtesy of the Hispanic Society of America)

The Tears of the INDIANS:
BEING
An Hiſtorical and true Account
Of the Cruel
Maſſacres and Slaughters
of above Twenty Millions
of innocent People ;
Committed by the Spaniards
In the Iſlands of
Hiſpaniola, Cuba, Jamaica, &c.
As alſo, in the Continent of
Mexico, Peru, & other Places of the
Weſt-Indies,
To the total deſtruction of thoſe Countries.

Written in Spaniſh by *Caſaus*,
an Eye-witneſs of thoſe things ;
And made Engliſh by *J. P.*

Deut. 29. 15.
Therefore thine eye ſhall have no compaſſion ; but life for life , tooth for tooth , hand for hand , foot for foot.

LONDON,
Printed by *J. C.* for *Nath. Brook,* at the Angel in Cornhil. 1656.

imperio de los incas, dividido ya por guerras civiles, cayó ante el asalto
brutal de Francisco Pizarro, y para mediados del siglo diez y seis,
España y Portugal eran dueños de la mayor parte del Nuevo Mundo.

La ocupación de América por los españoles era más que una conquista
política. España transplantó a América sus instituciones y su cultura.
Los españoles se mezclaron con los indígenas, y la primera generación
que nace en América después de la conquista es una generación mestiza.
Los españoles construyeron nuevas ciudades, y las llenaron de obras de
arte. Establecieron escuelas y universidades, y el misionero que venía
siempre *al lado* del conquistador era al mismo tiempo evangelista y   at the side
educador.   50

Pero había abusos también. En muchos lugares, los indios eran ex-
plotados cruelmente, obligados a trabajar con poca *recompensa, y some-*   compensation, and sub-
tidos a tratamiento casi inhumano. Es interesante notar que la protesta   jected to treatment
contra estos abusos vino de los españoles mismos. Un *fraile dominico,*   Dominican friar
Bartolomé de las Casas, escribió un libro en que denunciaba las in-   55
justicias cometidas contra los indios. Y en las salas de la Universidad
de Salamanca, el Padre Vitoria *alzó su voz* también en defensa de los   raised his voice
derechos naturales del hombre. El indio era dueño legítimo de su tierra,
decía Vitoria, y el Emperador, no siendo *señor de todo el mundo,* no   master of the whole world
tenía el derecho de *quitársela.* Las conversiones a la religión católica   take it away from him   60

---

²El nombre California viene de una novela caballeresca popular en la época de la conquista. En la novela,
California representa una tierra ideal, de clima perfecto y gran hermosura natural.

debían ser voluntarias, y la única justificación de la presencia de los
españoles en América era su derecho a la libre navegación y al comercio.

    La discusión *repercutió* por toda España. Por fin, la corona decidió   resounded
intervenir, *promulgando* las Leyes de Indias para la protección de los   promulgating
65 indígenas. España, que había creado su propia *"leyenda negra"* de   black legend
brutalidad, fue la única nación colonizadora de esa época que trató de
rectificarla. Pero la cuestión básica del derecho a la conquista ha quedado   rectify it
sin solución hasta hoy.   unresolved

∾ *Preguntas*

1. ¿Cuándo llegó Hernán Cortés a Méjico? ¿Cuántos hombres llevaba consigo?
2. ¿Qué otros problemas tenía el Capitán? ¿Qué decisión tomó?
3. Al principio ¿qué pensaban los indios de los españoles? ¿Qué descubrieron después?
4. ¿Quién fue Doña Marina?
5. ¿De qué se aprovechó Cortés para efectuar la conquista del imperio azteca?
6. ¿En qué año entraron los españoles por primera vez en Tenochtitlán? ¿Quién los recibió en su palacio? ¿Qué hicieron entonces los españoles?
7. ¿Qué hicieron los indios a la muerte de Moctezuma?
8. ¿Cuándo realizó Cortés la conquista final del imperio azteca?
9. ¿Qué espíritu se había apoderado de España y Portugal?
10. ¿Por qué vinieron tantos exploradores al Nuevo Mundo?
11. ¿Quiénes son algunos de los más famosos de ellos? ¿Hasta dónde llegaron?
12. ¿Qué descubrió Balboa? ¿Y Orellana? ¿Qué hizo Magallanes?
13. ¿En qué año cayó el imperio de los incas? ¿Quién llevó a cabo esa conquista?
14. ¿Por qué era más que una conquista política la ocupación española de América?
15. ¿Qué contribuyeron los españoles a sus colonias?
16. ¿Cuál era el papel (What was the role) del misionero?
17. ¿Qué defectos tenía el sistema colonial español?
18. ¿Quién fue Bartolomé de las Casas? ¿Qué hizo?
19. ¿Qué dijo el Padre Vitoria sobre los derechos de los indios?
20. ¿Qué acción tomó la corona española en defensa de los indígenas de América?
21. ¿Qué cuestión básica queda sin solución hasta hoy? ¿Qué piensa Ud. del colonialismo?

LECTURA IX: ESPAÑA EN LA CUMBRE

Siglo diez y seis. España es la primera nación de Europa, el imperio más poderoso del mundo. Los barcos *cargados de* oro llenan sus cofres. Su monarca, Carlos I (1515–1555), nieto de Fernando e Isabel y primer rey español de la familia Hapsburgo, es elegido emperador del *Sacro* Imperio Romano. *Asegurada su posición* como monarca absoluto, se dirige *al exterior*. *Derrota* repetidamente a su rival, Francisco I de Francia, y la *bandera* del Emperador *se alza* en Italia, en *Argel*, en *Tánger*, en *Marruecos*, y en las *islas* más remotas del Atlántico y del Pacífico.

Pero la estrella de España no puede continuar su *ascenso ininterrumpido*. *Estallan guerras*—guerras políticas y guerras religiosas. La *Reforma* protestante *sacude* a Europa, y la España católica *reacciona* instituyendo la *Contrarreforma*. *Pero no le basta obrar desde adentro*. España *se resuelve* a defender la fe. Durante el reinado de Felipe II

laden with

Holy . . . His position assured   5
to foreign matters. He defeats

banner . . . is raised
Algiers . . . Tangiers
Morocco . . . islands

uninterrupted ascent.   10

Wars break out
Reformation . . . shakes . . . reacts
Counterreformation. But it isn't enough to work from within
resolves

Vista exterior de El Escorial, palacio monasterio construido por Felipe II. Madrid.

Carlos I de España (Carlos V del Sacro Imperio Romano) y su esposa, Isabel de Portugal. (Courtesy of the Hispanic Society of America)

**Diego Velázquez (1599–1660), La Adoración de los Reyes Magos (detalle).
(Courtesy of the Spanish National Tourist Department)**

(1556–1598), hijo de Carlos, las guerras continúan desangrando a
España.   Piratas ingleses, holandeses y franceses atacan los barcos
españoles, robando sus ricos *tesoros*, o *hundiéndolos* en el mar. Ingla-   treasures ... sinking them
terra se presenta como rival principal de las pretensiones españolas.
5 En 1588, Felipe manda la Armada Invencible a destruir el poder
marítimo inglés. Pero la armada invencible es *vencida, y desde ahí en*   vanquished, and from then
adelante, España, que ha estado en la cumbre, empieza su *lenta*, pero   on ... slow
irremediable *caída*. *Quebrantada su economía* por las demandas de la   fall . . . Her economy weakened
guerra y por la expulsión de los judíos y de los moriscos (que antes
10 formaban gran parte de la clase media profesional y artesana), *atacadas*   her colonies attacked
sus colonias por fuerzas enemigas, e incapaz de *proteger el flujo* de oro   protecting the flow
de América, España no puede recobrar su vigor. La lenta decadencia
de la gran nación es inevitable.

Pero el florecimiento artístico y literario *no decae* por mucho tiempo. La cultura española ha llegado a su primer *Siglo de Oro*. El Renacimiento humanista había despertado interés en la antigua literatura clásica, pagana. El hombre, *gozando de una primavera de la conciencia*, evoca en su poesía ese idilio de la *naturaleza primaveral*. El mejor poeta lírico español del Renacimiento fue Garcilaso de la Vega, grande de España, *amante*, soldado y héroe, *muerto* a los treinta y cinco años asaltando los

doesn't diminish

Golden Age (Century)   15

enjoying a spring of conscience
springtime of nature

lover . . . killed   20

Velázquez, La Rendición de Breda (detalle). (Courtesy of the Spanish National Tourist Department)

Bartolomé Murillo (1617–1682), Una Joven y Su Dueña. (Courtesy of the National Gallery of Art, Washington, D.C., Widener Collection.)

muros de un castillo en defensa de su rey y amigo, Carlos. Garcilaso perfeccionó las formas italianas de la poesía lírica y las puso en *boga* en España, *legándonos* un monumento de delicadeza y sensibilidad musical.

La novela también se desarrolla rápidamente en los siglos diez y seis y diez y siete. Con el desarrollo de la imprenta, *se publican* muchas novelas sentimentales, *novelas de caballería* (el tipo más popular de la época), novelas *pastoriles*, novelas picarescas.[1] Y se leen libros de historia, libros escritos por los conquistadores de América y por los que estuvieron con ellos. Y nace un verdadero teatro español, *género* poco cultivado en épocas anteriores, y que llega ahora a su *apogeo*. Y se escribe poesía épica, y poesía y prosa satírica y filosófica y sentimental.

walls
vogue
bequeathing to us

are published   25
chivalry novels
pastoral

genre
height   30

---

[1]Novelas frecuentemente de tipo satírico y cuyo personaje principal representa lo contrario del héroe tradicional.

Y *se cantan romances*, que revelan el alma popular de España. Y los
grandes místicos de la Contrarreforma, Santa Teresa de Jesús, Fray
Luis de León, San Juan de la Cruz, ponen *por escrito* sus sentimientos
más íntimos, y llegamos a conocer por ellos cómo funciona el alma
5 española *respecto a* su Dios.

La nueva *fluidez* social, los nuevos *horizontes* abiertos a su contempla-
ción, dan al hombre una *razón de ser*, y se expresa por el arte.

[margin glosses: ballads are sung / in writing / with respect to / fluidity ... horizon / reason for being]

⧂⧐ *Preguntas*

1. ¿Cómo era España en el siglo diez y seis? ¿Quién era su monarca al principio de ese siglo?
2. ¿Dónde se alza la bandera de España?
3. ¿Qué ocurre en el reinado de Felipe II?
4. ¿Qué gran movimiento religioso sacude a Europa en esa época? ¿Cómo reacciona España?
5. ¿Qué hacen los piratas ingleses, franceses, y holandeses?
6. ¿Qué nación se presenta como rival principal de España? ¿Cómo piensa Felipe destruir el poder marítimo de ese enemigo? ¿Qué resultado trae su acción?
7. ¿Cuáles son las causas principales de la caída de España?
8. ¿A qué periodo llega la literatura española?
9. ¿Quién es Garcilaso de la Vega? ¿Por qué es importante en las letras españolas?
10. ¿Qué tipos de novelas eran populares en el siglo diez y seis?
11. ¿Qué otros libros se leían ávidamente?
12. ¿Qué otra forma literaria, antes poco cultivada, se desarrolla en esa época?
13. ¿Qué tipo de poesía se escribe?
14. ¿Qué revelan los romances populares?
15. ¿Qué revelan los escritos de los grandes místicos de la Contrarreforma?

Lección Catorce

I. TEMA: _LA POLITICA_ (POLITICS)

Damas y caballeros, queridos amigos y _paisanos_ míos:

No puedo decirles _cuánto me alegro de_ tener la oportunidad de hablar con Uds. esta noche, no sólo para pedirles _que me favorezcan_ con su voto, _sino_ porque me ha gustado siempre visitar esta _bella_ ciudad donde nacieron mis _bisabuelos_ (_en gloria descansen_), a esta bella ciudad, digo, centro de cultura, _fuente_ de justicia, y _meca_ de mujeres hermosas.

(_Aplausos_)

No estoy aquí para hablar mal del otro _partido. No soy así._ Nunca digo nada contra nadie. _Lo único_ que quiero, estimados amigos, es presentarles mi propia plataforma y discutir con Uds. los problemas inmediatos que _acosan_ a nuestra gran república, una nación formada en la democracia y _nacida de la sangre_ de nuestros _ilustres antecesores._

(Más aplausos)

Y así, _sin más tardar_, les explico en tres palabras todo mi programa: prosperidad, justicia, ideal. Mi _lema_ es, y siempre ha sido: progreso y tradición.

(Grandes aplausos)

Ahora bien, el otro partido, _cuyo nombre ni siquiera quiero_ mencionar, el otro partido, digo, está contra todo eso. Pero no voy a hablar de ellos. _No_ voy a decirles a Uds. _más que_ esto: que si cometen Uds. el error—el tremendo, inexcusable error de _entregar en sus manos_ el gobierno de nuestro gran país, _algún día van a darse cuenta de_ que lo han _colocado_ en manos de _ladrones experimentados, de blasfemos, de mentirosos._ Pero no voy a decirles nada de eso. No soy así.

---

constituents

how happy I am to

to favor me

but . . . beautiful

ancestors (may they rest in peace)

fountain . . . mecca

Applause

party. I'm not that kind.

The only thing

beset

born of the blood . . . illustrious ancestors

without further ado

motto

whose name I don't even want

only

delivering into their hands

some day you are going to realize . . . placed

experienced thieves, blasphemers, liars

179

¿Qué soy, me preguntan Uds.? Soy un hombre *sencillo*, de poca ambición personal. Soy *todo lo que Uds. quieran que sea. No me alabo de ser* intelectual. El intelectualismo es sólo para profesores de universidad que viven en su *torre de marfil*. No, *no saco de* libros mis ideas. *Ni siquiera* me gusta leer. Soy un hombre *llano* y sencillo, de pocas palabras, de poca *astucia*, pero de mucho corazón—eso sí—y mucha *humildad* y mucho *cariño* por todos Uds.

(Aplausos histéricos. *Gritos* de ¡Viva! ¡Hurra! ¡Arriba!)

Y así, en conclusión, amigos míos—porque me parece que los conozco personalmente ya—les *prometo* con toda la *franqueza* de un *alma* sincera y abierta que . . . Un momento. Parece que *alguien* tiene una pregunta. . . . Sí . . . Sí . . . *¡Ajá!* . . . ¡*Cómo no*, señor! Me alegro mucho de que me haya hecho esa pregunta. Indica una gran inteligencia e interés en el gobierno de nuestra *amada patria. Le felicito*, señor. Y ahora, la *contestación*. Sí, es verdad que ayer en *mi charla ante* el Club Aristo-crático de esta ciudad *propuse* una administración exclusivamente de los ricos, pero—recuerden Uds—pero, digo, ¡en favor de los pobres!

(Los aplausos *se hacen ensordecedores*.)

¿Hay otra pregunta? ¿Alguna otra pregunta? . . . Sí, señorita . . . Con mucho gusto . . . Sí, estoy casado y tengo cinco hijos, todos *varones*.

Bueno, si he contestado todas sus preguntas, les digo a Uds. en con-clusión que ha sido un verdadero honor y *placer* estar con Uds. esta noche. Bien sé que según el proceso democrático, alguien tiene que ganar y alguien tiene que perder en *toda* elección. Pero esta vez *es más seria la cosa*. No quiero que pierdan Uds., el pueblo. Si gana el otro partido, va a ser el día más *infame* en los anales de nuestra amada patria. No lo permitan Uds. Necesito su ayuda, su confianza, su voto. La causa es buena. ¿Puedo *contar con* Uds.?

(*Frenéticos* aplausos y gritos: ¡Sí! ¡Siempre! ¡Hasta la muerte! ¡Arriba! ¡Victoria!)

Gracias, amigos. *Se me llenan de lágrimas los ojos.* Espero tener el gusto de *apretarles las manos* personalmente. Adiós, adiós a todos, y gracias.

Margin glosses:
simple
whatever you want me to be. I don't boast of being
ivory tower . . . I don't get from . . . I don't even . . . plain
shrewdness . . . humility
affection
Shouts
promise . . . frankness . . . heart (soul) somebody
Aha! Of course
beloved homeland. I con-gratulate you . . . answer. . . . my talk before
I proposed
becomes deafening
boys
pleasure
every . . . the matter is more serious
infamous
count on
Frenzied
My eyes are filling with tears . . . shaking your hands

Vocabulario Activo

el alma (f.)	*soul; heart (fig.)*	dama	*lady*
caballero	*gentleman*	palabra	*word*
cariño	*affection*	el placer	*pleasure*
alabar	*to praise*	ganar	*to win, earn*
descansar	*to rest*	prometer	*to promise*
entregar	*to hand over, deliver*	tardar	*to delay*

abierto *open*   sencillo *simple*
querido *dear*   único *only, unique*

contar con *to count on*   darse cuenta de *to realize*
ni ... siquiera *not even*   arriba *up;* ¡Arriba ... !
                                   Hurrah for ... !

Preguntas

1. ¿Por qué se alegra el candidato de estar en esa ciudad?
2. ¿Cómo describe la ciudad?
3. ¿Por qué no va a hablar mal del otro partido?
4. ¿Qué es lo único que quiere hacer esta noche el candidato?
5. ¿Cuál es su programa? ¿Cuál es su lema?
6. Según el candidato, ¿cómo es el otro partido? ¿Y cómo se describe a sí mismo?
7. ¿Para quién es el intelectualismo, según el candidato? ¿Lee muchos libros?
8. ¿De qué dice que tiene poco? ¿De qué tiene mucho?
9. ¿Qué tipo de administración propone?
10. ¿Es hombre de familia el candidato?
11. ¿Qué dice que va a ocurrir si el otro partido gana las elecciones?
12. ¿Qué pide a sus oyentes (listeners)?
13. ¿Cuál es la reacción del auditorio (audience)?

II. ESTRUCTURA

86. Common Indefinites and Negatives

algo *something*   nada *nothing*
alguien *someone, somebody*   nadie *no one, nobody*
algún, alguno(a, os, as) *any, some (one*   ningún, ninguno(a, os, as) *no, none, not any (of a*
   or more of a group)   *group)*
algún día *some day*   nunca *never*
alguna vez *ever, at some time*   jamás *never, (not) ever*

¿Tienes algo para mí? —No. Nada.   Do you have something for me? —No. Nothing.
Alguien me quiere. ¿Quién puede ser? Somebody loves me. Who can it be?
Ha visto Ud. a[1] alguien?   Have you seen anyone?
Hoy no he visto a nadie.   Today I haven't seen anyone.

---

[1]Indefinites that refer to persons require the personal **a** when they are the object of a verb.

A. **Alguno** and **ninguno**

Notice that **alguno** and **ninguno** are shortened to **algún** and **ningún** before a masculine singular noun.

Algún día voy a ser rico.	Some day I'm going to be rich.
Ningún hombre me habla a mí así.	No man speaks to *me* that way.
But: alguna tarde	some afternoon
ninguna mujer	no woman

Both **alguno** and **ninguno** single out one or more from a group, thus differing from the wholly indefinite pronouns **alguien** (somebody) and **nadie** (nobody at all).

¿Conoce Ud. a algunos de sus amigos? —No, no conozco a ninguno.	Do you know any (some) of his friends? —No, I don't know any (of them).

B. **Alguna vez** and **jamás**

In questions, **jamás** (never; synonymous with **nunca**) may also mean *ever*, but only when a negative answer is expected.

¿Ha oído Ud. jamás tal cosa?	Have you ever heard such a thing? (I don't think you have.)

Alguna vez (ever, at some time) implies neither an affirmative nor a negative.

¿Le ha oído Ud. cantar alguna vez?	Have you ever heard him sing? (No negative implication.)
¿Han estado alguna vez en España?	Have they ever been to Spain?

C. Negatives after comparisons

A negative is used instead of an affirmative after a comparison.

El sabe más que nadie.	*He* knows more than anyone.
Ahora te quiero más que nunca.	Now I love you more than ever.

✎ *Exercise*

1. Make the following sentences negative:

   a. ¿Ha visto Ud. a alguien?   b. Conozco a algunos de sus amigos.   c. Algún día vamos a Italia.   d. Siempre habla mal de alguien.   e. Va a comprarme algo.   f. Algún estudiante va a ganar el premio.

2. Diga en español:

   a. I think there is someone in the kitchen with Dinah.   b. Nobody lives in that old house.   c. Now we want it more than ever.   d. Have you ever taken a trip to the capital? —No. Never.   e. No one is going to believe *that*.

87. Omission of *No* in Negative Sentences

As we have seen, a negative sentence in Spanish is kept consistently negative. **No** is placed before the verb, and Spanish then uses a double, even a triple or quadruple negative. However, when **nadie, nunca,** or another negative is placed *before* the verb, **no** is omitted.

No vino nadie.	No one came.
Nadie vino.	
No ha viajado nunca.	He has never traveled.
Nunca ha viajado.	
No decía nada nunca a nadie.	He never would say anything to anyone.
Nunca decía nada a nadie.	
No lo sabe ninguno de ellos.	None of them knows it.
Ninguno de ellos lo sabe.	

Exercise

Diga de otra manera:

1. No le he visto nunca.   2. No me quiere nadie.   3. Ninguno de ellos quiere ir con nosotros.   4. No le interesa nada.

88. Shortening of Certain Adjectives

A few adjectives lose the final **-o** before a masculine singular noun. These adjectives include **bueno, malo, alguno, ninguno, primero, tercero.**

un buen muchacho	a good boy
el tercer hombre	the third man
el primer capítulo	the first chapter
But: su primera mujer	his first wife

Grande becomes **gran** before *any singular* noun.

un gran autor	a great author
una gran colección	a great collection
But: grandes oportunidades	great opportunities

Exercise

Complete las frases siguientes:

1. Esta es (the third time) (vez) que ha llamado.   2. Fue el (first American writer) que ganó ese premio.   3. ¿Eres (a good little boy)? —No. Pero soy (a great liar) (mentiroso). 4. En esta (great) ocasión.   5. (The first two) capítulos son los mejores.   6. (Some day) voy a ser un actor famoso. —Imposible. Eres muy (bad actor).

89. More About the Position of Adjectives

As you must recall, *nondescriptive* adjectives (demonstratives, unstressed possessives, and indefinites, including **poco** and **mucho**) regularly *precede* the noun. *Descriptive* adjectives that set the noun off from others of its kind *follow* the noun. Any change in the normal position of an adjective will intensify its force or, at times, even change its meaning.

A. Change of meaning according to placement

When **gran(de)** is placed before the noun, it means *great;* **pobre** means *unfortunate;* **viejo** means *former* or *long-standing.*

un muchacho pobre	a poor (not rich) boy
el pobre muchacho	the poor (pitiful) boy
un amigo viejo	an old (elderly) friend
un viejo amigo	an old (long-standing) friend
un hombre grande	a big man
un gran hombre	a great man

B. Placement before the noun to characterize

An adjective that is usually distinguishing may be placed *before* the noun if, in a particular case, it is used to describe a normal characteristic of that noun rather than to distinguish it from others of its type.

la roja sangre	the red blood
la blanca nieve	the white snow
las hermosas modelos	the beautiful models
los ágiles acróbatas	the agile acrobats

C. Placement of two or more adjectives

There are two basic ways of treating a group of two or more adjectives that modify one noun.

1. Place the shorter or the more subjective adjective before the noun. Place the other(s) —the more categorizing—after.

Es un joven escritor dramático.	He is a young dramatic writer.
la hermosa actriz francesa	the beautiful French actress

2. When both (or all) of the adjectives are felt to be equally distinguishing and of equal force, place them after the noun, joining two by **y** or separating all by commas.

Es una carrera importante y lucrativa.	It is an important and lucrative career.
Fue una operación delicada, peligrosa (y) complicada.	It was a delicate, dangerous (and) complicated operation.

For more emphasis or dramatic effect, they may all be placed before the noun.

Si cometen Uds. el tremendo, inexcusable error . . .	If you make the tremendous, inexcusable error . . .

Exercises

Diga en español:

1. a. cold soup. b. the cold snow. c. an intelligent and charming girl. d. his old teacher. e. our beloved country (patria)

2. a. the poor sick boy. b. my rich Venezuelan relatives. c. a long, difficult lesson. d. a great day

3. Beautiful women are not always less intelligent than homely women. —That's not true. There are no homely women.

4. The red blood was staining (manchar) the white snow. It was a terrible fatal accident.

90. *De* + Noun Instead of an Adjective

When describing the material of which something consists or is made, Spanish generally uses **de** + *a noun* (the material) instead of an adjective.

un reloj de oro	a gold watch
una mina de plata	a silver mine
aretes de perlas	pearl earrings
un vestido de algodón	a cotton dress

Exercise

Diga en español:

1. a diamond brooch. 2. a silk tie. 3. a mink coat. 4. an iron pot. 5. a tin cup. 6. a silver spoon. 7. a cotton handkerchief

Review Exercise

Traduzca al español:

Ladies and gentlemen, dear friends of mine:

You don't know how happy I am to be here this evening, not only because I want you to give me your votes, but (sino) because I have always liked to visit this beautiful, magnificent city, center of culture, fountain of democracy, and mecca of beautiful women.

I have not come here today to speak ill (mal) of the other party. That is something that I never do. I'm not that kind. In fact, yesterday some of my friends said to me: —Why don't you tell the people the truth about (sobre) those thieves, those liars who want to destroy the good name of our beloved country?— But I said to them: —No, I don't want to do that. I never say anything bad about anyone. I only want to present my own platform and to tell my good friends what (lo que) I am going to do for (por) them.

(Great applause)

My platform is prosperity and justice. My motto: tradition and progress! I am a plain and simple man, of few words, of little shrewdness, but of great affection for you, my dear friends. I don't boast about being an intellectual. I don't get my ideas out of books. No,

I don't even like to read. I get my ideas from my heart, an open and sincere heart that beats (bate) only for our beloved country, for the glory of our illustrious ancestors, and for you. I ask you to give me your confidence. I ask you to give me your votes. Our country needs us. Can I count on you?

(Shouts of Victory! Yes! Until death! Hurrah!)

Thank you, my friends. Thank you. I hope you will forgive me if I can not shake your hands personally. Thank you again, and goodbye.

III. CONVERSACION: *LA POLITICA*

1. ¿Qué técnica usa el candidato que nos habla en este capítulo para ganar el favor de sus oyentes? ¿Qué dice para halagar (flatter) su vanidad? ¿Votaría Ud. por él? ¿Por qué? ¿Cree Ud. que va a recibir muchos votos este candidato? ¿Es un candidato típico o no?

2. ¿Le interesa a Ud. la política? ¿Les interesa a sus padres? ¿A sus amigos? ¿Ha votado Ud. ya? ¿Votan sus padres y parientes en todas las elecciones? ¿Cuántos presidentes de los Estados Unidos puede Ud. nombrar? ¿Cuál considera Ud. el más grande (the greatest)? ¿Por qué?

3. ¿Le gustaría a Ud. ser alcalde (mayor) de su pueblo o ciudad? ¿Gobernador del estado? ¿Miembro del Congreso o Senador? ¿Presidente de los Estados Unidos? ¿Vice Presidente? ¿Por qué?

4. ¿Cree Ud. que la mayor parte de los políticos son honrados o no? ¿Cree Ud. que es posible llegar a una posición importante en la política sin sacrificar sus ideales?

5. ¿Conoce Ud. personalmente a un funcionario (official) público? ¿Quién es? ¿Le gusta a Ud. como persona?

6. ¿Cree Ud. que las mujeres deben tomar una parte más activa en la política? ¿Votaría Ud. (Would you vote) por una mujer para presidente de los Estados Unidos?

7. ¿Cree Ud. que un representante elegido (elected) por el pueblo debe votar siempre según la voluntad (according to the will) de la mayoría de sus constituyentes, o que debe formar su propia opinión sobre cuestiones decisivas de gobierno?

IV. COMPOSICION

Escriba una composición sobre:

1. Por Qué Quiero (o No Quiero) Ser Presidente de los Estados Unidos
2. Por Qué Creo (o No Creo) en el Sistema Democrático
3. Por Qué Estoy Interesado (o No estoy Interesado) en la Política
4. Mi Concepto de un Gran Presidente

LECTURA X: CERVANTES Y DON QUIJOTE

¿Cervantes? ¿Don Quijote? ¿Cuál nos interesa más?—el hombre o la creación artística?—¿la realidad de carne que *yace* muerta desde 1616, o una fantasía que vive todavía? ¿A quién conocemos mejor? ¿Cuál de los dos ha contribuido más a nuestro desarrollo espiritual? ¿Qué habría sido Cervantes sin don Quijote? ¿Podría existir un don Quijote sin Cervantes? ¿Quiénes son? ¿Qué son? ¿Cómo son?

Miguel de Cervantes, hombre, nació en Alcalá de Henares en octubre de 1547. Su padre era *cirujano*, profesión poco estimada en aquellos tiempos, y la familia era pobre. De su niñez y *juventud* sabemos poco. Es probable que tuviera poca educación *escolar*. En 1570 *se alistó* en el ejército, y parece que sirvió en varias *campañas* en Italia. El 7 de octubre de 1571, su cumpleaños, le hallamos luchando valientemente contra los turcos en la gran batalla de Lepanto, la batalla naval en que los cristianos destruyeron definitivamente las pretensiones europeas de los musulmanes. Cervantes perdió para siempre el uso del brazo izquierdo, y por eso, en años posteriores, iba a ser llamado "el *Manco* de Lepanto."

Recuperado de sus *heridas*, pasó unos años más en Italia, y en septiembre de 1575, acompañado de su hermano Rodrigo, decidió volver a España. Pero la suerte le tenía preparada otra cosa. *Rumbo a* España, su barco fue atacado por piratas, y Cervantes fue llevado a Argel donde

Marginal glosses: lies (5); surgeon, youth, formal...enlisted (10), campaigns; Cripple (15); wounds; On the way to (20)

Estatua de Don Quijote por Anna Hyatt Huntington. (Courtesy of the Hispanic Society of America)

Ilustraciones de *Oliveros de Castilla,* una novela caballeresca del tipo que satirizaba Cervantes en su *Don Quijote de la Mancha.*

1. Oliveros y Artus, hijos del rey de Castilla, hermanastros e inseparables amigos, son entregados a un caballero para aprender las artes de la caballería andante.

2. Oliveros rechaza el amor ilícito de su madrastra, reina de Algarbe, y huye de la corte. Llega a un puerto donde se embarca con otro caballero. Allí empiezan nuevas y maravillosas aventuras.

le vendieron como *esclavo.* Pasó cinco años en el *cautiverio,* años en que se hizo jefe de los cautivos cristianos y en que más de una vez fue condenado a muerte por haber organizado *intentos de fuga.* Pero
25 su heroismo le había ganado el respeto de sus propios enemigos, y le perdonaron cada vez al último momento. Por fin, fue *rescatado* y volvió a España.

    Pero el héroe de la guerra a menudo se halla olvidado cuando vuelve a la vida civil. Y así ocurrió en el caso de Cervantes. *Consiguió* varios
30 *empleos* menores. Tuvo que contribuir a la *manutención* de sus padres. Se casó y tuvo una hija. Sirvió como cobrador de impuestos. Una vez fue *excomulgado* por la iglesia, y en más de una ocasión fue echado en la cárcel por *deudas* o por otras razones *poco claras.* Y empezó a escribir. Deseando tener el mismo éxito que Lope de Vega, el ídolo de su época,
35 Cervantes se puso a componer *comedias,* y poesía, y una novela pastoril. Pero *fracasó.* Se dice que durante uno de sus periodos de *encarcelamiento,* concibió la idea de Don Quijote de la Mancha. La primera parte de su obra maestra salió en 1605, la segunda en 1615. Pero a pesar de la gran popularidad que alcanzó su novela, Cervantes quedó pobre, sin protec-
40 tor, y sin el reconocimiento que su genio *merecía.* Y así murió, el 23 de abril de 1616,[1] *sin haber gozado nunca de* los frutos de su triunfo, pero con la *plena conciencia de haber dado a luz* al hijo de su espíritu.

slave . . . captivity

attempts at escape

ransomed

He got

jobs . . . support

excommunicated

debts . . . unclear

plays

he failed . . . imprisonment

deserved
without ever having enjoyed
fully aware of having brought to light

---

[1]Shakespeare también murió el 23 de abril de 1616, pero no era el mismo día que la muerte de Cervantes debido a una pequeña diferencia en los calendarios de Inglaterra y de España.

3. **El barco naufraga cerca de Inglaterra y todos mueren menos Oliveros y su compañero. El otro caballero muere, pero reaparece después como el Caballero Negro y más tarde como el Caballero Blanco.**

4. **Artus va por el mundo buscando a Oliveros, a quien cree muerto. Llega a Irlanda donde mata a un terrible y espantoso monstruo. De vuelta a España, se pone gravemente enfermo.**

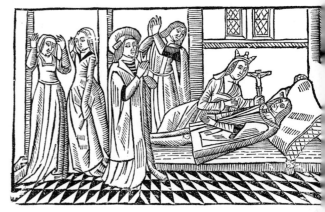

5. **Oliveros descabeza a sus dos hijos para dar su sangre a Artus, y salva así la vida de su hermanastro. Milagrosamente, cuando Oliveros vuelve a casa, descubre que sus hijos viven todavía.**

6. **Rey de España ahora, Oliveros casa a su hija Clarisa con Artus y muere tres años después.**

Don Quijote nació en 1605 a la edad de cincuenta años. Era alto, *enjuto*, y tenía *el cerebro* tan lleno de novelas de caballería que *llegó a* creer que él mismo era un *caballero andante*, y resolvió ir por el mundo *deshaciendo agravios*, haciendo bien a todos, descubriendo hermosura donde había *fealdad*. Y por eso era loco. Su lucha *desigual* contra los

skinny . . . his brain . . . began to

knight errant   45

undoing wrongs

ugliness . . . unequal

La Salida de Don Quijote en Busca de la Aventura por Daniel Urrabieta Vierge (1851–1904). (Courtesy of the Hispanic Society of America)

molinos de viento representa la lucha de todo ser humano contra lo imposible, *lo inalcanzable*, lo inevitable. Pero sigue luchando, porque
50 quiere hacerlo posible y alcanzable. Y su *afán* de justicia, su defensa del *oprimido*, su *prosecución* del ideal de la belleza, su conciencia de la relatividad de toda verdad, de toda realidad—eso es el don Quijote que renace con cada nueva generación. Porque don Quijote y su *escudero* Sancho Panza son más que una sátira de las novelas caballerescas, más

windmills

the unattainable

zeal

oppressed . . . pursuit

squire

190

aun que un contraste entre idealismo y materialismo. El uno *se con-* becomes infected with   55
tagia de las cualidades del otro, y de la mezcla surge el impulso vital
que caracteriza al hombre creador y pensador.

¿Cervantes? ¿Don Quijote? ¿Son el mismo hombre? *¿O ha dejado* Or has the creation left its
creator behind?
atrás la creación a su creador? ¿Quién vive hoy? ¿Quién ha muerto?

Preguntas

1. ¿Cuándo nació Miguel de Cervantes? ¿Dónde nació?
2. ¿Cómo era su familia?
3. ¿Qué sabemos de su niñez y juventud?
4. ¿Cuándo se alistó en el ejército? ¿Dónde sirvió?
5. ¿Qué batalla naval tuvo lugar el 7 de octubre de 1571? ¿Cuál fue el resultado de esa batalla?
6. ¿Qué perdió Cervantes en la batalla? ¿Cómo iba a ser llamado después?
7. ¿Qué le pasó a Cervantes cuando volvía a España en 1575?
8. ¿Cuántos años pasó como prisionero en Argel?
9. ¿Cómo le fue la vida después de volver a España?
10. ¿Quién era el ídolo literario de esa época?
11. ¿Qué tipos de obras se puso a componer Cervantes?
12. ¿Cuándo salió la primera parte de *Don Quijote de la Mancha*? ¿Cuándo salió la segunda parte? ¿Cómo fue recibida la novela? ¿Cómo quedó Cervantes?
13. ¿Cuándo murió Cervantes? ¿Qué otro gran escritor murió en la misma fecha?
14. ¿A qué edad nació don Quijote?
15. ¿Cómo era don Quijote? ¿Qué llego a creer? ¿Qué resolvió hacer?
16. ¿Qué representa su lucha contra los molinos de viento?
17. ¿Qué más busca en su vida don Quijote?
18. En la opinión de Ud., ¿cuál ha contribuido más al pensamiento filosófico del hombre moderno—la vida de don Quijote o la de Cervantes?

Lección Quince

I. TEMA: *LA SUERTE*

Suerte. *¿La tendré?* ¿No la tendré? Es un problema que nos preocupa siempre. ¡Cuántas veces *hemos oído decir a nuestros conocidos!*:

—¿Ramón? *Se ha hecho* millonario. Compró mil *acciones* de la Compañía *Unida* cuando no valían nada. Todos sabíamos que la compañía estaba *a punto de declararse en bancarrota*, pero Ramón, que nunca ha sabido nada de la *Bolsa*, compró. Y un día, descubren *uranio*, suben cien veces las acciones, y ahora no hay nadie más astuto que él. *Eso sí* es suerte.

—¡Pobre Elsa! En toda su vida no ha tenido ni un día bueno. Las cosas le van siempre *de mal en peor*. *Nunca podré* comprenderlo. Eso sí es no tener suerte.

—Con la suerte que tengo yo, no lo dudes por un momento, amigo, *¡me darán* el mismo profesor que *me suspendió* el año pasado!

—Chocaron los dos coches. El *chófer* del primero murió instantáneamente. El otro murió en la ambulancia *camino al* hospital. Pero su mujer, que estaba sentada *junto a él*, escapó completamente *ilesa*. Estas cosas ocurren. Es la suerte, nada más.

—No. Gracias, pero no. Ya no compro *suertes* ni boletos de lotería ni nada de eso. Nunca he ganado nada en ninguna *rifa*, ni el *premio* más mínimo. Y estoy seguro de que *no cambiará* mi suerte ahora. Yo soy *de los que* tienen que trabajar siempre. ¿Sabe Ud.?, hay gente que tiene suerte para esas cosas. Yo conozco a una mujer, *vecina* nuestra, que . . .

Suerte. En realidad, ¿qué es? Recuerdo un cuento de un autor contemporáneo español llamado Joaquín Calvo Sotelo. El cuento *se titula*

Will I have it?
have we heard our acquaintances say:

He has become . . . shares
United
about to go bankrupt
Stock Market . . . uranium
That really

from bad to worse. I'll never be able to

they'll give me . . . flunked me
driver
on the way to
next to him . . . unhurt

chances
raffle . . . prize
won't change
one of those who
a neighbor

is entitled

192

sencillamente "La Suerte." *Trata de* un pobre chófer de taxi que encuentra un día en el *asiento trasero* de su coche una cartera que *contiene* cien mil pesetas. Siempre ha sido un hombre honrado, pero esta vez, *piensa en* las muchas cosas que necesitan él y su familia. —El dinero *será de* un gran millonario. *El no lo necesitará tanto como yo*, piensa. —Pero no es mío, *arguye* consigo mismo. —No tengo derecho a este dinero.— Y así, luchando con su conciencia, decide entregar las cien mil pesetas a la *policía*.

It deals with

back seat . . . contains

he thinks about

probably belongs to . . . He probably doesn't need it as much as I
he argues

Camino a la *comisaría*, se le presenta en la calle la Dama Suerte. Está furiosa con él. —¿*Por qué me ofendes así*?, pregunta al chófer. —*Fui yo la que* hice a ese señor olvidar su cartera en el taxi. No quiero *que le devuelvas* el dinero. Si lo haces, *no volveré a sonreírte nunca. Te castigaré por tu honradez. Ya lo verás.*

police.
police station, Lady Luck appears to him on the street.
I was the one who
you to return to him
I will never smile upon you again. I'll punish you for your honesty. You'll see.

Pero el chófer ha hecho ya su decisión y entrega la cartera a la policía. Pasan semanas. Pasan meses. Y las cosas le van de mal en peor. *Va buscando en todas partes a* La Suerte. Quiere hablar otra vez con ella. Compra patas de conejo y *docenas* de amuletos, pero La Suerte *no se le aparece* en ninguna parte. Un día, compra todos los números en *la rueda de ruleta y la obliga a* venir. Pero la Dama no quiere favorecerle más. Por fin, *desesperado*, el chófer decide *quitarse la vida*.

He goes around looking everywhere for

dozen . . . doesn't appear to him . . . the roulette wheel and forces her to

desperate . . . take his own life

Sube al *último piso* de su casa y *se arroja* por la ventana. Pero *en vez de* morir *aplastado* en la calle, cae en el *toldo de una azotea*. Levanta la cabeza y entonces, en la ventana de *la casa vecina*, ve a la Dama Suerte— que le sonríe *cariñosamente*.

top floor . . . throws himself . . . instead of . . . crushed . . . awning of a porch

the house next door

affectionately

Vocabulario Activo

acción	*action; share of stock*	docena	*dozen*
Bolsa	*stock market*	premio	*prize*
derecho	*right (to something)*	vecino(a)	*neighbor*
cambiar	*to (ex)change*	necesitar	*to need*
chocar	*to collide*	preocupar(se)	*to worry*
devolver	*to return, give back*	quitar(se)	*to take away; to take off*
camino a	*on the way to*	pensar en	*to think of or about*
de mal en peor	*from bad to worse*	tratar de	*to deal with; to try to*
junto a	*next to*		

⊃≋ↄ Preguntas

1. ¿Qué problema nos preocupa siempre?
2. ¿Cómo se hizo millonario Ramón? ¿Era un gran experto en la Bolsa?
3. ¿Cómo es que subieron cien veces las acciones de la Compañía Unida?

4. ¿Tiene suerte Elsa? ¿Cómo le van siempre las cosas?
5. ¿Qué teme el estudiante que se queja (complains of) de su mala suerte?
6. ¿Qué pasó cuando chocaron los dos coches?
7. ¿Por qué no quiere comprar más suertes ni boletos de lotería la última persona que nos habla?
8. ¿Quién es Joaquín Calvo Sotelo?
9. ¿Quién es el protagonista de su cuento *La Suerte?*
10. ¿Qué descubre el chófer en el asiento trasero de su taxi?
11. ¿En qué piensa cuando ve la gran cantidad (quantity) de dinero?
12. ¿Qué piensa el chófer acerca del hombre que perdió la cartera?
13. ¿Por qué decide ir a la policía?
14. ¿A quién encuentra en la calle?
15. ¿Por qué está furiosa con él la Dama Suerte?
16. ¿Qué hará la Dama si el chófer insiste en llevar el dinero a la policía?
17. ¿Qué hace el chófer? ¿Cómo le resultan después las cosas?
18. ¿Cómo trata de hacer volver a La Suerte (to make Lady Luck come back)?
19. ¿Qué decide hacer el chófer cuando se siente abandonado por la suerte?
20. ¿Cómo trata de quitarse la vida? ¿Por qué no muere en la calle?
21. Cuando levanta la cabeza, ¿a quién ve? ¿Qué hace ahora La Suerte?

II. ESTRUCTURA

91. The Future

The future tense tells what *will*, or what *is going to* happen. It is future of *now.*

There is only one set of endings for all conjugations in the future tense. They are added to the whole infinitive. These endings are all derived from the present indicative of **haber: (h)e, (h)as, (h)a, (h)emos, (hab)éis, (h)an.**

hablar

hablaré   (I will or shall speak)
hablarás
hablará
hablaremos
hablaréis
hablarán

Now you complete:

beber: beberé, beberás, _____, _____, _____, _____
vivir: viviré, _____, _____, _____, _____, _____

Only a few very common verbs have irregular forms (corruptions of the original infinitive through the wear and tear of centuries of use), but the endings remain the same. You can complete the conjugations.

venir: vendré, vendrás, vendrá, vendremos, vendréis, vendrán

tener: tendré, tendrás, _____, _____, _____, _____

poner: pondré, pondrás, _____, _____, _____, _____

salir: saldré, _____, _____, _____, _____, _____

valer: valdré, _____, _____, _____, _____, _____

poder: podré, _____, _____, _____, _____, _____

saber: sabré, _____, _____, _____, _____, _____

haber: habré, _____, _____, _____, _____, _____

caber: cabré, _____, _____, _____, _____, _____

hacer: haré, _____, _____, _____, _____, _____

decir: diré, _____, _____, _____, _____, _____

querer: querré, _____, _____, _____, _____, _____

Exercise

1. Use the proper form of the future tense:
   a. yo: comprar, hablar, leer, ser, vivir, sentir
   b. Juan: dudar, amar, creer, abrir, haber
   c. los niños: estar, andar, ver, decidir, valer
   d. nosotros: venir, salir, tener, poder, poner, valer
   e. tú: enseñar, encontrar, perder, dormir, hacer, decir
   f. Uds.: saber, decir, hacer, querer, poder, tener

2. Diga en español:
   a. He will speak here tomorrow. b. Will you (tú) go to hear him? c. We shall not be home. d. Will they come? e. Will she tell him the truth? f. Will he be a doctor or a dentist? g. You (Uds.) will not find it there. h. We shall have to do it. i. Will you (vosotros) have time? j. Gary will read Russell a story.

92. The Future of Probability

In addition to its normal use to express a future action, the future tense may be used to state conjecture or *probability about a present action.*

¿Quién será?	Who can he be? I wonder who he is.
¿Dónde estarán?	Where can they be? I wonder where they are.
Estarán por aquí.	They probably are (must be) around here.
Juan lo sabrá.	John probably knows (must know).

Exercise

Complete las frases siguientes:

1. (It must be) mi padre.   2. (I wonder) ¿Qué hora (it is)?   3. (It's probably) las tres.   4. (They must be) aquí.   5. Esos hombres (probably are right).   6. El (probably doesn't need) el dinero tanto como yo.   7. ¿De quién (can it be)?

93. The Future Perfect

The future perfect is composed of the future of **haber** + the past participle. It tells what *will have happened* by a certain future time and may also be used to express probability or conjecture about a present perfect action (what probably *has* happened).

Se habrán ido para el sábado.	They will have gone by Saturday.
Habremos vuelto para junio.	We shall have returned by June.
¿Dónde está Juan? No le veo en ninguna parte. —Habrá salido.	Where is John? I don't see him anywhere. —He probably has (must have) gone out.
Ya lo habrán comprado.	They have probably bought it already.

Exercise

1. Change the following sentences to tell what *will have happened:*
   a. Lo terminará mañana. b. Volverán para diciembre. c. Ya lo haré. d. ¿Quién lo sabrá? e. No lo haremos.

2. Change the following sentences to express probability or conjecture:
   a. Han llegado. b. No lo ha dicho. c. No han vuelto todavía. d. Nos ha llamado muchas veces. e. ¿Quién la ha comprado?

94. Other Meanings of Will in English

When *will* means *to will, to be willing,* or *please,* it is translated in Spanish by the present of **querer.**

¿Quieren Uds. esperar un momentito?	Will you (please) wait a moment?
¿Quiere Ud. pasar la sal y pimienta?	Will you (please) pass the salt and pepper?
No queremos firmarlo.	We *will* not (don't want to, are unwilling to) sign it.

Exercise

Diga en español:

1. Will you (please) be seated?   2. Will you open the window?   3. God wills it.   4. Will you (please) give him our regards (recuerdos)?

95. Haber de

To be (*supposed or expected*) *to* is expressed in Spanish by the idiom **haber de.** This is the *only* use of **haber** as a main verb that can be conjugated in all persons.

Hemos de verlos mañana.	We are (supposed) to see them tomorrow.
El avión ha de despegar a las dos.	The plane is (supposed) to take off at two.
Había de venir, pero no vino.	He was (expected) to come, but he didn't.

Exercise

Complete las frases siguientes:

1. Su tren (is to arrive) a las cuatro y media. 2. Todos sus amigos (were to) saludarle en la estación. 3. Nosotros (were to be) allí también, pero no podemos. 4. Se dice que (it is supposed to snow) esta noche. 5. (I am supposed to) tomar un examen mañana. ¡Dios mío!

96. The Definite Article for an Omitted Noun

The definite article often stands for a noun that is omitted. These are the usual circumstances:

A. To avoid repeating the noun that follows a possessive in English

nuestra casa y la de Juan	our house and John's
tu coche y el de tu hermano	your car and your brother's
el marido de Ana y el mío	Anna's husband and mine

B. The pseudo-demonstrative

As you recall, a true demonstrative (this, that, these, those) *points out*. At times, English uses *that* or *those* not to point out one or more of a group, but merely to avoid repeating a noun. In such cases, Spanish logically uses the definite article.

el museo de arte y el de historia natural	the museum of art and that of natural history
la Facultad de Medicina y la de Bellas Artes	the School of Medicine and that of Fine Arts
nuestro producto y los de nuestros competidores	our product and those of our competitors

Exercise

Change the following sentences to avoid repetition of the noun:

1. ¿Ha visto Ud. mi abrigo y el abrigo de Roberto? 2. Sus maletas y nuestras maletas han desaparecido. 3. La clase de 1963 y las clases de 1964 y 1965. 4. La casa de su tío y la casa de mi padre están muy cerca. 5. La muerte de Cervantes y la muerte de Shakespeare coinciden en la misma fecha. 6. Mi coche y el coche de mi hermano son idénticos.

ᏜᎧ *Review Exercise*

Traduzca al español:

Will I have luck or won't I have luck? Nobody knows the answer to this question. What (Lo que) the future will bring us is a mystery, and many times things happen that we can not explain. For example, do you remember Raymond Lozano? He's a millionaire now. And how? Is he very intelligent? No. He's very lucky. He bought a thousand shares in a company that wasn't worth anything; and one day, what happens? They discover uranium and his shares go up a hundred times, while (mientras) those that *we* bought in another company go down. That's life. That's luck.

And some people never seem to have luck. You probably know someone for whom (para quien) things always seem to go from bad to worse. I have a friend, Mary, who has never had a good day in her whole (entera) life. And she will always be like that (así), I suppose (suponer).

All this reminds me of the story of an honest taxi driver who found a wallet with a hundred thousand pesetas in the back seat of his car. He wanted to keep it because he thought: —It must belong to a great millionaire who probably doesn't need it as much as I.— But his conscience didn't let him keep the money, and so (así) he took it to the police. Well, Lady Luck came to him one day and said: —You didn't accept the gift (el regalo) that I gave you. I will never come to you again. You will have to spend the rest of your life without me.

The poor taxi driver looked for her everywhere, and finally, desperate, he decided to take his own life. But when he threw himself out of the window of his house, he fell (cayó) on the awning of a porch. And when he raised his head, there was Lady Luck, who was smiling at him.

III. CONVERSACION: *LA SUERTE*

1. ¿Cree Ud. en la suerte? En su opinión, ¿tiene más influencia en nuestra vida la suerte o nuestra voluntad (will)?
2. ¿Se considera Ud. una persona afortunada? ¿Por qué? ¿Qué circunstancia considera Ud. la más afortunada de su vida?
3. ¿Recuerda Ud. un caso específico en que tuvo buena suerte? ¿Un caso de un amigo o pariente suyo?
4. ¿Recuerda Ud. un caso en que tuvo mala suerte? ¿Una experiencia de un amigo o pariente suyo?
5. En su opinión, ¿en qué consiste la buena suerte?
6. ¿En qué orden de importancia pone Ud. los siguientes: dinero, salud, amor?
7. En el caso del chófer de taxi, ¿cree Ud. que hizo bien o mal en devolver la cartera al hombre que la perdió?
8. ¿Qué hará Ud. si halla un día una cartera con diez dólares? ¿Cien dólares? ¿Mil dólares? ¿Cien mil dólares?

9. ¿Ha hallado Ud. algo alguna vez? ¿Qué fue? ¿Qué hizo Ud.?
10. En el sentido (sense) moral, ¿cree Ud. que es un acto más criminal robar diez mil dólares que diez dólares?
11. ¿Cree Ud. que es un acto menos criminal robar a una persona rica que robar a una persona pobre?

IV. COMPOSICION

Escriba una composición sobre:

1. Por Qué Me Considero (o No Me Considero) una Persona Afortunada
2. Un Caso de Suerte Excepcional
3. La Persona Más Afortunada del Mundo
4. Lo Que Espero de la Suerte

REPASO III

I. Tema: La Música Hispánica (Tape)
   Vocabulario, p. 391

II. Dictado y Ejercicio de Comprensión (Tape)

III. Repaso de Gramática

    A. Forms of the Present Subjunctive

        1. Regular

-ar	**-er**	**-ir**
hablar	**comer**	**abrir**
hable	coma	abra
hables	comas	abras
hable	coma	abra
hablemos	comamos	abramos
habléis	comáis	abráis
hablen	coman	abran

        2. Irregular

           ser: sea, seas, sea, seamos, seáis, sean
           saber: sepa, sepas, sepa, sepamos, sepáis, sepan
           ir: vaya, vayas, vaya, vayamos, vayáis, vayan
           haber: haya, hayas, haya, hayamos, hayáis, hayan

All other irregular verbs that we have studied add the normal subjunctive endings to the stem of the first person singular of the present indicative:

           hago: haga, hagas, etc.
           conozco: conozca, conozcas, etc.

        3. **-ir** radical changing

sentir	**morir**
sienta	muera
sientas	mueras
sienta	muera
sintamos	muramos
sintáis	muráis
sientan	mueran

-ar and **-er** radical changing verbs have no change in the stem vowel of the first and second persons plural.

    B. Direct Commands

Direct affirmative commands in **Ud.** and **Uds.** use the third person of the present subjunctive. Negative commands, both familiar and polite, use the corresponding form of the present subjunctive. Remember: *Object pronouns must be attached to the end of direct affirmative commands.* They are placed in their normal position *before* the verb in negative commands: **Siéntese Ud. No se siente Ud.**

200

C. The First Two Concepts of the Subjunctive
1. Indirect or implied command: **Quiero que lo haga.**
2. Emotion: **Sentimos que esté enfermo.**

D. The Future
1. Forms
   The future endings **é, ás, á, emos, éis, án** are added to the entire infinitive:

   llevar: llevaré, llevarás, llevará, llevaremos, llevaréis, llevarán
   creer: creeré, creerás, creerá, creeremos, creeréis, creerán
   abrir: abriré, abrirás, abrirá, abriremos, abriréis, abrirán

   Some irregular verbs add these endings to shortened forms or corruptions of the infinitive:

venir	vendré	saber	sabré
tener	tendré	haber	habré
poner	pondré	caber	cabré
salir	saldré	hacer	haré
valer	valdré	decir	diré
poder	podré	querer	querré

2. Uses
   The future tells what *is going to* or what *will happen.* It also expresses probability or conjecture about a present action.

E. The Past Participle
   The past participle is formed by changing the infinitive ending **-ar** to **-ado,** the **-er** and **-ir** to **-ido.**

   llamar llamado   meter metido   vivir vivido

   There are a few irregular past participles:

poner	puesto	volver	vuelto
ver	visto	cubrir	cubierto
hacer	hecho	abrir	abierto
decir	dicho	morir	muerto
escribir	escrito	romper	roto

   The past participle is often used as an adjective: **un estudiante interesado, una hora perdida**

F. Compound (or Perfect) Tenses
1. Present perfect: present of **haber** + past participle (has, have gone)

   he hablado, visto, ido
   has
   ha
   hemos
   habéis
   han

2. Pluperfect (past perfect): imperfect of **haber** + past participle (had gone)

> había hablado, visto, ido
> habías
> había
> habíamos
> habíais
> habían

3. Future perfect: future of **haber** + past participle (will have gone, probably has gone)

> habré hablado, visto, ido
> habrás
> habrá
> habremos
> habréis
> habrán

3. Present perfect subjunctive: present subjunctive of **haber** + past participle (may have gone)

> haya hablado, visto, ido
> hayas
> haya
> hayamos
> hayáis
> hayan

G. Formation of Adverbs

Adverbs are regularly formed by adding **-mente** to the feminine singular of an adjective: **lentamente, sinceramente, fácilmente.**   Sometimes Spanish prefers **con** + a noun in place of an adverb: **con sinceridad, con tristeza.**

H. Unequal Comparisons: *more, less . . . than*

Adjectives and adverbs are compared regularly by placing **más** or **menos** before them: **más bonita, menos inteligentes, el niño más listo, más rápidamente.**

There are only a few irregular comparisons:

ADJECTIVE	ADVERB	COMPARATIVE
bueno	bien	mejor
malo	mal	peor
mucho	mucho	más
poco	poco	menos
grande		mayor
pequeño		menor

Than is normally translated by **que.**   However, **de** precedes a number.

I. More About Adjectives

1. Shortening

A few adjectives lose the final **-o** before a masculine singular noun: **buen(o)**, **mal(o)**, **algún(o)**, **ningún(o)**, **primer(o)**, **tercer(o)**. **Grande** becomes **gran** before any singular noun; **ciento, cien** before any noun.

2. Position

Nondescriptive adjectives (demonstratives, indefinites, including **mucho** and **poco,** unstressed possessives) and descriptive adjectives that are used to characterize rather than to distinguish are placed *before* the noun.

Descriptive adjectives that set the noun off from others of its type and stressed possessives (**mío**) are placed *after* the noun.

Any change in the position of an adjective may affect its emphasis or meaning.

3. **De** + a noun states the material of which something is made: **un reloj de oro.**

J. Weather

Phenomena that are felt use **hacer;** those that are seen use **haber: Hace frío, calor, sol, viento. Hay luna, sol. Llover(ue)** (to rain); **nevar(ie)** (to snow).

K. Indefinites and Negatives

INDEFINITES	NEGATIVES
algo *something*	nada *nothing*
alguien *somebody, someone*	nadie *nobody, no one*
algún, alguno(a) *some, any or some (one of a group)*	ningún, ninguno(a) *none, no one (of a group)*
algunos(as) *some, several (of a group)*	ningunos(as) *no, none (of a group) (rare)*
alguna vez *sometime*	nunca, jamás *never*
algún día *some day*	
(en) alguna parte *somewhere*	(en) ninguna parte *nowhere*
(en) alguna manera *somehow, in some way*	(en) ninguna manera *in no way*
	ni . . . ni *neither . . . nor*
	ni siquiera *not even*
	tampoco *neither, not . . . either (opposite of* también [*also*])

IV. Vocabulario Especial: El Automovilismo (Motoring)

No Estacionar ni Parar	No Parking or Standing
Estacionamiento Prohibido	Parking Prohibited
Estacionamiento: 1 Hora	Parking: 1 Hour
Parada: 15 Minutos	Standing: 15 Minutes
Velocidad: 40 Kilómetros	Speed: 40 Kilometers per Hour

ROAD SIGNS

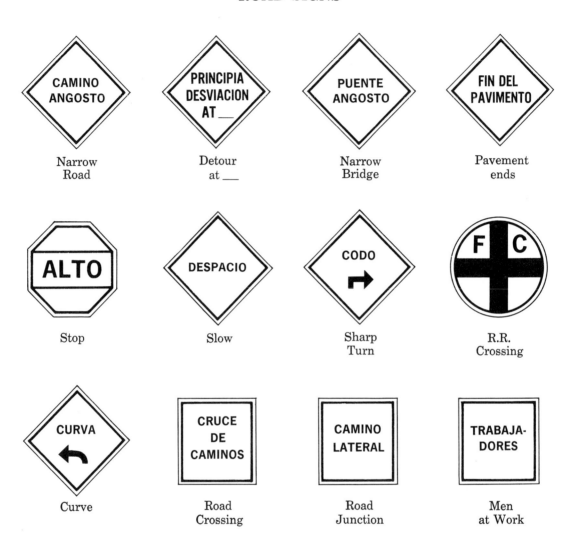

CAMINO ANGOSTO	PRINCIPIA DESVIACION AT __	PUENTE ANGOSTO	FIN DEL PAVIMENTO
Narrow Road	Detour at __	Narrow Bridge	Pavement ends
ALTO	DESPACIO	CODO	F C
Stop	Slow	Sharp Turn	R.R. Crossing
CURVA	CRUCE DE CAMINOS	CAMINO LATERAL	TRABAJA-DORES
Curve	Road Crossing	Road Junction	Men at Work

Apague el Motor	Turn Off Engine
Bomba	Gasoline Pump
Estación de Servicio	Service Station

el motor *motor*		**rueda** *wheel*	
el parabrisas *windshield*		**llanta, nuemático** *tire*	
el carburador *carburetor*		**desinflado, pinchazo** *flat (tire)*	
el guardafangos *fender*		**gasolina** *gasoline*	
bocina *horn*		**el aceite** *oil*	
freno *brake*		bujía *spark plug*	
el acelerador *accelerator*		el chasis *chassis*	
el regulador *regulator*		neumático de repuesto *spare tire*	
multa *fine, traffic ticket*		el volante *steering wheel*	

∾ *Preguntas*

1. ¿Tiene Ud. su propio coche? ¿De qué color es? ¿De qué marca (brand)? ¿De qué año es? ¿Cuántas puertas tiene? ¿Cuánto dinero le costó? ¿Cómo obtuvo (did you obtain) el dinero para comprarlo? ¿Cuántos automóviles hay en su familia?

2. ¿A qué edad aprendió Ud. a manejar un coche? ¿Quién le enseñó?

3. ¿Ha tenido Ud. alguna vez un accidente? ¿Obedece Ud. siempre los reglamentos de velocidad? ¿Ha tenido Ud. alguna vez que pagar una multa?

4. ¿A cuántas millas por hora (miles per hour) está permitido ir dentro de la ciudad? ¿Y en las grandes carreteras? ¿A qué velocidad le gusta a Ud. ir?

5. ¿Le interesan a Ud. las carreras (races) de automóviles? ¿Le gustaría (Would you like to) tomar parte en una carrera de automóviles?

6. ¿Qué necesita el motor de un coche para poder funcionar?

7. ¿Qué hace Ud. si tiene un desinflado?

8. ¿Le gustan más a Ud. los automóviles pequeños o los grandes? ¿Prefiere Ud. los coches europeos o los norteamericanos? ¿Por qué?

9. ¿Cree Ud. que los hombres manejan mejor que las mujeres?

LECTURA XI: LOPE, TIRSO, Y CALDERON

"El *monstruo* de la naturaleza," le nombró Cervantes. "El Shakespeare de España," "Padre del teatro español," le llamaron otros. "Es
de Lope," decían en su época para indicar que una cosa era excep-
cionalmente buena. Tuvo una vida larga, llena de triunfos personales,
5 de aventura, y de conquistas amorosas. Y cuando murió en 1635, era
casi una figura legendaria, y una nación entera lloró su muerte.

Félix Lope de Vega Carpio, el prodigio de su tiempo, nació en Madrid
en 1562, de familia pobre. Se dice que antes de aprender a escribir, ya
dictaba poesías. Siendo joven todavía, fue *encarcelado y desterrado* des-
10 pués por una aventura amorosa. Sirvió a varios *amos* de *rango* altísimo.
Se hizo soldado y estuvo con la Armada Invencible en 1588. *Vuelto a*
España, continuó su carrera literaria[1] escribiendo con *asombrosa rapidez*
volúmenes de exquisita poesía lírica, largos poemas épicos y alegóricos,
dos novelas pastoriles, otros *tomos* de prosa, y unas dos mil obras dra-
15 máticas en verso.

Genio de la improvisación, podía componer un drama de tres actos
en veinte y cuatro horas, y a pesar de la prisa de su composición, gran
número de ellos son verdaderas obras maestras. La producción de
Lope *solo bastaría* para llenar los anales literarios de toda una época.
20 Escribió dramas históricos basados en romances populares y en crónicas
medievales; escribió comedias de "*capa y espada*," comedias *palaciegas*,
comedias de carácter, comedias pastoriles y picarescas y mitológicas y
religiosas. Antes de él, el teatro había sido el *género* menos cultivado.
Lope lo hizo la forma más popular y tal vez la mejor conocida y desa-
25 rrollada. *Descuidando* las *reglas* tradicionales de la construcción clásica
del drama, mezclando elementos trágicos y cómicos, introduciendo una
gran variedad de temas, y perfeccionando el ritmo poético, creó un
verdadero teatro nacional.

Tirso de Molina (nombre de pluma del humilde *fraile* Gabriel Téllez)
30 es el autor de una de las obras dramáticas que más influencia han tenido
en la literatura y la música del mundo. El protagonista de su obra
maestra, *El Burlador* de Sevilla o *El Convidado de Piedra* (1630), es
don Juan Tenorio, símbolo todavía del amante libertino. Don Juan
ha sido el tema de obras de Moliere, Zorrilla, Espronceda, Byron,
35 Dumas, Shaw y otros muchos, y el héroe de la ópera de Mozart, *Don*
Giovanni, ¡y hasta de una ópera china llamada *Sang Po!*

La interpretación del carácter de don Juan *varía* mucho según la época
y el artista que lo trata. El don Juan de Tirso no es un verdadero

---

[1]¡Y su igualmente prolífica carrera amorosa!

amante, porque no sabe amar de veras. Es *más bien* un burlador, un *engañador* que abusa no sólo de las mujeres sino de todos, y que trata de imponer su propia voluntad sobre la de Dios, el mundo sobre el cielo. Y por eso, es condenado al infierno. Moliere y otros contemporáneos del neoclásico francés también le condenan. Pero en el periodo romántico, don Juan es salvado a veces por el amor, y en la obra de Shaw, don Juan llega al paraíso porque *al desafiar* las convenciones sociales *ha merecido* algo más que *la nada* del infierno. Y así continuará estimulando la imaginación de nuevas generaciones el tema del burlador. Porque representa más que la cuestión del amor o del *engaño*. Representa la lucha del hombre contra la eternidad; representa su deseo de negar la *misma* existencia de esos poderes que él no puede dominar, su deseo de vencer los misterios fundamentales de su vida y de su muerte. *"Tan largo me lo fiáis!"* contesta don Juan cuando le dicen que algún día tendrá que pagar por sus *pecados*. Pero llega el día para don Juan,

rather

deceiver   40

by challenging   45
has earned . . .
the nothingness

deceit

very   50

I have a long time to worry
about that

sins

207

como llega para todos, y *surge* entonces la cuestión: ¿Puede salvarse el   arises

55 hombre si *se arrepiente* de sus pecados al último momento? ¿Qué tiene   he repents

que hacer para ganarse la vida eterna? ¿Hay salvación? ¿Hay infierno?

Tirso condena a don Juan. Shaw le abre las puertas del cielo. ¿Qué

haríamos nosotros *si tuviéramos que* decidir el caso de don Juan? ¿Qué   if we had to

haría Ud.?

60   *La Vida Es Sueño*, obra maestra de Pedro Calderón de la Barca   Life Is a Dream

también *sugiere* un tema interesantísimo: el problema de nuestro recono-   suggests

cimiento de la realidad. ¿Qué es la vida? ¿Consiste solamente *en* lo   of

que hacemos mientras estamos *despiertos*? ¿Cómo podemos separar la   awake

realidad *consciente* de la realidad subconsciente del sueño? Calderón,   conscious

65 hombre del barroco, noble de familia, religioso de temperamento,

concluye que la vida en esta tierra no es la única, ni la más importante,   concludes

y que el hombre debe vivirla consciente siempre de su *temporalidad*.   temporariness

        "¿Qué es la vida?—Una ilusión,

        Una *sombra*, una ficción . . .   shadow

70   Que toda la vida es sueño,

        Y los sueños sueño son."

El psicólogo de hoy *sacaría* otra conclusión. Pero el problema que   would draw

plantea Calderón, último de los grandes *dramaturgos* del Siglo de Oro,   poses . . . dramatist

nos atormenta todavía.

⌇ *Preguntas*

1. ¿Qué nombre dio Cervantes a Lope de Vega? ¿Cómo le llamaron otros? ¿Qué decían en su época?
2. ¿Cómo fue la vida de Lope de Vega?
3. ¿Cuándo nació Lope? ¿Dónde nació? ¿Cómo era su familia?
4. ¿Qué sabemos de su juventud? ¿En qué batalla naval tomó parte?
5. ¿A qué se dedicó al volver a España? ¿En qué consiste su producción literaria?
6. ¿Qué tipos de obras dramáticas escribió?
7. ¿Qué contribución hizo Lope al teatro nacional?
8. ¿Quién fue Tirso de Molina? ¿Qué obra famosa escribió?
9. ¿Qué otros grandes escritores han tratado el tema de don Juan? ¿Cómo aparece en la música?
10. ¿Por qué no es un verdadero amante don Juan? ¿Qué trata de hacer?
11. ¿Cómo le juzga (judges) Tirso de Molina? ¿Y Zorrilla? ¿Y Shaw?
12. ¿Qué representa la conducta de don Juan? ¿Qué cuestiones surgen? ¿Le condenaría o le perdonaría Ud.?
13. ¿Quién escribió *La Vida Es Sueño*? ¿Qué tipo de persona era Calderón?
14. ¿Qué tema sugiere su obra maestra? ¿Qué conclusión saca Calderón?

Lección Diez y Seis

I. TEMA: *EL IDEAL*

Me dice una amiga mía que cuando *tenía diez años* decidió que un día *se casaría con un vaquero. A los quince*, anunció que su marido *tendría que ser un cantante popular*, o a lo menos, un guitarrista de orquesta. A los diez y ocho, *ya llegada a la plena madurez, hizo saber a todos que no se contentaría* con menos que un millonario. A los veinte, ya estaba casada, con un agente tan pobre como el *ratón* proverbial, pero muy buen muchacho. Y prosperaron tanto que ahora no tiene que *envidiar* a ninguna de sus *antiguas* amigas, y vive *feliz* con su marido y sus dos hijos. Pero *de tiempo en tiempo*, cuando pone la televisión, creo que *sueña todavía con* el vaquero.

El ideal. ¡Cuántas veces cambia para *ajustarse al capricho* del amor! La abstracción *se convierte en Él, en Ella, llega a ser específica, personal, pasajera.* Y tomamos la realidad y *creamos* con ella un nuevo ideal.

Pero, en verdad, ¿qué es el ideal? ¿Qué buscamos, por ejemplo, en el amor?

Ayer, escuché una conversación tan típica de las muchachas de hoy como sus *zapatos sin tacón* y su *suéter de lana color aceituna*. Note Ud. el orden de importancia que dan a las cosas:

—Anita, ¿sabes? *Me voy a casar.*

—¿De veras? ¡Qué maravilloso! ¡Enhorabuena! ¿Con Pedro?

—No. *Tan desesperada no estoy.*

—Pues ¿con quién entonces? ¿Le conozco?

—*Creo que no.* Es un muchacho que conocí hace tres meses en el campo. No es de aquí.

she was ten years old

she would marry a cowboy. At fifteen . . . would have to be a popular singer

having reached full maturity, she let everyone know that she would not be satisfied

mouse

envy

old . . . happily

from time to time

she still dreams about

adjust itself to the whim

becomes Him, Her, it becomes specific, personal, passing . . . we create

flat-heeled shoes . . . olive-colored wool sweater

I'm going to get married.

Congratulations

I'm not that desperate.

I don't think so.

—¿Cómo se llama?

—Diego.

—¿Tienes el *anillo* ya?

—Todavía no. Dijo que *lo escogeríamos juntos este fin de semana.*

—Pero *dime algo de él,* ¿cómo es?

—Bueno, es alto y. . . .

Parece que las jóvenes de hoy empiezan toda descripción de su ideal *midiendo* su elevación sobre la tierra. Eso es, si el novio *tiene a lo menos seis pies de alto.* Si no es alto, *evitan* totalmente el tema (¡nunca *ofrecen voluntariamente* la información de que es *bajo*!) y empiezan con su familia. Por ejemplo:

—Su padre es presidente de la Compañía Eléctrica.

Si el novio *no se distingue mucho* por su familia, la muchacha *comienza* con su profesión u oficio:

—Estudia *para abogado* . . . Trabaja en el banco . . . Es *teniente* en la Fuerza Aérea. . . .

Pero si eso tampoco ofrece posibilidad de *impresionar* a su amiga, la novia dice sencillamente:

—Es maravilloso. *Te lo presentaré* algún día.

Y al mismo tiempo hace una nota mental de no presentarle a ninguna de sus amigas hasta estar casada . . . y *bien casada.*

Con los hombres es un poco diferente. Primero tienen que *disculparse por haberse enredado en el compromiso.*

—Hola, Diego. Me dicen que te vas a casar. ¿Cómo te dejaste caer en la *trampa?* ¿Quién *creería* que tú . . . ?

—Pues hombre, *me cansé* de hacer mi propio *desayuno,* ¿sabes?. Y cuando esa *muñequita rubia* ofreció *hacérmelo* todos los días, *no pude rehusar.* *Cualquier soltero* de corazón—y estómago—*habría hecho lo mismo.*

—¿Una rubia, dices? Menos mal.

El hombre, como ya ve Ud., después de *tratar* el compromiso como una *enorme broma de que él mismo es la apacible víctima, nos entera* en seguida del color del pelo de la novia, *sobre todo si lo tiene rubio* o rojo. *Esto basta* normalmente para caracterizarla y *satisfacer* la curiosidad del amigo. Si es *morena,* puede cambiar un poco el orden de las cosas. *Empezaría* entonces diciendo dónde o cuándo la conoció, o tal vez, *recalcando en qué buena muchacha es.*

Pero, ¿cómo es ella de veras? ¿Cómo es él? No se habla mucho de eso. *Ni él ni ella lo sabrán,* pero no importa. No saben *lo que* es el ideal, sólo que lo han encontrado.

---

ring
we would pick it out together this weekend.

tell me about him

measuring . . . is at least six feet tall . . . they avoid . . . offer voluntarily . . . short

isn't very distinguished , . . begins

to be a lawyer . . . lieutenant

impressing

I'll introduce him to you

good and married.

apologize for having gotten entangled in the engagement.

trap . . . would think

I got tired . . . breakfast

blonde doll . . . make it for me . . . I couldn't refuse. Any bachelor . . . would have done the same

treating
enormous joke of which he himself is the willing victim, informs us
especially if it is blonde . . . This suffices

to satisfy

brunette

He would begin
emphasizing what a good kid she is

Neither one probably knows . . . what

Vocabulario Activo

anillo *ring*
broma *joke*

bastar *to be enough, suffice*
comenzar (e > ie) *to begin*
crear *to create*

cualquier *any (at all)*
enorme *enormous*

Creo que no. *I don't think so.*
de tiempo en tiempo *from time to time*
¡Enhorabuena! *Congratulations!*
enterar de *to inform*

el fin *end;* — de semana *weekend*
oficio *trade, occupation*

evitar *to avoid*
ofrecer (ofrezco) *to offer*
rehusar *refuse*

moreno *brunette*
rubio *blond*

llegar a ser *to become (after a time)*
sobre todo *especially*
tener . . . años (de edad) *to be . . . years old;*
— . . . de alto *to be . . . tall;* — . . . de ancho *to be . . . wide*

Preguntas

1. ¿Con quién decidió que se casaría la primera muchacha cuando tenía diez años? ¿Cuando tenía quince? ¿Cuando llegó a los diez y ocho?
2. ¿A qué edad se casó? ¿Con quién?
3. ¿Era rico su novio cuando se casaron? ¿Cómo viven ahora? ¿Cuántos hijos tienen?
4. A veces, cuando pone la televisión, ¿con quién sueña todavía la mujer?
5. ¿Es estable (stable) y permanente el ideal?
6. ¿En qué se convierte la abstracción? ¿Qué hacemos con la realidad?
7. ¿Cómo se visten las muchachas típicas de hoy?
8. ¿Qué menciona primero la novia al hacer una descripción de su novio?
9. Si no es alto el novio, ¿con qué empieza su descripción la muchacha?
10. ¿Y si no se distingue mucho por su familia?
11. ¿Y si eso tampoco puede impresionar a su amiga?
12. ¿Cuándo piensa la muchacha presentar su novio a sus amigas?
13. ¿Cómo empiezan los hombres a hablar de su proyectado matrimonio (forthcoming marriage)?
14. ¿Qué menciona primero el hombre respecto a (concerning) su novia?
15. ¿Saben los novios cómo es de verdad su ideal? ¿Qué es lo único que saben?

II. ESTRUCTURA

97. The Conditional Tense

A. General meaning

The conditional is generally translated by *would* (*would go, would do*), and occasionally in the first person by *should*. Since the conditional is primarily the future of a *past* action, it has all the functions of the future tense, but with relation to the past. Reduced to a mathematical ratio:

CONDITIONAL : PAST = FUTURE : PRESENT

(Conditional is to Past as Future is to Present)

| Dice que vendrá. | He says that he will come. |
| Dijo que vendría. | He said that he would come. |

B. Forms

The stem of the conditional, like the future, is the whole infinitive. The conditional endings, however, are the same as those of the imperfect tense of **-er** and **-ir** verbs.

hablar

hablaría (I would speak [if . . .])
hablarías
hablaría
hablaríamos
hablaríais
hablarían

Now you complete:

bebería, beberías, _____, _____, _____, _____
viviría, _____, _____, _____, _____, _____

Irregular verbs have the same stem as in the future tense.

venir: vendría, _____, _____, _____, _____, _____
tener: tendría, _____, _____, _____, _____, _____
poner: pondría, _____, _____, _____, _____, _____
salir: saldría, _____, _____, _____, _____, _____
valer: valdría, _____, _____, _____, _____, _____
poder: podría, _____, _____, _____, _____, _____
saber: sabría, _____, _____, _____, _____, _____
haber: habría, _____, _____, _____, _____, _____
caber: cabría, _____, _____, _____, _____, _____
hacer: haría, _____, _____, _____, _____, _____
decir: diría, _____, _____, _____, _____, _____
querer: querría, _____, _____, _____, _____, _____

Exercise

Use the proper form of the conditional:
1. Juan dijo que lo: hacer, preparar, abrir, decir, perder
2. Nosotros no: salir, poder, creer, venir, caber, insistir
3. Pepe y su amigo: ir, saber, comprarlos, no hacerlo, valer
4. Yo no: caminar, llevarlo, decirlo, mandársela, tener, tiempo
5. Tú seguramente me: ayudar, llevar, nombrar, ofrecerlo, querer
6. Vosotras: estar, llamar, ser, venir, volver

98. Principal Uses of the Conditional

A. It tells what *was going to* take place.

Prometió que lo haría.	He promised that he would do it.
Dijiste que me escribirías.	You said that you would write to me.

B. It states what *would* happen *if* something were so.

Vendría si . . .	He would come if . . .
Le llamaríamos si . . .	We would call him if . . .

C. It expresses conjecture or probability about a *past* action.

Sería él.	It probably was he. (It must have been he.)
¿Dónde estarían?	Where could they have been? (I wonder where they were.)

Exercise

Diga en español:

1. Would *you* speak to him? 2. I wouldn't do that. 3. They would like (gustar) to go with us. 4. They would call him if.... 5. She probably was here yesterday. 6. Who would think that you . . . ? 7. They said that they would give it to him. 8. He wouldn't say that if.... 10. Would you have time? 11. We wouldn't be able to get there (llegar) on time.

99. The Conditional Perfect

The conditional perfect (in English, *would have gone, would have done*) is composed of the conditional of **haber** + the past participle. It tells what *would have happened* (if . . .).

Yo habría ido de muy buena gana.	*I* would have gone very gladly.
Lo habrían hecho si . . .	They would have done it if . . .

It may also express probability or conjecture about a *past* perfect action (what probably *had* happened).

Ya habrían vendido la casa.	They probably had already sold the house.
¿Dónde habría estado?	Where could he have (had he probably) been?

Exercise

1. Change the following sentences to tell what *would have* happened:
    a. Fui con ellos. b. Ya la habíamos comprado. c. Nos lo dio ayer. d. Vendrá a la fiesta si . . . e. ¿Quién creería eso? f. No lo ha dicho.

2. Change to express probability or conjecture (remember: *the future* expresses conjecture about the present; the *conditional*, about the past):

a. Está aquí. Estuvo aquí. Ha estado aquí. Había estado aquí. b. Fue Juan. Había sido Juan. c. Ya habían llegado. d. Lo habíamos perdido. e. ¿Lo han hecho? ¿Lo habían hecho? f. Había venido tarde.

100. Other Meanings of Would

A. When would means *used to*, it is translated by the imperfect.

Nos llamaba todas las tardes.	He would (used to) call us every afternoon.
Iban primero a la iglesia, después a la escuela.	They would go first to church, then to school.

B. When *would* means *please* or is used to make a polite request, it is translated, like *will*, by **querer.**

¿Quiere Ud. pasar la sal?	Would you pass the salt?
¿Quiere Ud. abrir la ventana?	Would you open the window?

ᏧᎦᏫ *Exercise*

Complete las frases siguientes:

1. (Would you help me) a completar esta lección? 2. (He would visit us) todos los días cuando vivíamos cerca. 3. (Would it be) mejor dejarle aquí? 4. Dijeron que (they would be) aquí a tiempo. 5. (Would you repeat) eso, por favor? No le oí.

101. *Should*

At times, English uses *should* to express a conditional in the first person: *I should like to go* (**Me gustaría ir**). Aside from this rather infrequent use, *should* must not be confused with *would*.

A. When *should* means *ought to*, it is translated by **deber.**

Niños, debéis prestar atención.	Children, you should (ought to) pay attention.
Debemos ayudarles.	We should help them.

B. When *should* indicates probability or conjecture, it is translated by **deber (de)** or by the future of probability.

Deben (de) saberlo.	They should (probably) know it.
Lo sabrán.	

ᏧᎦᏫ *Exercise*

Diga en español:

1. You should study more. 2. We should go to bed (acostarnos) earlier. 3. He should be here already. 4. It should be (must be) 8:30.

102. Equal Comparisons

A. tanto(a, os, as) . . . como   *as much (as many) . . . as*

Tiene tantos enemigos como amigos.	He has as many enemies as friends.
No tengo tanto dinero como tú.	I don't have as much money as you.
Había tantas mujeres como hombres.	There were as many women as men.

B. tan . . . como   *as (+ adjective or adverb) . . . as*

Es tan alto como su padre.	He is as tall as his father.
¿Están Uds. tan cansados como nosotros?	Are yóu as tired as we (are)?

But remember: **tanto** means *as much, so much.*

No tengo tanto como ella.	I don't have as much as she.
No hables tanto.	Don't talk so much.

Exercise

Change the following unequal comparisons to equal comparisons:
1. ¿Sabe más lenguas que Ud.?   2. ¿Tiene menos dinero que tú? —Imposible! Nadie tiene menos dinero que yo.   3. No tengo más que hacer que mis hermanas.   4. Esta lección es menos difícil que la próxima.   5. Juanito es más inteligente que los demás (the others). 6. Tengo más hambre que él.   7. Están más cansados que nosotros.

Review Exercise

Traduzca al español:

I know a girl who, when she was ten years old, decided that she would have to marry a cowboy. At fifteen, she announced that her husband would be a popular singer, or at least, a millionaire. At eighteen, she got married, to a poor fellow, but a very nice person, and now, she wouldn't change him and their two children for (por) anything.

It seems that the ideal changes as quickly as the weather in March. Each time, we take reality and adjust it to our desire, and so, we create a new ideal. And this ideal is as stable and permanent as the last one (el último). But what would we do without the ideal? What would we be without an ideal?

Love presents some interesting aspects of this problem. For example, yesterday I heard a conversation between two girls here at the college.

—Anita, do you know? I'm getting married!

—Wonderful! To Peter?

—No. I'm not that desperate! I'm marrying a boy that I met a few months ago in the country. His name is Jim.

—What's he like?

—Well, he's tall, not as tall as my brother, but tall and. . . .

As you see, the girl always begins the description of her fiancé (by) measuring his elevation above the ground, that is, if he is at least six feet tall. If he isn't as tall as he should be, she begins (by) telling of his family, or his profession or trade, or by saying simply:

—He's wonderful. I'll introduce him to you some day.— But she doesn't have the least intention of introducing him to any of her girlfriends until she's good and married.

With men, it's different. First they must apologize for having fallen into the trap.

—Who would believe that you . . . ?

—Well, I thought I would never get married, but when that little blonde offered to make my breakfast every day. . . . Really, any man would have done the same.

As you see, the man always begins with the color of his fiancee's hair, that is, if she is blonde or if she has red hair. If she is a brunette, the order may change. But what is she like really? What is he like? They don't talk much about that. They don't know what their ideal is, only that they have found it.

III. CONVERSACION: *EL IDEAL*

1. ¿Cree Ud. en el amor a primera vista (at first sight)?
2. (A las muchachas) ¿Qué busca Ud. en un marido? ¿Se casaría Ud. por dinero? ¿Tiene que ser guapo su marido? ¿Tiene que ser alto? ¿Tiene que ser más alto que Ud.? ¿Tiene que ser mayor que Ud.? ¿Tiene que estar empleado (employed)? ¿Puede ser muy pobre?
3. (A los hombres) ¿Qué busca Ud. en una mujer? ¿Se casaría Ud. por dinero o por posición social? ¿Tiene que ser bonita su mujer ideal? ¿Le gustaría a Ud. casarse con una mujer famosa por su belleza (beauty)?
4. ¿Qué le atrae (attracts) más a Ud.?: inteligencia, bondad (goodness) o buen aspecto físico (physical appearance)? ¿Puede Ud. poner estas tres cualidades en su orden de importancia?
5. ¿Qué cualidades de carácter considera Ud. esenciales en un marido o en una mujer?
6. ¿A qué edad cree Ud. que un joven (o una muchacha) ha alcanzado (has attained) bastante madurez para reconocer el amor verdadero?
7. Si no les gusta a sus padres su novia (o novio), ¿se casaría Ud. con ella (o con él)?
8. Si no le gusta a su novia (o novio) la familia de Ud., ¿se casaría Ud. con ella (o con él)?
9. ¿Está Ud. dispuesto a aceptar algo inferior a su ideal? ¿En qué respectos?

IV. COMPOSICION

Escriba una composición sobre:

1. Mi Concepto de un Marido (o una Mujer) Ideal
2. Por Qué Quiero (o No Quiero) Casarme
3. Por Qué Pienso que Voy a Ser Un Esposo Bueno (o una Esposa Buena)
4. Por Qué Creo (o No Creo) en el Divorcio

*L*ección Diez y Siete

I. TEMA: *¿QUE HAY EN UN NOMBRE?*

Según *la costumbre*, toda relación social debe empezar con el nombre. Antes de saber cómo es una persona, sabemos cómo se llama. | custom

Andamos *por* la calle. Se acerca un *conocido* acompañado *de* otra persona: | along . . . acquaintance by

—Buenas tardes. ¿Cómo está? ¿Conoce Ud. al Sr. Ortega? Pues, Sr. Ortega, mi vecino, el Dr. Campos.

Se ven por primera vez dos niños:

—Hola. Yo soy *Carlitos.* ¿Cómo te llamas tú? | Charlie

O habla un adolescente:

—Mamá, *de aquí en adelante*, quiero que me llames Pepe. Mis amigos dicen que Raúl *suena* un poco afectado. | from now on / sounds

Un matrimonio joven *acaba de enterarse* de que van a tener un hijo: | has just found out

—Juan, tenemos que decidir ahora mismo. ¿Qué nombre vamos a *ponerle?* | give him?

Y *la pareja* pasa siete meses discutiendo todos los nombres posibles. | the couple

—¿Juan?—así se llama todo el mundo. ¿Anastasio Estanislao?—también ordinario. ¿Gonzalo?—no creo que suene bien con el *apellido* González. ¿Ramón?—no sé . . . no se usa mucho ahora. ¿Gilbert?—un poco *afrancesado.* ¿Luis?—no, eso no. Una vez conocí a un Luis que era el hombre *más antipático* del mundo. No. Luis, nunca. ¿Francisco? —no me gusta. *Me recuerda* un joven que murió trágicamente. ¿Vicente?—*no está mal*, pero . . . ¿y qué hacemos si es una niña? | last name / French-sounding / nastiest / It reminds me of / it's not bad

Hasta *los perros* tienen nombre—*Tiniebla, Roñoso,* Gerardo Tercero. | dogs . . . Shadow, Rusty

Ahora bien, ¿por qué esta preocupación con los nombres? Shakespeare nos dice que la rosa va a tener el mismo *dulce olor aunque le pon-* | sweet smell even though we

217

gamos otro nombre. O como dice una famosa escritora moderna, una rosa es una rosa es una rosa. En otras palabras, que la cosa *es lo que es*, que *lo importante* es su esencia, no su nombre.

Entonces, ¿qué hay en un nombre? *¿Para qué sirve?* Pues bien, el nombre sirve para identificar, *eso sí*. Pero además, *lleva consigo* ciertas connotaciones, como de clase social u origen nacional. Hasta nos dice algo de la psicología de la familia.

¿Por qué nos gustan ciertos nombres? *Puede ser que nos sugieran algo agradable.* ¿Por qué no nos gustan otros? *Tal vez por que los identifiquemos* con una persona que *no nos haya gustado*, porque *lo asociemos* con una cualidad o con una cosa que *consideremos* desagradable, o con un episodio que *queramos* olvidar. O sencillamente porque *no nos guste* la combinación de *sonidos*.

Hay nombres que dan tono, elegancia, hasta cierta *presunción*, y hay otros tan llanos y *humildes* que hasta dan la impresión de *plebeyez*. Hay nombres que revelan la religiosidad de la familia. Hay nombres que indican *sencillez* de carácter, o romanticismo, o conservatismo, *o un desafío a lo tradicional*, o que nos hablan de los *sueños* de los padres. ¡Cuántas Lindas feas he conocido! *¡Qué de Gracias* y Felicidades!

Los nombres aun pueden indicar algo sobre actitudes esenciales de un pueblo. En España, cuando se casa una mujer, *conserva su propio nombre de soltera, añadiendo al fin* "de" y el nombre de su esposo. Por ejemplo, si María Salinas se casa con Pedro García, *su nombre de casada* es María Salinas de García. Y los niños *suelen* conservar también el nombre de la madre, *a menos que resulte demasiado largo el nombre*. Así, si María Salinas de García tiene un hijo, Jorge, el nombre completo del muchacho será Jorge García y Salinas (o García Salinas). *Cuando llegue a* hombre, la gente le llamará "Señor García," pero el nombre de su madre *quedará* como parte de su nombre completo.

En los Estados Unidos *se pierde* totalmente el apellido de la madre. Según algunos amigos españoles míos, esto indicará la *subconsciente* supresión de la mujer norteamericana, *mientras que* la mujer hispana conserva a lo menos parte de su identidad. ¿Quién sabe?

Además, en el mundo hispánico, *se usan* muchos nombres religiosos,— el nombre del santo *en cuyo* día especial *haya nacido* el niño, nombres de otros santos que *puedan asegurar su felicidad*, nombres *sacados* del *catecismo*—Asunción, Resurrección, Concepción, Angel, Jesús.

Sí, una persona es una persona es una persona. Pero la joven pareja que espera la *llegada* de esa nueva personalidad, del niño suyo, todavía pasa *hora tras hora* buscando el nombre perfecto:

—¿Javier? ¿Alberto? ¿Horacio? ¿César? . . .

Marginal glosses:

give it
is what it is
the important thing
What good is it?
that it does . . . carries with it

It can be because they may suggest something pleasant. . . . Perhaps because we may identify them that we didn't like . . . we may associate it
we may consider
we may want to . . . we may not like
sounds
presumptuousness
humble . . . ordinariness
simplicity
or a challenge to the traditional . . . dreams
How many Graces

she keeps her own maiden name, adding at the end
her married name
usually
unless the name turns out to be too long
When
he becomes
will remain
is lost
subconscious
while
are used
on whose . . may have been born
may be able to assure his happiness . . . taken
catechism
arrival
hour after hour

Vocabulario Activo

la actitud   *attitude*
la calle   *street*
la costumbre   *custom*
  felicidad   *happiness*

  conservar   *to keep, preserve*
  quedar(se)   *to remain*

  agradable   *pleasant*
  antipático   *nasty*
  demasiado   *too much;* pl. *too many*

  a menos que   *unless*
  de aquí en adelante   *from now on*
  enterarse de   *to find out*

llegada   *arrival*
pareja   *couple*
la parte   *part*
  sueño   *dream*

recordar (o > ue)   *to remind (of)*
revelar   *to reveal; develop (film)*

dulce   *sweet*
feo   *ugly, homely*
lindo   *beautiful*

hacerse   *to become (rich, poor, old,*
  or of a profession)
No está mal.   *That's not bad.*

Preguntas

1. ¿Cómo empieza toda relación social? ¿Qué sabemos primero de una persona?

2. ¿Por qué quiere Raúl que su madre le llame Pepe ahora?

3. ¿De qué acaba de enterarse el joven matrimonio?

4. ¿Cómo pasan los próximos siete meses?

5. ¿Por qué no le gusta a la joven esposa el nombre Juan? ¿Y Gonzalo? ¿Y Ramón? ¿Gilbert? ¿Luis? ¿Francisco?

6. ¿Para qué sirve un nombre? ¿Qué otras implicaciones lleva consigo?

7. ¿Por qué nos gustan ciertos nombres? ¿Por qué no nos gustan otros?

8. ¿Qué impresión dan ciertos nombres?

9. Si Rosa González se casa con Jorge Torres, ¿cuál es su nombre de casada?

10. Y si tiene un hijo, Ramón, ¿cuál es el nombre completo del niño?

11. ¿Conserva su apellido la mujer casada norteamericana?

12. Según algunos españoles, ¿qué indica esto sobre la psicología social del norteamericano?

13. ¿De dónde vienen muchos nombres hispanos?

14. ¿Cómo pasa todavía su tiempo la joven pareja que espera el nacimiento (birth) de su hijo?

II. ESTRUCTURA

103. The Third Concept of the Subjunctive: Unreality

The subjunctive deals with unrealities: the doubtful, uncertain, indefinite, unfulfilled, non-existent. It is used in the subordinate clause whenever the idea upon which that clause depends places it within the sphere of the unreal.

At times, it is the main clause that expresses doubt about or denies the existence of the subordinate clause action. At other times, the doubt or unreality may be expressed by the conjunction that introduces the subordinate clause or the noun to which it refers. In this section and in **104, 105, and 108** we shall analyze some of the important instances in which the concept of unreality produces subjunctive.

A. The shadow of a doubt

When the main clause expresses doubt or uncertainty about the subordinate clause action, the nebulous reality of that action is conveyed by the subjunctive.

Dudo que venga.　　　　　　　　　　I doubt that he'll come.
Es posible que sea ella.　　　　　　It's possible that it is she.
No está seguro de que lo hayan visto.　He isn't sure that they have seen it.

The verb **creer** (to think, to believe) shows how the speaker's expression of doubt, and not the verb itself, determines the use of subjunctive or indicative in the subordinate clause.

When **creer** is used in an affirmative statement, it generally implies a positive conviction or belief, and so normally calls for the indicative in the subordinate clause:

Creo que tiene razón.　　　　　　　I think he's right.
Creo que vendrán.　　　　　　　　I think they'll come.

In questions or negative statements, **creer** will be followed by the subjunctive in the subordinate clause *if* the speaker wishes to cast doubt, but by the indicative if he gives no indication of doubt.

¿Cree Ud. que tenga razón?　　　　Do *you* think he's right? (I don't.)
¿Cree Ud. que tiene razón?　　　　Do you think he's right? (I am expressing
　　　　　　　　　　　　　　　　no opinion.)

No creo que vengan.　　　　　　　I don't think they'll come. (I doubt it.)
No creo que vendrán.　　　　　　　I don't believe they'll come. (I fully be-
　　　　　　　　　　　　　　　　lieve they won't.)

¿No cree Ud. que es bonita?　　　　Don't you think she's pretty? (I do.)

B. Denial

When the main clause denies the existence of the subordinate clause action, that unreality is expressed by subjunctive.

Niego que lo haya dicho.　　　　　I deny that he has said it.
No es verdad que se vaya.　　　　　It's not true that he's leaving.
But: No niego que lo ha dicho.　　I *don't* deny that he has said it.
　　　　Es verdad que se va.　　　　It is true that he's leaving.

Exercise

Diga en español:

1. My father doubts that they'll buy it. 2. I don't doubt that you're right. 3. He denies that they have stolen it. 4. But he doesn't deny that they have used it. 5. It's true that

they're here.   6. We're not sure that Mary is coming.   7. I think you've won.   8. I don't think (I doubt) that we are ready.   9. Do you think he'll speak to us?   (Two ways) 10. Don't you think he's handsome?

104. Conjunctions that Imply Unreality: Uncertainty, Impossibility, Unfulfillment

When a subordinate clause is introduced by a conjunction whose meaning implies that the following action is uncertain, nonexistent, or pending, the subjunctive expresses that unreality.

A. Some conjunctions, by their very meaning, always state that the following action is uncertain or nonexistent. These conjunctions include: **en caso de que** (in case), **con tal que** (provided that), and **sin que** (without). They are always followed by the subjunctive.

Lo haré con tal que me des tu palabra de honor.	I'll do it, provided that you give me your word of honor.
En caso de que llame, dígale que no estoy.	In case he calls, tell him that I'm not in.
Saldrá sin que[1] le vea nadie.	He'll leave without anyone's seeing him.

B. Other conjunctions, such as **aunque** (although, even though, even if), **dado que** (granted that), **a pesar de que** (in spite of the fact that), and **a menos que** (unless) are followed by the subjunctive when the speaker wishes to imply uncertainty, by the indicative when he does *not*. In many cases, English indicates uncertainty by using the auxiliary *may*.

Aunque sea rico, es muy tacaño.	Although he may be rich, he is very stingy.
Aunque es rico, es muy tacaño.	Although he is rich, he is very stingy.
Dado que esté aquí . . .	Granted that he may be here (but he may not) . . .
Dado que está aquí . . .	Granted that he is here (and I admit it) . . .

C. After conjunctions of time, the subjunctive is used if the action is still (or was still) pending at the time of the main clause action. Conjunctions of time include: **cuando** (when), **así que, en cuanto** (as soon as), **hasta que** (until), **después de que** (after), **antes de que** (before).[2]

Iremos así que vengan.	We'll go as soon as they come. (They haven't come yet.)
Algún día, cuando sea hombre . . .	Some day, when he is a grown man . . .
Me quedo aquí hasta que vuelvan.	I'm staying here until they return.
Terminemos antes de que nos vean.	Let's finish before they see us.

---

[1]**Sin que** appears only when there is a change of subject. When there is no change of subject, the preposition **sin** + the infinitive is used.

No saldrá sin vernos.	He won't leave without seeing us.

[2]**Antes de que** (before), by its very meaning, always indicates that the action had not happened yet, and therefore is always followed by subjunctive.

If there is no reference to a pending action, the conjunction of time is followed by the indicative.

Fuimos así que vinieron.	We went as soon as they came.
Cuando llegó a hombre . . .	When he became a man . . .
Siempre me quedo hasta que vuelven.	I always stay until they return.

D. Para que

Para que (in order that, so that) is always followed by subjunctive because: (1) it represents one person's will that something else be done; (2) it indicates that the subordinate clause action could not possibly have been completed at the time of the main clause.

Te lo digo para que estés preparado.	I'm telling you so that you may be (or will be) prepared.
Trabaja para que su hijo se haga abogado.	He is working so that his son may (or will) become a lawyer.

☙ *Exercise*

Complete las frases siguientes:

1. Aunque (I know him) bien, no quiso verme. 2. Aunque (he may not want to) verme, hablaré con él. 3. Salgamos antes de que (he comes). No quiero (him to see me). 4. No, no, mil veces no. Nunca me casaré con él, (unless he asks me) (pedírmelo). 5. En caso de que (Johnny comes), dígale que estaré de vuelta en cinco minutos. 6. No tiren (until you see) lo blanco de sus ojos. 7. Nunca tiramos (until we see) lo blanco de sus ojos. Pero entonces es tarde. 8. (Before you leave), devuélvame mi cartera. 9. Trabaja tanto (so that his family may have) toda comodidad.

☙ *Review Exercise*

Traduzca al español:

What is there in a name? Why are names so important to us? Before knowing what a person is like, we first find out his name. It is true that the name serves to identify. But it is something more than that. The names that we give to our children, the names that we prefer reveal a great deal about our personality, about our social or national origin, about our dreams or ambitions. Don't you think that's true?

I know a young couple who learned a few months ago that they are going to have a child, and it seems that they spend all their free time thinking about (en) what name to give him. Some names seem too plain to them; others, too affected. Some are too short; others too long.

Now why do we like certain names? Why don't we like others? Perhaps because some names suggest to us experiences or people (personas) that we may consider unpleasant or that we may want to forget. And others perhaps may remind us (of) things or people that we may have found agreeable and want to preserve. And also, many people give their children religious names so that the child may always live under (bajo) the protection of a special saint. And there are many who give their children elegant names even though they themselves may come from a poor family. They believe that this way (así) their child will have more tone, more prestige. I doubt that the name has real influence on a person's life, but still, we spend hour after hour thinking of (en) the perfect name for (para) our child.

Names can also indicate something about the psychology of a nation. For example, in Spanish countries, a married woman keeps her own name, adding at the end *de* and the name of her husband. And when she has a child, he also keeps his mother's name as part of his complete name. For example: Jorge Moreno y García. When he becomes a man, people (la gente) will call him Mr. Moreno, but his mother's name remains as part of his complete name, unless the name becomes too long. And so, my friend, before you decide on a name for your child some day, think of all the implications that the name may have. Who knows? It is possible that you may name him simply: Mr. X.

III. CONVERSACION: *¿QUE HAY EN UN NOMBRE?*

1. ¿Cómo se llama Ud.? ¿Por qué le pusieron ese nombre sus padres? ¿Le gusta su nombre? ¿Cómo se llaman los demás miembros de su familia?
2. ¿Qué nombres masculinos le gustan más a Ud.? ¿Qué nombres femeninos? ¿Por qué le gustan?
3. ¿Qué nombres masculinos le gustan menos? ¿Qué nombres femeninos? ¿Por qué no le gustan?
4. ¿Asocia Ud. ciertos nombres con personas específicas, con clases sociales, con una experiencia que haya tenido, o con ciertas cualidades?
5. ¿Qué nombre daría Ud. a su hijo? ¿A su hija?
6. Le gustan a Ud. los nombres comunes o los nombres excepcionales, originales? ¿Le gustan los nombres de flores para mujeres? ¿Le gusta a Ud. la tradición de dar al hijo el mismo nombre que su padre? ¿Y si el padre es muy famoso?
7. ¿Le gustan los nombres sacados de la Biblia u otros nombres religiosos?
8. ¿Qué apodo (nickname) tiene Ud.? ¿Le gusta? ¿Quién se lo dio? ¿Cuándo? ¿Por qué?
9. ¿Cree Ud. que una persona debe cambiar su apellido si tiene un nombre extranjero? ¿O si no le gusta su nombre? ¿Debe cambiar su nombre si el resto de la familia no quiere cambiarlo?

IV. COMPOSICION

Escriba una composición sobre:

1. Nombres y Personas
2. Por Qué Considero (o No Considero) Importante el Nombre de una Persona
3. Por Qué Me Gustan y Por Qué No Me Gustan Ciertos Nombres

Hispanoamérica sigue durante todo el periodo colonial las corrientes
literarias de la *metrópoli*. Las primeras obras que salen del Nuevo
Mundo son libros de historia, *relatos* sobre la conquista escritos por los
conquistadores mismos o por escritores profesionales *enviados* por el
5 rey para describir, y defender, la colonización. Y los misioneros que
acompañan a los exploradores escriben pequeños dramas para presentar
visualmente al indio episodios de la Biblia y vidas de santos. Después,
hay poesía épica, como La Araucana de Alonso de Ercilla, un joven
noble español que tomó parte en la *campaña* contra los indios araucanos
10 de Chile, y "*ora* con la espada, *ora* con la pluma," luchando *de* día,
escribiendo de noche, *llegó a* admirar a sus adversarios y los idealizó en
su gran *epopeya*. Y hay obras religiosas y obras satíricas y narraciones
de aventuras. Y hay mucha poesía. (En un *concurso* literario dado en
la corte del *virrey* de Méjico a mediados del siglo diez y siete, ¡tomaron

mother country

narrations

sent

campaign

now ... by

came to

epic

contest

viceroy

**Sor Juana Inés de la
Cruz por Miguel Ca-
brera. Museo Nacional
de Historia. (Courtesy
of the Hispanic Society
of America)**

parte más de dos mil poetas!) Pero la mayor parte de esa poesía sigue
el estilo de los dos escritores *sobresalientes* del barroco español, el gran
poeta, prosista y *satírico*, Quevedo, y el *"príncipe de las tinieblas,"*
Góngora, y no se puede considerar una expresión verdaderamente
americana. [15]

outstanding

satirist . . . prince of shadows (obscurity)

Nace en el Perú poco después de la conquista el primer gran escritor
americano, Garcilaso de la Vega el Inca, hijo de una princesa peruana
y de un capitán español (de la familia del poeta Garcilaso). El joven
mestizo, *orgulloso* de su doble origen, cuenta en un hermosísimo castellano la historia de sus antepasados indios, desde su principio legendario
hasta la conquista española. Su obra nos da la mejor interpretación
de la realidad de la conquista vista por los ojos de un hombre que
sintió y vivió sus múltiples aspectos. [20]

proud [25]

Y nace en Méjico en 1581 una de las figuras más importantes del
teatro español del Siglo de Oro, Juan Ruiz de Alarcón. Alarcón, hijo
de un juez español, estudió en la Universidad de Méjico, y después de
graduarse, fue a España a proseguir su carrera de abogado. Ahí empezó
también su vida de creación literaria, y de *amargo* sufrimiento. Porque
Alarcón era *feo, bajo, y jorobado*—defectos físicos que traían consigo en
aquellos tiempos el *ridículo y desprecio* de la gente. Además, tenía el
pelo rojo, que la gente ignorante consideraba símbolo del *diablo*. Y era
americano, y *por lo tanto*, de inferior categoría social. Alarcón reaccionó
contra los ataques de sus atormentadores con palabras *mordaces*, y sus
comedias de carácter, de extraordinaria perfección de composición,
revelan la crítica social y moral que tenía que ser una parte tan esencial
de su vida. Lope había sido el impulso vital del teatro español; Tirso le
dio uno de sus personajes más universales; Calderón iba a *añadirle* la
nota filosófica; y Alarcón le *agregó* la dimensión moral y psicológica.
Juntos llevaron a su apogeo el drama nacional. [30]

bitter
ugly, short, and hunchbacked
ridicule and scorn
devil [35]
therefore
mordant

[40]
add to it
contributed

Nació en Méjico también la poetisa más brillante de la América colonial,
Sor Juana Inés de la Cruz. Sor Juana reveló desde muy niña su gran
talento intelectual. De una familia pobre del campo, aprendió por sí
misma a leer y escribir cuando tenía sólo tres años de edad. A los siete
u ocho años, persuadió a sus padres a mandarla a la capital a vivir con
unos tíos suyos, y allí la muchacha empezó a leer todos los libros que
le venían a mano. Tan ansiosa estaba de aprender que se cortaba el pelo
al empezar un nuevo proyecto de estudio, y si no lo había terminado
cuando *le crecía de nuevo el pelo*, se lo cortaba otra vez, *"porque no me
parecía razón que estuviese vestida de cabellos cabeza que estaba tan desnuda
de noticias."*[1] Su fama de genio llegó a la atención de la *virreina*, quien

Sister [45]

she could get hold of . . . [50]

her hair grew back again
it didn't seem right to me
that a head so bare of facts
should be dressed with
hair . . . viceroy's wife

---

[1]De una carta escrita por Sor Juana el 1° de marzo de 1691.

Luis de Argote y Góngora, jefe de la escuela culterana de la poesía barroca española, y muy admirado e imitado en la América colonial. (Courtesy of the Spanish National Tourism Department)

Francisco de Quevedo, gran poeta, prosista, y satírico del Siglo de Oro, rival de Góngora.

55 la invitó a vivir en la corte. En poco tiempo, la joven llegó a ser el
prodigio de todo Méjico, no sólo por su extraordinaria *sabiduría*, sino   wisdom
también por su gran hermosura física. Pero de repente, por razones que
no comprendemos exactamente (algunos dicen que fue a causa de un
amor *no correspondido*, otros, porque la muchacha no podía tolerar la   unrequited
60 corrupción e hipocresía de la vida cortesana), a los diez y seis años,
anunció su decisión de hacerse *monja*, y entró en un convento.   nun

Pero la vida del convento no le bastaba. Convirtió su *celda* en una   cell
biblioteca y laboratorio, y pasó su tiempo estudiando ciencias, matemáticas, historia y filosofía, y escribiendo poesía y prosa y obras de teatro.
65 Y venían a visitarla todos los eruditos distinguidos del país. Pasaba el
tiempo y crecía la fama de Sor Juana hasta que un día sus superiores,
disgustados por el gran interés que mostraba la monja en las cosas de   displeased
este mundo, decidieron prohibirle el estudio. Pero Sor Juana no podía
dejar de estudiar y "aunque no estudiaba en los libros, estudiaba en   stop
70 todas las cosas que Dios creó, sirviéndome ellas *de* letras, y *de libro*   as ... as a
toda esta máquina universal." Por fin, *angustiada* por dudas sobre la   upset

226

validez de su *vocación* religiosa, criticada a menudo por sus superiores,   validity . . . calling
Sor Juana renunció en 1693 su vida intelectual, escribió una confesión
con su propia sangre, e *hizo quemar* toda su biblioteca personal. Dedi-   had . . . burnt
cándose exclusivamente a sus deberes religiosos, murió dos años después   75
cuidando de los pobres en una *epidemia de viruela*.   taking care . . . small pox epidemic

    La obra de Sor Juana, variada de tema, a veces sentimental, a veces
satírica o humorística, otras veces llena de fantasías y sueños, revela
el conflicto interior de una mujer que sentía la necesidad de Dios y que
quería servirle, pero cuya alma independiente no cabía en su época.   80

⁓ *Preguntas*

1. ¿Qué corrientes literarias sigue Hispanoamérica durante el periodo colonial?
2. ¿De qué tipo son las primeras obras que salen de América después de la conquista?
3. ¿Qué hacían los misioneros?
4. ¿Qué obra compuso Alonso de Ercilla? ¿Cómo se distingue la obra?
5. ¿Qué otra producción literaria caracteriza la época? ¿Quiénes son los modelos favoritos de los poetas coloniales?
6. ¿Quién fue Garcilaso de la Vega el Inca? ¿De qué escribió?
7. ¿Quién fue Juan Ruiz de Alarcón? ¿Dónde nació? ¿Dónde estudió? ¿Por qué decidió ir a España? ¿Por qué era víctima del ridículo del pueblo?
8. ¿Cómo es el teatro de Alarcón? ¿Cuál es su mayor contribución al drama español del Siglo de Oro?
9. ¿Dónde nació Sor Juana Inés de la Cruz? ¿Cómo era su familia?
10. ¿Cuándo empezó a revelar su gran precocidad intelectual?
11. ¿Quién la llevó a vivir en la corte?
12. ¿Por qué llegó a ser el prodigio de todo Méjico?
13. ¿Qué decisión hizo a los diez y seis años de edad?
14. ¿Cómo vivió Sor Juana en el convento?
15. ¿Qué prohibición le impusieron sus superiores? ¿Qué hizo entonces Sor Juana?
16. Por fin, ¿qué decidió hacer Sor Juana dos años antes de su muerte?
17. ¿Qué revela su obra?

Lección Diez y Ocho

I. TEMA: *LA EPOCA EN QUE ME GUSTARIA VIVIR*

Según los antropólogos, cuando un animal cambia su manera de vivir, ciertos *músculos caen en desuso, se efectúan ciertos cambios* en la estructura de los huesos, y en poco tiempo, el animal no podría volver a su vida anterior, *aunque quisiera.* Por ejemplo, tomemos el caso del *dedo meñique* del pie humano. Hoy ha quedado casi *inútil*, mientras que en tiempos primitivos, nuestros antecesores tenían *tan bien desarrollados* todos los dedos del pie que podían usarlos para *agarrar* cosas y *subir a los árboles.*

Si esto es verdad, nuestra raza humana está en *verdadero peligro.* ¿Por qué? Pues es sencillo. Porque ya no utilizamos las piernas ni los pies. Si tenemos que ir a visitar a los vecinos *de enfrente, instintivamente* nos dirigimos al garage para sacar el coche. Si vivimos *a dos cuadras* de la escuela, llevamos a los niños siempre en coche. ¡No permita Dios *que caminen!* ¡Y peor—que caminemos nosotros! Ahora si queremos poner o apagar la televisión, *apretamos un botón* y no tenemos siquiera que levantarnos del sillón donde estamos instalados. *He oído decir que hoy día* hasta la infantería anda en pequeños *carritos.* ¡El ejército anda *sobre ruedas!* Pues bien, si esto continúa, en poco tiempo seremos como la famosa cucaracha de la canción mejicana: "Ya no podremos caminar."

Los brazos *tampoco nos sirven para mucho.* ¿Qué haríamos *si no tuviéramos* todas las nuevas comodidades modernas? *En vez de lavar* ropas, dejamos que lo haga la máquina de lavar. Con los platos, lo mismo. En vez de preparar una comida *fresca*, abrimos *paquetes* de comestibles *congelados* o una serie de *latas, y ya estamos.* El brazo aun sirve muy poco para escribir. Se usa para levantar el teléfono y la boca

muscles fall into disuse, certain changes are effected

even if he wanted to . . . small toe . . . useless

so well developed

grasp . . . climb trees

real danger

across the street, instinctively

two blocks

that they should walk

we press a button

I have heard that nowadays

little cars

on wheels (fig. smoothly)

aren't much use to us either if we didn't have . . . Instead of washing

fresh . . . packages frozen . . . cans, and there we are

228

se encarga de lo demás. Total: que corremos el *riesgo de desarrollar* un nuevo orden fisiológico caracterizado por una enorme boca y un tremendo . . . *aparato de sentarnos.*

Pero hablando *en serio*, en el *sentido* físico, la vida de hoy es más facil que antes. Nadie querría *que abandonáramos* el automóvil por el *carruaje tirado por caballos*, ni la *bombilla* eléctrica por la antigua *lámpara de aceite*. No queremos ser como ese viejo *campesino que lamentaba que se hubieran inventado los abonos químicos* y que rogaba a sus vecinos *que conservaran* sus tradicionales *bolas de estiércol* porque "*lo que bastaba* a sus padres debía bastarles a ellos." Eso no. Es muy cómodo tener máquinas *que nos ayuden* con los *quehaceres* de la casa, tener más tiempo para *divertirnos*, mejores condiciones de trabajo, nuevas medicinas, y la *perspectiva* de una vida más larga. No hay nadie *que lo contradiga.*

Pero, *a pesar de* las nuevas invenciones tecnológicas que hacen más fácil la vida de hoy, *han surgido* también problemas que la complican. Antes, la gente respiraba un aire *más limpio* y libre de los *humos asfixiantes* de la gasolina. Se dice que había más intimidad social, que la familia se sentía más unida, que no había nadie que *no conociera* a su vecino y que *no estuviese dispuesto a* ayudarle. La gente amaba las cosas más sencillas, un *paseo* por el parque, una excursión al campo, un *carnaval ambulante*, mientras nosotros, *hartos de* tantos estimulantes, nos encontramos *a menudo* realmente *aburridos*. Sí, se trabajaba más en aquellos días, pero ¿era más difícil la vida? ¿Quién sabe? Tal vez *existieran* muchos de los mismos problemas. Es posible que la gente de entonces *recordara* con igual nostalgia "*aquellos buenos tiempos pasados*." Pero nadie tenía miedo de que en cualquier momento *se acabara* la civilización con un bombardeo atómico.

¿Qué nos traerá el futuro? ¿Será una vida mejor en que podamos *aprovechar* los nuevos descubrimientos científicos en *beneficio del hombre*, o será una continuación de esta *llamada "carrera de ratas,"* pero siempre *a un compás más acelerado*?

¿Es posible que encontremos vida humana en otro planeta? ¿Puede hallar la humanidad una fórmula que nos permita *evitar para siempre las guerras*? El futuro, *claro está*, tiene que ser un enigma. Pero los *preparativos* que hagamos ahora para ese futuro pueden determinar *hasta* cierto punto el curso que *va a seguir. Dediquemos* una parte de cada hoy a mañana.

Margin glosses: takes charge of the rest . . . risk of developing; sitting-down apparatus; seriously . . . sense; us to give up . . . horse-drawn carriage . . . bulb . . . oil lamp; countryfellow who regretted that chemical fertilizers had been invented . . . to keep . . . dung . . . what was good enough for; to help us . . . chores; enjoy ourselves; prospect . . . who will contradict it; in spite of; there have arisen; cleaner . . . asphyxiating fumes; didn't know; wasn't ready to; stroll; itinerant carnival . . . sated with; often . . . bored; there existed; remembered . . . those good old days; might come to an end; take advantage of . . . benefit of mankind; so-called "rat race" but at an ever-increasing pace; avoid wars forever; of course; preparation(s) . . . up to; it is going to take. Let's dedicate

Vocabulario Activo

el árbol *tree*	humo *fume, smoke*
bombilla *bulb*	lata *(tin) can*
cuadra *(city) block*	el paquete *package*

el parque *park*
paseo *walk, stroll*
peligro *danger*

aprovechar *to take advantage of*
desarrollar(se) *to develop*
divertirse (e > ie) *to enjoy oneself*

cierto (*a*) *certain*
congelado *frozen* (*food*)

a menudo *often*
a pesar de (que) *in spite of (the fact that)*

los preparativos *preparation(s)*
raza *race* (*of people*)
riesgo *risk*

encargarse *to take charge*
lavar *to wash*
tocar *to touch; play* (*an instrument*)

fresco *fresh; cool*
limpio *clean*

en serio *seriously*
en vez de *instead of*
mientras (que) *while*

ᖷᖆ *Preguntas*

1. Según los antropólogos, ¿qué ocurre cuando un animal cambia su manera de vivir? ¿Qué le pasa en poco tiempo?
2. ¿Cómo ha quedado ahora el dedo meñique del pie humano? ¿Cómo tenían los dedos del pie nuestros antecesores primitivos?
3. ¿Por qué está en peligro ahora la raza humana?
4. ¿Qué hacemos si tenemos que visitar a los vecinos de enfrente?
5. ¿Cómo van a la escuela los niños? ¿Cómo ponemos o apagamos la televisión? ¿Cómo anda el ejército?
6. Si continúa esto, ¿cómo seremos en poco tiempo?
7. ¿De qué nos sirven ahora los brazos?
8. ¿Cómo lavamos la ropa? ¿Y los platos? ¿Cómo preparamos una comida?
9. ¿Qué características fisiológicas vamos a desarrollar?
10. En el sentido físico, ¿cómo es la vida de hoy en comparación con la de antes?
11. ¿Qué lamentaba el viejo campesino? ¿Por qué?
12. ¿Qué beneficios sacamos de la mecanización moderna?
13. ¿Cómo era el aire antes? ¿Cómo se sentía la familia?
14. ¿Cómo eran las relaciones sociales? ¿Qué cosas amaban en aquellos tiempos?
15. ¿De qué tiene miedo el hombre de hoy?
16. ¿Cómo podemos prepararnos para el futuro?

II. ESTRUCTURA

105. Unreality (Continued): Indefinite Antecedent

When the subordinate clause refers back to someone or something that is *indefinite, hypothetical, or nonexistent,* the subjunctive must be used. Obviously, if the entire subordinate action depends upon something that is not a positive, existing certainty, it falls well within the realm of unreality.

¿Hay alguien que me preste un millón de dólares?

Is there someone who will lend me a million dollars? (There may not be such a person!)

Busca una secretaria que hable francés.

He is looking for a secretary who speaks French. (He hasn't found her yet.)

Quiero comprar un libro que tenga las respuestas.

I want to buy a book that has the answers. (I'm not sure it exists.)

No hay nada que nos guste más que el español.

There is nothing (no specific thing) that we like better than Spanish.

Hará lo que le digas.

He'll do what(ever) you tell him. (You haven't told him yet. Therefore: indefinite.)

But if the subordinate clause refers back to someone or something that *is* definite, specific, or known to exist, the indicative is used.

Conozco a alguien que te prestará diez dólares.

I know someone who will lend you ten dollars.

Tiene una secretaria que habla francés.

He has a secretary who speaks French.

Acabo de comprar un libro que las tiene.

I have just bought a book that has them.

Hay sólo una cosa que me gusta más que el español. ¡Eres tú!

There is only one thing that I like better than Spanish. It's you!

Siempre hace lo que le dices.

He always does what you tell him.

Exercise

Complete las frases siguientes:

1. ¿Hay alguien (who understands this)? 2. Me gustaría encontrar un estudiante (who can help me) a aprender el español. 3. Hay muchos estudiantes (who can help you)—pero no en esta escuela. 4. Mi hermana busca un marido (who has) riqueza, inteligencia, dinero, buen carácter, y una gran fortuna. —Pues yo tengo buen carácter. 5. ¿Es Ud. la persona (who is going to teach me) a bailar? —Yo no. No hay nadie (who dances) peor que yo.

106. The Imperfect (Past) Subjunctive

The imperfect subjunctive is the only simple past subjunctive in Spanish. It is formed in regular verbs by replacing the infinitive endings as follows:

-ar	**-er, -ir**	
hablar	**comer**	**vivir**
hablara	comiera	viviera
hablaras	comieras	vivieras
hablara	comiera	viviera
habláramos	comiéramos	viviéramos
hablarais	comierais	vivierais
hablaran	comieran	vivieran

There are alternate imperfect subjunctive forms ending in **-se.** They are essentially interchangeable with the **-ra** forms.[1]

hablase	comiese	viviese
hablases	comieses	vivieses
hablase	comiese	viviese
hablásemos	comiésemos	viviésemos
hablaseis	comieseis	vivieseis
hablasen	comiesen	viviesen

-ir radical changing verbs and *all* irregular verbs add these endings to the stem of the third person plural of the preterite. For example:

    tener, tuvieron: tuviera,[2] tuvieras, tuviera, tuviéramos, tuvierais, tuvieran

Now you complete:

    estar, estuvieron: estuviera, ———, ———, ———, ———, ———
    andar, anduvieron: anduviera, ———, ———, ———, ———, ———
    haber, hubieron: hubiera, ———, ———, ———, ———, ———
    poder, pudieron: pudiera, ———, ———, ———, ———, ———
    poner, pusieron: ———, ———, ———, ———, ———, ———
    saber, supieron: ———, ———, ———, ———, ———, ———
    conducir, condujeron: ———, ———, ———, ———, ———, ———
    decir, dijeron: ———, ———, ———, ———, ———, ———
    venir, vinieron: ———, ———, ———, ———, ———, ———
    hacer, hicieron: ———, ———, ———, ———, ———, ———
    ser, fueron: ———, ———, ———, ———, ———, ———
    ir, fueron: ———, ———, ———, ———, ———, ———
    sentir, sintieron: ———, ———, ———, ———, ———, ———
    morir, murieron: ———, ———, ———, ———, ———, ———
    oir, oyeron: ———, ———, ———, ———, ———, ———
    traer, trajeron: ———, ———, ———, ———, ———, ———
    querer, quisieron: ———, ———, ———, ———, ———, ———
    dar, dieron: ———, ———, ———, ———, ———, ———

107. Uses of the Imperfect Subjunctive

The imperfect subjunctive is used when a subordinate clause that requires subjunctive expresses a *past* action, or when the main clause is in the past.

    A. When the subordinate clause expresses a past action

Me alegro de que viniera.	I'm glad that he came.
Dudan que fuera él.	They doubt that it was he.
Es posible que lo hiciera.	It is possible that he did it.

---

[1] In Spanish America the **-se** form is not common.
[2] Remember that the **-se** form is equally correct.

B. When the main clause is in the past

Quería que le escribiéramos.	He wanted us to write to him.
No había nadie que la conociera.	There wasn't anybody who knew her.
Te dije que no lo tomaras.	I told you not to take it.

C. It is also used in if-clauses that state a supposition contrary to fact (see **108**).

Exercise

1. Cambie al pasado:

a. No queremos que se vaya. b. ¿Hay alguien que lo comprenda? c. Te pido que me lo des. d. Se lo daré para que me escribas. e. Quiere que le llamemos. f. Esperan que lo hagas. g. Duda que sea Juan.

2. Diga en español:

a. He wants us to come. b. He wanted us to come. c. I'm happy that you'll receive it. d. I'm happy that you received it. e. They insist that she leave at once. f. They insisted that she leave at once. g. I hope he does it! h. I hope he did it. i. He isn't sure that (de que) they are here. j. He isn't sure that they were here. k. There isn't anyone who knows her. l. There isn't anyone who knew her. m. There are only a few people (unas pocas personas) who know her. n. We'll wait until he comes. o. We said that we would wait until he came. (He hadn't come yet. Therefore: imperfect subjunctive.)

108. If-Clauses Contrary to Fact

Just as in English, when a clause that begins with *if* makes a supposition that is contrary to fact (*If he were here*, but he isn't . . . , *If they knew*, but they don't . . .), the past subjunctive *must* be used. This, obviously, is a clear case of unreality.

Notice that the main clause, which tells what "would happen if," uses the conditional.

Si pudiera, te ayudaría.	If I could, I would help you. (But I can't.)
Si hablase menos, se casaría con ella.	If she talked less, he would marry her.
Vendrían si tuvieran tiempo.	They would come if they had time.

Sometimes this construction is used with a future action to imply that it is unlikely, that it is probably contrary to fact.

Si te rogara, ¿que harías?	If I were to beg you, what would you do?
Si nevara, no podrían salir.	If it should (or were to) snow, they wouldn't be able to go out.

When **si** (if, whether) does *not* imply a condition contrary to fact, but merely makes an assumption, the indicative is used. Note: *Never use a present subjunctive after* **si.**

Si puede, te ayudará.	If he can, he'll help you.
Vendrán si tienen tiempo.	They'll come if they have time.
No sé si lo han recibido.	I don't know whether they have received it.

∾ *Exercise*

Change the following sentences to make them contrary to fact:

    1. Si viene, le veremos.   2. Si llueve, no irán.   3. Si tengo tiempo, lo haré.   4. Si estudia, tendrá mejores notas.   5. Nos llamará si puede.   6. Si no se da prisa, saldrán sin él.   7. Si es difícil, no lo haremos.   8. Me dará el viejo si se compra otro.   9. Si tenemos dinero, seremos ricos. (¡No me diga!)

∾ *Review Exercise*

Traduzca al español:

    According to men of science, when an animal changes its way of life, certain muscles and bones change their structure, and in a relatively short time, it couldn't go back to its old way of life even if it wanted to. The human race is running the same danger now. Why? Because we hardly (apenas) use our arms and legs nowadays. If we aren't careful, we'll find that our arms and legs will become (quedar) useless, and that we have developed only a tremendous mouth and an enormous sitting-down apparatus.

    What would we do if we didn't have so many machines? If we didn't have cars? If we had to walk five miles to school, as children did thirty or forty years ago? If we didn't have frozen meals and cans of—everything?

    In many respects, life is easier for us. We work fewer hours than our parents and we have more comforts. And, of course, we hope that life will be even (aun) easier for (para) our children. But we have also lost certain things that our parents or grandparents had. They say that in other times, there was nobody who didn't know his neighbor and who wasn't ready to help him, if he were to need it. They say that life was slower (más lenta), more pleasant. I am not sure that this is true, but at least, people weren't afraid that the world would end with an atomic explosion. There are many good things today, and there were many good things yesterday. Tell me, frankly, if you could live in another epoch, which one (cuál) would it be?

III. CONVERSACION: *LA EPOCA EN QUE ME GUSTARIA VIVIR*

1. ¿Es verdad que el hombre de hoy usa relativamente poco los brazos y las piernas? ¿Los usa Ud. mucho?
2. ¿Qué ejercicios hace Ud.? ¿Con qué frecuencia?
3. ¿Camina Ud. mucho? ¿A qué distancia de la escuela vive Ud.? ¿Viene Ud. a la escuela en coche? Si no, ¿cómo viene?
4. Si Ud. tuviera que caminar cinco millas todos los días para asistir a (attend) la universidad, ¿lo haría Ud.?
5. Si Ud. pudiera vivir en otra época, ¿cuál escogería (would you choose)? ¿Por qué?
6. ¿Le habría gustado a Ud. (Would you have liked) vivir en la Roma de Julio César? ¿En la corte de Cleopatra? ¿En la época en que vivió Jesucristo? ¿En el tiempo de Shakespeare y Cervantes? ¿En el siglo XXII? ¿Por qué?

7. ¿Le habría gustado a Ud. ir con Cristóbal Colón (Christopher Columbus) en su primera expedición a América? ¿Ir con Cortés o Pizarro a conquistar a los aztecas e incas? ¿Llegar a Plymouth Rock con los peregrinos (pilgrims)? ¿Atravesar los llanos (Cross the plains) y desiertos con los "pioneers" del siglo XIX? ¿Por qué?

8. ¿Es más fácil la vida de su madre que la de su abuela? ¿En que respectos? ¿Es más feliz?

9. ¿Es más fácil la vida de Ud. que la de sus padres? ¿Es más feliz? ¿Por qué?

10. ¿Qué elementos de nuestra sociedad conservaría Ud. para el futuro? ¿Qué elementos eliminaría? ¿Qué elementos del pasado introduciría Ud. otra vez? ¿Qué elementos nuevos introduciría Ud. en el mundo del futuro?

11. ¿Cree Ud. que el mundo se hace mejor o peor para la humanidad? ¿Cree Ud. que ahora hay más moralidad o menos que antes? ¿Cómo lo explica Ud.?

12. ¿Cree Ud. que hay vida en otros planetas? ¿Cree Ud. que hay vida humana en otros planetas? ¿Le gustaría a Ud. visitar otros planetas? ¿Iría Ud. en la primera expedición? ¿Por qué?

IV. COMPOSICION

Escriba una composición sobre:

1. Mi Concepto del Mundo del Futuro
2. La Epoca en que Me Gustaría Más Vivir

Lección Diez y Nueve

I. TEMA: ¿QUIEN SOY?

Miguel de Unamuno[1] nos dice que hay en cada uno de nosotros cuatro personas: la persona que es de verdad, la persona que cree que es, la persona que otros creen que es, y la persona que *quisiera* ser. En otras palabras, somos una combinación de realidad e imaginación, o *mejor dicho*, de dos realidades, una exterior, otra interior. Es importante *que reconozcamos* esta estructura *compleja* de nuestra personalidad.

he would (might) like to

rather
that we recognize . . . complex

Como Unamuno, no creo *que haya nadie* que se conozca verdaderamente. *Si hubiera tal* persona, ¡es probable que *se muriera de vergüenza!* Hacemos muchas cosas que nosotros mismos no comprendemos, pero las racionalizamos, buscando su justificación. Y este *deseo* de justificarnos puede cambiar para nosotros la realidad de los *hechos. ¿No nos convencemos* frecuentemente *de que ocurrió algo como quisiéramos que hubiera ocurrido? ¿O de que la culpa fue del otro,* y no nuestra? Y muchas veces este mismo deseo de justificarnos nos hace creer que somos diferentes *de lo que somos en realidad.*

there is anybody
If there were such a . . . he would die of shame!

desire
facts. Don't we convince ourselves . . . that something happened as we might prefer that it had happened? Or that the fault was the other fellow's

from what we really are.

(*¿Le confundo? Espero que no. Sin embargo,* es necesario *que me crea.* Porque *yo nunca me equivoco,* ¿comprende?)

Do I confuse you? I hope not. Nevertheless . . . that you believe me
I am never wrong

Evidentemente, *los que* nos conocen desde fuera saben muy poco de nuestro mundo interior. Para ellos, *basta* conocer sólo ciertos aspectos de nuestra conducta social para formarse una opinión de nosotros. Y pueden llegar a una conclusión que sea completamente falsa. *En cambio,* aun es posible que otra persona *se acerque más que* nosotros mismos a la comprensión de lo que somos realmente. ¡Las *paradojas* de la vida!

those who
it is enough

On the other hand
may come closer than
paradoxes

---

[1]Famoso escritor y filósofo español (1864–1937).

Pero a mí me interesa más el *cuarto* aspecto de la personalidad, *es decir*, la persona que cada uno de nosotros quisiera ser. Porque aquí encontramos *resumidos* todos nuestros deseos y ambiciones. Quiero discutirlo un poco con Ud. *para que piense en sí mismo*, para que *penetre* en su propia vida interior. ¿Quién sabe? *Quizá le sorprenda lo que encuentre ahí.* ¡Ojalá que le guste!

Piense Ud. por un momento y dígame francamente: ¿Está Ud. completamente *satisfecho de sí?* ¿Tiene Ud. un ideal *al que quisiera aproximarse?* ¿Ha tenido Ud. alguna vez un deseo *íntimo* de ser diferente de lo que es? ¿Ha pensado Ud. alguna vez: ¡Ay, si fuera como él . . . o como ella! ¡Si pudiera . . . Si tuviera . . . Si *hubiera sabido* . . . Si *hubiese sido* . . . ! ¡Quién no lo ha hecho! ¿Ha pensado Ud. alguna vez que le gustaría cambiar su identidad por la de otra persona—¿ser *tal o cual* actriz, ser ese famoso millonario, aquel gran inventor, o sencillamente ser popularísima como su prima Rosalía?—¿*haber sido* Julio César, *Carlomagno*, María Antonieta, Napoleón . . . ?

Sí, lo sé. Hay muchos Napoleones en los *manicomios, pero no me refiero a eso.* Me refiero al sueño que hay en cada uno de nosotros, y específicamente en Ud. Abra Ud. *por un rato* la puerta de su alma, y *déjelo* salir.

(margin glosses:)
fourth
that is,
summed up
so that you may think about yourself . . . penetrate
Perhaps what you find there will surprise you. I hope

satisfied with . . . that you would like to approach . . . intimate

I had known . . . I had been

this or that

to have been
Charlemagne
insane asylums, but I'm not
referring to that
for a little while
let it (the dream)

Vocabulario Activo

deseo *desire, wish*	vergüenza *shame;* tener — *to be ashamed*
rato *a little while*	

entender (e > ie) *to understand*	reconocer (reconozco) *to recognize*
justificar *to justify*	referirse a (e > ie) *to refer to*
ocurrir *to happen, occur*	sorprender *to surprise*

íntimo *intimate*	satisfecho (de) *satisfied (with)*
necesario *necessary*	tal *such a;* pl. tales *such*

aun *even*	quizá(s) *perhaps*
en cambio *on the other hand*	mejor dicho *rather (better said)*
es decir *that is (to say)*	sin embargo *nevertheless*

Preguntas

1. ¿Quién fue Miguel de Unamuno? ¿Cuándo nació? ¿Cuándo murió?
2. Según Unamuno, ¿qué hay en cada uno de nosotros?
3. ¿Cuáles son las cuatro personas que existen dentro de nosotros?
4. Si hubiera una persona que se conociera completamente, ¿qué haría?

5. ¿Qué cosas hacemos muchas veces? ¿Cómo nos las explicamos (How do we explain them to ourselves)?
6. ¿Qué trae como resultado (What is the result of) este deseo que tenemos de justificarnos?
7. ¿Cómo forman su opinión de nosotros las personas que nos conocen desde fuera?
8. ¿Qué aspecto de nuestra personalidad es el más interesante? ¿Por qué?
9. ¿Qué preguntas quiere que nos hagamos (wants us to ask ourselves) la persona que nos habla en este capítulo?
10. ¿Qué quiere que hagamos con el sueño que tenemos dentro?

II. ESTRUCTURA

109. The Pluperfect Subjunctive

The pluperfect (past perfect) subjunctive consists of the imperfect subjunctive of **haber** + the past participle. It translates the English *had been, had gone, etc.*, when a subjunctive is required in the subordinate clause.

hubiera (hubiese) hablado, comido, vivido
hubieras (hubieses)
hubiera (hubiese)
hubiéramos (hubiésemos)
hubierais (hubieseis)
hubieran (hubiesen)

Sentíamos que no hubiera ganado.	We were sorry that he hadn't won.
¿Había alguien que hubiese estado allí?	Was there anyone who had been there?
Si hubieran sabido eso, no lo habrían hecho.	If they had known that (but they didn't), they wouldn't have done it.
Si hubieras venido, te habrías divertido.	If you had come, you would have enjoyed yourself.
Sería mejor si no hubieseis dicho nada.	It would be better if you hadn't said anything.

☙ Exercise

Complete las frases siguientes:
1. (If I had known) que Ud. venía, te habría hecho una torta. 2. Mi padre dudaba que (they had received) la carta. 3. (If we had had) el tiempo, habríamos hecho un viaje a Europa. 4. Era lástima que (they had already gone out). 5. ¿Era posible que (he had found it)? 6. (If you had known it), ¿me lo habrías dicho?

110. Sequence of Tenses with the Subjunctive

MAIN CLAUSE	SUBORDINATE (SUBJUNCTIVE) CLAUSE
Present (future, present perfect)	Same tense as in English
Past (conditional, pluperfect)	Imperfect subjunctive (simple tense)
	Pluperfect subjunctive (compound tense)

A. When the main clause is in the present tense (or in the closely allied future or present perfect), the subjunctive in the subordinate clause uses the same tense as the English. Notice again that the present subjunctive refers to future actions as well as to present.

Siento que esté malo.	I am sorry that he is sick.
Es posible que venga.	It is possible that he will come.
Le diré que te llame.	I'll tell him to call you.
Siento que haya estado malo.	I am sorry that he has been sick.
Es posible que haya venido.	It is possible that he has come.
Siento que estuviera malo.	I am sorry that he was sick.
Es posible que viniera.	It is possible that he came.

B. When the main clause is in the past or the conditional, only a *past* subjunctive should be used: imperfect subjunctive for a simple tense; pluperfect subjunctive for a compound tense.

Sentía que estuviera malo.	I was sorry that he was sick.
Era posible que viniera.	It was possible that he would (or might) come.
Le dije que te llamara.	I told him to call you.
Si pudieran, lo comprarían.	If they could, they would buy it.
Sentía que hubiese estado malo.	I was sorry that he had been sick.
Era posible que hubiera venido.	It was possible that he had come.
Si hubieran podido, lo habrían comprado.	If they had been able to, they would have bought it.

Exercise

Diga en español:

1. I doubt that he is here. 2. I doubt that he has been here. 3. I doubt that he was here. 4. I doubt that he had been here previously (antes). 5. She is hoping that he'll come. 6. She was hoping that he would come. 7. His mother doesn't want him to go. 8. His mother didn't want him to go. 9. If it were raining, we would stay at home. 10. If it had rained, we would have stayed at home. 11. As soon as he comes, tell him to call me. 12. He said that as soon as he arrived, he would call me. (He hadn't arrived yet!)

111. Impersonal Expressions

A. When there is no change of subject, an impersonal expression is followed by the infinitive.[2]

Es imposible hacerlo hoy.	It is impossible to do it today.
Era importante verle.	It was important to see him.
Hay que (Es necesario) trabajar.	One must (It is necessary to) work.

B. Most impersonal expressions fall within the three basic concepts that produce subjunctive. Therefore, when such an expression is followed by a change of subject, the subordinate clause is in the subjunctive.

INDIRECT OR IMPLIED COMMAND

Es necesario (importante, urgente, preferible, etc.) *que lo haga* en seguida.	It is necessary (important, urgent, preferable, etc.) *that he do it* at once. (Note subjunctive in English.)

EMOTION

Es lástima (¡Ojalá!, Es de esperar, etc.) que lo *haya terminado.*	It is a pity (Oh!, if only!, It is to be hoped, etc.) he *has finished it.*

UNREALITY (DOUBT, UNCERTAINTY, IMPOSSIBILITY, ETC.)

Es probable (improbable, posible, imposible, increíble, No es verdad, etc.) que lo *dijeran.*	It is probable (improbable, possible, impossible, incredible, It is not true, etc.) that *they said it.*

C. An impersonal expression that states a certainty or the speaker's positive belief is followed by the indicative when there is a change of subject.

Es verdad (No hay duda de, Es seguro, cierto) que *está* vivo.	It is true (There is no doubt, It is sure, certain) that *he is* alive.
But: ¿Es verdad que está vivo?	Is it true that he is alive? (I don't know. Do you?)
¿Es verdad que esté vivo?	Is it true that he is alive? (I doubt it.)

ℰ⤳ℭ *Exercise*

Complete las frases siguientes:

1. Es improbable que sus padres (will send him) el dinero. 2. Es importante (to study) mucho desde el principio. 3. ¡Qué lástima que (she took sick) (ponerse enferma) ayer! 4. ¡Ojalá (we had) más tiempo! 5. Es evidente que (she lied). 6. No es verdad que (they stole it). 7. Es imposible que (it will be warm out) mañana.

---

[2]Under certain limited circumstances, the infinitive may be used even when there is a change of subject: **Me es imposible ir hoy** (It is impossible for me to go today).

∽◯ *Review Exercise*

Traduzca al español:

Do you think that you know yourself? The famous Spanish writer and philosopher Miguel de Unamuno once said that there are four people within every one of us. The first is the person that we really are. The second is the person that we think we are. The third is the person that others think we are. And the last is the person that we would like to be. It is very important that we recognize the differences that can exist between what we are and what we think we are.

For example, we often do things that we don't understand. And if it is something bad, we rationalize it, looking for a justification. I doubt that there is anyone who hasn't done that. And it is even possible that another person may understand us better than we (do).

But the most interesting aspect of our personality is the person that we would like to be. Is there anyone who is completely satisfied with himself? Is there anyone who hasn't thought: "If I had . . . If I were . . . If I had gone . . . If I had had the chance . . . If I had known . . . If I could . . . How I wish (¡Ojalá) I were he . . . or she . . . ! Have you ever had these thoughts? Let's think about ourselves for a little while so that we may understand the hopes and desires and ambitions that live in our heart. Let's open the door of our soul and let the dream come out. Who knows? Perhaps it will surprise us.

III. CONVERSACION: *¿QUIEN SOY?*

1. ¿Está Ud. contento de sí mismo? ¿En qué respecto sí? ¿En qué respecto no? ¿Le gustaría ser más guapo? ¿Más inteligente? ¿Más rico? ¿Más afortunado? ¿Más alto? ¿Más bajo? ¿Más bueno? ¿Cómo piensa Ud. hacerse mejor?
2. Si Ud. pudiera ser otra persona, ¿quién sería? ¿Por qué?
3. ¿Le habría gustado a Ud. ser Napoleón? ¿Cleopatra? ¿Jorge Washington? ¿Miguel de Cervantes? ¿Tomás Edison? ¿Paco Sinatra? ¿El Presidente Kennedy o su esposa? ¿Por qué?
4. En su opinión, ¿quién ha contribuido más a la ciencia? ¿A la tecnología moderna? ¿A la música? ¿Al arte? ¿A la novela moderna? ¿Al drama? ¿Al concepto de la democracia?
5. ¿Qué considera Ud. la invención o descubrimiento más beneficioso a la humanidad? ¿La invención o descubrimiento menos beneficioso?
6. ¿Cuál es su idea de una persona verdaderamente grande (great)? ¿Cree Ud. que va a ser grande Ud. mismo algún día?
7. ¿Ha sentido Ud. envidia (envy) alguna vez? ¿De quién?

IV. COMPOSICION

∽◯ Escriba una composición sobre:
1. La Persona que Soy
2. La Persona que Quisiera Ser

LECTURA XIII: EL GRECO Y LA GRANDEZA

Hasta ahora hemos hablado sólo de la realidad histórica de la España del Siglo de Oro y de su *reflejo* en la literatura. Pero el hombre no se limita a la palabra escrita para expresar sus *más hondas* emociones. Se expresa por la música, por el baile, por la pintura, la escultura, la arqui-
5 tectura. Así, no es *sorprendente* que la época que nos dio un Cervantes, un Lope, un Tirso, y un Calderón *produjera* también un gran floreci-miento del arte visual. Carlos I, Felipe II y sus sucesores hacen cons-truir magníficas catedrales y palacios y llaman a los mejores *pintores* de la tierra para decorar sus paredes y sus altares. Se rodean de artistas
10 como Ribera, Murillo, Zurbarán, y Velázquez, que dedican su genio no sólo a *consagrar* temas religiosos y pintar *retratos* de la familia *real*, sino a captar en sus *lienzos* el alma popular de España. Y los reyes invitan a pintores *extranjeros* a venir a España y tomar parte en la vida cultural de la corte. Tomemos el caso de El Greco, seguramente uno de los más
15 interesantes.

El Greco, *bautizado* Domenico Theotocopulos, nació en la isla de *Creta* en 1541. En 1560 fue a Venecia, donde estudió con el viejo maestro *Ticiano*, y donde se puso en contacto con las corrientes populares del arte italiano. Por razones *desconocidas, se trasladó* a Roma en 1570, y
20 su fama se extendió rápidamente. *Hizo amistades* con muchos de los españoles que visitaban ese país *por excelencia* del Renacimiento, y para 1577 le encontramos en Toledo, comisionado a pintar una serie de cuadros religiosos para la nueva catedral. De ahí en adelante, El Greco iba a ser un pintor español. Ticiano le había enseñado la técnica.
25 Tintoretto y *Miguel Angel habían influido en* su concepto dramático del *fondo* y de la forma. Conservaba todavía algo de la perspectiva medieval bizantina. Pero Castilla le *independizó*, le *liberó* de las formas tradicionales de la pintura italiana. El Greco se encuentra a sí mismo en España, abandona a maestros y *reglas* y se hace parte de su tierra
30 *adoptiva*.

En 1579 El Greco pasó a la corte de Madrid, invitado por el monarca, Felipe II. El primer *cuadro* que hizo para el rey fue muy bien recibido. Pero el segundo, El *Martirio de San Mauricio*, que Felipe le hizo pintar para la *Capilla* de San Mauricio en el Escorial, fue *rechazado* sumaria-
35 mente por el rey, *disgustado* por la extravagancia personal de la técnica del artista y por su *descuido* de las formas tradicionales de la composición. Profundamente ofendido, El Greco volvió a Toledo, donde se estableció definitivamente. Vivió con opulencia hasta 1600, cuando las dificilísimas condiciones económicas del país empezaron a afectar su prosperidad

reflection
deepest

surprising
should produce

painters

consecrate ... portraits ...
royal
canvasses
foreign

baptized
Crete
Titian
unknown, he moved
He made friends
par excellence

Michelangelo had influ-
enced
background
made him independent ...
liberated
rules
adopted

painting
Martyrdom of St. Maurice
Chapel ... rejected
displeased
disregard

El Greco (1541-1614), San Ildefonso. (Courtesy of the National Gallery of Art, Washington, D.C. Mellon Collection)

material. Poco a poco *se fue alejando* de la vida social, y por fin murió en 1614, *empobrecido*, admirado por algunos, despreciado por otros.

    Después de la muerte del artista, su fama *decreció* rápidamente. Según un crítico de fines del siglo diez y siete, la obra de El Greco "contentaba a pocos" por ser tan "extravagante y extraña." En el siglo diez y ocho, El Greco es casi desconocido. Durante la primera mitad del siglo diez y nueve, la mayor parte de sus cuadros quedan todavía en el *olvido*. En 1888 un cuadro suyo que vale ahora más de cien mil dólares, *se vendió en Londres* por noventa dólares. Sólo a fines del siglo diez y nueve empieza a ser redescubierto, y ahora El Greco es reconocido como el pintor más importante del *barroco* español, y uno de los más *geniales* del arte mundial.

    ¡Los *altibajos* de la vida, y de la *grandeza!* Y nos hace pensar. ¿En qué consiste la verdadera grandeza? ¿Es más grande El Greco ahora *que hace cien años?* . . . ¿que hace doscientos años? . . . ¿que en su vida? ¿Dónde está la grandeza—en la obra misma o en los ojos de la persona que la admira? ¿Sería menos grande El Greco si mañana *cayera* otra vez en el olvido? ¿Somos nosotros los que damos o quitamos grandeza, o hay algo permanente en la obra que *no se le pueda quitar?*

he retired	40
impoverished	
decreased	
	45
oblivion	
was sold in London	
Baroque	50
brilliant	
up and downs . . . greatness	
than a hundred years ago?	
	55
he were to fall	
that can't be taken away from it?	

El Greco, San Martín y el Mendigo. (Courtesy of the National Gallery of
Art. Widener Collection)

❦ *Preguntas*

1. ¿Cómo expresa el hombre sus más hondas emociones?
2. ¿Cómo fomentaron los reyes expañoles el florecimiento artístico del Siglo de Oro?
3. ¿Quiénes eran los pintores más importantes de esa época? ¿A qué tipos de obras dedicaron su genio?
4. ¿Dónde nació El Greco? ¿En qué año nació?
5. ¿Adónde fue a estudiar? ¿Quién fue su maestro?
6. ¿Adónde se trasladó en 1570?
7. ¿Dónde le encontramos en 1577?
8. ¿Qué influencia tuvo en él su residencia en Castilla?
9. ¿Cómo fue recibido el primer cuadro que pintó para el rey Felipe II?
10. ¿Cómo fue recibido el segundo? ¿Por qué no le gustó al rey la obra del artista?
11. ¿Dónde pasó El Greco el resto de su vida? ¿Cómo vivió? ¿Cómo murió?
12. ¿Qué ocurrió después de su muerte?
13. ¿Cómo era considerada su obra para fines del siglo diez y siete? ¿Y en el siglo diez y ocho? ¿Y en el siglo diez y nueve?
14. ¿Por cuánto dinero se vendió un cuadro suyo en 1888? ¿Cuánto vale ahora?
15. ¿Cuándo empieza a ser redescubierto El Greco? ¿Cómo le consideramos hoy?
16. ¿Qué problemas filosóficos sugiere el caso de El Greco?

Lección Veinte

I. TEMA: *LA LIBERTAD*

¿Libertad, la llaman? ¡Más libertad tendría si me pusieran en la
cárcel! Desde que nací, me parece que vivo dominado por las personas
y las cosas que *me rodean*—por mi madre, por mi padre, por el mundo,
por el dinero, por.... Ud. dirá que eso es normal. Pero, ¿a mí qué me
importa lo normal? Para otros puede ser *el mayor de los bienes.* Para un
alma independiente como la mía, no, mil veces no.

Como dije, desde el momento en que nací, me hallé prisionero:

—Niño, *come* . . . ¿No te gusta? Pues esto no *lo* permito en mi casa.
Desperdiciar la buena comida es un crimen. Si no te lo comes ahora, lo
pongo en el refrigerador para tu almuerzo.... *Vístete.* Ahora mismo,
te digo. No, no, hijo, *no te pongas* esa camisa azul con esos pantalones.
¿Por qué? *¡Porque no!* . . . ¡Ay, esas manos! ¿Cómo *te las ensuciaste
tanto? Lávatelas. Recuerda*, con jabón. Y la cara también.... ¡¡Juanito,
no lo toques!! . . . Niños, ¡fuera de aquí! *Idos a jugar al sol. Pero no
atraveséis* la calle y *volved para las cinco*, ni un minuto después....
Juanito, *haz* tu tarea de la escuela.... Y no olvides practicar en el piano
o no te dejo mirar la televisión por una semana entera....

Hasta cuando llegué a la escuela superior, continuó mi cautiverio, y
aun peor:

—*Dime*, ¿a dónde vas? . . . ¿Al cine, dices? ¿Con quién? . . . Ya te
he dicho mil veces que no me gusta esa muchacha. No quiero que vayas
con ella.... *Sí puedo.* Es sencillo. No te doy el dinero.

Dinero—*ahí tienes el mayor culpable* de todos. Nos quita la libertad
más que ninguna otra cosa, más aun que todos los padres y madres—y

jail! Ever since

surround me

what do I care about
what's normal?
the greatest of all goods

eat . . . (Don't translate *lo*)
Wasting good food is a
crime.

Get dressed.

don't put on

Because I said not to . . .
did you get them so dirty?
Wash them. Remember

don't touch it! . . . Go out
and play in the sun. But
don't cross . . . be back by 5

do

Tell me

Oh yes I can!

there you have the biggest
culprit

246

esposas—juntos. *Quisiéramos* hacer un viaje, jugar *a la pelota*, descansar en la verde, *fresca yerba* del campo, tomar el sol en una *playa dorada*, o no hacer nada—pensar, *canturrear* una canción, ¿quién sabe qué?—pero hay que trabajar. *¿Para qué?* Para que haya dinero para pagar *el alquiler*, para que haya comida en la mesa, para. . . . We might want . . . ball
fresh grass . . . golden beach
hum
What for?
the rent

Dinero. ¡Cuántas veces *nos corta la lengua para que no brote una palabra* que pueda ofender! ¡Cuántas veces quita una verdad y la *reemplaza* con una mentira *provechosa!* ¡Cuántas veces nos hace sonreír cuando sentimos por dentro *un volcán a punto de hacer erupción!* ¡Cuántas veces nos obliga a hacer cosas que *no hubiéramos hecho!* it cuts short our tongue so that a word won't come out
replaces . . . profitable
a volcano ready to erupt!
we might not have done!

Pero el dinero no es *el único culpable de nuestra esclavitud.* Es la vida misma. *Es el tiempo que no hace caso al hombre.* Es el hombre que no hace caso a su *prójimo.* . . . Hace calor. No quiero ponerme *corbata ni esa camisa almidonada que me ahoga, pero eso no se hace.* ¿Por qué *pertenecer* a ese club que no me interesa nada? Porque *eso sí se hace.* the only one to blame for our enslavement . . . It is time that pays no attention to man
fellow . . . a tie or that starched shirt that chokes me, but that isn't done
belong . . . that *is* the thing to do

Tal vez tuvo razón el filósofo Rousseau al decir que debíamos volver a la *naturaleza.* En la naturaleza hay libertad. *Cada hoja se abre al amanecer* con franqueza; *cada flor bosteza sin cubrirse la boca.* Y si no hay dos hojas que sean absolutamente idénticas, ¿por qué *hemos de esperar* que sean idénticos los hombres? ¿Por qué no sabemos *mantener* nuestra libertad personal *dentro del gran todo?* nature . . . Each leaf opens to dawn . . . every flower yawns without covering its mouth
should we expect
maintain
within the great whole

¿Utopía, me dices? ¿Sueño de filósofo?

Entonces, ¿por qué no tratamos a lo menos de conservar dentro de nosotros *una sola cosa* que sea exclusivamente nuestra? Este sueño *sí puede* hacerse realidad. one single thing
can

Vocabulario Activo

el alquiler *rent*	libertad *liberty*
la cárcel *jail*	naturaleza *nature*
el crimen *crime*	pelota *ball*
la flor *flower*	yerba *grass*
atravesar (e > ei) *to cross*	ensuciar *to dirty*
bostezar *to yawn*	man*tener to maintain*
cortar *to cut*	rodear *to surround*
dorado *golden*	provechoso *profitable*
desde (prep.) *since (a certain point in time)*	desde que (conj.) *since* a punto de *about to*
al sol *in the sun*	¡Fuera de aquí! *(Get) Out of here!*
echar a perder *to waste, spoil*	hacer caso a *or* de *to heed, pay attention to*

ℰ∿℧ *Preguntas*

1. ¿Dónde dice que tendría más libertad la persona que nos habla?
2. ¿Por quién(es) se vio (did he feel) dominado desde que nació?
3. ¿Por qué dice que no le importa lo normal?
4. Cuando era niño, ¿qué le decía su madre cuando no quería comer? ¿Cuando ella quería que se vistiera? ¿Cuando el niño tenía sucias las manos y la cara?
5. ¿Qué decía la madre cuando quería que los niños salieran a jugar al sol?
6. ¿Qué trabajo tenía que preparar el niño? ¿Qué otra obligación tenía?
7. Cuando llegó a la escuela superior, ¿cómo continuó su madre ejerciendo (exercising) influencia en su vida?
8. Según la persona que nos habla, ¿qué cosa más que ninguna otra hace prisionero al hombre?
9. ¿Cómo influye (influences) el dinero en nuestra vida diaria?
10. ¿Para qué cosas necesitamos dinero?
11. ¿Qué otros efectos tiene el dinero en nuestra vida?
12. ¿Qué otras fuerzas nos hacen prisioneros?
13. ¿Qué idea tuvo el gran filósofo Rousseau?
14. ¿Qué encontramos en la naturaleza?
15. ¿Qué debemos hacer para conservar nuestra identidad individual?

II. ESTRUCTURA

112. Familiar Affirmative Commands (The Imperative)

We have seen that all polite commands (**Ud., Uds.**) and all negative commands (familiar and polite) are taken from the present subjunctive. Only *familiar affirmative* commands are formed otherwise.

A. Tú

The affirmative command form for **tú** is the same as the third person singular of the present indicative.

Habla, niño.	Speak, boy.
Bébelo todo, amorcito.	Drink it all, sweetie.
Canta, Paquito.	Sing, Frankie.

There are only eight exceptions:

ven	*come*	haz	*make, do*
ten	*have*	sé (ser)	*be*
pon	*put*	di	*say, tell*
sal	*go out*	ve	*go*

B. Vosotros (generally not used in Spanish America)

The affirmative command for **vosotros** is formed by changing the final **-r** of the infinitive to **-d.** There are no exceptions.

hablar	hablad	Speak! (all of you)
hacer	haced	Do!
abrir	abrid	Open!

When the reflexive pronoun **os** is attached, the **-d** disappears. **-ir** verbs require an accent mark over the last **i** to keep the stress normal.

Hablaos.	Speak to each other.
Poneos las babuchas.	Put on your slippers.
Vestíos.	Get dressed.

Only **irse** (to go away) keeps the **-d** when **os** is attached.

Idos.	Go away.

Exercise

State all the following commands in Spanish using (1) tú (2) vosotros (3) Ud. (4) Uds. Remember that polite commands and *all* negative commands use the present subjunctive. Remember also to *attach object pronouns to the end of affirmative commands* and to *place them immediately before negative commands.*

1. Speak more rapidly. 2. Don't talk so much. 3. Give it to me. 4. Don't give it to him. 5. Help us. 6. Tell them (it). 7. Don't tell it to them. 8. Come at once. 9. Do me the favor of . . . 10. Sit down. 11. Get dressed. 12. Put it on (ponerse).

113. Uses of *Para*

Para, translated most frequently by *for, in order to*, generally looks ahead ──────→ toward the objective, the destination, or logical outcome of the action.

$$para \longrightarrow \begin{array}{l} \text{Objective} \\ \text{Destination} \\ \text{Logical outcome} \end{array}$$

Almost all of its uses reflect this concept. These are its most important meanings:

A. In order to ──────→ objective, logical outcome

Estudio para (ser) abogado.	I am studying (in order) to be a lawyer.
Lo hizo para impresionar a su novia.	He did it (in order) to impress his girl friend. (She most likely *was* impressed.)
Para ser delgada, hay que seguir un régimen estricto.	(In order) To be slim, one must follow a strict diet.

Notice that Spanish uses **para** before an infinitive whenever the English *to* really means *in order to.*

B. Destined for, headed for ———→ objective, destination

¿Para quién es?	Whom is it for?
Lo compró para su cuarto.	He bought it for his room.
Salimos para Madrid hoy.	We leave for Madrid.

C. To be used for ———→ objective

papel para cartas	letter paper
una taza para té	a teacup
un vaso para vino	a wine glass
But: una taza *de* té	a cup of tea
un vaso *de* vino	a glass of wine

D. By or for (a certain time or date) ———→ objective

Para la próxima clase . . .	For the next session . . .
Lo quiero para el sábado.	I want it for (or by) Saturday.
Para el 16, estaremos en Londres.	By the 16th, we'll be in London.

E. Considering, compared with, with relation to ———→ immediate object of reference

Para mi madre, no hay nada difícil.	For my mother, there is nothing (too) difficult.
Para su edad, habla muy bien.	For his age, he speaks very well.
Para un viejo, es muy fuerte.	For an old man, he is very strong.

Exercise

Complete las frases siguientes:

1. Tengo un regalo (for you). —(For me)? ¡Qué bueno! 2. Los niños habrán salido (for school by 8:30). 3. Quiero que lo tengas terminado (by tomorrow). 4. (To go) a la ciudad, hay que tomar el tren. 5. Ayer compré una docena de magníficos (wine glasses). ¿Puedo ofrecerle (a glass of water)? —Gracias, pero yo prefiero (a glass of wine in a water glass). 6. En esta tienda vendemos (women's and children's clothes). 7. ¿Es demasiado larga (for you) esta lección? —No, (not for me). Me gusta sufrir.

114. Uses of *Por*

Por has two broad categories of uses. One refers to tangible or physical actions: location, position, means, etc. The second looks back ←——— to the motive, the impulse, the reason for the action.

A. Tangible or physical uses (location, position, means, duration of time, etc.)

1. By (an agent), by means of

Por Avión	By Airmail
Llámeme por teléfono.	Telephone me.
Una si por tierra, dos si por mar.	One if by land, two if by sea.
La casa fue derribada por el huracán.	The house was knocked down by the hurricane.

2. Through, along, around

El ladrón entró por la puerta trasera.	The thief entered through the back door.
Andaban por la playa.	They were walking along the beach.
Vive por ahí	He lives around there.
Pase por aquí.	Come this way. (Pass through here.)

3. During, for (a period of time), in (the morning, etc.)

Venga el jueves por la tarde.	Come Thursday (in the) afternoon.
Por la noche, miramos la televisión.	In (during) the evening, we watch television.
Vivió en Lima por cinco años.	He lived in Lima for five years.

4. In exchange for

¿Cuánto me da por este anillo de diamantes?	How much will you give me for this diamond ring?
No lo haría por nada.	I wouldn't do it for anything.

5. Per

Esta carne vale noventa centavos por[1] libra. —¿Y cuánto pesa su pulgar?	This meat costs 90¢ per (a) pound. —And how much does your thumb weigh?
Cobran por la semana, no por el día.	They charge by the week, not by the day.

B. Motive, impulse ◄———— por

1. Motive, impulse ◄———— out of, because of, through

Renunció por miedo.	He resigned out of fear.
Se lo dieron por compasión.	They gave it to him for pity.

2. Motive, impulse ◄———— for the sake, of, on behalf of

¡Hágalo por mí!	Do it for me!
¡Por Dios!	For Heaven's sake!
Se sacrificó por su patria.	He sacrificed himself for his country.

3. Motive, impulse ◄———— in order to, in the hope of

When **por** is used to mean *in order to*, it emphasizes the subject's hope or reason and views the outcome as uncertain.

Lo hizo por impresionar a su novia.	He did it (hoping) to impress his girlfriend. (We don't know whether or not she was impressed.)
Se metió entre las llamas por salvarla, pero ya era tarde.	He went into the flames (hoping) to save her, but it was already too late.

---

[1]The definite article is also used in this sense: noventa centavos la libra.

    4. Motive, impulse ◄——————— for, in search of, in quest of

Pepe, ve por el cura.	Joe, go for the priest.
Los conquistadores no vinieron sólo por oro.	The conquistadors didn't come only for gold.

ℰ✢ᴏ *Exercise*

Complete las frases siguientes, distinguiendo atentamente entre **por** y **para**:
1. Lo haré solo (for you). 2. Decidieron mandar (for the doctor). 3. ¿Se casaría Ud. (for money)? 4. Envíemelo (by Friday night). 5. Le ofreció diez dólares (for her pen). —Está loco. No vale tanto. 6. Trabaja mucho (to) (two ways) mantener a su familia. 7. Lo envió (by) avión. 8. (For a smart boy), eres muy estúpido. 9. Los niños fueron cantando (through the streets).

ℰ✢ᴏ *Review Exercise*

Traduzca al español:

    Sometimes I think that I would have more freedom if they put me in jail! Ever since I was born I have lived dominated by the people and things that surround me, by my mother, by my father, by my teachers, by society, by.... Let's take for example when I was a child:

    —Johnny, come here ... Do this ... Don't do that ... Study your lessons ... Practice the piano ... Don't touch my new teacups! ... Get dressed ... Wash your (las) hands and face ... with soap, do you hear? ... Children, get out of here. Go out and play in the sun ... But don't cross the street, and don't forget to be back by five o'clock, not one minute later.

    When I got to high school, I thought that my captivity had ended. But no.

    —Tell me, Johnny, where are you going now? ... To the movies? With whom? ... Don't tell me with Ann! You know very well that I don't like that girl. I don't want you to go ... Oh yes I can. It's simple. I won't give you the money.

    Money. To me, money is one of the biggest culprits of them all. Instead of walking though the park singing a song, what do I do? I have to work. Instead of resting on a golden beach, I spend eight hours per day, five days a week working, and for what? To pay the rent, to buy clothes, to eat.... Yes, I know that this is the normal thing (lo normal) but for an independent soul like mine, it's worse than being in prison.

    And it isn't only money that dominates us. It's time, that pays no attention to man; it's man, who pays no attention to the desires of his fellow man. Many people want us all to be identical. Well, nature isn't like that. In nature, every leaf is different. Every flower opens its eyes to dawn without fear. Why can't *we* be like that? Why can't we preserve at least part of our personal freedom within the great whole? Why can't we keep one single thing that is exclusively ours? At least this dream can come true.

III. CONVERSACION: *LA LIBERTAD*

1. Cuando Ud. era niño, ¿se consideraba libre o prisionero? ¿Y cuando llegó a la adolescencia? ¿Y ahora?
2. ¿Qué limitaciones ponían sus padres a sus actividades?
3. ¿Qué reglas imponían (rules did they impose) en casa?
4. ¿Escogía Ud. sus propios vestidos? ¿Escogía Ud. su propio menú a la mesa? ¿Podía Ud. salir de la casa o volver a cualquier hora? ¿Se acostaba Ud. y se levantaba cuando quería? ¿Y ahora?
5. ¿Le permitían sus padres escoger sus propios amigos sin restricciones?
6. ¿Le permitían sus padres leer todos los libros que le gustaban? ¿Le permitían ver todas las películas que quería ver? ¿Le permitían mirar todos los programas de televisión que le gustaban?
7. ¿Recuerda Ud. alguna ocasión en su vida en que sintió Ud. deseos de rebelarse? Cuando era niño, ¿hizo Ud. algo alguna vez precisamente porque le estaba prohibido?
8. Cuando Ud. entre en el mundo de los negocios, ¿cree Ud. que va a tener más o menos libertad que ahora? ¿Cuando sea madre—o padre—de familia?
9. ¿Cree Ud. que es más libre el hombre ignorante o el hombre educado? ¿Le gusta a Ud. tener más o menos responsabilidad?
10. Si Ud. tuviera que crear la sociedad del futuro, ¿cómo la haría? ¿Conservaría Ud. el sistema democrático? ¿Conservaría Ud. el matrimonio? ¿Por qué?
11. ¿En qué consistiría para Ud. una vida perfecta? ¿Cuál es su idea de la Utopía?

IV. COMPOSICION

Escriba una composición sobre:
1. Mi Concepto de la Libertad
2. La Utopía
3. Mi Idea de una Vida Perfecta

REPASO IV

I. Tema: La Corrida de Toros — Razón y Sinrazón (Tape)
   Vocabulario, p. 391

II. Dictado y Ejercicio de Comprensión Aural

III. Repaso de Gramática

A. The Conditional

CONDITIONAL : PAST = FUTURE : PRESENT

The conditional tells what *would (what was going to) happen, what would happen if . . . ,* or states conjecture about a past action. It is formed by adding the imperfect endings of **-er, -ir** verbs (**-ía, -ías,** etc.) to the whole infinitive. Irregular verbs use the same infinitive corruption as in the future tense.

hablar	comer	vivir
hablaría	comería	viviría
hablarías	comerías	vivirías
hablaría	comería	vivirías
hablaríamos	comeríamos	viviríamos
hablaríais	comeríais	viviríais
hablarían	comerían	vivirían

venir	vendría	salir	saldría
tener	tendría	saber	sabría

B. The Conditional Perfect: Conditional of **haber** + past participle (would have gone)

habría ido, hecho, dicho, etc.
habrías
habría
habríamos
habríais
habrían

C. The Imperfect (Simple Past) Subjunctive
The imperfect subjunctive translates a simple past when subjunctive is required.

hablar	comer	vivir
hablara, hablase	comiera, comiese	viviera, viviese
hablaras, hablases	comieras, comieses	vivieras, vivieses
hablara, hablase	comiera, comiese	viviera, viviese
habláramos, hablásemos	comiéramos, comiésemos	viviéramos, viviésemos
hablarais, hablaseis	comierais, comieseis	vivierais, vivieseis
hablaran, hablasen	comieran, comiesen	vivieran, viviesen

254

D. The Pluperfect (Past Perfect) Subjunctive: Imperfect subjunctive of **haber** + past participle

The pluperfect subjunctive translates *had been*, *had gone*, etc., when subjunctive is required in the subordinate clause.

> hubiera (hubiese) hablado, comido, vivido
> hubieras (hubieses)
> hubiera (hubiese)
> hubiéramos (hubiésemos)
> hubierais (hubieseis)
> hubieran (hubiesen)

E. Direct Commands

	AFFIRMATIVE	NEGATIVE
tú	3rd person singular present indicative (except **ten, ven, pon, haz, sal, sé, di, ve**)	Present subjunctive
vosotros	infinitive: final **r > d**	Present subjunctive
Ud., Uds.	Present subjunctive	Present subjunctive
nosotros	Present subjunctive or **Vamos a** + infinitive	Present subjunctive

F. Uses of the Subjunctive

Aside from its use in direct commands, the subjunctive belongs almost exclusively in the subordinate clause.

1. Indirect or implied command

The subjunctive is used in the subordinate clause whenever the idea of the main clause expresses one person's will that someone else do something or that something be done.

Quiero que lo haga en seguida.	I want him to do it at once.
Les rogó que no lo dijeran.	He begged them not to say it.

2. Emotion

The subjunctive is used in the subordinate clause whenever the main clause expresses emotion about the subordinate clause action.

Es lástima que no haya venido.	It is a pity that he hasn't come.

When there is no change of subject, it is normal to use the infinitive instead of a subordinate clause.

Siento no poder venir.	I am sorry that I can't come.

3. Unreality: doubt, uncertainty, indefiniteness, impossibility, inconclusiveness

The subjunctive is used in the subordinate clause whenever the idea upon which it depends places it in the realm of the doubtful, uncertain, indefinite, nonexistent, impossible, incomplete.

a. When the main clause expresses doubt about or denies the existence of the subordinate clause action:

Dudamos que lo haga.	We doubt that he'll do it.
Negó que estuvieran allí	He denied that they were there.

b. When the main clause refers back to someone or something that is indefinite, hypothetical, or nonexistent:

Busco un libro que tenga una foto del senador.	I am looking for a book that has a picture of the Senator. (There is no specific book in mind.)
No había nadie que me ayudara.	There wasn't anyone who would help me.
¿Hay alguien que lo comprenda?	Is there anyone who understands it?

c. When the conjunction that introduces the subordinate clause states that its action is (1) uncertain or impossible; (2) incomplete, pending at the time of the main clause action; (3) contrary to fact:

Aunque me dé permiso, no voy a hacerlo.	Even though he may give me permission, I'm not going to do it.
En caso de que llueva . . .	In case it rains . . .
Salió sin que le viéramos	He left without our seeing him.
Se lo daré cuando le vea.	I'll give it to him when I see him.
Dijo que se quedaría hasta que volviéramos.	He said that he would wait until we returned. (We hadn't returned yet.)
Te lo digo para que[1] te prepares.	I'm telling you so that you may get prepared.
Si le conociera mejor, hablaría con él.	If I knew him better, I would talk to him.
Si hubieran ido, se habrían divertido mucho.	If they had gone, they would have had a very good time.
Si lloviera, ¿qué haríamos?	If it were to rain (or should rain), what would we do?

Only the imperfect subjunctive (or pluperfect subjunctive for a compound tense) is used after **si** (if). When **si** does *not* state a condition contrary to fact, the indicative is used.

Si llueve, ¿qué haremos?	If it rains, what will we do?

G. The Sequence of Tenses with Subjunctive

MAIN CLAUSE	SUBORDINATE (SUBJUNCTIVE) CLAUSE
Present (future, present perfect)	Same tense as in English
Past (conditional, pluperfect)	Imperfect subjunctive (simple tense)
	Pluperfect subjunctive (compound)

---

[1]**Para que** takes subjunctive because it includes both the idea of incompleteness at the time of the main clause action and implied command.

H. Equal Comparisons

    1. **tanto(a) . . . como** (as much . . . as); **tantos(as) . . . como** (as many . . . as)

Nadie sabe tanto como él.	No one knows as much as he.
Hay tantas muchachas como muchachos en la clase.	There are as many girls as boys in the class.

    2. **tan . . . como** (as + adjective or adverb . . . as)

No eres tan alto como él.	You aren't as tall as he.
No escribe tan claramente como debe.	He doesn't write as clearly as he should.

I. Uses of **Por** and **Para**

Por	**Para**
1. Tangible or physical uses (location, position, duration, agent, etc.): through, along, around, by means of, by (an agent); during, in; (in exchange) for; per	1. (in order) to ——→ objective
	2. headed for, destined for ——→ objective
	3. to be used for ——→ objective
2. Motive, impulse ←—— out of, because of, through; for the sake of, on behalf of; in the hope of; in quest of	4. by or for a certain time ——→ objective
	5. compared with, with respect to ——→ immediate object of reference

IV. Vocabulario Especial: La Naturaleza (Nature)

tierra	*the land; earth*	llano(s)	*flatland(s), plain(s)*
planta	*plant*	meseta	*plateau*
el árbol	*tree*	selva	*jungle; thick forest*
hoja	*leaf*	jungla	*jungle*
la flor	*flower*	el monte	*hill, mountain; woods*
hierba, yerba	*grass*	montaña	*mountain*
arbusto	*bush*	el valle	*valley*
la raíz	*root*	pantano	*swamp*
la simiente	*seed*	desierto	*desert*
prado	*meadow*	**piedra**	*stone*
el bosque	*forest, woods*	roca	*rock*
llanura	*plain, prairie*	guijarro	*pebble*
el agua (f.)	*water*	la fuente	*fountain*
el mar	*sea*	pozo	*well*
oceano	*ocean*	**playa**	*beach*
río	*river*	**arena**	*sand*
arroyo	*stream*		

el **aire**   *air*
al aire libre   *in the open air*
el **clima**   *climate*
tiempo   *weather*
lluvia   *rain*
la **nieve**   *snow*
granizo   *hail*
viento   *wind*
polvo   *dust*
lodo   *mud*

cielo   *sky*
el **sol**   *sun*
luna   *moon*

isla   *island*
el continente   *continent*
hemisferio   *hemisphere*

el **animal**   *animal*
perro   *dog*
gato   *cat*
caballo   *horse*
burro   *donkey*
asno   *ass*
conejo   *rabbit*
puerco   *pig*
el cabra   *goat*
cordero   *lamb*
oveja   *sheep*
vaca   *cow*
buey   *ox*
toro   *bull*
becerro, ternero   *calf*

el reptil   *reptile*
culebra, la serpiente   *snake*
lagarto   *lizard*

insecto   *insect*
mosca   *fly*
mosquito   *mosquito*
araña   *spider*

pájaro, el ave (f.)   *bird*
gallo   *rooster*
gallina   *hen*
pollo   *chicken*

tormenta   *storm*
el huracán   *hurricane*
chubasco   *squall, cloudburst*
aguacero   *shower*
neblina   *fog, haze*
niebla   *fog, haze*
diluvio   *flood, downpour*
crecida   *flood (overflowing)*
terremoto   *earthquake*
el temblor   *tremor*

la **nube**   *cloud*
estrella   *star*
el planeta   *planet*

península   *peninsula*
archipiélago   *archipelago*
el ecuador   *equator*

ardilla   *squirrel*
rata   *rat*
el ratón   *mouse*
lobo   *wolf*
zorro   *fox*
oso   *bear*
ciervo, venado   *deer*
el león   *lion*
el tigre   *tiger*
el elefante   *elephant*
leopardo, pardal   *leopard*
pantera   *panther*
el puma   *American panther*
mono   *monkey, ape*
el gorila   *gorilla*

cocodrilo   *crocodile*
tortuga   *turtle*
galápago   *large turtle*

escarabajo   *beetle*
mariposa   *butterfly*
polilla   *moth*
hormiga   *ant*

pato   *duck*
pato silvestre   *wild duck*
el águila (f.)   *eagle*
pavo   *turkey*

V. Conversación: La Naturaleza

    1. ¿Cómo es la geografía del estado en que vive Ud.? ¿De los Estados Unidos en general? ¿De Sudamérica? ¿De Africa? ¿De Europa? ¿De Asia?

    2. ¿Le gusta más a Ud. el campo o la ciudad? ¿Por qué?

    3. Donde vive Ud., ¿hay mucha lluvia? ¿Nieve? ¿Granizo? ¿Neblina? ¿Polvo? ¿En qué estación del año?

    4. ¿Qué animales encontramos normalmente en la casa? ¿En una granja (*farm*)? ¿En el bosque? ¿En una selva tropical? ¿En Africa?

    5. ¿Le gustan a Ud. los animales? ¿Cuáles? ¿Le gustan a Ud. los pájaros? ¿Por qué? ¿Le interesan los reptiles? ¿Ha tocado Ud. alguna vez un reptil? ¿Cuándo?

    6. ¿Qué podemos ver en el cielo durante el día? ¿Y de noche (*at night*)?

VI. Composición

    1. Por Qué Prefiero la Vida del Campo

    2. Por Qué Prefiero la Vida de la Ciudad

    3. Panorama Geográfico de Mi Región

LECTURA XIV: DECADENCIA, INVASION, Y GUERRA

El siglo diez y ocho empieza con la muerte del inepto Carlos II, y
marca el fin de la dinastía de los Hapsburgos en España. España ha
perdido el estímulo creador que produjo la gran expansión territorial
y artística del Siglo de Oro. Ahora es Luis XIV de Francia, el *"Rey*
5 *Sol,"* quien domina la escena política y cultural de su época, y Luis hace   Sun King
introducir en España la dinastía francesa de los *Borbones*.   Bourbons

En general, el siglo diez y ocho en España es un periodo de *estanca-*   stagnation
miento político y económico, y de retroceso cultural. *A pesar de esfuerzos*   In spite of attempts to
por imitar el sistema racionalista de los franceses, España no se adapta
10 fácilmente a la nueva moda. Y mientras Francia llega a nuevas alturas
en la expresión neo-clásica, el español, individualista, sentimental, melo-

Francisco de Goya (1746–1828), Con Razón o Sin Ella. Aguafuerte de la serie
Los Desastres de la Guerra, que pinta la heroica resistencia de los españoles
contra la invasión napoleónica. (Courtesy of the Metropolitan Museum of
Art. Bequest of Michael Dreicer.)

Goya, ¡Qué Valor! Aguafuerte de la serie Los Desastres de la Guerra. (Courtesy of the Metropolitan Museum of Art. Bequest of Michael Dreicer.)

dramático, dado al *gesto* heroico, continúa la exageración barroca que conduce a la decadencia. gesture

En los últimos años del siglo diez y ocho, el mundo occidental está en crisis. En Francia *se oyen* las voces de los grandes filósofos—Rousseau, Voltaire, Montesquieu—declarando la libertad fundamental del individuo. En Inglaterra, las fuerzas liberales empiezan a limitar los poderes absolutos del monarca. Del Nuevo Mundo viene el *son* de la guerra, trayendo consigo la independencia de una nación nueva concebida en la libertad, los Estados Unidos de Norteamérica. Y en 1789 Francia *estalla* con violencia. Mueren bajo la guillotina Luis XVI y su reina María Antonieta, y suena por las calles de París el grito: "Libertad, Fraternidad, Igualdad."

Los cambios afectan también el aspecto económico, social e intelectual de la vida. Empieza la revolución tecnológica y la evolución de una verdadera clase media, la diseminación de la educación y la explosión de nuevas *teorías*. Y viene Napoleón, haciendo resonar por toda Europa el *paso* imperial francés. Europa está en fermento, y España . . .

Los españoles continúan como antes, cultivando la tierra como en siglos anteriores, y recordando un glorioso pasado. Y mientras el rey va *de caza* en los magníficos *bosques* que rodean sus *suntuosos* palacios, la reina *se distrae* con sus favoritos de la corte, entregándoles las *riendas* del gobierno.

Margin glosses: are heard (15); sound; erupts (20); theories; footstep (30); hunting . . . woods . . . sumptuous . . . amuses herself . . . reins

Goya, Señora Sabasa García. (Courtesy of the National Gallery of Art, Washington, D.C. Mellon Collection.)

El dos de mayo de 1808, Napoleón invade España. Toma prisionero
35 al rey Carlos IV, y nombra a su propio hermano, José Bonaparte, rey
de España. Pero el pueblo español, acostumbrado a sufrir bajo sus
propios reyes, decide no sufrir más—y sobre todo, no sufrir la dominación extranjera. Sin ejército, sin armas, los españoles empiezan a resistir. Por seis años luchan, atacando un día aquí, otro día allá, y los
40 franceses tienen que luchar por cada calle, por cada plaza, por cada casa
y por cada patio. El gobierno de Bonaparte[1] no puede actuar.

Entretanto, las ideas liberales se extienden por España. Al mismo   Meanwhile
tiempo que se defienden contra los franceses, los líderes españoles
quieren establecer un sistema democrático de gobierno—si no una re-
45 pública, a lo menos una monarquía constitucional. En 1812 las Cortes
se reúnen en Cádiz. Invitan a delegados de Hispanoamérica, y todos
juntos, se dedican a escribir una constitución. El momento de la libertad

---

[1]El pueblo español llamaba a José Bonaparte "Pepe Botellas." Sin embargo, la evidencia de la historia
prueba (proves) que el nombre no le convenía, pues el rey sufría de úlceras del estómago que no le permitían beber
licores.

ha llegado. España va a vivir libre, va a despertar de la *somnolencia*   lethargy
dé generaciones, va a incorporarse a las nuevas *corrientes* europeas.   currents
El *infante* Fernando, prisionero todavía en Francia, ha prometido   Crown Prince   50
respetar la constitución, ha dicho que será el primer rey democrático de
España. *Una vez expulsados los invasores*, ¡España *renacerá* en la demo-   Once the invaders have been expelled . . . will be reborn
cracia!

    Los liberales siguen luchando. Los *guerrilleros* continúan atacando sin   guerrilla fighters
cesar, y por fin, a fines de 1813, los franceses *se retiran* definitivamente   withdraw   55
de tierra española. ¡España ha ganado! ¡¡Fernando va a volver!!

Preguntas

1. ¿Qué dinastía termina en España al principio del siglo diez y ocho?
2. ¿Cómo era España en ese periodo?
3. ¿Quién era la figura dominante de Europa entonces?
4. ¿Por qué no podía aceptar el español el racionalismo y neo-clasicismo de los franceses?
5. ¿Cómo está el mundo occidental para fines del siglo diez y ocho?
6. ¿Quiénes son los grandes filósofos franceses de esa época?
7. ¿Qué ocurre en Inglaterra? ¿Y en Norteamérica? ¿Y en Francia?
8. ¿Qué otros cambios se producen en ese periodo?
9. ¿Cómo sigue España?
10. ¿Qué hace Napoleón en mayo de 1808?
11. ¿Qué hace el pueblo español? ¿Cuántos años continúa la lucha?
12. ¿Qué quieren hacer los líderes liberales? ¿A quiénes invitan a colaborar con ellos?
13. ¿Qué gran labor realizan en 1812?
14. ¿Qué ha prometido el Infante Fernando?
15. ¿Cuándo se retiran definitivamente los invasores franceses?
16. ¿Quién va a volver como rey de España?

Lección Veinte y Una

I. TEMA: *¿YO? ¿NOSOTROS?*

Aviso a los Pasajeros
Cómo Deben Ajustarse los Salvavidas
Póngase como chaqueta, cualquier lado hacia afuera.
Atense todas las tiras.
Los salvavidas *se encontrarán* en _____.

    En caso de *fuego, choque,* u otro accidente *serio,* la alarma de emergencia será seis *pitazos cortos* y un pitazo largo *del pito del vapor.*
    Al sonar esta alarma, los pasajeros de este camarote se pondrán los salvavidas e irán inmediatamente a la Estación Número 2 de la *Cubierta B.*

    Hallé estas instrucciones para el uso de las chaquetas salvavidas en una pared de mi *camarote* cuando hice un viaje por mar a Sudamérica *el verano pasado.* No son *nada* excepcionales. En una lengua u otra, las encontramos en todos los camarotes de todos los barcos que *cruzan* todos los mares del mundo. Y hallamos instrucciones más o menos *semejantes* para el uso de *los paracaídas* en casi todos los aviones. *¿Y qué?*, me pregunta Ud. Sencillo. La vida *ante todo.* Conservar *la propia* es el instinto fundamental de todo *ser vivo;* defender *la suya y la de su prójimo,* la responsabilidad de todo ser social.

Notice to the Passengers
How Life Preservers should be Adjusted
Put on like a jacket, either side out.

Tie all the strings.

will be found

fire, collision . . . serious

short blasts . . . from the ship's whistle.

Upon the sounding of this alarm, the passengers of this cabin

Deck B.

stateroom

last summer . . . at all

cross

similar . . . parachutes

What of it? . . . above all

one's own . . . living being your own and the other fellow's

264

Pero ¿hasta qué punto somos responsables por la vida de otra persona? Ahí tenemos un problema interesantísimo.

Recuerdo un caso que *oí hace no sé cuántos años.* Aunque no recuerdo todos los *detalles,* fue más o menos así: Un hombre *reconocido como nadador excelente cruzaba a pie un puente.* Era una tarde de invierno. *De repente, oyó voces* y vio que un hombre había caído en el río y *se ahogaba.* Parecía que entre *todos los que* estaban allí, no había nadie que supiese *nadar, menos él,* que nadaba tan bien.

Pero el nadador *siguió su camino.* Tenía *un catarro,* explicó después, y no quería *arriesgarse saltando al* agua fría *en pleno invierno. A poco murió ahogada la víctima,* y el nadador *fue llevado* a la cárcel por la *enfurecida muchedumbre.*

Poco después le acusaron en un *proceso* criminal de *haber faltado* a su responsabilidad humana al dejar morir a un hombre cuya vida estaba en sus manos salvar. El pueblo pedía *que se le condenara* a una larga sentencia. El *jurado* le oyó defenderse:

—¿Por qué he de ser culpable yo si la víctima *no fue empujada* al agua por mis manos? ¿Por qué he de tener más responsabilidad que *los demás* que allí estaban? ¿Porque soy buen nadador? ¿Y si no supiera nadar? . . . ¿Por qué no es culpable aquel señor que le vio caer y *no gritó* inmediatamente pidiendo *ayuda?* ¿Por qué . . . ?

Desgraciadamente, no recuerdo el *resultado* del caso. No sé si *fue condenado o absuelto. Pero hace pensar.*

Y una vez vi una película . . . *Ud. la habrá visto* también. Era muy popular hace dos o tres años. Pues en esa película un hombre sufre un ataque al corazón. Pide a otro hombre (que parece ser rival o *enemigo* suyo) que le dé un *frasco* de píldoras que hay en el *cajón* de la mesa. El otro no se lo da y el enfermo muere. ¿Es un crimen eso? ¿Tenía el otro la obligación social, *además de* moral, de darle las píldoras?

Si *un ciego va a chocar con* una pared . . . , si un niño cruza el camino y no ve que viene sobre él un automóvil, ¿tengo yo la obligación social de gritarles "*¡Cuidado!*"? ¿Y *de cogerles por el brazo y guiarles* hasta que queden libres del peligro? Si descubro que alguien está a punto de *suicidarse,* ¿es mi responsabilidad *impedírselo?* O si veo que mi vecino pega a su hijo y le va a hacer verdadero daño, ¿es *mi deber intervenir?* Si hay una tribu en la selva que practica el canibalismo, ¿debo *permitírselo* si está *en mis manos* poner fin a esa práctica? Si sé que otra persona, u otro pueblo, cree en una religión que yo considero falsa, ¿debo tratar de enseñarle la mía? ¿Deben tratar ellos de enseñarme la suya?

Hace pensar.

Side glosses (right margin):

I heard I don't know how many years ago . . . details

known to be an excellent swimmer was walking across a bridge

Suddenly, he heard shouts . . . was drowning

all those who

to swim, except him

continued on his way . . . a cold

take a chance jumping into in mid-winter. Shortly afterwards, the victim drowned . . . was taken

infuriated crowd

trial . . . having failed

that he be condemned

jury

wasn't pushed

the others

didn't shout . . .

help

Unfortunately . . . result he was convicted or absolved. But it makes one think

you probably have seen it

enemy

little bottle . . . drawer

besides

a blind man is going to crash into

Watch out . . . to take them by the arm and guide them

committing suicide . . . prevent him from doing so

my duty to interfere?

allow them to do it

within my power

Vocabulario Activo

ayuda	*help*	el paracaídas	*parachute*
el deber	*duty*	pasajero	*passenger*
fuego	*fire*	el puente	*bridge*
lado	*side*	el salvavidas	*life preserver*

atar	*to tie*	gritar	*to shout*
dejar	*to allow, let; to leave (behind)*	impedir (e > i)	*to prevent*
empujar	*to push*	nadar	*to swim*
faltar	*to fail, be lacking or remiss*	saltar	*to jump*

ciego	*blind*	semejante	*similar*
corto	*short (in length)*	serio	*serious*

menos	*except*	nada	*(not) at all*

a poco	*shortly afterwards*	de repente	*suddenly*
¡Cuidado!	*Be careful! Watch out!*	en pleno invierno	*in mid-winter*

Preguntas

1. ¿Cómo deben ponerse los salvavidas?
2. En caso de fuego u otro accidente, ¿cuál es la alarma de emergencia?
3. ¿Qué deben hacer los pasajeros al oír (upon hearing) la alarma?
4. ¿Dónde halló el narrador estas instrucciones para el uso de los salvavidas?   ¿Adónde iba?
5. ¿Son excepcionales estas instrucciones?   ¿Dónde se hallan normalmente?
6. ¿Qué encontramos en casi todos los aviones?
7. ¿Cuál es el instinto fundamental de todo ser vivo?
8. ¿Cuál es la responsabilidad de todo ser social?
9. ¿Qué caso recuerda el narrador?
10. ¿Qué habilidad (ability) especial tenía el hombre que cruzaba a pie el puente?
11. ¿Qué oyó?   ¿Y qué vio después?
12. ¿Qué estación del año era?
13. ¿Qué hizo el nadador?   ¿Qué le pasó al hombre que se ahogaba?
14. ¿A dónde fue llevado el nadador por el enfurecido público?   ¿De qué le acusaron?
15. ¿Qué dijo en su defensa el nadador?
16. ¿Qué ocurre en la película que recuerda el narrador?   ¿Qué pide el moribundo (dying man) al otro hombre que está con él?
17. ¿Dónde están las píldoras?   ¿Se las da al moribundo?   ¿Por qué?
18. ¿En qué nos hacen pensar estos problemas?

II. ESTRUCTURA

115. Meaning of the Passive Voice

There are two voices in grammatical structure: the active voice and the passive. In the *active* voice, the subject *does* the action of the verb:

> Mandó la carta ayer.　　　　　He sent the letter yesterday.

In the *passive* voice, the subject *receives* the action of the verb:

> La carta fue mandada ayer.　　　The letter was sent yesterday.

116. The True Passive in Spanish

The true passive in Spanish is formed exactly as in English. In this construction, *to be* is always **ser,** and the past participle agrees with the subject.

SUBJECT	+	**Ser**	+	PAST PARTICIPLE	+	**Por**[1]
Juan		fue		recibido		por el presidente.
John		was		received		by the President.
Mi tía		será		honrada		por la facultad.
My aunt		will be		honored		by the faculty.
Muchas casas		han sido		construidas		por el gobierno.
Many houses		have been		built		by the government.

THE TRUE PASSIVE MUST BE USED WHEN THE DOER OF THE ACTION IS STATED. When the agent is not expressed, but is strongly implied, the same construction may be used in many cases.[2]

Hamlet		fue		escrito		en el siglo XVII.
Hamlet		was		written		in the seventeenth century.
Mis amigos		serán		ascendidos		pronto.
My friends		will be		promoted		soon.
El capitán		fue		muerto[3]		ayer.
The captain		was		killed		yesterday.

Remember that the passive voice always deals with an action that is done to the subject. If the sentence deals not with an action itself but with the result of the action, **estar** is used. This construction is not a passive voice.

> La tierra está cubierta de nieve.　　The earth is covered with snow.
> El niño estaba vestido de blanco.　　The child was dressed in white.

---

[1]Occasionally, **de** is used instead of **por**, especially when the action is mental rather than physical: **Es respetado de todos** (He is respected by all).

[2]The true passive cannot be used when a person is the *indirect* recipient of the action: He has been told (It has been told *to* him), We have been given another chance (It has been given *to* us).

[3]In the expression *to be killed*, **muerto** is more commonly used for a person than **matado**, except when the meaning is *assassinated* or *slaughtered*.

⊘✽◎ *Exercise*

Complete las frases siguientes:

1. Nuestra casa (was built by) mis abuelos. 2. Todos sus hijos (will be sent) a Europa a estudiar. 3. La tormenta (knocked down) (derribar) muchos árboles. Muchas casas (were destroyed) también. 4. *Don Quijote* (was written by) Cervantes. La primera parte (was published) (publicar) in 1605. 5. Las puertas (were already closed) cuando llegamos. De repente, a las diez en punto, (they were opened). 6. La vieja (was seated) cerca de la ventana, mirando los pájaros.

117. The Impersonal *They* for the Passive Voice

When the doer of the action is NOT stated, Spanish very often uses *they* impersonally as a substitute for the true passive. This also appears frequently in conversational English.

Dicen que va a nevar.	They say (It is said that) it is going to rain.
Este año llevan más cortas las faldas.	This year they're wearing skirts shorter. (Skirts are being worn. . . .)
Enviarán a María a Madrid.	They will send Mary to Madrid. (Mary will be sent.)
Los mataron como a perros.	They killed them like dogs. (They were killed. . . .)
Le han dejado una fortuna.	They have left him a fortune. (He has been left a fortune.)

⊘✽◎ *Exercise*

1. State two ways:

   a. The boy has been found. b. He was saved. c. We weren't invited. d. She will be sent. e. The books were published. f. He hasn't been promoted.

2. Say in Spanish, using the impersonal *they:*

   a. It is said. b. He has been given. c. I am told. d. We were offered.

118. The Reflexive for the Passive Voice

Again, when the doer of the action is NOT stated, Spanish may use a reflexive construction in place of the true passive or the third person plural.

A. When the subject of the passive sentence in English is *not* a person, it becomes the subject of a normal reflexive construction in Spanish (as if it had done the action to itself). The sentence usually begins with the reflexive verb and the subject follows.

Se construyó este edificio en 1900.	This building was built in 1900.
Se abren las puertas a las diez.	The doors are opened at ten o'clock.
Se hallarán los libros en el tercer estante.	The books will be found on the third shelf.
Se dice que va a nevar.	It is said that it is going to snow.

B. When the subject of the English passive sentence *is* a person (or an animate thing that could possibly do the action to itself), Spanish uses the wholly impersonal third person singular reflexive **se** (one). *One* does the action, and the person to whom it is done becomes the direct or indirect object of the verb.

Se nos ha dicho . . .	We have been told . . . (One has told us . . .)
Se la enviará a Madrid.	She will be sent to Madrid. (One will send her. . . .)
Se les mató como a perros.	They were killed like dogs. (One killed them. . . .)
Se le ha dejado una gran fortuna.	He has been left a large fortune. (One has left him. . . .)

In this impersonal reflexive construction, only **le** or **les** is used for a third person masculine object, direct or indirect.

Se le llevó al hospital.	He was taken to the hospital. (One took him. . . .)
Se les llevó al hospital.	They were taken to the hospital.
No se le entregará las llaves.	He will not be given the keys.
No se les entregará las llaves.	They will not be given the keys.

২∾৩ *Exercise*

1. State three ways:
   a. He was well received. b. *Don Quijote* was published in 1605. c. The children were found in the park. d. She was praised. e. His father is very respected. f. Our school was founded (fundar) a thousand years ago. g. Why haven't they been invited?

2. Change to the reflexive passive:
   a. Nos dijeron. b. Les darán un buen puesto. c. El prisionero fue llevado a la cárcel. d. Me han preguntado eso muchas veces. e. ¿Saben si va a venir?

119. The Reflexive Passive in Commands

Very often, written instructions use the reflexive passive instead of a normal command. This gives a more polite tone to the instruction (*May it be done.*) than the direct command (*Do it!*).

Tradúzcase al español.	Translate into Spanish. (May it be translated. . . .)
Cárguense las cámaras.	Load the cameras. (May they be loaded.)
Hágase la voluntad de Dios.	(May) God's will be done.

℮∾◌ **Review Exercise**

Tradúzcase al español:

Last year I took a trip by sea to South America. The first thing that I saw when I entered my stateroom was a notice to the passengers. It said: "How life preservers should be adjusted. Put on like a jacket and tie all strings," and other instructions that I can't remember. Oh yes, it also tells where they will be found in case of fire or other serious accident. But the instructions themselves are not so important. They are similar to instructions that are found in all the ships that cross the seas and to instructions for the use of parachutes in most (la mayor parte de los) airplanes. Life is precious. Each person wants to preserve his own, and every social being has the obligation to defend that of his fellow man.

This reminds me of a case I heard some years ago. It seems that a famous swimmer was crossing a bridge on foot when he heard shouts and voices. A man had just fallen into the river and was drowning. The people (la gente) asked him to jump into the water and save the man, but he refused. He had a cold, he said, and didn't want to take a chance (by) jumping into the cold water in mid-winter. Well, the victim drowned, and the swimmer was taken to jail. Shortly thereafter he was accused of the crime of having failed his responsibility to save the life of another person. But he argued (arguyó) in his own defense: —Why should I be responsible? He wasn't pushed into the water by my hands. Yes, I admit that I was called, but it wasn't my obligation.

I don't know how the case was resolved, but it makes one think. Does man have the social duty to save his fellow man, or is it only an ethical obligation which he can either (o) accept or reject (o rechazar)? If we see a blind man who is about to crash into a wall, or a child who is crossing the street without noticing (notar) that a car is coming upon him, is it our duty to shout "Watch out!" and even take them by the hand and lead them until they are out of danger, or can we keep walking along (seguir nuestro camino) without helping them? And if we believe that another person is hurting himself or wants to commit suicide, is it our duty to prevent him from doing so? Or if we believe that the religion or political system (el sistema) of another people is bad, do we have the duty to try to change it? Do they have the right to try to change ours? It makes one wonder. . . .

III. CONVERSACION: *¿YO? ¿NOSOTROS?*

1. ¿Qué le parece a Ud. (What do you think of) el caso del nadador? ¿Qué habría hecho Ud. si estuviera en su puesto? ¿Cómo decidiría Ud. el caso si estuviera en el jurado? ¿Le mandaría Ud. a la cárcel?

2. ¿Qué le parece a Ud. el caso del hombre que no quiso dar las píldoras al moribundo? ¿Cree Ud. que ha cometido un crimen? ¿Qué sentencia le daría Ud.? En su opinión, ¿quién es peor—el nadador o el hombre que no dio las píldoras al moribundo? ¿Por qué?

3. En el caso del ciego, o del niño que cruza el camino, ¿tenemos la obligación social, no sólo moral, de tomarles por el brazo y sacarles del peligro? Y si no lo hacemos, ¿es un acto criminal o sólo inmoral?

4. En el caso del hombre que quiere suicidarse, ¿estamos obligados a impedírselo? ¿Por qué? ¿Cree Ud. que es un crimen tratar de quitarse la vida? ¿Por qué razones?

5. ¿Qué debemos hacer en el caso del padre que hace daño físico a su hijo? ¿Y si le hace daño mental o psicológico?

6. ¿Y en el caso de la tribu que practica el canibalismo?

7. ¿O en el caso del pueblo—o de la persona—que practica una religión que nosotros consideramos falsa, o mala?

IV. COMPOSICION

Escriba una composición sobre:

1. ¿Soy Guardián de Mi Hermano?
2. Por Qué Creo (o No Creo) que Tengo el Derecho de Intervenir en las Costumbres de Otro Pueblo
3. Por Qué Creo (o No Creo) que Tengo el Derecho de Enseñar Mi Religión a Otros

Lección Veinte y Dos

I. TEMA: *AGONIA DE UN FOTOGRAFO*

Cuando *cumplí doce años*, mi padre me compró una cámara. Era una de esas *cajitas negras de cartón* con dos *agujeros*—uno rojo y redondo en un lado, otro transparente y más grande en *el frente*, y *por encima*, un espejito rectangular *por el cual podía divisar si sonreía bastante el sujeto.* Eso era todo. Insertaba el rollo de película, *movía con el dedo índice una palanquilla, y—¡ya! De vez en cuando le cortaba la cabeza a mi madre*, pero fuera de eso, sufrí muy pocas calamidades.

Al pasar los años, se multiplicaron las innovaciones fotográficas, y mi pobre cámara *con su gastado asidero de cuero* quedó tan anticuada como un *cuarteto de peluquería.*

Ayer, encontrándome *por casualidad* en una tienda donde venden aparatos fotográficos, y habiendo recibido media hora antes mi *sueldo semanal*, caí en la *tentación* y me compré una estupenda *cámara cinematográfica. Pagué* cien dólares—*a plazos*, por supuesto, pero es mía. Tiene dos *filtros para la luz*, un enorme ojo eléctrico, un ojo más pequeño que *guiña* cada cinco segundos, tres *lentes* con diez y seis *aberturas*, un mecanismo *para analizar los rayos* del sol, y otro para *pronosticar el tiempo de mañana.* ¡Quién sabe qué *más* tiene! *Sólo tener* una cámara como ésta me da *categoría* de profesional. Pero hay una dificultad: No sé cómo insertar la película.

I reached twelve	
little black cardboard boxes ... holes—one round red one the front ... on top through which I could make out whether the subject was smiling enough	
I would move a little lever with my index finger, and—there! Once in a while I would cut my mother's head off	
As the years passed with its worn-out leather handle	
barbershop quartet	
by chance	
week's wages	
temptation ... movie camera. I paid ... on installments	
light filters	
winks ... lenses ... openings to analyze the rays ... predict tomorrow's weather.	
else ... Just having	
rank	

En el momento que llegué a casa, abrí la cajita *amarilla* que *contenía* la película, *saqué* las instrucciones, y *empecé* a leer. Pero no comprendí nada. *Busqué alguien que me las leyera*, pero no había nadie. A ver si me ayuda Ud. Aquí las tiene:

Película Kodachrome *Para Cine*

en Colores *con Luz del Día*

Esta película *es para ser usada con luz diurna*, desde dos horas *después de salir el sol* hasta dos horas antes de *ponerse*.

Cárguese y descárguese la cámara *bajo luz tenue.*

Rollos: *Insértese con el lado claro hacia el objetivo. Conserve* la banda de papel *para colocarla alrededor de* la película *expuesta.*

Magasines: *Manéjense con cuidado.* En caso de que *se tuerzan*, no funcionarán bien. No debe forzarse el magasín al colocarlo en la cámara. *Mientras no esté* en la cámara, debe guardarse en su *envase. No se quite nunca la cinta adhesiva* del magasín.

Envío de Película

Rollos: *Asegúrese que la faja de papel* quede alrededor de la película. Después, ponga la película en su envase metálico redondo. Meta *éste* en la caja amarilla.

Magasines: *Al momento de sacarlo* de la cámara, el magasín debe *meterse* en la caja amarilla.

Escriba claramente en letras *mayúsculas* la *dirección* del laboratorio y el nombre y dirección del *remitente.* Esto es muy importante, *pues* no hay otra manera de identificar la película para *devolverla.*

Importante: La película expuesta debe mandarse *lo antes posible* a un laboratorio que *revele* Película Kodachrome. El precio de la película *incluye el revelado.*

Advertencia: En ciertos países donde no hay facilidades para hacer el revelado de esta película, *se encuentran en vigor* ciertos *reglamentos* especiales sobre el envío de *película expuesta sin revelar.* En algunos casos está prohibido el envío de película de un país a otro para ser revelada.

Los derechos y gastos extra de transporte a que pueda dar lugar la película al enviarse de un país a otro *son por cuenta del dueño* de la película. Para reducir estos gastos y evitar *demoras, conviene* mandar la película a los Estados Unidos por correo aéreo.

Nota: La Película Kodachrome *se reemplazará si resulta defectuosa* o si *la dañara o perdiera* esta compañía o una de sus agencias. *Excep-*

Marginal glosses:

- yellow . . . contained
- I took out . . . began
- I looked for someone who could read them to me
- Movie
- Daylight
- is made for use in daylight
- . . . after sunrise . . . setting
- Load and unload . . . in dim light.
- Insert the light-colored side toward the lens. Keep
- to place it around . . . exposed
- Handle with care . . . they get twisted
- As long as it is not . . . case. Never take off the adhesive tape
- Shipment
- Make sure that the paper strip
- this (the case)
- As soon as you take it out
- should be put
- capital . . . address
- sender . . . since
- send it back
- as soon as possible
- develops
- includes developing
- Warning
- there are in force . . . regulations
- undeveloped exposed film
- The duties and extra shipping costs to which the film may give rise on being sent . . . are at the expense of the owner . . . delays, it is advisable
- will be replaced if it proves defective . . . should spoil or lose it. . . . Except

tuando este reemplazo, las películas se venden y se aceptan para revelado,   for such replacement
duplicados o cualquier otro servicio, sin garantía ni responsabilidad de
ninguna *clase.*   kind.

Ahora, ¿qué voy a hacer con la película? ¿Puede Ud. ayudarme?
No entiendo español.

Vocabulario Activo

agujero	*hole*	dueño	*owner*
caja	*box*	el frente	*front*
cámara	*camera*	el lente	*lens;* pl. *eyeglasses*
cinta	*tape, ribbon*	la luz	*light*
la clase	*class, kind, type*	sueldo	*salary*
cargar	*to load*	exponer	*to expose*
colocar	*to place*	guardar	*to keep*
cumplir	*to complete*	seguir [e > ie)	*to follow; continue*
amarillo	*yellow*	redondo	*round*
gastado	*worn (out)*	rojo	*red*
conviene	*it is advisable*	ponerse (el sol)	*to set*
de vez en cuando	*from time to time*	por encima	*on top;* — de *above*
lo antes posible	*as soon as possible*	salir (el sol)	*to rise*

❧ Preguntas

1. Al cumplir doce años el narrador, ¿qué le compró su padre?
2. ¿Cómo era la cámara? ¿Cuántos agujeros tenía? ¿Para qué servía el espejito?
3. ¿Cómo la hacía funcionar el muchacho?
4. ¿Qué tipo de calamidad tenía de vez en cuando?
5. ¿Por qué quedó anticuada su cámara?
6. ¿Dónde estaba ayer el narrador?
7. ¿Qué acababa de recibir? ¿Qué decidió comprar?
8. ¿Cuánto le costó? ¿Lo pagó todo inmediatamente?
9. ¿Qué tiene la cámara nueva?
10. ¿Qué dificultad tiene ahora su dueño?
11. ¿Qué hizo en el momento que llegó a casa?
12. ¿Qué pasó cuando empezó a leer las instrucciones?
13. ¿A quién buscó?
14. ¿Qué quiere ahora que haga Ud.?
15. ¿Para qué uso está fabricada (made) la película?
16. ¿Bajo qué luz debe cargarse y descargarse la cámara?

17. ¿Cómo se inserta el rollo? ¿Cómo ha de manejarse el magasín?
18. ¿Dónde debe guardarse mientras no esté en la cámara?
19. ¿A dónde debe mandarse la película expuesta?
20. ¿Qué incluye el precio de la película?
21. ¿A dónde debe mandarse la película expuesta si no hay facilidades en ciertos países para su revelado? ¿Cómo debe mandarse?
22. ¿Qué responsabilidad acepta la compañía por la película?
23. ¿Por qué no puede comprender estas instrucciones el narrador?

II. ESTRUCTURA

120. Spelling Changing Verbs

A. In order to keep the pronunciation of their final consonant the same as it is in the infinitive form, some verbs must change their spelling under certain conditions. These are the most frequent:

1. Verbs that end in **-ger** or **-gir** change **g** to **j** before an **o** or **a**. This keeps the sound soft.

coger (to catch)

PRESENT INDICATIVE	PRESENT SUBJUNCTIVE
cojo	*coja*
coges	*cojas*
coge	*coja*
etc.	etc.

dirigir (to direct)

PRESENT INDICATIVE	PRESENT SUBJUNCTIVE
dirijo	*dirija*
diriges	*dirijas*
dirige	*dirija*
etc.	etc.

2. Verbs that end in **-gar** change **g** to **gu** before an **e**. The **u** is not pronounced. It serves only to keep the **g** hard.

cargar (to load)

PRETERITE	PRESENT SUBJUNCTIVE
cargué	*cargue*
cargaste	*cargues*
cargó	*cargue*
etc.	etc.

3. Verbs that end in **-guir** drop the **u** before **a** or **o**. Otherwise, the **u** would be pronounced.

seguir[1] (to follow; to continue)

PRESENT INDICATIVE	PRESENT SUBJUNCTIVE
sigo	*siga*
sigues	*sigas*
sigue	*siga*
etc.	etc.

4. Verbs that end in **-car** change **c** to **qu** before **e**. This keeps the **c** sound hard.

sacar (to take out)

PRETERITE	PRESENT SUBJUNCTIVE
saqué	*saque*
sacaste	*saques*
sacó	*saque*
etc.	etc.

5. Verbs that end in a *consonant* + **-cer** change **c** to **z** before **a** or **o**.

vencer (to conquer)

PRESENT INDICATIVE	PRESENT SUBJUNCTIVE
venzo	*venza*
vences	*venzas*
vence	*venza*
etc.	etc.

B. In order to conform to the rules of Spanish spelling, which try to keep the language phonetically consistent, other verbs also undergo spelling changes.

1. Verbs that end in **-zar** change **z** to **c** before **e**.

empezar (to begin)

PRETERITE	PRESENT SUBJUNCTIVE
empecé	*empiece*
empezaste	*empieces*
empezó	*empiece*
etc.	etc.

2. Verbs that end in **-eer** change unstressed **i** to **y** between vowels.

leer (to read)

PRETERITE	IMPERFECT SUBJUNCTIVE		PRESENT PARTICIPLE
leí	*leyera*	*leyese*	*leyendo*
leíste	*leyeras*	*leyeses*	

---

[1]**Seguir** is also radical changing (**e** > **i**).

	leyera	leyese
leyó	etc.	etc.
leímos		
leísteis		
leyeron		

ℰ✌ℭ *Exercise*

1. Cambie al pretérito:

   a. Saco mis guantes. b. Empiezo a sentirme mejor. c. Lo busco en todas partes. d. Lo lee muy bien. e. No oyen nada. f. Cargo mi cámara ahora. g. Llego tarde. h. No lo creen.

2. Exprese las ideas siguientes en forma de mandos (commands):

   a. Ud. sigue leyendo. b. Uds. lo tuercen. c. No lo coges hoy. d. Cargamos el bote. e. ¿Lo sacan Uds. ahora? f. Se dirige a la dependienta. g. Las busca. h. No le pegan. i. Llegamos a tiempo. j. Uds. empiezan ya. k. Comenzamos en seguida. l. Vence su miedo.

3. Escriba en español, y después, lea en voz alta:

   a. I looked for it. b. They took it out. c. Take out a piece of paper (Uds.). d. Load the camera (Ud.). e. He read it aloud. f. They didn't believe us. g. Follow them (Ud.). h. Continue reading. i. They continued reading. j. Begin now (Uds.). k. They paid. —No. I paid. l. I approached them. m. Don't address (dirigirse a) him. n. Conquer your fears. (Uds.). o. Let's all conquer them!

121. Uses of the Infinitive

As we have seen, the infinitive is often used as the object of a verb (**No quieren cantar. ¿Quién sabe hacerlo?**) or the object of a preposition (**antes de salir, sin decir nada, después de comer**). It also serves as follows:

A. Al + infinitive (upon doing something)

al llegar a la estación	upon arriving at the station
al sacar la película	upon taking out the film
al cumplir doce años	upon reaching twelve

B. As a noun

The infinitive may be used as subject or object of a verb and after **ser**. It is the only verb form that can ever be used as a noun. (This differs from English in which the present participle is preferred as a noun.)

Vivir allí cuesta mucho	Living there costs a great deal.
No me gusta el constante **ir y venir.**	I don't like the constant coming and going.

Se oía el gritar de los niños.	One could hear the shouting of the children.
Ver es creer.	Seeing is believing.

Notice that **el** is often used with the infinitive to emphasize the difference between its use as a noun and as a verb.

C. After verbs that refer to the senses

Nunca le he oído hablar.	I have never heard him speak.
Les vio salir.	He saw them go out.

E. After verbs of permitting, forbidding, ordering, forcing
These verbs may be followed by either an infinitive or a subjunctive clause. In the case of **dejar, mandar,** and **hacer,** the infinitive is more common.

Déjale ir.	Let him go.
Nos mandó devolverlo.	He ordered us to return it.
Me hiciste amarte.	You made me love you.

Exercise

Diga en español:
1. *I* didn't make you love me. Falling in love was *your* idea. —No. I didn't want to do it. I didn't want to do it.   2. We were listening to the singing of the children.   3. Working can be fun (divertido). —For whom?   4. Upon finishing the exam, I sold all my books. 5. Wanting (to) is doing. (Where there's a will, there's a way.)   6. I can't put on my shirt. —Well, take out the pins.   7. Who wants to buy my camera? It's excellent for taking (sacar) pictures in Spanish!

122. Uses of the Present Participle

In addition to its use after **estar** or a verb of motion (**ir, venir, seguir**) to describe an action in progress at a given moment (**Está comiendo. Siguieron hablando.**), the present participle may be used by itself with these meanings:

A. By (doing something)

Trabajando, te harás rico.	By working, you'll get rich.
Tomando el avión, llegaremos antes.	By taking the plane, we'll arrive sooner.

B. When, while, since (+ a clause that refers to a continuing action or situation)

Estando en la tienda, me compré una cámara.	While (when, since) I was in the store, I bought myself a camera.

Siendo médico, nos recomendó una dieta especial.	Since he was a doctor, he recommended a special diet to us.
Viviendo cerca sus padres, los visitaban a menudo.	Since their parents lived nearby, they visited them often.

Remember: The present participle is NOT used in Spanish either as an adjective[1] or as a noun. It refers only to actions or situations in progress at a certain time.

Exercise

Complete las frases siguientes:

1. (While it was still raining) salimos para el parque. 2. (They continued laughing and talking) como si no hubiera ocurrido nada. 3. (By leaving) temprano, llegarán para mediodía. 4. (Taking) el tren es más interesante. (¡Ojo!) 5. (By taking) el tren, verás mejor el paisaje. 6. Me gusta (the dancing) de los gitanos. 7. (Since he lived nearby), me invitó a almorzar.

Review Exercise

Traduzca al español:

Yesterday afternoon, while I was in a store where they sell cameras, and having received my weekly salary half an hour before, I decided to buy myself one of those new cameras with all the marvelous lenses and electric eyes that they have today. Actually, I still liked my old camera, that my father had given me upon my reaching twelve, but as you know, cameras, like styles, have changed, and mine was as old-fashioned as a barbershop quartet. I paid a hundred dollars for it, on time, of course, and I arrived home at seven o'clock as happy as if I were a millionaire. Just having a camera like that made me almost a professional photographer . . . or at least, so (así) I thought.

But when I opened the little yellow box that contained the film and took out the roll, I realized that life was not going to be so easy from now on (de aquí en adelante). How am I going to be a great photographer if I can't even insert the film? I looked for someone who could help me, but there wasn't anyone. And so, now I ask you to help. As you see, the instructions are written in English, and I don't understand a word.

III. CONVERSACION: *LA FOTOGRAFIA Y OTROS PASATIEMPOS*

1. ¿Tiene Ud. una cámara? ¿De qué tipo es? ¿Cuánto le costó? ¿La compró Ud. mismo o se la regaló alguien (did someone buy it for you as a gift)? ¿Es Ud. buen fotógrafo? ¿Hace Ud. su propio revelado? Si no, ¿a dónde manda Ud. la película expuesta? ¿Qué le gusta fotografiar?
2. ¿Es Ud. fotogénico? ¿Recuerda Ud. un incidente divertido relacionado con una fotografía?
3. ¿Le gustaría a Ud. ser fotógrafo profesional? ¿Fotógrafo para el cine? ¿Para la televisión? ¿Para periódicos o revistas? ¿Por qué?

---

[1]Except for the adjectives **ardiendo** (burning) and **hirviendo** (boiling).

4. ¿Lee Ud. mucho? ¿Qué prefiere Ud. leer?

5. ¿Mira Ud. mucho la televisión? ¿Va Ud. a menudo al cine? ¿Al teatro? ¿A partidos de pelota (ball games)? ¿A conciertos? ¿A conferencias (lectures)?

6. ¿Le gusta bailar? ¿Baila Ud. bien? ¿Sabe Ud. tocar un instrumento musical? ¿Canta Ud. bien? ¿Le gusta la ópera? ¿Por qué?

7. ¿Es Ud. coleccionista de sellos (stamps)? ¿Monedas (coins)? ¿Autógrafos? ¿Muñecos (dolls)? ¿Qué otra colección tiene Ud.?

8. ¿Qué otros intereses o pasatiempos tiene Ud.?

IV. COMPOSICION

Escriba una composición sobre:

1. Cómo Me Gusta Pasar Mi Tiempo Libre
2. Por Qué Soy (o No Soy) Coleccionista

LECTURA XV: LA INDEPENDENCIA
DE HISPANOAMERICA

Hispanoamérica estaba lista para la independencia. El descontento iba creciendo en todas partes. Hacía siglos que España explotaba los recursos naturales de la colonia, *agotando* sus minas de metales preciosos, imponiendo impuestos excesivos, y prohibiendo el comercio con otros países. La corrupción política impedía toda posibilidad de verdadera reforma. Los *cabildos*, único organismo democrático desde los primeros días de la colonia, habían perdido todo su antiguo poder. Los *cargos* públicos se vendían *al* que más podía pagar por ellos, y estaban ocupados casi exclusivamente por los *peninsulares*. Y los criollos, blancos de raza, americanos de *ascendencia* española, se resentían de la discriminación social practicada contra ellos por los españoles con quienes se ponían en contacto en América o cuando iban *de viaje* a la metrópoli.

Para mediados del siglo diez y ocho, Hispanoamérica *se iba contagiando de* las ideas revolucionarias de los filósofos franceses, ingleses, y norteamericanos. Aunque el gobierno español prohibía la importación de esos libros peligrosos, florecía el negocio de contrabando, y los libros prohibidos llegaron a ser los más conocidos, leídos, y asimilados. En 1776, Hispanoamérica tiene a la vista el ejemplo de la revolución norteamericana; en 1789, el de la revolución francesa. *Mientras tanto*, España yacía en la decadencia. En 1808, Napoleón invade la metrópoli. España ya no puede imponer el orden en sus colonias.

La Argentina se aprovecha primero de la debilidad de España para declarar su autonomía. Usando como pretexto la ocupación francesa de España, los líderes revolucionarios anuncian su *adhesión* a Fernando VII, prisionero en Francia, y establecen *juntas* militares para administrar la región. Después de unas victorias iniciales, son derrotados por las *guarniciones* españolas estacionadas todavía en América. En 1814, José de San Martín, un *oficial* de gran talento que había estudiado ciencia militar en España, se encarga de las fuerzas revolucionarias del sur y dentro de ocho años logra establecer la independencia de esa parte del continente.

Venezuela inicia la revolución en el norte bajo el *mando* de Francisco de Miranda. En 1811, Miranda gana una victoria que al principio parece ser decisiva. Pero poco después, Venezuela sufre un desastroso terremoto que mata a muchos *miles* de personas y destruye ciudades enteras. Y la gente ignorante, creyendo que el terremoto era un castigo de Dios, se vuelve furiosa contra los líderes de la revolución.

En 1812, la causa revolucionaria halla su jefe principal en un joven de familia *acomodada*, nacido en Caracas, educado en Venezuela y en *el*

Glosses (right margin)

exhausting — 3

— 5

town councils
offices
to the one
peninsulars (Spaniards)
ancestry — 10

on a trip
was becoming rife with

— 15

Meanwhile
— 20

loyalty
governing bodies — 25

garrisons
officer

— 30

leadership

thousands — 35

well-to-do

281

40 *extranjero, de* nombre Simón Bolívar. Poco a poco consigue la libera- abroad, by
ción de Venezuela, el Ecuador, Colombia, y Bolivia. Pero quedan
todavía fuertes núcleos *realistas*. De 1820 a 1823 España se ve incapa- royalist
citada otra vez para defender sus posesiones, hallándose *envuelta* en la involved
sublevación popular contra el tirano Fernando. Los revolucionarios
45 hispanoamericanos ven su oportunidad. Bolívar y San Martín se reúnen
en Guayaquil en junio de 1822. No se sabe exactamente lo que pasó
en esa *reunión*, pero el hecho es que San Martín *se retira de* la guerra y meeting . . . withdraws from
es Bolívar quien realiza la victoria final en 1824.

La revolución sigue otro curso en Méjico. En 1810 un pobre cura, el
50 padre Hidalgo, incita a los indios a sublevarse en nombre de la Virgen
de Guadalupe. Por algún tiempo, su revuelta tiene éxito, pero al fin,
Hidalgo cae en manos de los realistas y es *ejecutado*. Los años siguientes executed
ven otros esfuerzos revolucionarios abortivos, pero Méjico, donde queda

más *arraigada* la tradición española, está lejos todavía de la independencia. En 1820, un general español, Agustín de Iturbide, apoyado por las fuerzas más conservadoras de la colonia, se apodera del gobierno y se declara emperador de un Méjico independiente. Pero su imperio dura muy poco tiempo y Méjico proclama una república bajo el general Santa Ana en 1822.

Pero la independencia de Hispanoamérica es mucho más que una repetición de batallas y líderes, victorias y derrotas. ¿Qué efecto ha tenido en la historia subsecuente del continente? Primero, es interesante observar que la revolución no fue obra de la clase baja, sino mayormente de los criollos, que tenían educación y *medios* para llevarla a cabo. En muchos lugares, los indios lucharon contra la revolución, porque para ellos el amo *explotador* era el criollo rico, y no el español de España. Segundo, los jefes revolucionarios, obligados a pedir dinero y armas a países extranjeros enemigos de España (principalmente Inglaterra y Francia, y *en menor grado*, los Estados Unidos), dieron a sus *acreedores* concesiones económicas en Hispanoamérica. Ahí empieza la historia de la explotación extranjera de los países del sur. Otra consecuencia de las guerras de la independencia es el desarrollo del caudillismo, el dominio personal del hombre fuerte, como base del sistema político. Aunque casi todos los libertadores (incluso Bolívar, San Martín, Sucre, y O'Higgins) murieron o desterrados o *asesinados* o en la desgracia, el caudillismo domina todavía la vida política de la mayor parte de Hispoanoamérica. Además, Hispanoamérica quedó fragmentada en muchas naciones pequeñas, *desechando* el consejo de Bolívar, que soñaba con unos Estados Unidos de Sudamérica y que aun convocó la primera conferencia panamericana.

Para 1825, Hispanoamérica había ganado su independencia de España, pero no había conseguido establecer un verdadero sistema democrático. Casi todas las naciones nuevas quedaron en manos de dictadores o *caudillos*, y las hermosas constituciones democráticas, hechas a imitación de la norteamericana, eran poco más que *huecos* símbolos de una vana ilusión.

Preguntas

1. ¿Por qué crecía el descontento en Hispanoamérica?
2. ¿Cómo quedaban las minas de metales preciosos?
3. ¿Cómo era la situación política?
4. ¿Quiénes eran los criollos? ¿Por qué se resentían de su tratamiento por los españoles?
5. ¿Qué ideas nuevas iban diseminándose en Hispanoamérica?

Marginal glosses:

rooted — 55
means — 65
exploiting
in a lesser sense...creditors — 70
assassinated — 75
rejecting — 80
political strong men
hollow — 85

6. ¿Qué ejemplos tenían ante sus ojos los revolucionarios hispanoamericanos?
7. ¿Qué región de la América hispánica empieza la revolución? ¿Qué pretexto usan? ¿Qué establecen? ¿Quién se encarga de las fuerzas revolucionarias del sur en 1814?
8. ¿Cómo se inicia la revolución en Venezuela? ¿Cómo influye un acto de Dios en el curso de la revolución?
9. ¿Quién fue Simón Bolívar? ¿Qué hizo?
10. ¿Cómo empieza la guerra de la independencia en Méjico? ¿Cuándo termina?
11. ¿Qué clase social llevó a cabo la revolución en Hispanoamérica?
12. ¿Qué hicieron en muchos lugares los indios? ¿Por qué?
13. ¿A dónde tuvieron que ir los líderes revolucionarios para obtener dinero y armas? ¿Qué tuvieron que dar a sus acreedores?
14. ¿Qué sistema de gobierno evoluciona como resultado de las guerras de la independencia? ¿Qué es un caudillo?
15. ¿Cómo murieron casi todos los libertadores de Hispanoamérica?
16. ¿En qué quedó dividida Hispanoamérica después de la independencia?
17. ¿Con qué soñaba Bolívar?
18. ¿En qué sentido fracasaron las guerras de la independencia?

Lección Veinte y Tres

I. TEMA: VIDA DE PERRO

Hay ciertas expresiones en inglés que no comprenderé nunca. Ud. las habrá oído y usado. Por ejemplo, "Estudia como un loco." Ahora bien, Ud. y yo sabemos perfectamente bien que los locos no estudian. Pero seguimos usando la expresión y hasta le damos un *sentido lisonjero*. flattering sense Otra: si un amigo ha pasado el verano tostándose al sol, decimos que ha quedado *"tan pardo como una baya."* Pues en toda mi vida, no he visto "as brown as a berry" una baya de ese color: rojas, sí; verdes, azules, *moradas*, *rosadas*, aun purple, pink negras, sí—pero pardas, no. Y hay sobre todo una larga serie de expresiones que *tienen que ver* con los perros. Si uno sufre mucho en su vida, have to do decimos que *lleva* una "vida de perro." Si trabaja mucho, "trabaja como he is leading un perro." Si alguien le trata mal, "le trata como a un perro." Si caemos agotados de fatiga, por supuesto, estamos "tan cansados como un perro." Y al mismo tiempo, según estadísticas recientes, todos los años se gastan en los Estados Unidos cerca de un billón de dólares en artículos de *lujo* para perros. luxury

¿Vida de perro, dicen? En otros países, sí. ¿Pero aquí . . . ? Aquí les damos comidas especiales, con vitaminas, minerales, y tónicos para estimular el apetito. Hay médicos para perros, psiquiatras[1] para perros. Hay peluqueros y perfumeros, *costureros* y zapateros para perros. couturiers *Hasta se ha establecido* en Nueva York una agencia que envía una mujer There has even been established a su casa si Ud. quiere salir por la noche, y estas mujeres, todas atractivas

---

[1]Tengo una anécdota que contarle (to tell you) sobre un caso absolutamente verdadero. Parece que una señora rica cruzaba el Atlántico en uno de esos vapores de lujo, y traía consigo a su perrito faldero (lap dog). Estando prohibido en el barco tener animales en los camarotes, la señora fue obligada, mal de su grado (reluctantly), a dejarlo en una perrera (kennel) que mantenían a bordo expresamente con ese propósito (for this purpose).

Al fin del viaje, la señora fue a buscar a su perrito, y lo encontró totalmente cambiado. Estaba nervioso. Ya no ladraba (barked) como antes. Se ocultaba (He would hide) en su falda y no quería salir. Tenía miedo de todo

285

y vestidas a la última *moda* (se dice que según una votación reciente, la mayor parte de los perros prefieren a las rubias), estas mujeres, digo, *cuidan del perro, le dan de comer*, juegan con él, le ayudan a poner la televisión, y *le acuestan a la hora debida*. ¡Vida de perro, dicen! *¡Quién la tuviera tan buena!*

fashion

take care of the dog, feed him

put him to bed at the proper time. . . . I wish I had it so good!

¿*De quién es el sillón más cómodo del salón?* Es *suyo, desde luego. La alfombra también le pertenece*—visiblemente. A las siete de la mañana *se nos echa encima* mientras estamos dormidos en la cama. Si lo hiciera el niño, *le pegaríamos, pero bien.* Pero en el caso de un inocente perrito de *noventa libras de peso,* ¿pegarle? ¿Por qué?

Whose . . . his, of course.

The rug also belongs to him

he jumps on top of us

we would hit him, and how!

ninety pounds in weight

¿Y qué hacen los perros *para merecer* toda esa atención? Nada. Absolutamente nada. *Si les da la gana, menean la cola* cuando volvemos a casa. Si les ofrecemos una *golosina, nos lamen la cara* y las manos. A veces, después de una buena siesta, corren a *recoger* una pelota que *les tiramos. Y de noche*, si no están cansados del *ajetreo de tan* difícil día, son *fieles* guardianes de nuestra casa. (*Tan* fieles guardianes que un perro que conozco *se encariñó con el ladrón* que entró en la casa, ¡y se marchó *tan feliz* con él!) Y con todo eso, el perro es nuestro mejor amigo. Hasta los candidatos políticos tienen que manifestar un *tierno* amor *a* los perros. Yo recuerdo un caso . . . Pero *basta.* Parece que toda nación tiene su *fetiche.* En la India, *la vaca es sagrada.* En los Estados Unidos, *lo* es el perro.

to deserve

If they feel like it, they wag their tail

treat, they lick our face

retrieve . . . we throw them

And at night . . . hustle-bustle of such a

faithful . . . Such

took a liking to the thief

. . . as happy as could be

tender . . . for

that's enough

fetish . . . the cow is sacred

(Don't translate lo)

Ahora, ¿por qué? ¿Por qué se encariña el hombre con un animal, con un pajarito, con una *fea tortuga*, con un *pez*? ¿Es porque saben escuchar y *callar*? ¿Será porque conservan para siempre una parte de nuestra *niñez*? ¿O porque el hombre *anhela* captar algo de esa naturaleza incorrupta *de que provino él mismo* y quiere guardarlo dentro de su casa y dentro de su corazón? ¿Será porque ese *pedazo* de color, de movimiento, de *sonido* rompe lo absoluto de la *soledad*? ¿O es sencillamente porque somos humanitarios—tan humanitarios que preferimos ver a un pajarito bien *alimentado* y caliente *detrás de las rejas de una jaula* que libre en un árbol?

ugly turtle . . . fish

keep quiet

childhood . . . desires

from which he himself came

bit

sound . . . solitude

fed . . . behind the bars of a cage

---

y de todos (everyone). La señora se quejó a la compañía, cuya decisión fue mandar el perro a un psiquiatra perrero (dog psychiatrist). Así se hizo. Después de una larga investigación, el doctor averiguó (ascertained) que el perrito había sufrido un colapso nervioso porque había pasado todo el viaje en la compañía de perros mucho más grandes y feroces (ferocious) que él, y que la única manera ·de restaurar (restore) su confianza en sí mismo era meterlo otra vez en una perrera, pero esta vez, llena de perritos aun más pequeños y dóciles que él. Dicho y hecho. (No sooner said than done.) Y resultó que después de un par de (a couple of) semanas en la compañía de esos perros diminutos y dóciles, el perro de la señora rica volvió a casa ladrando y mordiendo, atacando a diestra y siniestra (barking and biting, attacking right and left). Se había hecho insufrible, rey de todo lo que veía, amo absoluto (master) de la casa. Por fin su dueña decidió entablar pleito (sue) contra la compañía de vapores, acusándoles de haber estropeado (spoiled) la personalidad de un perrito de temperamento antes incomparable, y ahora inaguantable (unbearable). ¿Y sabe Ud.?—¡ganó! La compañía le pagó cierta cantidad (amount) de dinero, y la señora se quedó un poco más rica, pero con un perro que ya no cabía (no longer fit) en su falda.

Vocabulario Activo

jaula *cage*	peso *weight*
lujo *luxury*	sentido *sense*
moda *fashion*	soledad *solitude, loneliness*
la niñez *childhood*	sonido *sound*

callar *to be quiet, not speak*	merecer (merezco) *to deserve*
cuidar de *to take care of*	pertenecer (pertenezco) *to belong*
establecer (establezco) *to establish*	recoger *to pick up, retrieve*
gastar *to spend (money, etc.)*	tirar *to throw; to shoot*

agotado *exhausted*	pardo *brown*
común *common*	reciente *recent*
fiel *faithful*	rosado *pink*

dar de comer *to feed*	detrás de *behind*
de noche *at night*	tener que ver con *to have to do with*
desde luego *of course*	

Preguntas

1. ¿Qué no comprenderá nunca el narrador?
2. ¿Qué decimos si una persona estudia mucho?
3. ¿Qué decimos si una persona ha pasado el verano tostándose al sol?
4. ¿Por qué no le gustan al narrador estas expresiones?
5. ¿Qué decimos si una persona sufre mucho en su vida? ¿Si trabaja mucho? ¿Si alguien le trata mal? ¿Si estamos muy cansados?
6. ¿Cuánto dinero se gasta todos los años en los Estados Unidos en artículos de lujo para perros?
7. ¿Qué damos de comer a los perros? ¿Qué mas hay aquí para perros?
8. ¿Qué agencia se estableció recientemente en Nueva York? ¿Cómo son las mujeres que cuidan de los perros? ¿A quiénes parecen preferir los perros? ¿Qué hacen estas mujeres por los perros?
9. ¿Qué pertenece al perro en la casa?
10. ¿Qué hacen los perros a las siete de la mañana? ¿Qué haríamos si hiciera la misma cosa un niño?
11. ¿Qué hacen los perros cuando volvemos a casa, eso es, si les da la gana?
12. ¿Qué hacen si les damos una golosina? ¿Y si les tiramos una pelota?
13. De noche, si no están cansados, ¿de qué sirven?
14. ¿Qué hizo una noche un perro que conocía el narrador?
15. A pesar de todo, ¿cómo consideramos a los perros?
16. ¿Qué fetiche tienen en la India? ¿Y en los Estados Unidos?
17. ¿Qué razones ofrece el narrador por el gran cariño que siente el hombre a los animales? ¿Está Ud. de acuerdo (do you agree)?

II. ESTRUCTURA

123. *¿Qué?* and *¿Cuál(es)?*

A. As a pronoun

When it stands alone as subject of a verb, **¿Qué?** (What?) asks for a definition, explanation, or opinion; **¿Cuál?** (What? Which one?) asks for a selection.

¿Qué es libertad?	What is liberty?
¿Qué son esas máquinas?	What are those machines?
¿Qué le pareció su charla?	What did you think of his talk?
¿Cuál es tu deporte favorito?	What (Which one) is your favorite sport?
¿Cuáles son los mejores libros para este curso?	What (Which ones) are the best books for this course?

B. An an adjective

Only **¿Qué?** is used before a noun to express both meanings: *What?* and *Which?*

¿Qué libertad hay en ese país?	What liberty is there in that country?
¿Qué deporte le gusta más?	What (Which) sport do you like best?
¿Qué libros vamos a usar?	What (Which) books are we going to use?

Notice that all interrogatives have a written accent on the stressed vowel.

✑ *Exercise*

Diga en español:

1. What time was it? 2. What is your telephone number? 3. What number do you like best? 4. What is the best film of the year? 5. What is the Iron Curtain? 6. Which curtains are better for my living room?

124. *¿Quién(es)?*

¿Quién? (pl. **¿Quiénes?**) asks *Who?* or *Whom?*

¿Quién es la más hermosa de todas?	Who is the fairest of all?
¿A quién mando la carta?	To whom do I send the letter?
¿Para quiénes serán las tortas?	Whom will the cakes be for?

✑ *Exercise*

Complete las frases siguientes:

1. ¿(Who) te tiene miedo a ti? —Yo mismo. 2. ¿(Whom) prefiere Ud.—a él o a mí? —A ninguno. 3. ¿(To whom) hablas así? 4. ¿(With whom) fueron? 5. ¿(For whom, pl.) los hizo?

125. ¿De quién(es)?

¿De quién(es)? is the only way to ask the question *Whose?* There is no other possessive interrogative.

¿De quién es este sombrero?   Whose hat is this?
¿De quiénes son aquellas casas?   Whose houses are those?

⌒⌇⌒ *Exercise*

Diga en español:

1. Whose seat is this? —Which one? —This one. —It's mine. —It's not yours. It's mine! —Then why did you ask? 2. Whose cars are those? 3. Who's going with me? 4. Whose exam is this? —Tell me the grade and I'll tell you whose it is.

126. ¿Dónde? ¿Adónde?

¿Dónde? asks where the subject is located. **¿Adónde?** (**¿A dónde?**) asks where the subject is going.

¿Dónde está mi cuaderno?   Where is my notebook?
¿Adónde vas?   Where are you going?

¿Dónde? may also be preceded by other prepositions besides **a** that indicate direction.

¿En dónde entró?   Where did he enter (go in)?
¿Por dónde escapó?   Through where did he escape?

⌒⌇⌒ *Exercise*

Complete las frases siguientes:

1. (Where) lo hallaste? 2. (Where) fueron? 3. (From where) vino el agua? 4. (Where) está su casa nueva? 5. (Through where) salió el ladrón? 6. (Where) entraremos?

127. ¿Cuánto? ¿Cuántos?

¿Cuánto? asks *How much?* and **¿Cuántos?** asks *How many?*

¿Cuánto vale este traje? —Cien pesos. —¡Bandido!   How much does this suit cost? —One hundred pesos. —Robber!
¿Cuántas lenguas sabe Ud.? —Ninguna.   How many languages do you know? —None.

⌒⌇⌒ *Exercise*

Diga en español:

1. How many days are there in a year? —365. 2. How much time do we have left (nos queda)? 3. How many times must I tell you to close the door? 4. How old are you? (¿Cuántos años . . . ?)

128. *¿Cómo* and *¿Qué tal?*

A. ¿Cómo? asks *In what way? How is it done? What is it like? What condition is it in?*

¿Cómo se abre este paquete?	How does one open this package?
¿Cómo le gustan los huevos—fritos o pasados por agua?	How do you like your eggs—fried or soft boiled?
¿Cómo es su marido?	What is her husband like?
¿Cómo está tu madre?	How is your mother?

¿Cómo? also means *What (did you say)?*

Querido, ¿puedes darme mil dólares hoy? —¿Cómo?	Dear, can you let me have a thousand dollars today? —What?

B. ¿Qué tal? asks for an opinion or reaction.

¿Qué tal le gustaron los huevos? —Así, así.	How did you like the eggs? —So-so.
¿Qué (tal) te parece el nuevo profesor?	What do you think of (How do you like) the new professor?

Exercise

Conteste en español las preguntas siguientes:
1. Hola. ¿Qué tal?
2. ¿Cómo se aprende a hablar una lengua extranjera?
3. ¿Qué tal les gustó el partido de sóquer ayer?
4. ¿Cómo son sus padres?
5. ¿Cómo están Uds.?
6. ¿Cómo se sale de este cuarto?
7. ¿Cómo le gusta a Ud. el café?
8. ¿Qué tal le gusta el chocolate?
9. ¿Cómo se escribe su nombre?
10. ¿Sabe Ud. qué[2] vamos a hacer para mañana?

129. Exclamations

A. All interrogatives may be used as exclamations if the sense permits.

¡Quién creería eso!	Who would believe that!
¡Cuánto dinero debe!	How much money he owes!
¡Cómo canta! ¡Cómo baila! ¡Es una maravilla!	How she sings! How she dances! She's a wonder!
¡Qué es eso!	What's that!

---

[2]In Spanish, when a question is included within another statement, the interrogative still has a written accent: **¿Sabe Ud. quién viene?**

B. **¡Qué!** before a noun means *What* (*a*) . . . ! No article is used.

¡Qué hombre!	What a man!
¡Qué músculos!	What muscles!
¡Qué sonrisa!	What a smile!

C. **¡Qué!** before an adjective or adverb means *How* . . . !

¡Qué bonitas son!	How pretty they are!
¡Qué maravilloso!	How wonderful!
¡Qué bien escribe!	How well he writes!

Exercise

Complete las frases siguientes:

1. ¡(How much) le quiero! 2. ¡(What a) día! 3. ¡(What) flores! 4. ¡(How badly) habla para su edad! 5. ¡(How many) libros tenemos que leer! 6. Todo el mundo me dice (how) simpática es!

130. Diminutives and Augmentatives

Instead of using a large number of descriptive adjectives, Spanish often adds to the end of a word a diminutive or augmentative suffix that gives not only an impression of size, but also favorable or unfavorable connotations. These are some of the most used:

A. -ito

-ito or **-(e)cito** is the most common of the diminutives. Although it often implies smallness of size, it may also convey a pleasant impression of niceness, charm, or affection, regardless of size.

Juanito	Johnny
una mujercita	a nice little woman
el viejecito	the little old man
mamacita, papacito	Mommy, Daddy dear
un chiquito	a little boy
una chiquitita	a tiny little girl

B. -illo

-illo is also a diminutive that usually conveys a very affectionate tone. Of course, both **-ito** and **-illo** may be used sarcastically with the opposite connotation.

Juanillo	Johnny-boy
la chiquilla	the cute little girl
un reyecillo	a petty, puppet king

C. -ón

-ón gives an impression of large size, grandeur, even masculinity.

una mujerona	a big, unfeminine-looking woman
un caserón	a large impressive house

ᄋᢦᄋ *Exercise*

Use diminutive or augmentative endings with nouns, titles, or to replace adjectives:
1. Señora Machado. 2. una pequeña casa. 3. mi madre. 4. un pequeño perro. 5. un hombre alto y fuerte. 6. una mujer baja y delicada. 7. Esteban. 8. Enrique, mi amor. 9. una casa imponente. 10. un señor muy importante. 11. un libro pequeño. 12. un poema corto. 13. los gatos recién nacidos (newborn)

ᄋᢦᄋ *Review Exercise*

Tradúzcase al español:

How many common expressions there are that really have no sense when one begins to think about them! For example, who has ever seen a madman study? But we say: "He's studying like mad." And who has ever seen a brown berry? And how can we explain the many expressions that have to do with dogs? "I'm as tired as a dog!" "He works like a dog." "She treats him like a dog." "The poor fellow is leading a dog's life." Well, I am sure that in other countries and in other times dogs lead a dog's life, but in the United States, absolutely not. In fact, how many times have I thought, "I wish *I* had it so good!"

Do you know that here one of the most important luxury industries is that of articles for dogs? There are doctors and dentists and even psychiatrists for dogs. There are couturiers and shoemakers and . . . But that's enough.

Tell me, who is the master of the house? Whom do we have to take out for a walk (a dar un paseo) when it is snowing or raining? To whom does the big chair in the living room belong? Whose is the rug? Who jumps on us at 7 A.M. when we're asleep in bed? The precious little ninety pound dog! And what are his qualifications? It's simple. He is man's best friend. Do you know, in India, the cow is sacred. In the United States, the dog is.

But why does man feel the need to love an animal? Why does he want to care for a bird or an ugly turtle or a cat or a dog? Maybe because he wants to keep forever some part of his childhood, or he desires the presence in his home of the uncorrupted nature from which he himself came. Or is it simply that we are such humanitarians that we prefer to keep a bird well fed and warm in a cage than free in a tree? What are our real reasons? Do you know (them)?

III. CONVERSACION: *VIDA DE PERRO*

1. ¿Le gustan a Ud. los perros? ¿Tiene Ud. un perro ahora? ¿Tenía un perro cuando era niño? ¿Cuándo obtuvo su primer perro? ¿Quién se lo dio?

2. En su opinión, ¿cuál es más limpio—un perro o un gato? ¿Más inteligente? ¿Más leal (loyal)? ¿Cuál prefiere Ud.? ¿Por qué?

3. ¿Le gustan los animales en general? ¿Cuáles le gustan más? ¿Le gustaría tener un mono? ¿Un corderito (lamb)? ¿Un caballo? ¿Sabe Ud. montar a caballo (ride a horse)?

4. ¿Le gusta a Ud. cazar (hunt)? ¿Le gusta cazar ciervos (deer)? ¿Conejos? ¿Zorros? ¿Osos? ¿Por qué? ¿Le gustaría a Ud. cazar leones, tigres, o elefantes? ¿Por qué?

5. ¿Está Ud. por o contra el uso de animales en experimentos científicos? ¿Está Ud. por o contra la vivisección?

6. ¿Le gustan los peces? ¿Le gusta pescar? ¿Por qué? ¿Le gusta el pescado? ¿Sabe Ud. nadar? ¿Le gustaría nadar debajo del agua?

7. ¿Le gustan los pájaros? ¿Tiene Ud. un pájaro en casa? ¿De quién es? ¿Sabe hablar? ¿Quién limpia su jaula?

8. ¿Cree Ud. que la corrida de toros es cruel? ¿Más cruel que la caza?

9. Si Ud. pudiera volver al mundo en la forma de un animal, ¿qué animal escogería?

IV. COMPOSICION

Escriba una composición sobre:
1. Por Qué Me Gustan (o No Me Gustan) los Animales
2. Una Experiencia Interesante que Tuve con un Animal
3. ¿Quiénes Son Más Crueles: Los Hombres o los Animales?

Lección Veinte y Cuatro

I. TEMA: *DEPORTES Y DEPORTISTAS*

—¡*Dale*, Tigre! Dale. Así, con la derecha . . . fuerte . . . ahora con la izquierda . . . más . . . otra vez . . . ¡Ay! ¿Qué haces, Tigre? ¡Cuidado! . . . ¡Tigre! . . . ¡Cuidado! . . . no . . . no . . . ¡ay! ¡¡Tigre!!

Créalo o no, las *voces salen de* una mujercita de unos sesenta años, dulce, amable, *bondadosa*, generosa, que cierra los ojos si tiene que *matar una hormiga* y cuyo mayor placer en la vida es dar de comer a sus nietos. Y que cuando eran pequeños sus hijos *amenazaba castigar sus travesuras*, pero se limitaba a *contarlas* a su marido, y entonces *le rogaba que no les pegara* porque tenía las manos demasiado grandes para tocar a tan tiernas criaturas.

Pero en el momento que pone la televisión y ve a dos *boxeadores, se entusiasma como el antiguo populacho romano* ante un espectáculo de *muerte, y se siente defraudada si no sacan del cuadrilátero* a lo menos a uno de ellos totalmente *sin sentido*.

¿Tan gran *deportista* es, pregunta Ud.? No *lo* es, ni *lo* ha sido. *Ni mucho menos.* La verdad es que en general se interesa muy poco por los deportes. Sabe que en el béisbol deben ganar siempre los *Yanquis*, porque si no, *la tristeza se apodera de* toda la familia. Y del fútbol *lo único* que sabe es que no quiere que lo jueguen sus nietos porque pueden romperse esa hermosa *naricita* que tienen. Y *en cuanto a* ir a ver una *lucha de boxeo*, no lo haría nunca, porque no quiere ver correr sangre. Pero en la televisión, es otra cosa. Porque la sangre no es roja y las *figurillas* de los hombres son como dos *títeres* mecánicos, *irreales*, impersonales, *apar-*

Give it to him

shouts are coming from

kindly . . . kill an ant

threatened to punish them for their pranks

relate them . . . begged him not to hit them

boxers, she gets as excited as the ancient Roman populace . . . death, and she feels cheated if they don't carry out of the ring

unconscious.

sportswoman . . . (Don't translate lo) . . . Not in the least

Yankees

sadness grips . . . the only thing

little nose . . . as for . . . boxing match

little figures

puppets . . . unreal . . . separated

294

tados de nosotros por millas de distancia y por *alambres* y tubos y *esa pantalla de vidrio que no deja palpar* con la mano.

Paradoja, ¿no? Sólo hasta cierto punto. Porque este *barniz* de civilización que *nos ponemos deja traslucir a menudo un fondo* de violencia *mal oculta.* Es el mismo deseo de violencia que se halla en *las muchedumbres que acuden* a la escena de un accidente o de un *homicidio.* O en el hombre que va al *monte* a matar animales por el puro gusto de matarlos. O en las masas de *espectadores* que asisten a entretenimientos que ponen en riesgo la vida humana—que no quieren que *se cubran los cuernos del toro en la corrida de toros,* que aplauden más al aerialista que no tiene *tendida por debajo una red de seguridad,* y que gritan *hasta enroquecer:* —Dale, Tigre . . . ¡¡Mátalo!!

Pero, dirá Ud., no se pueden comparar esas cosas. Es diferente en los deportes. Porque el deporte, además de ser un ejercicio físico, *se basa* igualmente en la inevitable *competición* que existe entre hombre y hombre, entre hombre y animal. Se basa en la necesidad de saber cuál es superior. Y tendría Ud. razón.

En cambio, hay dos clases de deportistas, y debemos separarlos. Hay los que toman parte en los juegos—*el atleta que se esfuerza por* ganar como si su vida dependiera *de ello,* y para quien el deporte es al mismo tiempo *gozo, ansia,* trabajo, y obra de arte. *Este* grita muy poco.

Y hay el otro tipo—el simple y puro espectador, el que no puede *gozar de una carrera de caballos* si no hace una *apuesta* sobre el resultado. Y éste es *el que más sabe* de estadísticas y *estratagemas,* es el que mejor sabe *lo que hicieron mal los miembros del equipo,* y el que con *alta y ronca* voz grita: —Dale, Tigre . . . ¡¡Mátalo!!

Marginal glosses:
wires . . . that glass screen that doesn't let you feel
Paradox . . . veneer
we put on often lets show through a backdrop . . .
badly hidden . . . the crowds
that rush . . . murder
woods
spectators
the bull's horns to be covered in the bullfight . . . stretched below him a safety net . . . until they get hoarse
is based
contest
the athlete who struggles to
on it
pleasure, anguish . . . *He*
enjoy a horse race . . . bet
the one who knows most . . . stratagems
what the members of the team did wrong . . . loud, hoarse

Vocabulario Activo

apuesta	*bet*	la muerte	*death*
carrera	*race; career; course*	obra	*work (of art, etc.)*
el deporte	*sport*	pantalla	*screen; lampshade*
distancia	*distance*	la sangre	*blood*
milla	*mile*	vidrio	*glass*
amenazar	*to threaten*	matar	*to kill*
gozar de	*to enjoy*	sentirse (+ adj.)	*to feel*
amable	*nice, amiable*	bondadoso	*kind(ly)*
antiguo	*old, ancient; former*	único	*only, sole*
depender de	*to depend on*	en cuanto a	*as for*
en cambio	*on the other hand*	ni mucho menos	*not at all*

❧ *Preguntas*

1. ¿Quién grita: —¡Dale, Tigre!? ¿Cuántos años tiene? ¿Qué clase de persona es?
2. ¿Qué hace cuando tiene que matar una hormiga?
3. ¿Cuál es su mayor placer en la vida?
4. ¿Qué hacía cuando sus propios niños eran malos? ¿Qué rogaba entonces a su marido?
5. ¿Qué le pasa cuando pone la televisión y ve a dos boxeadores?
6. ¿Es muy gran deportista la señora?
7. ¿Qué sabe del béisbol?
8. ¿Qué es lo único que sabe del fútbol?
9. ¿Por qué no quiere asistir a una lucha de boxeo?
10. ¿Por qué es diferente en la televisión?
11. ¿En qué otras formas se manifiesta nuestro deseo de violencia?
12. ¿En qué se basan los deportes?
13. ¿Cuáles son los dos tipos comunes de deportistas?
14. ¿Qué hace el atleta? ¿Qué representa para él el deporte?
15. ¿Qué necesita el otro tipo para poder gozar de una carrera de caballos o de otro partido?
16. ¿De qué sabe mucho este puro espectador? ¿Cómo grita?

II. ESTRUCTURA

131. *Que* and *Quien* as Relative Pronouns

A. Que

Que is the most common of all relative pronouns. It means *who*, *that*, or *which*, and as direct object of a verb, *whom*. Sometimes English omits the relative completely. Spanish does *not*.

el hombre que compró la casa vecina	the man who bought the house next door
la comedia que estrenan mañana	the play (that) they're opening tomorrow
el escritor que admiro más	the writer (whom) I admire most

B. Quien

Quien (pl. **quienes**) means *who* or *whom*, and refers only to persons. Its most frequent use is as object of a preposition.

Estos sos los niños para quienes hizo los dibujos.	These are the children for whom he made the drawings.
¿Es Ud. el señor a quien lo mandamos?	Are you the gentleman to whom we sent it?

⟡ **Exercise**

Conteste en español con frases completas:
1. ¿Es Ud. el muchacho que sacó el premio (won the prize)?
2. ¿Son ellos los jóvenes con quienes vas al campo este verano?
3. ¿Cuáles son las tazas que compraste hoy?
4. ¿Quién es el orador (speaker) que va a hablarnos esta noche?
5. ¿Es éste el pintor de quién me hablaste ayer?
6. ¿Quién es la señorita para quien lo compró?

132. *El cual* and *el que*

A. El cual

El cual, la cual, los cuales, las cuales may be used in place of **que** or **quien** when clarification is required.

La madre de mi amigo, *la cual* vive en Madrid, nos llevará al Prado.	My friend's mother, who lives in Madrid, will take us to the Prado.

If **que** or **quien** were used here, the logical assumption would be that my friend (the last mentioned) lives in Madrid. The use of **la cual** specifies the mother as subject of the clause.

El cual, etc., is also used to translate *which* after **por** and **sin** and after prepositions of two or more syllables.

la vitrina delante de la cual estaban parados	the showcase in front of which they were standing
las puertas por las cuales entramos	the doors through which we entered
Estos son los sellos entre los cuales lo encontraron.	These are the stamps among which they found it.

B. El que

El que, la que, los que, las que have the same uses as **el cual,** etc., and in addition, often are used to mean **the one who, those who,** etc.

El que más habla es el que menos hace.	The one who talks most is the one who does least.
Los que votaron por él lo sienten ahora.	Those who voted for him regret it now.

⟡ **Exercise**

Complétense las frases siguientes:
1. La ventana (that) da al (faces) parque . . . 2. La columna detrás de (which) se escondía (was hiding) el niño . . . 3. Estas son las poesías de (which) les hablé. 4. (Those who) vinieron se divirtieron mucho. 5. ¿Es ella (the one who) te lo dijo? 6. El padre de María, (who) (the father) nos ha invitado . . . 7. (To whom) (pl.) enviamos los anuncios? 8. (He who) ríe después, ríe más.

133. *Lo cual* and *lo que*

A. Lo cual and **lo que** mean *which*, when referring back to a whole idea.

Pepe no viene, lo cual (lo que) nos obliga a invitar a Ramón.	Joe isn't coming, which[1] obliges us to invite Raymond.
No soy miembro, lo cual (lo que) me impide votar.	I am not a member, which prevents me from voting.

B. Lo que has the additional and very frequent meaning of *what*.

Dime lo que quieres.	Tell me what you want.
Lo que hizo entonces fue imperdonable.	What he did then was unforgivable.
Lo que pide es imposible.	What he is asking for is impossible.

✑ *Exercise*

Diga en español:

1. I know very well what you want. —What do I want? 2. She is an excellent dancer, which makes her very popular. 3. He is not from here, which makes (it) difficult to elect him (elegirle). 4. What you are asking is unfair (injusto). 5. This is what I want you to do. —What!

134. *Cuyo*

Cuyo (whose) is the only relative that states possession. It always agrees with the noun that it modifies.

la niña cuyo perro se perdió	the little girl whose dog got lost
el escritor cuyas obras leemos ahora	the writer whose works we are reading now
los García, cuya hija se casa mañana	the Garcías, whose daughter is getting married tomorrow

Remember that the question *Whose?* is expressed by **¿De quién(es)?**

¿De quién es ese coche?	Whose car is that?

✑ *Exercise*

Complétense las frases siguientes:

1. Nuestros amigos, (whose house) está cerca de la nuestra ... 2. (Whose) cat is that? —(Which one)? —¡(The one that) acaba de derribar mi florero favorito! 3. El autor (whose novels) prefiero es ... 4. Este es el muchacho (whose parents) han comprado la finca.

---

[1]This use of *which* is considered colloquial by some English grammarians.

135. Special Uses of *Lo*

A. Certain verbs, such as **pedir, preguntar, saber,** and **decir,** almost always require a direct object. If the direct object is not stated, the object pronoun **lo** is used in its place.

¿Sabe Ud. que ha muerto el Sr. Gómez?	Do you know that Mr. Gomez has died?
—Sí, lo sé.	—Yes, I know.
Dígaselo en seguida.	Tell him right away.
No quieren pedírtelo.	They don't want to ask you (for it).
Pregúnteselo a ellos.	Ask *them.*

B. **Ser** and **estar** normally cannot stand alone.[2] **Lo** is used to refer back to the quality or condition being described.

Su hermano es ingeniero, ¿no? —No, no lo es.	Your brother is an engineer, isn't he? —No, he isn't.
¿Son ricos? —¡Sí que lo son!	Are they rich? —They certainly are!
¿Estaba triste? —Sí, lo estaba.	Was he sad? —Yes, he was.

C. When used before a masculine singular adjective, **lo** converts the adjective into a noun. The noun so formed either describes a general quality or is the equivalent of the English *part, thing,* etc. (the best part, the only thing, etc.).

Lo único que sabe es . . .	The only thing she knows is . . .
Lo mejor fue que . . .	The best part was that . . .
Eso fue lo más interesante.	That was the most interesting part.
No le quite lo poco que le queda.	Don't take away from him the little he has left.
Hay que distinguir entre lo bueno y lo malo.	One must distinguish between good and bad (evil).

Exercise

1. Conteste las preguntas siguientes, usando **lo** en vez del objeto directo, etc.:
   - a. ¿Sabía Ud. que su padre es un gran millonario?
   - b. ¿Le han dicho ya que me llame?
   - c. ¿Te han preguntado si quieres hacerlo?
   - d. ¿Quién le pidió que volviera?
   - e. ¿Son ricos sus padres?
   - f. ¿Están cansados los niños?
   - g. ¿Tiene Ud. frío?
   - h. ¿Es bueno su profesor de español?

2. Diga en español:
   - a. The important thing is that . . .   b. The only part that I don't like is . . .   c. That was the best part of the trip.   d. Now this is going to be the hardest part.

---

[2]Except when **estar** refers to location: **¿Está tu padre?—Sí, está.** (Is your father in?—Yes, he is [in].)

136. *Ello*

Ello is a wholly neuter pronoun. It appears most often as object of a preposition when referring to a whole idea rather than to a specific thing.

Yo no sabía nada de ello.	I didn't know anything about it.
¿Qué piensa Ud. de ello?	What do you think of it?

Ello es que . . . means *The fact is that . . .*

Ello es que nadie le ha visto.	The fact is that nobody has seen him.

✐ *Review Exercise*

Tradúzcase al español:

—Give it to him, Tiger, with your right, now with your left, again, again, more . . . What's the matter with you, Tiger? . . . Watch out, Tiger! . . . Oh! . . . No! . . . Oh, Tiger, no . . . !!!

Now, from whom do you think these shouts are coming? From a veteran sportsman? From a college boy? No, not at all. The extraordinary thing is that they are coming from a little woman about sixty years old, one of the kindest, nicest, sweetest persons in the world, who closes her eyes if she has to kill a fly, and whose greatest pleasure is to feed her grandchildren. And even more, she is not a great sportswoman, and never was (one). Then why this interest in boxing? Well, it is difficult to explain. The fact is that we do many things that we cannot explain.

We consider ourselves civilized people, and still, we attend spectacles that place human life in danger. I remember a man with whom I once had a long discussion about this. This man used to say that bullfights were cruel and should be prohibited, but he used to go to the woods every weekend to kill deer and other animals, just (*sólo*) for the pleasure of doing it. And when he attended a boxing match, he was one of those who shouted with a loud, hoarse voice: —Give it to him, Tiger . . . Kill him!

It seems that there are two basic types of sportsmen. The first, the athlete, who fights to win as if his life depended on it, and the sport to him is anguish, joy, suffering, and a work of art at the same time. *He* shouts very little. And there is the other type, the pure spectator, who always knows what the members of the team did wrong, who knows all the statistics and strategies, who can't enjoy a horse race or a baseball game without making a bet on the outcome, and who shouts until he's hoarse: —Give it to him . . . Kill him!

III. CONVERSACION

1. ¿Qué deportes le gustan más a Ud.? ¿Prefiere Ud. tomar parte en los juegos o ser espectador?
2. (A las muchachas) ¿Cree Ud. que el participar en los deportes hace más masculino al hombre? ¿Le gustan a Ud. los atletas? ¿Prefiere Ud. el tipo atlético o el intelectual?

3　(A los hombres) ¿Cree Ud. que las mujeres deben participar en los deportes? ¿Considera Ud. menos femenina a una muchacha que sobresale (excels) en los deportes? ¿En el tenis? ¿En el básquetbol? ¿En la natación (swimming)? ¿En el béisbol? ¿En la lucha (wrestling)?

4. ¿Le interesan a Ud. las carreras de caballos? ¿Las carreras de perros? ¿Le gusta a Ud. hacer apuestas en estas carreras? ¿Le interesarían las carreras si estuviera completamente prohibido hacer apuestas sobre el resultado? ¿Cree Ud. que debe haber restricciones sobre las apuestas (gambling) en las carreras de caballos? ¿Por qué?

5. ¿Le gusta a Ud. jugar a las cartas? ¿Con dinero o sin dinero? ¿Por qué? ¿Le gustaría a Ud. jugar a la ruleta? ¿A los dados (dice)? ¿Ha jugado Ud. alguna vez? ¿Perdió o ganó? ¿Cuánto? ¿Ha ganado Ud. alguna vez en una carrera de caballos? ¿Hace Ud. apuestas sobre el resultado de los partidos de béisbol, básquetbol, o fútbol?

6. Cuando Ud. va al circo (circus), ¿prefiere Ud. que el aerialista tenga tendida por debajo una red de seguridad o no? ¿Por qué? ¿Le gustan a Ud. las carreras de automóviles? Si Ud. supiera que el día anterior hubo un accidente y murió uno de los chóferes en una carrera de automóviles, ¿iría Ud. a la carrera con más o menos entusiasmo?

7. ¿Le gusta a Ud. la corrida de toros? ¿Cuál considera Ud. más cruel: la corrida de toros o el boxeo? ¿Cree Ud. que la corrida sería popular en los Estados Unidos? ¿Asistiría Ud.? ¿Por qué? ¿Preferiría Ud. que se cubrieran los cuernos del toro para que no corriera peligro de muerte el torero (bullfighter)? ¿Por qué?

IV. COMPOSICION

Escriba una composición sobre:

1. Mi Deporte Favorito
2. Por Qué Me Gusta (o No Me Gusta) la Corrida de Toros
3. Por Qué Me Gusta (o No Me Gusta) el Boxeo
4. Por Qué Creo que Debe Legalizarse (o No Debe Legalizarse) el Juego

LECTURA XVI: EL SIGLO XIX, HISTORIA
POLITICA Y CULTURAL

Fernando VII volvió a España el primero de enero de 1814, y *no tardó en restituir* la monarquía absolutista. Uno de sus primeros actos oficiales fue abrogar la constitución de 1812 y ordenar el encarcelamiento o *destierro* de los jefes liberales. Y España, que había soñado por un
5 breve momento con la libertad, cayó otra vez bajo la mano de hierro. Como nos dice Mariano José de Larra, un joven periodista y *satírico* de esa época, Madrid es la *tumba* de la libertad, de la libertad de *imprenta* y de la libertad del pensamiento, la tumba del honor nacional y de la verdad, el *sepulcro* del crédito y del valor español. Y cuando la gente sale
10 de la ciudad a visitar los cementerios *el Día de los Difuntos*, Larra pregunta con pasión: "¿Dónde está el cementerio? ¿Fuera o dentro?"

Pero el pueblo español no estaba dispuesto a aceptar otra vez el despotismo, y *se sublevó* repetidamente contra Fernando. En 1820 *estalló de nuevo* la revolución. Fernando fue hecho prisionero y los
15 liberales triunfantes declararon un gobierno constitucional. Parecía que esta vez la democracia tendría que vencer. Pero sucedió de otra manera. El rey de Francia, Luis Felipe, viendo en la *sublevación* popular de los españoles una *amenaza* indirecta contra su propia posición monárquica, mandó cien mil tropas a sofocar la rebelión en España. Y los "cien mil
20 hijos de San Luis" acabaron con el último esfuerzo español contra la tiranía de Fernando.

Fernando murió en 1833, dejando a una hija, Isabel, muchacha de dos años *a la sazón*. El hermano de Fernando, el príncipe Don Carlos, aprovechándose de una antigua tradición que prohibía la sucesión de
25 una mujer al trono de España, anunció sus pretensiones. En seguida le *apoyaron* los elementos más reaccionarios y tradicionalistas. La *regenta*, viéndose acosada por las fuerzas conservadoras, tuvo que pedir *auxilio* a los liberales, concediéndoles ciertos derechos en la administración del estado y aprobando una nueva constitución. A poco estalló la lucha
30 civil, guerras esporádicas que duraron casi todo el siglo diez y nueve, continuadas a la muerte de Carlos por su hijo, y después por su nieto, y nunca *resueltas* definitivamente.

El reinado de Isabel II se caracteriza por una turbulencia constante, hecha aun más *insoportable* por la escandalosa conducta personal de la
35 reina misma. En 1868 Isabel es obligada a abdicar y se refugia en Francia. Otra vez *irrumpen* las guerras carlistas. Se ofrece el trono de España a varios príncipes europeos, pero todos lo rechazan. En 1870, Amadeo de *Saboya*, un príncipe italiano, es elegido rey por las Cortes.

(marginal glosses)
didn't delay in restoring
exile
satirist
tomb . . . the press
grave
on All Soul's Day
it arose
broke out again
uprising
menace
at the time
supported . . . Regent
help
resolved
unbearable
break out
Savoy

Amadeo acepta, pero es incapaz de restaurar el orden. Dos años después, renuncia la corona y vuelve a Italia. En 1873 se proclama una república, pero *vuelve a reinar* la disensión. El español, tan celoso de su dignidad personal, siempre tan individualista, no quiere sacrificar parte de esa nueva libertad al *bienestar* general.

En 1875, después de otros dos años de lucha interna entre las muchas facciones políticas, la república es suplantada otra vez por la monarquía. Alfonso XII, hijo de Isabel, es invitado a volver, y empieza un periodo de relativa tranquilidad a pesar de la patente corrupción de los dos partidos políticos y de la *falta* de progreso tecnológico. Pero Alfonso muere súbitamente en 1885. Su hijo (el futuro Alfonso XIII) no ha nacido todavía, y la nación continúa su marcha hacia el *desastre* bajo la regencia de la reina viuda. Mientras los países principales de Europa y de América desarrollan una gran tecnología moderna, España sigue *atrasada* y todavía *inconsciente* de su propia debilidad.

Se acerca el año 1898. Estalla la guerra con los Estados Unidos. El pueblo español *espera entusiasmado* el anuncio de su triunfo militar sobre aquella nación de puritanos e indios. Y llega la noticia . . . España ha sido derrotada. Ha perdido sus últimas posesiones coloniales. *Le ha sobrevenido* la catástrofe.

Como siempre, la literatura de una época refleja su historia política. El romanticismo, voz de la revolución francesa, grito de independencia del hombre *recién venido a* la libertad, llega tarde a una España sometida por tantos años a la opresión de Fernando VII. Cuando muere Fernando, los *emigrados* liberales vuelven, y surge entonces un movimiento romántico que alcanza su mayor desarrollo en la poesía y el drama. Los románticos cantan su *himno* a la libertad personal, lamentan las

reigns again	40
welfare	
	45
lack	
disaster	50
backward . . . unconscious	
awaits enthusiastically	55
has befallen her	
	60
just born into	
emigrés	
hymn	65

Benito Pérez Galdós (1840-1920), por Joaquín Sorolla y Bastida. (Courtesy of the Hispanic Society of America)

tragedias del amor y de la muerte, y resucitan tradiciones y romances y
leyendas del pasado.   Pero el fuego *apasionado* del romanticismo y su   legends . . . impassioned
profunda *desesperación* melancólica *pasan de moda*.   Para mediados del   despair . . . go out of style
siglo, España se incorpora a la corriente europea del realismo, y más
70   tarde, del naturalismo.   Ahora predomina la novela—la novela regional
de costumbres, la novela psicológica, la novela social, la novela de *tesis*.   thesis
Benito Pérez Galdós, reformador liberal, historiador, y el mejor novelista
de su época, nos deja un vasto documento de la vida española del
siglo diez y nueve.   Pero la voz de un Galdós no basta para despertar a
75   una nación que sueña todavía con su pasado.   La renovación intelectual
tiene que venir también.

Preguntas

1. ¿Cuándo volvió Fernando VII a España?   ¿Qué hizo en seguida?
2. ¿Cómo quedó España durante el reinado de Fernando?
3. ¿Qué hace el pueblo español en 1820?
4. ¿Cómo termina este último esfuerzo contra la tiranía de Fernando?
5. ¿Cuándo murió Fernando?   ¿Qué edad tenía su hija Isabel a la sazón?
6. ¿Quién fue Don Carlos?   ¿Qué quiso hacer?   ¿Qué facciones políticas apoyaron sus pretensiones?
7. ¿Cuánto tiempo duraron las guerras carlistas?
8. ¿Cómo era el reinado de Isabel?   ¿Qué ocurrió en 1868?
9. ¿Quién fue Amadeo de Saboya?   ¿Por qué renunció el trono de España?
10. ¿Cuándo se estableció una república?   ¿Cuánto tiempo duró?   ¿Por qué fracasó?
11. ¿Cómo era el reinado de Alfonso XII?
12. ¿De qué grandes defectos sufría España en esa época?
13. ¿Qué ocurrió en 1898?   ¿Qué noticia esperaban recibir los españoles?   ¿Qué noticia recibieron?
14. ¿Por qué llegó tarde a España el romanticismo?
15. ¿Qué corrientes literarias predominan en la segunda mitad del siglo diez y nueve?
16. ¿Quién fue Benito Pérez Galdós?
17. ¿Qué tipo de reforma necesitaba España?

Lección Veinte y Cinco

I. TEMA: *LA EDUCACION*

El hijo de mi vecino va a *graduarse* de la escuela superior en junio, y ya ha anunciado a todos los que queremos escucharle que comenzando con esa gloriosa fecha de su liberación, no *piensa* abrir un libro el resto de su vida. Habrá completado su educación. Muy bien. Su padre se siente un poco *decepcionado* con la actitud del hijo. Habría preferido que su hijo asistiera a la universidad para hacerse médico o abogado, o a lo menos para que perteneciera a una buena fraternidad y *pegara en la ventanilla trasera* del coche una de esas pequeñas *banderas* de dos colores con el nombre de la escuela. Sueño roto.

Otro muchacho que conozco—¿qué digo?—otros, *otros muchos, sí han aprovechado* la oportunidad de tener una educación universitaria, y de marcharse un buen día de primavera con el diploma en la mano derecha y un *reluciente reloj de oro* en la izquierda. Sin embargo, en dos años les he oído *contar*, aun con cierto *orgullo* que ya han olvidado todo lo que aprendieron de historia, matemáticas, y geología, y que de los cuatro años que estudiaron el _____ (aquí puede Ud. poner el nombre de cualquier lengua extranjera), *no les queda más que* un "¿Cómo está Ud.?", mal pronunciado, y un *retrato de Felipe II* (¿o era Luis XIV?).

Ya que nos acercamos al fin de otro año escolar, *convendría* pensar un momentito en el progreso que hemos hecho. ¿Está Ud. satisfecho de lo que ha aprendido este semestre? ¿Qué va a hacer el año que viene? ¿Y el siguiente? ¿Y después?

Son muchas las críticas que se han dirigido contra nuestro sistema de educación. Hace treinta o cuarenta años, decían que era demasiado rígido y formal, que el individuo no tenía posibilidad de expresarse, de crear, *de ser un todo*, una persona completa y *comprensiva*, que era sólo

305

graduate

intend to

disappointed

paste on the back window

banners

many others, *have* taken advantage

shiny gold watch

relate . . . pride

all they have left is

portrait of Philip II
Now that . . . it would be well

Many are the criticisms that have been directed

to be a whole . . . comprehensive

una máquina de acumular y repetir datos. Y *se hizo el cambio*. Pero ahora *vuelve a oscilar en otra dirección el péndulo*, y dicen que nuestra educación no tiene bastante *rigidez* ni formalidad, que *hace falta disciplina* mental y social. *(the change was made / the pendulum is swinging again in another direction / strictness . . . discipline is lacking)*

Dicen, como *señaló* Rodó[1] hace más de medio siglo, que la educación en los Estados Unidos, con su *afán por incluir a todos*, no conduce a una verdadera cultura general, sino a una semicultura universal. Dicen que la universidad de hoy es poco más que una escuela secundaria glorificada, que las *normas* van bajando tanto que gran parte de nuestros graduados universitarios no saben expresarse bien ni en su propio *idioma*. *En fin*, Ud. sabe tan bien como yo lo que dicen. Y hasta cierto punto, tienen razón. *(pointed out / zeal for including everyone / standards / language. In short,)*

Es verdad que cuando *crece* el número de los que tienen *medios* económicos para asistir a la universidad *sin que aumente* en igual proporción el número de *los calificados para emprender* estudios avanzados, el *nivel* académico de la universidad que les abre sus puertas, tiene *forzosamente* que bajar. Pero es verdad también que el objeto de toda democracia es *elevar a la mayoría para que su voz sea digna de escucharse*. Y si elevar a la mayoría *hace inevitable suprimir* hasta cierto punto a la *minoría capaz de mayores alturas intelectuales*, creo que *los más dirían que sacrificar a los pocos* sería el menor de los *males*. Sin embargo, *escoger* entre dos males resulta siempre difícil. *(grows . . . means / without there increasing those qualified to undertake . . . level / necessarily / raise up the majority so that its voice is worthy of being heard / makes it inevitable to suppress . . . the minority capable of greater intellectual heights . . . most people would say that sacrificing the few . . . evils . . . choosing)*

Y así, hablo con Ud., estudiante y *testigo del éxito* de nuestro programa *educativo*. A ver si podemos encontrar juntos un *término medio* que permita el *desarrollo* de las *facultades* superiores del individuo dentro de la meta de *enfocar* la educación hacia la mayoría. Piense en este problema. Gran parte de nuestro futuro depende de su solución. *(witness of the success / educational . . . compromise / development . . . abilities / aiming)*

Vocabulario Activo

bandera	*banner, flag*	objeto	*object*
éxito	*success*	orgullo	*pride*
el mal	*evil; wrong*	oro	*gold*
mayoría	*majority*	el reloj	*watch; clock*
minoría	*minority*	retrato	*portrait*
el nivel	*level*	siglo	*century*
crecer (crezco)	*to grow*	digno	*worthy*
pegar	*to affix, stick (on), paste*	sino	*but (on the contrary)*
capaz (pl. capaces)	*capable*	pensar + infin.	*to intend to*

[1]José Enrique Rodó (1872–1918), escritor y pensador uruguayo, autor de *Ariel*.

demasiado   *too; too much;* pl. *too many*
en fin   *in short, to sum up*
hacer falta   *to be missing, lacking, needed*

repetir (e > i)   *to repeat*
quedarle a alguien (*like* gustar)   *to have left*
volver a + infin.   *to (do something) again*

Preguntas

1. ¿Qué va a hacer en junio el hijo del vecino?
2. ¿Qué ha anunciado ya?
3. ¿Cómo se siente el padre?   ¿Por qué?
4. ¿Qué han hecho otros muchos jóvenes que conoce el narrador?
5. ¿Qué cuentan con cierto orgullo dos años después de graduarse?
6. ¿Qué recuerdan de sus estudios lingüísticos?
7. ¿En qué nos conviene pensar ahora?
8. ¿Qué crítica hacían de nuestro sistema educativo hace treinta o cuarenta años?
9. ¿Qué crítica hacen ahora?
10. ¿Quién fue José Enrique Rodó?   ¿Cuándo vivió?
11. ¿Qué dijo Rodó de la educación en los Estados Unidos?
12. ¿Qué dicen muchas personas de las universidades de hoy?
13. ¿Qué no saben hacer bien nuestros graduados universitarios?
14. ¿Qué pasa cuando crece el número de las personas que tienen medios para asistir a la universidad y no crece el número de los calificados para emprender estudios avanzados?
15. ¿Cuál es el objeto de toda democracia?
16. ¿En qué problema debemos pensar todos?   ¿Por qué?

II. ESTRUCTURA

137. Omission of the Indefinite Article

A. As we have seen, the indefinite article is regularly omitted before an unmodified noun of profession, religion, nationality, or other affiliation.   The emphasis of the sentence falls on *what* the person is.

Es protestante.	He is a Protestant.
Su hijo quiere hacerse periodista.	His son wants to become a newspaper-man.
¿Qué es Ud., demócrata o republicano?	What are you, a Democrat or a Republican? —I? I'm an anarchist.
—¿Yo? Soy anarquista.	

But when the noun is modified or when the sentence merely identifies *who* the person is, the article remains.

Es un demócrata ferviente.	He is a fervent Democrat.
¿Quién es ese señor? —Es un médico que vive cerca.	Who is that man? —He is a doctor who lives nearby.

B. It is omitted with **otro** (another), **cierto** (a certain), **cien(to)** (a hundred), **mil** (a thousand), **¡Qué . . . !** (What a . . . !), and **tal** (such a).

No se hace tal cosa.	You don't do such a thing.
Te lo he dicho mil veces. —No.	I've told you a thousand times. —No.
Sólo cien veces.	Only a hundred times.
Habrá otra ocasión.	There will be another time.

C. It is omitted with personal effects, unless the numerical concept *one* is emphasized.

Ya no lleva bastón.	He doesn't carry a cane any more.
No salgas sin paraguas.	Don't go out without an umbrella.
Escriban Uds. con pluma.	Write with a pen.

Exercise

Diga en español:

1. What is your father? —He's a doctor, lawyer, dentist, architect, and teacher, but he doesn't like to work. 2. Dr. Mendoza is an excellent doctor. He always tells me to take a vacation. 3. They say that in a certain little town there are more than a thousand men, and only a hundred women! —Wonderful! When do we leave for there? 4. Another husband wouldn't do this for you. —A thousand thanks! 5. What a day! Don't go out without a hat. 6. Please write with a pen. —I prefer to use a pencil.

138. Formation of Conjunctions

Conjunctions are used to join two clauses. Very often, conjunctions in Spanish are formed by adding **que** to a preposition.

antes de	antes de que	before
después de	después de que	after
hasta	hasta que	until
para	para que	in order that, so that
sin	sin que	without

Most frequently, the verb in the subordinate clause immediately follows the conjunction and the subject is placed after the verb.

No te vayas hasta que vuelvan tus padres.	Don't go away until your parents come.
Lo hizo sin que le viese nadie.	He did it without anyone's seeing him.

Exercise

Complete las frases siguientes:

1. No lo hagas (before tomorrow). 2. No lo hagas (before) te demos permiso. 3. Estudia tanto (in order to) sacar buenas notas. 4. Estudia tanto (in order that) sus padres estén contentos de él. 5. No quiero irme (until) hayan terminado el trabajo. 6. Se quedan (until) pasado manana. 7. (After finishing) la comida, fueron al cine. 8. (After) lleguen, iremos al teatro.

139. *Sino*

Sino (but) is used in place of **pero** only when the first part of the sentence is negative and the second part contradicts it.[2]

No es rico, sino pobre.	He isn't rich, but poor.
No tomó el curso por aprender, sino por el crédito.	He didn't take the course to learn, but for the credit.

When the second part of a negative sentence does *not* contradict the first part, **pero** is used.

No es rico, pero ha viajado mucho.	He isn't rich, but he has traveled a great deal.

Exercise

Complete las frases siguientes, usando **pero** o **sino:**

1. No fue el, _____ su hermano. 2. No lo hizo, _____ no me importa. 3. Tomó el curso, _____ no aprendió nada. 4. Se casó con él no por amor, _____ por dinero. 5. Ya no son niños, _____ hombres. 6. No comas con las manos, _____ con el tenedor. 7. Dicen que es muy buena persona, _____ no me gusta.

140. Further Uses of the Indirect Object

A. Possession

With parts of the body, articles of clothing, and personal effects, Spanish generally uses the definite article instead of a possessive adjective and states the person to whom they belong by using the indirect object pronoun.

Le lavó las manos.	She washed his hands.
Quiero peinarte el pelo.	I want to comb your hair.
Me pidió el pañuelo.	He asked for my handkerchief.

B. Separation

Unlike English, Spanish uses the indirect object for the person from whom something is removed (stolen, taken, bought, and so forth).

Se lo compramos a Méndez.	We bought it from Mendez.
Nos la robaron.	They stole it from us.
Le quitaré todo lo que tiene.	I'll take away from him everything he has.

Exercise

Conteste en español:

1. ¿Quién le lava las manos al niño? 2. ¿A quién compra Ud. sus libros y cuadernos? 3. ¿Quién le prepara las comidas? 4. ¿A quién pide Ud. dinero? 5. ¿A quién robó Ud. su coche?

---

[2]*Sino que* generally precedes a clause under these circumstances.

141. Ordinal Numbers

primer(o)	*first*	sexto	*sixth*
segundo	*second*	séptimo	*seventh*
tercer(o)	*third*	octavo	*eighth*
cuarto	*fourth*	noveno	*ninth*
quinto	*fifth*	décimo	*tenth*

Ordinal numbers are used normally only through **décimo.** In dates of the month, the only ordinal used is **primero.**

el primero (1°) de enero	January 1st
But: el dos de marzo	March 2nd
el diecisiete de junio	June 17th

A. With personal titles and chapters of books, the ordinal usually follows the noun.

Lección Tercera	Lesson III
Fernando Séptimo	Ferdinand VII
But: Alfonso Trece	Alphonse XIII

B. In other cases, it usually precedes the noun.

la primera mujer	the first woman
el tercer hombre	the third man
la Quinta Avenida	Fifth Avenue

ℰ𝓈𝒪 *Exercise*

Diga en español:

1. This is his second chance. 2. Please give me the fourth book on the sixth shelf. —Here it is. —Now I want the second volume. 3. The eighth President of the United States was... Well, the seventh was... The fourth was... Anyway, the first was Jefferson, wasn't it? —No, it was Charles III!

142. Fractions

1/2	un medio[3]	1/3	un tercio

All other fractions through 1/10 use the ordinal number.[4]

1/4	un cuarto	1/5	un quinto
1/8	un octavo	1/10	un décimo

Above 1/10, **-avo** is added to the cardinal number. (At times, this produces a spelling change.)

1/11	un onzavo	1/12	un dozavo
1/15	un quinzavo	1/20	un veintavo

---

[3]**La mitad** (half) is used when referring to a specific item or quantity: **Una mitad para ti, la otra para mí** (One half for you, the other, for me).

[4]**La cuarta parte, la quinta parte,** etc., may also be used.

⋐↭⌀ *Exercise*

Diga en español:
    1. $1/4 + 1/2 = 3/4$ 2. $2 \div 4 = 1/2$ 3. $2/10 = 1/5$ 4. $1/3 + 1/2 = 5/6$

143. Masculine Nouns Ending in *-a*

Aside from nouns ending in **-ista** that refer to male beings, there is a group of nouns ending in **-ma, -pa,** and **-ta** which are masculine. These include:

el mapa	*the map*	el sistema	*the system*
el drama	*the drama*	el clima	*the climate*
el programa	*the program*	el idioma	*the language*
el poeta	*the poet*	el planeta	*the planet*

144. Other Groups of Feminine Nouns

Most nouns that end in **-umbre** and **-ie** are feminine.

la costumbre	*the custom*	la serie	*the series*
la muchedumbre	*the crowd*	la superficie	*the surface*

⋐↭⌀ *Review Exercise*

Tradúzcase al español:

Education is one of the most important problems that we have today, and yet very few people are really interested in understanding our educational system and trying to improve it. In fact, probably two-thirds of our college students consider education a necessary evil that they must complete before entering the real world. I am thinking not only of my neighbor's son, who is going to graduate from high school on the first of June and who has already announced that he will never open another book for the rest of his life, but of the many young people who do take advantage of the opportunity of having a college education, but who rapidly forget everything they learned. And they admit it even with a certain pride.

And so, now that we are approaching the end of another school year, it would be well for us to spend a little while thinking about what we have learned, and what we should do to make our program better in the future. Our educational system has been the object of much criticism in the past, and even now. Thirty or forty years ago, they used to say that there was too much rigidity, too much discipline, that we were educating only the intelligence and not the *whole*, that there was no possibility of expressing oneself, of creating, of . . . Well, you know what they used to say. And now, they say that our standards have fallen so low that many of our college graduates don't even know how to speak and write their own language well, that we have taken away from education its principal purpose, that of teaching and learning. Surely, up to a certain point, they are all right.

Nevertheless, it is more than difficult to make a system that will serve the needs of all those who want an education. Solving this problem is as important for every parent as washing his child's hands and face before eating. But how many realize this?

Tell me, are you satisfied with what you have learned this semester? What success have you had? Where have we failed?

Frankly, if you can say all this in Spanish, you are a great success. I hope that you have enjoyed this first year of Spanish and that you have learned something. Goodbye.

III. CONVERSACION: *LA EDUCACION*

1. ¿Por qué quiere Ud. una educación universitaria? ¿Cree Ud. que estará bien preparado para su carrera cuando se gradúe? ¿Estudia Ud. mucho? ¿Usa Ud. bien o mal su tiempo?
2. ¿Está Ud. contento hasta ahora del progreso que ha hecho? ¿Por qué? Encuentra Ud. mucho más difícil el trabajo que hace en la universidad que el trabajo que hizo en la escuela superior?
3. ¿Qué méritos encuentra Ud. en nuestro sistema de educación? ¿Qué defectos?
4. ¿Cuándo decidió Ud. asistir a la universidad? ¿Cuál era la actitud de sus padres? ¿Quién lo deseaba más—Ud. o sus padres? ¿Tienen otros miembros de su familia una educación universitaria? ¿Están satisfechos ellos?
5. ¿Cree Ud. que el propósito esencial de la educación universitaria debe ser preparar al estudiante para una carrera, o darle conocimientos (knowledge) generales de humanidades, ciencias, etc.?
6. ¿Cree Ud. que debe haber más cursos obligatorios o menos? ¿Qué requisitos (requirements) eliminaría Ud.? ¿Qué requisitos añadiría? ¿Cree Ud. que es importante estudiar lenguas extranjeras? ¿Música? ¿Filosofía? ¿Ciencia?
7. ¿Le gustaría a Ud. completar sus estudios universitarios en tres años en vez de cuatro? ¿Cree Ud. que debemos eliminar o abreviar (shorten) las vacaciones de verano? ¿O las de Navidad? ¿Eliminar los más (most) días de fiesta?
8. ¿Cree Ud. que nuestras universidades deben bajar sus normas (standards) para dar una educación más avanzada a personas menos calificadas?
9. ¿Recuerda Ud. mucho de lo que aprendió en la escuela elemental? ¿Qué cursos aprendió mejor? ¿Qué recuerda Ud. de su educación secundaria? ¿De lo que aprendió el año pasado? ¿El semestre pasado?
10. ¿Empieza Ud. ahora a comprender el español?

IV. COMPOSICION

Escriba una composición sobre:
1. Mi Concepto de una Persona Educada
2. El Propósito de una Educación Universitaria
3. La Universidad del Futuro
4. Por Qué Estoy (o No Estoy) Satisfecho de Mi Progreso Hasta Ahora

REPASO V

I. Tema: Juan Manso (Tape)
   Vocabulario, p. 392

II. Dictado y Ejercicio de Comprensión (Tape)

III. Repaso de Gramática

A. Spelling Changing Verbs (For other spelling changing verbs, see the verb appendix, pp. 343–346.)

1. Verbs that change their spelling to maintain the same pronunciation of the final consonant as in the infinitive:
   a. Verbs ending in **-ger** or **-gir** change the **g** to **j** before **o** or **a: coger, dirigir,** etc.
   b. Verbs ending in **-gar** change **g** to **gu** before an **e: negar, rogar.**
   c. Verbs ending in **-guir** drop the **u** before **o** or **a: seguir, distinguir.**
   d. Verbs ending in **-car** change **c** to **qu** before **e: sacar, buscar.**
   e. Verbs ending in a consonant + **cer** change **c** to **z** before **o** or **a: vencer, torcer.**

2. Verbs that change their spelling to conform to the phonetically consistent rules of Spanish spelling:
   a. Verbs ending in **-zar** change **z** to **c** before **e: empezar, comenzar.**
   b. Verbs that end in **-eer** change **i** to **y** between vowels: **leer, creer.**

B. The Passive Voice
(*Recall:* In the passive voice, the subject does not do, but receives the action.)

1. The true passive with agent expressed

ser + past participle + **por**

Ha sido   elegido   por el público.
He has been   elected   by the public

2. The passive voice *without* the agent expressed
   a. The true passive

        Ha sido elegido ya.   He has been elected already.

   b. The impersonal "they"—third person plural

        Le han elegido ya.   He has been elected already.
                       (They have elected him.)

   c. The reflexive
   (1) The normal reflexive construction when the subject is not an animate being that could do the action to itself.
   Se construirán dos casas aquí.   Two houses will be built here.

   (2) The impersonal **se** (third person singular reflexive) when the subject of the English passive sentence is a person or an animate being that could possibly

313

do the action to itself. *One* does the action, and the person to whom it is done becomes object (direct or indirect) of the verb.

Se le ha elegido ya.	He has already been elected.
	(One has already elected him.)

C. Uses of the Infinitive

Aside from its use after a conjugated verb (**No quiero ir,** etc.) or a preposition (**antes de salir,** etc.), the infinitive is used:

1. As a noun (subject or object of a verb), it is frequently preceded by **el**: **el cantar de los pájaros**
2. **Al** + infinitive = upon (doing something)
3. After verbs that refer to the senses (seeing, hearing, etc.): **Le vi acercarse.**
4. After verbs of permitting, forbidding, ordering, forcing, preventing, etc.; **Nos impidió hacerlo.**

D. Uses of the Present Participle

1. After **estar** or a verb of motion to form the progressive tense: **Estaban leyendo.**
2. To express *by (doing something)*: **Cantando se alegran los corazones.**
3. In place of a clause beginning with *when, while,* or *since* and referring to a continuing action or situation: **Estando presente, decidí tomar parte en la discusión.**

E. Interrogatives

1. **¿Qué?**
   a. As a pronoun: What? (asks for a definition)
   b. As an adjective: What? Which? (definition or selection)
2. **¿Cuál? ¿Cuáles?** Which? (one or ones)? (used only as a pronoun)
3. **¿Quién? ¿Quiénes?** Who? (after a preposition, Whom?)
4. **¿De quién? ¿De quiénes?** Whose?
5. **¿Dónde?** Where? (location)
6. **¿A dónde? ¿Adónde?** Where? In what direction?
7. **¿Cómo?** How (is it done)? In what condition (is it)?
8. **¿Qué tal?** How (goes it)? What do you think of it?

F. Relative Pronouns

1. **que** (who, that, which; at times, whom)—the normal relative: **el niño que lo encontró; las comidas que tuvimos; el autor que admiro**
2. **quien, quienes** (who, whom)—used most often when a person is object of a preposition: **el joven con quien se casó**
3. **el cual, la cual, los cuales, las cuales** (who, which)—used for clarification in cases of ambiguity, or after **por, sin,** or a long preposition
4. **el que, la que, los que, las que** (who, which)—interchangeable with **el cual,** etc., in the uses described above; in addition, may mean *the one who, he who, those who,* etc.: **los que lo hicieron**
5. **lo cual** (which)—a neuter form that refers to a whole idea rather than to a specific person or thing

6. **lo que** (what)—**Dime lo que quieres.**; may mean *which*—neuter, interchangeable in this sense with the use of **lo cual** as described above

7. **cuyo**(whose)—the only relative possessive adjective: **el vecino cuyos hijos nos saludaron**

G. Omission of the Indefinite Article
1. With unmodified predicate nouns of profession, occupation, religion, nationality, or other affiliation
2. With **otro, cierto, cien(to), mil, tal,** and **¡Qué!**
3. With parts of the body and personal effects, unless the numerical value or possessor is stressed: **Dame la mano.**

H. Ordinal Numbers (Ordinal numbers are usually not used beyond *tenth.*)

primer(o)	sexto
segundo	séptimo
tercer(o)	octavo
cuarto	noveno
quinto	décimo

IV. Vocabulario Especial: *Sustancias y Artículos de Uso Diario* (Substances and Articles of Daily Use)

el metal	*metal*	platino	*platinum*
hierro	*iron*	estaño	*tin*
acero	*steel*	**aluminio**	*aluminum*
el cobre	*copper*	uranio	*uranium*
el bronce	*bronze*	el níquel	*nickel*
el latón	*brass*	plomo	*lead*
oro	*gold*	cromo	*chromium*
plata	*silver*		
loza	*pottery*	el cartón	*cardboard*
porcelana	*porcelain, china*	el papel	*paper*
madera	*wood*	ladrillo(s)	*brick(s)*
vidrio	*glass*	el adobe	*adobe*
cuero	*leather*	cemento	*cement*
caucho, goma	*rubber*	piedra	*stone*
plásticos	*plastics*		
el carbón	*coal*	el gas	*gas*
el aceite	*oil*	la electricidad	*electricity*
petróleo	*petroleum*		
tela	*fabric, cloth*	lana	*wool*
el algodón	*cotton*	el nilón	*nylon*
seda	*silk*		

el jabón *soap*	pañuelo *handkerchief*
navaja (de afeitar) *shaving razor*	gafas *eyeglasses*
crema dental *tooth paste*	gafas para el sol *sunglasses*
cepillo *brush*	**el reloj** (de pulsera) *wrist watch*
cepillo de dientes *toothbrush*	**el paraguas** *umbrella*
el peine *comb*	el impermeable *raincoat*

∾ *Preguntas*

1. ¿De qué se construye una casa? ¿De qué es la casa en que vive Ud.?

2. ¿De qué se hace un automóvil? ¿Una mesa? ¿Una olla o una sartén? ¿Una taza? ¿Un vaso? ¿Un sofá? ¿Un televisor? ¿Una estatua? ¿Un anillo? ¿Una lata? ¿Un vestido? ¿Una pelota? ¿Dinero? ¿Zapatos? ¿Una caja? ¿La llanta de un automóvil? ¿Un avión? ¿Una bomba atómica? ¿Un libro?

3. ¿Qué usamos para lavarnos? ¿Para limpiar los dientes? ¿Para peinarnos? ¿Para poder ver mejor? ¿Para protegernos de la lluvia? ¿Para afeitarnos?

4. ¿Qué combustibles se emplean para calentar la casa? ¿Cuál prefiere Ud.? ¿Cuál usa Ud. en su propia casa?

LECTURA XVII: EL MODERNISMO Y LA GENERACION DEL '98

Hispanoamérica consiguió su independencia política en la primera mitad del siglo diez y nueve. Pero no había conseguido todavía su independencia cultural. Durante la época colonial, su literatura caía completamente dentro de la órbita de España. A mediados del siglo diez y ocho, el intelectual hispanoamericano, *admirador* de los filósofos franceses, empieza a buscar su inspiración en la cultura francesa. Cuando estallan las guerras de la independencia, muchos hispanoamericanos quieren abandonar igualmente la tradición hispánica y se vuelven hacia Francia. ¡Aun hay gente (*incluso* el gran escritor y presidente de la Argentina, Domingo Faustino Sarmiento) que recomienda públicamente que *se sustituya el francés* por el español como lengua oficial!

El romanticismo francés llega tarde a un continente *destrozado* por guerras *sangrientas*, pero llega por fin, y es *acogido* con entusiasmo por los jóvenes intelectuales, que recitan e imitan las obras de Hugo y Lamartine y Musset.[1] En sus poesías y en sus novelas, los románticos americanos, como sus preceptores europeos, alaban al noble salvaje, hijo de la naturaleza tan virgen como la hizo Dios. Y lamentan la tragedia del amor condenado por el cruel *destino* a *perecer sin consumarse*. Y denuncian con apasionada retórica la brutalidad del régimen del dictador argentino Rosas y *lanzan juramentos* de venganza y de sacrificio personal. Y evocan momentos del pasado, leyendas e historias de generaciones muertas. Para fines del siglo, el romanticismo ha perdido su vigor. La novela resulta monótona, *cargada de lugares comunes;* la poesía ha quedado exageradamente *resonante*, o débilmente prosaica. Además de la literatura *gauchesca* de la Argentina y el Uruguay, Hispanoamérica continúa reflejando los modelos europeos.

En 1888 un joven poeta nicaragüense publica un pequeño libro de versos y prosa. La obra se titula *Azul*, y va a cambiar el color y el tono de su generación. Su autor es Rubén Darío, un joven de gran talento, pero de carácter inestable e incapaz de conservar por mucho tiempo los empleos *periodísticos* que le consiguen sus amigos. Trabaja por un periodo en Chile y en la Argentina, viaja a España al tiempo de la catástrofe de 1898, y llega a conocer a sus jóvenes intelectuales, diseminando así sus innovaciones modernistas.

Por primera vez ha nacido en Hispanoamérica un movimiento

admirer   5

including

10

French be substituted

devastated

bloody . . . received

15

destiny . . . perish unconsummated

20

they hurl oaths

laden with commonplaces

bombastic   25

gaucho

30

journalistic

35

---

[1]Byron también era muy conocido y admirado en Hispanoamérica, pero su influencia directa en la literatura es secundaria.

Pío Baroja (1872–1958), gran novelista de la Generación del '98, y amigo de Ernest Hemingway. Retrato por Joaquín Sorolla y Bastida. (Courtesy of the Hispanic Society of America)

Juan Ramón Jiménez, poeta y prosista, recipiente del Premio Nobel por su obra *Platero y Yo*. Pintado por Joaquín Sorolla y Bastida. (Courtesy of the Hispanic Society of America.)

literario de verdadera importancia en el mundo occidental. Aunque el modernismo *reúne* y adapta elementos de varias escuelas poéticas francesas, Darío lo hace creación original suya. Reaccionando contra la exa-

40 gerada emoción y retórica del romanticismo, *busca el arte por el arte*, el verso puro y sencillo, la palabra musical. En sus primeras obras, crea un mundo artificial *rococó*, poblado de princesas y *músicas* y lagos *inmóviles*, y de *cisnes* símbolo de pureza y gracia, y cuyo *cuello*, formado como un *punto de interrogación*, representa el enigma perpetuo de la vida. Los

45 colores *sugieren* sensaciones y *adquieren* valor simbólico, y el *conjunto* es de una perfección y sensibilidad artística nunca alcanzada antes. Sus obras posteriores *se alejan* de ese mundo de escape artístico. Rubén Darío empieza a penetrar en sus propios problemas íntimos y los lleva al arte en una forma al mismo tiempo personal y universal. Empieza a

50 pensar también en cuestiones de América, y sus últimas poesías revelan un alma puramente americana oculta antes en su refugio de artista. Darío muere en 1916 dejando para siempre la huella de su *paso* por este mundo en sus delgados volúmenes de poesías, y en la escuela de artistas que le imitaron y siguieron.

gathers together

he seeks art for art's sake

rococo . . . musical strains . . . still

swans . . . neck

question mark

suggest . . . acquire . . . whole

depart from

passing

318

El modernismo llega también a España. Pero España sufre más   55
que una crisis intelectual. Acaba de ser derrotada en la guerra, acaba
de perder los últimos *restos* de su imperio, y la gente no quiere darse   remains
cuenta de su trágica realidad. Entonces se oye la voz de un nuevo
grupo de pensadores—artistas, escritores, filósofos—Miguel de Unamuno, Ramón del Valle Inclán, Joaquín Costa, Pío Baroja, Azorín,   60
José Ortega y Gasset, y otros muchos. *Renovadores antes que* refor-   Rebuilders rather than
madores, la Generación del '98 quiere despertar a una nación dormida
en su pasado. Quieren saber dónde *se radica* esa decadencia de siglos.   is rooted
¿Será porque España no ha seguido bastante cerca al resto de Europa?
¿O será porque lo ha seguido demasiado, olvidando su propio carácter y   65
naturaleza? ¿Dónde se encontraron las *simientes* de su grandeza an-   seeds
terior? ¿Dónde se encontrarán las de su grandeza futura?

Y la renovación llega al *campo* del hombre y de su propia realidad. El   field
artista de la generación del '98 (mayormente impresionista de concepción) se pregunta: "¿Cuál es mi verdadera realidad? ¿Cómo sé que   70
vivo?" Y contesta: "Porque siento. No porque piense sino porque
recibo sensaciones. Y las sensaciones que recibo desde fuera son exclusivamente mías, vistas por mis ojos, tocadas por mis manos, escuchadas
por mis oídos, e interpretadas por mis experiencias." Así, destruyendo
viejas convenciones y maneras de pensar, *sembrando* duda donde antes   sowing   75
había complacencia, llegando a la base de la existencia del hombre, y
por él, a la de la sociedad, la generación crea un arte nuevo, y aun más
importante, una realización de la necesidad de destruir para reconstruir.

Preguntas

1. ¿Cómo era la literatura hispanoamericana durante el periodo colonial?
2. ¿Qué cambio ocurre en el periodo de las guerras de la independencia?
3. ¿Qué escritores románticos ejercen más influencia en el romanticismo hispanoamericano?
4. ¿Cuáles son los temas populares de los románticos hispanoamericanos?
5. ¿Quién es Rubén Darío? ¿Cómo se titula su primera obra importante? ¿Cuándo se publicó?
6. ¿Cómo se llama el movimiento literario encabezado por Darío?
7. ¿Cómo son sus primeras obras? ¿Qué tipo de mundo crea? ¿Qué representa el cisne? ¿Qué sugieren los colores?
8. ¿Qué hace en sus obras posteriores?
9. ¿Qué es la Generación del '98? ¿Quiénes son algunos de sus escritores más importantes?
10. ¿Qué acababa de sufrir España? ¿Qué querían hacer los jóvenes intelectuales?
11. ¿Qué preguntas se hacían sobre la situación de España?
12. ¿Qué preguntas se hacían sobre la realidad del hombre en general?
13. ¿Qué contribución hizo la Generación del '98 al pensamiento y a la literatura de España?

LECTURA XVIII: SIGLO VEINTE, PERSPECTIVAS

En 1902, Alfonso XIII, último rey de España, *asciende* al trono, *ascends*
heredando el caos que caracterizaba el periodo de su *minoridad*. Con- *inheriting . . . minority*
tinúan las guerras en Marruecos. En Cataluña brotan constantemente
sublevaciones anarquistas y separatistas. Los dos partidos políticos,
5 *carcomidos* por la corrupción, no pueden estabilizar una economía irre- *rotted*
mediablemente atrasada. En 1923 Miguel Primo de Rivera, apoyado
por el rey, da un *golpe de estado*, suspende los derechos constitucionales, *coup d'état*
e instituye un periodo de dictadura que va a durar hasta 1930.

El resentimiento general crece. Se forma una coalición de mo-
10 narquistas liberales, republicanos, y socialistas, y Primo de Rivera es
obligado a renunciar. El próximo año se establece otra vez una república. Empieza una campaña de reforma social, económica, y religiosa. El gobierno nuevo quiere efectuar la separación de la iglesia y del
estado, pero encuentra mucha resistencia. Se instituye el matrimonio
15 civil y hay esfuerzos por quitar la educación de manos de la iglesia.
Las dificilísimas condiciones económicas continúan. Todo el mundo
occidental está sufriendo la depresión económica más grave de su

Gabriela Mistral (1889-1958), poetisa chilena, ganadora del Premio Nobel. Retrato por José María López Mezquita. (Courtesy of the Hispanic Society of America)

Manuel de Falla, gran compositor español. Pintado por José María López Mezquita. (Courtesy of the Hispanic Society of America)

historia, y una España sin tecnología no puede prosperar. En las elecciones de 1936, los partidos *izquierdistas* salen victoriosos. El país *leftists*
20 queda dividido entre extremistas de ambos lados.

La Guerra Civil empieza ese mismo año. El general Franciso Franco,

320

apoyado por el partido conservador, La *Falange* Española y por la
Unión Militar, ayudado también por Hitler y Mussolini, que le *proveen*
armas y aviones, sale victorioso en 1939. Desde entonces, ha podido
mantenerse en el poder.

Pasado el primer gran momento renovador de la Generación del '98,
España continúa todavía su desarrollo cultural. Jacinto Benavente
estimula de nuevo el arte del teatro dinámico casi perdido ya. Juan
Ramón Jiménez, que empieza su carrera poética en el modernismo,
perfecciona la simplificación exquisita del verso. Expresando una sencilla
filosofía y conciencia humana, gana el Premio Nobel por su obra en
prosa poética, *Platero y Yo.* José Ortega y Gasset, filósofo social, describe en *La Rebelión de las Masas* los cambios que van afectando la
estructura fundamental de nuestra sociedad. Condena no la *aparición*
de una fuerte masa económica o social, sino la dominacion intelectual
por el *hombre masa* que no quiere pensar por sí mismo, que no quiere otra
cosa sino sentirse exactamente igual a los demás.

Durante la Guerra Civil aparece y muere el joven poeta y dramaturgo
andaluz, Federico García Lorca, considerado hoy el *valor más alto* de la
literatura contemporánea española y muy conocido y traducido en *el
exterior.* Después de la guerra, *sigue* un periodo de poca producción
literaria. Pero *a partir de 1945* surge una nueva generación de escritores,
entre ellos los novelistas Juan Antonio de Zunzunegui, Camilo Cela,
Miguel Delibes, y Carmen Laforet. Esencialmente realistas, a menudo
desilusionados, aun cínicos, corresponden en muchas de sus obras a los
"Angry Young Men" de la literatura contemporánea inglesa, pero a
veces añaden una nota sutil de humorismo que *suaviza* el tono general
de *amargura.* El teatro y la poesía también florecen hoy en España,
pero no se han producido obras de verdadera significación universal.
Además, algunos de los artistas *máximos* (incluso el gran músico Pablo
Casals) dejaron su patria por razones políticas y continúan su obra
creadora en Hispanoamérica. España vive todavía, pero dentro de los
límites de la dictadura.

Después del modernismo, Hispanoamérica empieza a sentirse verdaderamente independiente. El siglo veinte ha producido hasta ahora una
gran erupción de creación artística—en la pintura, en la escultura, en la
música, en la literatura. Las formas literarias más cultivadas son la
poesía, el cuento, y la novela, y su variedad es asombrosa. La poetisa
chilena Gabriela Mistral, que recibió el Premio Nobel, goza de fama
internacional, y muchos novelistas hispanoamericanos son muy conocidos en Europa. La novela *abunda*—novela sociológica, novela in-
dianista (muchas veces de orientación izquierdista), novela psicológica,

Phalanx
provide

25

perfects 30

(Platero is the name of his
idealized little burro, pro-
jection of his own self.)

emergence

35

mass (minded) man

greatest light

40

abroad . . . there follows
from 1945 on

45

softens

bitterness

prime 50

55

60

abounds

Monumento a Cervantes, Madrid. Pasado y futuro; realidad, ideal, esperanza.

novela filosófica, novela histórica, novela de experimentación artística. Y el escritor *ensaya* nuevas formas, deseando expresar por ellas la verdadera esencia de su pueblo.

Hispanoamérica empieza a encontrar su identidad. La dirección que seguirá en el futuro dependerá mucho de sus relaciones con los Estados Unidos y de su propia capacidad para *resolver los agudos* problemas políticos y económicos que la acosan. España se va acercando a otro *cruce de caminos*. El general Franco parece favorecer la restauración de la monarquía cuando él muera. Su dictadura ha tenido que *suavizar su dominio* sobre el público para evitar sublevaciones de mayores proporciones. Pero España, conservadora todavía y profundamente religiosa, recuerda la *matanza* de la Guerra Civil, y tiene miedo. Puede soñar con la libertad, pero.... ¿Perspectivas? No se sabe. Podemos ofrecerle sólo comprensión y esperanza.

tries out

65

solve the acute

crossroads 70

loosen its grip

slaughter

75

∽ *Preguntas*

1. ¿Quién es el último rey de España? ¿Cuándo sube al trono?
2. ¿Qué problemas continúan perturbando el país?
3. ¿Qué ocurre en 1923? ¿Qué tipo de gobierno instituye Primo de Rivera? ¿Cuándo termina su régimen?
4. ¿Cuándo se establece la segunda república? ¿Qué quiere hacer el gobierno republicano? ¿Por qué fracasa?
5. ¿Cuándo empieza la Guerra Civil? ¿De quiénes recibe ayuda el general Franco? ¿Cuándo acaba la guerra? ¿Cómo ha quedado España después?
6. ¿Quién fue Juan Ramón Jiménez? ¿Qué premio ganó?
7. ¿Qué representa el "hombre masa" de Ortega y Gasset? ¿Cómo se titula la obra en que lo describe?
8. ¿Quién fue Federico García Lorca?
9. ¿Cómo es la producción literaria de España hoy en día?
10. ¿Qué ha producido Hispanoamérica en el siglo veinte?
11. ¿Quién fue Gabriela Mistral?
12. ¿Qué formas toma la novela moderna hispanoamericana?
13. ¿De qué dependerá la dirección que seguirá Hispanoamérica en el futuro?
14. ¿Cuál es la situación actual de España? ¿Por qué se acerca a un cruce de caminos?

Appendixes

1. DEFINITION OF GRAMMATICAL TERMS

Active voice: A construction in which the subject performs the action of the verb. *The storm knocked down the tree.*

Adjective: A word that describes a noun: a *smart* child.

Adverb: A word that answers the questions "Where?" "How?" "Why?" It is used to describe an adjective, another adverb, or the action of a verb: Be *there* on time. They sang *badly*. I'll see you *soon*.

Agreement: A term usually applied to adjectives. An adjective agrees with the noun it describes when its ending changes in accordance with the gender and number of the noun. In Spanish, all adjectives must agree with the nouns they describe: **un niño bueno, una niña buena, los zapatos negros, las medias blancas.**

Antecedent: The noun or pronoun to which a following clause refers: He is the *man* who gave it to me.

Articles: See *Definite article* and *Indefinite article*.

Auxiliary Verb: A verb that *helps* in the conjugation of another verb: They *have* arrived. I *will* go.

Clause: A group of words that includes at least a subject and a verb and forms a part or the whole of a sentence. The following sentence contains two clauses: It is a pity/that she is sick.

Comparative: The form of an adjective or adverb that indicates a greater degree or amount: *taller, richer*.

Compound or (perfect) tense: A tense formed by the auxiliary verb *have* (in Spanish **haber**) and the past participle. Compound or perfect tenses refer to actions that have already been or will be completed. The tense of the auxiliary verbs tells *when:* They *have* left. He *will have* come. I *would have* gone with them.

Conjugated Verb: Any verb form that has a subject. Only the infinitive and the participles are not conjugated.

Conjugation: The listing of verb forms in order of person (first, second, third singular; first, second, third plural) in their different tenses and moods: *I am, you are, he is,* etc.

Conjunction: A word that joins words, phrases, clauses, or sentences: *and, but, for, because, since, that,* etc.

Definite article: A word standing before a noun and indicating a definite person or object: *the* house.

Demonstrative: An adjective or pronoun that points out one or more of a group: *this, that, these, those.*

Dependent clause: See *Subordinate clause.*

Exclamation: A word used to express emotion: *What* a day! *How* wonderful!

Gender: A distinction of nouns and pronouns based on sex. All nouns in Spanish are either masculine or feminine: **la casa, el libro;** but there are neuter pronouns that refer to whole ideas.

Indefinite article: A word standing before a noun and indicating an indefinite word or object: *a* man, *an* article.

Indefinites: Adjectives, adverbs, or pronouns that refer to an indefinite person, thing, place, time, etc.: *any, some, anywhere, someone.*

Independent clause: See *Main clause.*

Infinitive: The form of the verb preceded in English by *to* and having no subject or number: *to live, to die.*

Interrogative: A word that asks a question: *Who? Why?*

Intransitive verb: A verb that cannot have a direct object: They *went* out.

Irregular verb: One whose stem or endings deviate from those of the regular verb patterns.

Main clause: A clause that has complete meaning by itself: *This is the man* who did it.

Modify: To describe a noun, adjective, adverb, or action of a verb: a *hard* book. He spoke *well.*

Mood: There are three moods: indicative, subjunctive, and imperative. Mood is indicated by changing the verb form to reflect a change in the speaker's basic attitude.

Noun: A word that names a person, place, thing, or abstraction: *money, city, hat, valor.*

Number: Number refers to singular and plural.

Object: Generally a noun or pronoun that receives the action of a verb. A direct object answers the questions "What?" or "Whom?" An indirect object answers the questions "To whom?" or "To what?": Give *them* (direct object) *to me* (indirect). Nouns and pronouns may also be objects of prepositions: It is for *Johnny,* not for *you.* Clauses and infinitives may also serve as objects of a verb.

Part of speech: One of the basic grammatical categories into which words are divided: *noun, pronoun, adverb,* etc.

Passive voice: A construction in which the subject *receives* the action of the verb: The tree *was knocked down by* the storm.

Past participle: The verb form ending in English in *-ed, -t, -en,* etc., and in Spanish, generally in **-do.** The past participle is used after the auxiliary *to have* (**haber**) to form compound tenses, and is also frequent as an adjective: The toy has *fallen* down. A *broken* toy.

Person: There are three persons: *I, we, me, us, mine, our(s),* etc. (first person); *you, thou, your(s),* etc. (second person); and *he, she, they, it, him, her, their(s), them,* etc. (third person). Remember that in Spanish, **Ud.** and **Uds.** (*you*) are in the *third* person. Person affects both verb and pronoun forms.

Phrase: A group of words used together to form a part of speech, but not containing a subject and verb. Phrases are normally introduced by prepositions: He went *to the park.*

Possessive: A word that indicates ownership: *My* father can beat *yours.*

Predicate: That part of the sentence which contains the verb and states something further about the action of the subject: Many of us *have been there within the past year.*

Predicate adjective: An adjective that stands alone (without a noun) after verbs of being: He is very *sick.*

Predicate noun: A noun that is linked to the subject by the verb *to be* or another such verb of state rather than action: His brother is a *doctor.* This is our *class.*

Preposition: A word that introduces a noun, pronoun, adverb, infinitive, or present participle and which indicates their function in the sentence. Such a group of words is called a prepositional phrase: We stayed *in bed* all day. In Spanish, unlike English, the verb form that follows a preposition is the infinitive, not the present participle.

Present participle: In English, the verb form ending in -ing: Are they *going?* It is also used in English as a noun or an adjective: *Living* there is too expensive. It is an *interesting* lesson. In Spanish, the present participle may be used only as a verb, never as a noun, and almost never as an adjective.

Pronoun: A word that replaces a noun: *I, she, you, us, them, his,* etc. A subject pronoun stands for the person or thing that is spoken of: *They* told us. *It* came. A direct object pronoun receives the action of the verb: Have you seen *her?* An indirect object pronoun refers to the person or thing to whom or which the action is directed: He sold it to *them.* A pronoun can also be object of a preposition: Don't go out with *him.*

Proper noun: The name of a person or place. Proper nouns are capitalized.

Radical (or stem) changing verbs: Verbs whose stem vowel undergoes a change under certain conditions. All radical changing verbs conform consistently to patterns that govern their type.

Reflexive pronoun: A pronoun that refers to the same person as the subject: *myself, yourself, himself, themselves,* etc. A reflexive pronoun may serve either as a direct or indirect object of a verb: He hurt *himself.* She always talks *to herself.* It may also be the object of a preposition: I bought it *for myself.*

Relative pronoun: A pronoun that introduces a subordinate clause and refers to a previously mentioned noun or pronoun: Do you know anyone *who* has been there?

Simple tense: A tense which needs no auxiliary verb: He *came.* They *did* it. I *see* you.

Subject: The person or thing that is spoken of:

The *baby* is sleeping. *Who* is there? *What* was that? The *dog* bit him.

Subordinate clause: A clause that does not express a whole idea by itself, but depends upon the main clause to complete its meaning: Call me *when you get there.* Did you know *that he had died?*

Superlative: The form of the adjective or adverb that denotes the greatest degree or amount: *best, largest, finest.*

Tense: The indication given in verb forms of the time when the action takes place.

Transitive verb: A verb that may take a direct object: *Tell* me the time. Please *pass* it.

Verb: A word that expresses an action or state: Who *goes* there? It *was* my brother.

2. PUNCTUATION AND CAPITALIZATION

1. An inverted question mark is placed at the beginning of the interrogative part of a sentence, and an inverted exclamation point before the exclamatory part, even though this may mean placing them in the middle of the sentence.

¿Cómo se llama Ud.?	What is your name?
Es Paquito, ¿no?	It's Frankie, isn't it?
¡No me diga!	You don't say!
Créalo o no, ¡era él!	Believe it or not, it was he!

2. In Spanish, only proper names are capitalized. Names of languages, nationalities, days of the week, and months are not.

Pablo Méndez es de Bolivia.	Paul Mendez is from Bolivia.
Sus amigos son argentinos.	His friends are Argentinians.
No hablan inglés.	They don't speak English.
Vuelven a su país el lunes, el dos de mayo.	They are returning to their country on Monday, May 2.

3. Usted(es), señor(es), and **don** are capitalized only when they are abbreviated.

¿Qué me pide Ud. (usted)?	What do you want of me?
Muy señor nuestro:	Dear Sir:
¿No conoce Ud. a la Sra. Aldecoa?	Don't you know Mrs. Aldecoa?
¿Dónde está D. Ramón (don Ramón)?	Where is Don Raymond?

3. IDIOM LIST

The following list contains all important idioms and common expressions that appear in the text. Those that can be given in the infinitive form are listed alphabetically after **to.**

a little while ago   hace poco, hace un rato
about to   a punto de
actually   en realidad

again   otra vez, de nuevo
ago   hace (+ *period of time*)
all at once   de una vez, de repente (*suddenly*)

all day long   todo el día, el día entero
all right   está bien, muy bien, bueno, ¡Cómo no!
aloud, in a loud voice   en voz alta
around, round about   alrededor (de)
as for   en cuanto a
as much (many) . . . as   tanto(s) . . . como
as (+ *adjective or adverb*) **as**   tan . . . como
as soon as possible   cuanto antes, lo antes posible, tan pronto como (sea) posible
as usual   como de costumbre
at first, at the beginning   al principio
at home   en casa
at least   al menos, a lo menos
at midnight   a medianoche
at noon   a mediodía
at night   de noche, por la noche
at once   en seguida, inmediatamente
at the end   al fin
at the proper time   a la hora debida
at the same time   al mismo tiempo, a la vez
at times   a veces, de vez en cuando
besides *adv.* además; *prep.* además de
better than ever   mejor que nunca
by the way   a propósito
by airmail   por avión, vía aérea
by car   en coche
by plane   en avión, por avión
by ship   por mar
by train   en tren
Careful!   ¡Cuidado! ¡Ojo!
downtown *adj.*   del centro
every day, every month, etc.   todos los días, todos los meses
everybody   todo el mundo
everywhere   en todas partes
facing out   hacia fuera
excuse me   perdóne(me), con permiso
far away   a lo lejos
filled with   lleno de
finally   por fin, al fin
for (*a period of time that is still continuing*)   hace . . . que (+ *verb in present tense*); — (*a period of time that was still continuing*)   hacía . . . que (+ *verb in the imperfect*)
for example   por ejemplo
for Heaven's sake!   ¡Dios mío! ¡Por Dios!
forever   para siempre
from bad to worse   de mal en peor
from now on   de aquí en adelante
from time to time   de vez en cuando, de tiempo en tiempo, de vez en vez
from then on   de ahí en adelante
Give it to him!   ¡Dale!

gladly   con mucho gusto, de muy buena gana
Good afternoon.   Buenas tardes.
Good morning.   Buenos días.
Good night. Good evening.   Buenas noches.
He said not (to).   Dijo que no.
He said so. He said yes.   Dijo que sí.
Here is . . .   Aquí tiene Ud . . . .
home (*direction*)   a casa
hour after hour   hora tras hora
How are you?   ¿Cómo está Ud.? ¿Cómo le va? ¿Qué tal? ¿Qué hay?
How I wish (hope)   ¡Ojalá . . . !
How do you do?   Tanto gusto (en conocerle).
How long have you known him?   Cuánto tiempo hace que le conoce?
How old are you?   Cuántos años tiene Ud.?
How much does it cost?   ¿Cuánto vale?
How pretty, good, etc.!   ¡Qué bonito, bueno . . . !
I don't care.   No me importa. (*It doesn't matter at all.*) Me da lo mismo. (*I'm indifferent either way.*)
I don't think so.   Creo que no.
I know.   Lo sé.
I'm pleased to meet you.   Tanto (*or* Mucho) gusto en conocerle.
I'm so sorry!   ¡Cuánto lo siento!
I think so.   Creo que sí.
I wish I had it so good!   ¡Quién la tuviera tan buena!
If only . . . ! Would that . . . !   ¡Ojalá!
in bad condition   en malas condiciones
in mid-winter   en pleno invierno
in (during) the morning, afternoon, evening   por la mañana, tarde, noche; de la mañana, etc. (*after the hour is mentioned*)
in the distance   a lo lejos
in the meantime   mientras tanto, entretanto
in the open air   al aire libre
in the sun   al sol
in short   en fin
in spite of   a pesar de
instead of   en lugar de
Is this where . . . ?   ¿Es aquí donde . . . ?
Is that where . . . ?   Es ahí (allí) donde?
It doesn't matter.   No importa.
it is said   se dice
It makes no difference.   Da lo mismo.
It makes one think.   Hace pensar.
last night   anoche
last summer   el verano pasado
last week   la semana pasada
left and right   a derecha e izquierda, a diestra y siniestra

Let's go! ¡Vámonos!

Let's see. A ver. Vamos a ver.

meanwhile mientras tanto, entretanto

neither one ni uno ni otro

none of that nada de eso

nowadays hoy día, hoy en día

Of course! ¡Cómo no!; desde luego, por supuesto; Claro que . . .

Oh, me! ¡Ay de mí!

Oh, my! ¡Dios mío!

on business de negocios

on vacation de vacaciones

often muchas veces, a menudo

on board a bordo

on foot a pie, en pie

on installments a plazos

on purpose de propósito

on time a tiempo, a la hora debida; a plazos (*payments*)

on the inside (por) dentro

on the outside (por) fuera

on the left a la izquierda

on the part of de parte de

on the right a la derecha

on the way to camino a, rumbo a

on top por encima

once in a while de vez en cuando

one must(n't) (no) hay que

please por favor; Haga el favor de . . . ; Favor de . . . ; Tenga la bondad de . . . ; Sírvase (+ *infinitive*)

rather *adj.* más bien; bastante

rather *adv.* mejor dicho

really de veras, en verdad, de verdad, en realidad

retail al por menor

right away en seguida

right here aquí mismo

right now ahora mismo

right over here aquí no más

right over there ahí no más

second hand de segunda mano

seriously en serio, hablando en serio

shortly after poco después, a poco

So long. Hasta pronto. Hasta luego.

sooner antes

So what? What of it? ¿Y qué?

suddenly de repente, súbitamente

surrounded by rodeado de

Thanks a million. Un millón de gracias. Mil gracias.

That isn't done. Eso no se hace.

that's all nada más

the best part is . . . lo mejor es . . .

the normal thing lo normal

the only thing lo único

The pleasure is mine. El gusto es mío.

the same thing lo mismo

the whole week toda la semana, la semana entera

there is, there are hay

There now! All right! There we are! Ya estamos.

There lies the problem. Ahí queda el problema.

to address (someone) dirigirse a

to approach acercarse a

to ask a question hacer una pregunta

to ask someone for something pedir algo a alguien

to attend asistir a

to be . . . (feet long, wide, tall) tener . . . (pies de largo, ancho, alto)

to be about to estar para, estar a punto de

to be afraid tener miedo

to be at the expense of ser por cuenta de

to be beside oneself estar fuera de sí

to be cold hacer frío (*weather, room temperature*); tener frío (*a person's feeling*); ser frío (*a characteristic*)

to be difficult or **hard to . . .** costar trabajo

to be glad that alegrarse de que

to be good for, useful for servir para

to be hungry tener hambre

to be in (at home) estar (en casa): **He isn't in.** No está.

to be in effect estar (*or* encontrarse) en vigor

to be in style estar de moda

to be (very) lucky tener (mucha) suerte

to be muddy (out) haber lodo

to be patient tener paciencia

to be right tener razón

to be sleepy tener sueño

to be sorry sentir (en el alma)

to be successful tener éxito; (*in doing something*) lograr (+ *infinitive*)

to be sunny hacer sol; haber sol

to be thirsty tener sed

to be warm hacer calor (*weather, room temperature*); tener calor (*a person's feeling*)

to be windy hacer viento

to be within one's power ser de su poder

to be wrong no tener razón; equivocarse

to be . . . years old tener . . . años de edad

to become hacerse (*by a voluntary act: profession, etc.; also, rich*); llegar a ser (*the result of a series of acts leading to the goal*); ponerse (+ *adjective refers to a physical change: sick, angry, etc.*)

to become tired or **bored with**   cansarse de

to begin to   empezar a; ponerse a; echar a (*run, laugh, etc.*)

to boast of   jactarse de, alabarse de

to catch up with, get up to date with   ponerse al corriente de

to come out (*the sun, etc.*)   salir

to continue on one's way   seguir su camino

to count on   contar con

to deal with, treat of   tratar de

to depend on   depender de

to (do something) again   volver a (+ *infinitive*)

to dream about   soñar con

to drop   dejar caer

to enjoy   gozar de, disfrutar de

to enter   entrar en, entrar a (*Spanish America*)

to fail in (*one's duty*)   faltar a

to fail to   dejar de; (*also use preterite of main verb*)

to feed   dar de comer

to feel like (*doing something*)   tener gana(s) de, darle a uno ganas de

to get hurt   hacerse daño

to get in touch with   ponerse en contacto con

to get lost   perderse, descaminarse

to get (take) sick   ponerse enfermo

to give a name to   poner nombre a

to have just   acabar de (only in present and imperfect)

to have left (*over* or *remaining*)   quedarle a uno (*like* gustar *in construction*): **I have two left.** Me quedan dos.

to have something to do, say, etc.   tener algo que hacer, decir, etc.

to have to   tener que

to have to do with   tener que ver con

to hear that . . .   oír decir que . . .

to hear someone say   oír decir a alguien

to hear (someone or something) spoken about   oír hablar de (alguien o algo)

to hurt, be painful   dolerle a uno: **My head hurts.**   Me duele la cabeza.

to inform (*oneself*)   enterar(se) de

to insist that   insistir en que

to intend to   pensar (+ *infinitive*)

to jump on top of   echarse (por) encima de

to like   querer (*a person*); gustarle a uno: **I like them.**   Me gustan.

to make an effort to   esforzarse por

to make oneself understood   hacerse entender

to marry   casarse (con)

to mean   querer decir

to miss (*a plane, etc.*)   perder; — (*a person*) echar de menos a, extrañar

to move   mover(se), trasladar(se)

to need   hacerle falta a uno (*like* gustar *and* quedar *in construction*): **I need them.**   Me hacen falta.

to pay attention to   hacer caso a (*heed*); prestar atención (*listen to*)

to pay cash   pagar al contado

to pay for   pagar

to play (*ball, etc.*)   jugar a (la pelota, etc.)

to play (*an instrument*)   tocar (un instrumento)

to put in danger   poner en riesgo

to put on (*one's shirt, hat, etc.*)   ponerse (la camisa, el sombrero, etc.)

to reach (a certain) age   cumplir . . . años (de edad)

to realize   darse cuenta de (*acknowledge*); realizar (*put into effect*)

to refer to   referirse a

to return home   volver a casa

to return (*something*)   devolver

to serve as   servir de

to set (*the sun*)   ponerse (el sol)

to succeed in   lograr (+ *infinitive*), tener éxito en

to sue   entablar pleito contra

to take (*decide to purchase*)   quedarse con

to take advantage of   aprovechar(se de)

to take a liking to   encariñarse con

to take a step   dar un paso

to take a trip   hacer un viaje

to take a walk   dar un paseo, dar una vuelta

to take away from someone   quitarle a alguien

to take charge of   encargarse de

to take into one's power or **possession**   apoderarse de

to tell the truth (*phrase*)   a decir verdad

to thank   dar las gracias; agradecer

to think of or **about**   pensar en; (*to have an opinion of*) pensar de

to try to   tratar de

to turn out well   resultar bien, salir bien

to turn round and round   dar vueltas

to worry about   preocuparse de *or* por

tonight   esta noche

two blocks from . . .   a dos cuadras de . . .

unconscious   sin sentido

underneath   por debajo

unless   a menos que

upon (*passing, entering, etc.*)   al (pasar, entrar, etc.)

usually   de costumbre

Watch out!   ¡Ojo!

well . . .   pues bien . . .

What do you think of . . .? ¿Qué le parece . . .?
What good is it? ¿Para qué sirve?
What is he like? ¿Cómo es?
What's the matter? ¿Qué tiene Ud.?; ¿Qué pasa (aquí)?

What time is it? ¿Qué hora es?
wholesale al por mayor
without further ado sin más tardar
You're welcome. De nada. No hay de qué.

4. 200 COMMON ANTONYMS

Antonyms are often helpful in learning the meaning of words. Here are 200 of the most common. The pairs of words are listed according to their alphabetical position in English. Thus: bad *malo* good *bueno;* against *contra* for *por.* Irregular verbs that appear in full in the verb appendix are marked with an asterisk.

1. a great deal *mucho, muchísimo* a little *poco, poquísimo*
2. able *capaz* unable *incapaz*
3. above *(por) encima de* below, under *debajo de*
4. accept *aceptar* refuse *rehusar* reject *rechazar*
5. acquit *absolver* (ue) (past part. *absuelto*) convict *condenar*
6. admit *admitir* deny *negar* (ie)
7. advantage *ventaja* disadvantage *desventaja*
8. after (adv.) *después;* (prep.) *después de;* (conj.) *después de que* before (adv.) *antes;* (prep.) *antes de;* (conj.) *antes de que*
9. again *otra vez, una vez más* no more *no más; ya . . . no* (no longer)
10. against *contra* for *por*
11. agree to *convenir* en* refuse to *negarse* (ie) *a*
12. agreeable, pleasant *agradable; amable, simpático* (persons) disagreeable, unpleasant *desagradable; antipático* (persons)
13. ahead (adj.) *adelantado* (a watch, etc.); (adv.) *hacia adelante* behind (adj.) *atrasado;* (adv.) *hacia atrás*
14. alive *vivo* dead *muerto*
15. all *todo* nothing *nada* part *parte* (f.)
16. all at once *de una vez* little by little *poco a poco*
17. alone *solo* together *juntos*
18. allow *permitir, dejar* forbid *prohibir*
19. already *ya* not yet *todavía no*
20. also *también* neither, not . . . either *(ni) . . . tampoco*
21. always *siempre* never *nunca, jamás*
22. and *y* or *o*
23. anyone *cualquiera, cualquier persona; alguien* no one *nadie*
24. anything *cualquier cosa; algo* nothing *nada*
25. appreciate *apreciar* scorn *despreciar, menospreciar*
26. approach, draw near *acercarse a* move away from *alejarse de*
27. arrive *llegar* depart, go away *irse**
28. ask *preguntar* answer *contestar, responder*
29. asleep *dormido* awake *despierto*
30. at the beginning, at first *al principio* finally *al fin, por fin*
31. attend, be present *asistir (a)* miss, be absent *faltar*
32. awake(n) *despertar(se)(ie)* fall asleep *dormirse(ue)*
33. back (n.) *fondo* (location); *revés* (m.), *envés* (m.) (reverse side); (adj.) *trasero* front (n.) *frente* (m.); (adj.) *delantero*

34. bad *mal(o)*   good *buen(o)*
35. badly *mal*   well *bien*
36. be born *nacer (zco)*   die *morir (ue)*
37. be in *estar* (en casa)*   be out *no estar, estar fuera*
38. be right *tener* razón*   be wrong *no tener razón, estar* equivocado, equivocarse*
39. be silent *callar*   speak *hablar*
40. beautiful *hermoso*   ugly *feo*
41. before (adv.) *antes*   later *después*   now *ahora*
42. begin *empezar (ie), comenzar (ie)*   end, finish *acabar, terminar*
43. beginning (n.) *principio*   end *fin* (m.)
44. behind *detrás de*   in front of *delante de*
45. believe *creer**   doubt *dudar*
46. best *mejor*   worst *peor*
47. better *mejor*   worse *peor*
48. big *grande*   small, little *pequeño*
49. bitter *amargo*   sweet *dulce*
50. black *negro*   white *blanco*
51. blond(e) *rubio*   brunette *moreno*
52. bored *aburrido, cansado*   interested *interesado*
53. boring *aburrido, cansado*   interesting *interesante*
54. borrow *pedir (i) prestado, tomar prestado*   lend *prestar*
55. both *los dos, ambos*   neither *ni uno ni otro*
56. bottom *fondo; fin* (m.) (of a page)   top *cima* (height); *principio* (of a page)
57. brave *valiente*   cowardly *cobarde*
58. bravery *valentía, valor* (m.)   cowardice *cobardía*
59. bright *listo* (intelligent); *subido* (color)   dull *estúpido, insulso; apagado*
60. busy *ocupado*   idle *desocupado*
61. buy *comprar*   sell *vender*
62. buyer *comprador*   seller *vendedor*
63. cheap *barato*   expensive *caro, costoso*
64. city *ciudad* (f.)   country *campo*
65. clean *limpio*   dirty *sucio*
66. clear (weather) *despejado*   cloudy *nublado*
67. close (v.) *cerrar (ie)*   open (v.) *abrir* (past part. *abierto*)
68. closed *cerrado*   open *abierto*
69. cold (n.) *frío*   heat, warmth *calor* (m.)   cold (adj.) *frío*   hot *caliente; caluroso*
70. come *venir**   go *ir*; irse**
71. cool (adj.) *fresco*   warm *cálido, calientito, caluroso*
72. cover *cubrir* (past part. *cubierto*)   discover, uncover *descubrir* (past part. *descubierto*)
73. crazy, mad *loco*   sane *cuerdo*
74. create *crear*   destroy *destruir (uyo)*
75. cruel *cruel*   kind *bondadoso, bueno*
76. cry (v.) *llorar*   laugh (v.) *reír**
77. dark *oscuro*   light *claro*
78. day *día* (m.)   night *noche* (f.)
79. death *muerte* (f.)   life *vida*
80. die *morir (ue)*   live *vivir*
81. different *diferente, distinto*   similar *semejante*   same *igual*
82. difficult *difícil*   easy *fácil*
83. disobedient *desobediente*   obedient *obediente*
84. disobey *desobedecer (zco)*   obey *obedecer (zco)*
85. dress (v.) *vestir(se)(i)*   undress (v.) *desnudar(se)*
86. drink (v.) *beber*   eat *comer*

87. early *temprano* late *tarde*
88. earth *tierra* sky *cielo*
89. easy *fácil* hard *difícil*
90. eat (v.) *comer* fast (v.) *ayunar*
91. empty (adj.) *vacío* full *lleno*
92. enemy *enemigo* friend *amigo*
93. enough *bastante* too much *demasiado* too little *muy poco*
94. enter *entrar* leave *salir**
95. ever, at some time *alguna vez* never, at no time *jamás, nunca*
96. everyone *todo el mundo; todos* no one *nadie*
97. everything *todo* nothing *nada*
98. evil *mal* (m.) good (n.) *bien* (m.)
99. except *excepto, exceptuando* including *incluso*
100. fail *suspender; ser* suspendido* (school) pass *aprobar (ue); ser* aprobado*
101. fail *fracasar* succeed *tener* éxito*
102. fair *justo* unfair *injusto*
103. faithful *fiel* unfaithful *infiel*
104. fall *caer** get up *levantarse*
105. false *falso* true *verdad, verdadero*
106. famine *hambruna* feast *festín* (m.), *banquete* (m.)
107. famous *famoso* unknown *desconocido*
108. far *lejos* near *cerca*
109. fast *adelantado* (clock, etc.); *rápido* slow *atrasado* (clock, etc.); *lento, despacioso*; (adv.) *despacio*
110. fat *gordo* slim *delgado* thin *flaco, enjuto*
111. fear (v.) *temer;* (n.) temor (m.) hope (v.) *esperar;* (n.) *esperanza*
112. few *pocos* many *muchos*
113. find *hallar, encontrar (ue)* lose *perder (ie)* seek, look for *buscar*
114. finish (v.) *terminar, acabar* start *empezar (ie), terminar*
115. first *primero* last *último*
116. follow *seguir (i)* lead *dirigir, conducir**
117. forget *olvidar* remember *recordar (ue), acordarse (ue) de*
118. freeze (v.) *helar(se)(ie), congelar(se)* melt *derretir(se)(i)*
119. from *de; desde* to *a; hacia*
120. future *futuro, porvenir* (m.) past *pasado*
121. gay *alegre* sad *triste*
122. give *dar** take *tomar; quitar* receive *recibir*
123. go *ir(se)** stay *quedarse* go (a car, etc.) *andar** stop *parar*
124. go in *entrar* go out, come out *salir**
125. go up *subir* go down, come down *bajar*
126. grandfather *abuelo* grandson, grandchild *nieto*
127. guilty *culpable* innocent *inocente*
128. handsome *buen mozo, guapo* homely *feo*
129. happiness *felicidad* (f.) sadness *tristeza*
130. happy *feliz; contento; alegre* sad *triste*
131. hard *duro* soft *muelle, blando*
132. hate (v.) *odiar* love *amar, querer**
133. heaven *cielo, paraíso* hell *infierno*
134. heavy *pesado* light *ligero*
135. here *aquí; acá* (with verbs of motion) there *allí; allá* (yonder)
136. hide *ocultar, esconder* reveal *revelar* show *mostrar (ue)*
137. high *alto* low *bajo*
138. hit (v.) *acertar (ie)* miss *errar*
139. hungry *hambriento* sated, full *harto*

140. in (adv.) *dentro;* (prep.) *en; dentro de*   out (adv.) *fuera;* (prep.)—of *fuera de*
141. in a loud voice *en voz alta*   softly *en voz baja*
142. inside (adv.) *dentro; adentro;* (prep.) *dentro de*   outside (adv.) *fuera; afuera;* (prep.) *fuera de*
143. keep on (doing something) *seguir (i)* + present participle   stop, cease *dejar de* + infinitive
144. land (n.) *tierra*   sea *mar* (m.)
145. land (v.) (an airplane) *aterrizar*   take off *despegar*
146. large *grande*   small *pequeño*
147. last week *la semana pasada*   next week *la semana que viene*
148. learn *aprender*   teach *enseñar*
149. least *menos*   most *más*   the least *lo menos*   the most *lo más*
150. leave *irse*, marcharse, salir**   return *volver(ue)* (past part. *vuelto*)
151. left *izquierdo*   right *derecho*
152. less *menos*   more *más*
153. lie (n.) *mentira*   truth *verdad* (f.)
154. liquid *líquido*   solid *sólido*
155. little *poco*   much *mucho*
156. long *largo*   short *corto*
157. lose *perder (ie)*   win *ganar*
158. loud *alto*   soft *bajo*
159. lower (v.) *bajar*   raise *levantar*
160. lucky *afortunado*   unlucky *desafortunado*
161. majority *mayoría*   minority *minoría*
162. married *casado*   single *soltero*
163. necessary *necesario*   unnecessary *innecesario*
164. never *nunca, jamás*   sometimes *a veces, de vez en cuando*
165. new *nuevo*   old *viejo*
166. next *próximo*   past, last *pasado; último*
167. nice *simpático*   unpleasant, nasty *antipático*
168. nobody, no one *nadie*   somebody, someone *alguien*
169. none, no one (of a group) *ninguno*   some, some one (or more of a group) *alguno(s)*
170. nothing *nada*   something *algo*
171. now *ahora*   then *entonces*
172. often *a menudo, frecuentemente*   seldom *rara vez, infrecuentemente*
173. old *viejo*   young *joven*
174. older *mayor*   younger *menor*
175. on the left *a la izquierda*   on the right *a la derecha*
176. over (prep.) *(por) encima de*   under *debajo de*
177. owe *deber*   pay *pagar*
178. peace *paz* (f.)   war *guerra*
179. poor *pobre*   rich *rico*
180. poverty *pobreza*   wealth *riqueza*
181. pretty *bonito*   ugly *feo*
182. put on *poner(se)**   take off *quitar(se)**
183. quick *rápido*   slow *despacio(so), lento*
184. rapidly *rápidamente*   slowly *despacio, lentamente*
185. receive *recibir*   send *mandar, despachar*
186. rest (v.) *descansar*   tire *cansar*   rested *descansado*   tired *cansado*
187. retail *al por menor*   wholesale *al por mayor*
188. right (adj.) *correcto; bueno*   wrong *incorrecto; equivocado; malo*
189. right away *en seguida*   later *más tarde, después*
190. rise (the sun) *salir**   set (the sun) *ponerse**
191. round *redondo*   square *cuadrado*
192. save *ahorrar*   spend *gastar*

193. seated *sentado* standing *de pie, en pie; parado*
194. short (in height) *bajo* tall *alto*
195. sick *enfermo* well *bien (de salud)*
196. sit down *sentarse (ie)* stand up *ponerse* de pie, levantarse*
197. sour *agrio* sweet *dulce*
198. strong *fuerte* weak *débil*
199. useful *útil* useless *inútil*
200. with *con* without *sin*

5. WEIGHTS AND MEASURES

inch	pulgada		**ounce**	onza
yard	yarda		**pound**	libra
meter	metro (39.37 inches)		**kilogram**	kilo (2.2 pounds)
mile	milla		**acre**	acre (*m.*)
kilometer	kilómetro (.6 of a mile)		**hectare**	hectárea (2.47 acres)

6. MONETARY UNITS

peseta	España		**lempira**	Honduras
	Argentina		**córdoba**	Nicaragua
	Colombia		**balboa**	Panamá
	Cuba		**guaraní**	el Paraguay
peso	Chile		**sol**	el Perú
	México		**bolívar**	Venezuela
	la República Dominicana			
	Uruguay		**libra esterlina**	Inglaterra
boliviano	Bolivia		**franco**	Francia
colón	Costa Rica		**marco**	Alemania
	El Salvador		**rublo**	Rusia
sucre	el Ecuador		**lira**	Italia
quetzal	Guatemala		**dólar**	los Estados Unidos

7. VERBS

Regular Verbs

INFINITIVE

llorar *to cry* beber *to drink* vivir *to live*

Present Participle

llorando *crying* bebiendo *eating* viviendo *living*

Past Participle

llorado *cried* bebido *drunk* vivido *lived*

Tenses of the Indicative Mood

PRESENT

I cry, am crying, do cry	*I drink, am drinking, do drink*	*I live, am living, do live*
lloro	bebo	vivo
lloras	bebes	vives
llora	bebe	vive
lloramos	bebemos	vivimos
lloráis	bebéis	vivís
lloran	beben	viven

IMPERFECT

(The imperfect expresses a past action or condition in its process.)

I was crying, used to (or would) cry, cried	*I was drinking, used to (or would) drink, drank*	*I was living, used to (or would) live, lived*
lloraba	bebía	vivía
llorabas	bebías	vivías
lloraba	bebía	vivía
llorábamos	bebíamos	vivíamos
llorabais	bebíais	vivíais
lloraban	bebían	vivían

PRETERITE

(The preterite *records* a completed action in the past.)

I cried	*I drank*	*I lived*
lloré	bebí	viví
lloraste	bebiste	viviste
lloró	bebió	vivió
lloramos	bebimos	vivimos
llorasteis	bebisteis	vivisteis
lloraron	bebieron	vivieron

FUTURE

I will (shall) cry	*I will (shall) drink*	*I will (shall) live*
lloraré	beberé	viviré
llorarás	beberás	vivirás
llorará	beberá	vivirá
lloraremos	beberemos	viviremos
lloraréis	beberéis	viviréis
llorarán	beberán	vivirán

CONDITIONAL

(The conditional is normally the future of a past action. It tells what would, what was going to happen, or states the result of an *if* clause. In the first person, *should* sometimes replaces *would*.)

I would cry	*I would drink*	*I would live*
lloraría	bebería	viviría
llorarías	beberías	vivirías
lloraría	bebería	viviría
lloraríamos	beberíamos	viviríamos
lloraríais	beberíais	viviríais
llorarían	beberían	vivirían

Simple Tenses of the Subjunctive Mood

(The subjunctive mood is not always translatable as indicated below in English. See # 73, 79, 103–105, 108.)

PRESENT

(that) I (may) cry	*(that) I (may) drink*	*(that) I (may) live*
llore	beba	viva
llores	bebas	vivas
llore	beba	viva
lloremos	bebamos	vivamos
lloréis	bebáis	viváis
lloren	beban	vivan

IMPERFECT

(The imperfect subjunctive is the only simple past subjunctive.)

(that) I might cry, I cried	*(that) I might drink, I drank*	*(that) I might live, I lived*
-ra form		
llorara	bebiera	viviera
lloraras	bebieras	vivieras
llorara	bebiera	viviera
lloráramos	bebiéramos	viviéramos
llorarais	bebierais	vivierais
lloraran	bebieran	vivieran
-se form		
llorase	bebiese	viviese
llorases	bebieses	vivieses
llorase	bebiese	viviese
llorásemos	bebiésemos	viviésemos
lloraseis	bebieseis	vivieseis
llorasen	bebiesen	viviesen

The Imperative Mood

(The imperative consists of the affirmative commands of *tú* and *vosotros*.)

cry	*drink*	*live*
llora (tú)	bebe	vive
llorad (vosotros)	bebed	vivid

Compound (Perfect) Tenses

(Compound or perfect tenses are formed by the auxiliary verb
haber + a past participle.)

PERFECT INFINITIVE   PERFECT PARTICIPLE

to have cried, drunk, lived   *having cried, drunk, lived*
haber llorado, bebido, vivido   habiendo llorado, bebido, vivido

PRESENT PERFECT

I have cried	*I have drunk*	*I have lived*
he llorado	he bebido	he vivido
has llorado	has bebido	has vivido
ha llorado	ha bebido	ha vivido
hemos llorado	hemos bebido	hemos vivido
habéis llorado	habéis bebido	habéis vivido
han llorado	han bebido	han vivido

PLUPERFECT (PAST PERFECT)

I had cried	*I had drunk*	*I had lived*
había llorado	había bebido	había vivido
habías llorado	habías bebido	habías vivido
había llorado	había bebido	había vivido
habíamos llorado	habíamos bebido	habíamos vivido
habíais llorado	habíais bebido	habíais vivido
habían llorado	habían bebido	habían vivido

FUTURE PERFECT

I will (shall) have cried	*I will (shall) have drunk*	*I will (shall) have lived*
habré llorado	habré bebido	habré vivido
habrás llorado	habrás bebido	habrás vivido
habrá llorado	habrá bebido	habrá vivido
habremos llorado	habremos bebido	habremos vivido
habréis llorado	habréis bebido	habréis vivido
habrán llorado	habrán bebido	habrán vivido

CONDITIONAL PERFECT

I would have cried	*I would have drunk*	*I would have lived*
habría llorado	habría bebido	habría vivido
habrías llorado	habrías bebido	habrías vivido

habría llorado	habría bebido	habría vivido
habríamos llorado	habríamos bebido	habríamos vivido
habríais llorado	habríais bebido	habríais vivido
habrían llorado	habrían bebido	habrían vivido

PRESENT PERFECT SUBJUNCTIVE

(The subjunctive is not always translatable in English as indicated below.)

(that) I (may) have cried	*(that) I (may) have drunk*	*(that) I (may) have lived*
haya llorado	haya bebido	haya vivido
hayas llorado	hayas bebido	hayas vivido
haya llorado	haya bebido	haya vivido
hayamos llorado	hayamos bebido	hayamos vivido
hayáis llorado	hayáis bebido	hayáis vivido
hayan llorado	hayan bebido	hayan vivido

PLUPERFECT SUBJUNCTIVE

(that) I had cried, (that)	*(that) I had drunk, (that)*	*(that) I had lived, (that)*
I might have cried	*I might have drunk*	*I might have lived*

-ra form

hubiera llorado	hubiera bebido	hubiera vivido
hubieras llorado	hubieras bebido	hubieras vivido
hubiera llorado	hubiera bebido	hubiera vivido
hubiéramos llorado	hubiéramos bebido	hubiéramos vivido
hubierais llorado	hubierais bebido	hubierais vivido
hubieran llorado	hubieran bebido	hubieran vivido

-se form

hubiese llorado	hubiese bebido	hubiese vivido
hubieses llorado	hubieses bebido	hubieses vivido
hubiese llorado	hubiese bebido	hubiese vivido
hubiésemos llorado	hubiésemos bebido	hubiésemos vivido
hubieseis llorado	hubieseis bebido	hubieseis vivido
hubiesen llorado	hubiesen bebido	hubiesen vivido

Radical (Stem) Changing Verbs

A radical change is a change in the root (stem) of a verb. In Spanish, this change occurs in the root *vowel* of certain verbs.

1. **-ar** and **-er** Radical Changing Verbs

Radical changing verbs that end in **-ar** or **-er** change the stressed **e** to **ie,** the stressed **o** to **ue.**
-ar and **-er** radical changing verbs change only in the present indicative and present subjunctive. All other tenses are conjugated regularly. (Just as in regular verbs, the imperative singular—the affirmative command for **tú**—is the same as the third person singular of the present indicative.)

PATTERN OF THE PRESENT INDICATIVE

———————→ e > ie   o > ue

———————→ e > ie   o > ue

———————→ e > ie   o > ue

←———————

←———————

———————→ e > ie   o > ue

despertar	**entender**	**recordar**	**volver**
to awaken	*to understand*	*to remember*	*to return*
despierto	entiendo	recuerdo	vuelvo
despiertas	entiendes	recuerdas	vuelves
despierta	entiende	recuerda	vuelve
despertamos	entendemos	recordamos	volvemos
despertáis	entendéis	recordáis	volvéis
despiertan	entienden	recuerdan	vuelven

The present subjunctive follows the same pattern, except that **-a** endings change to **-e,** **-e** endings to **-a.**

COMMON VERBS OF THIS TYPE USED IN THE TEXT

acordarse (de)   *to remember*   jugar   *to play*

acostarse   *to go to bed*   llover   *to rain*

atravesar   *to cross*   mostrar   *to show*

comenzar   *to begin*   mover   *to move*

contar   *to count; to relate*   negar   *to deny*

costar   *to cost*   nevar   *to snow*

devolver   *to return, give back*   pensar   *to think*

doler   *to hurt*   perder   *to lose*

empezar   *to begin*   probar   *to prove*

encender   *to light*   sonar   *to sound; to ring*

encontrar   *to find; to meet*   sentarse   *to sit down*

2. -ir Radical Changing Verbs

There are two types of radical changing verbs ending in **-ir.**

Type I: Those whose stressed **e** changes to **ie** in the present indicative and present subjunctive, and those whose stressed **o** changes to **ue.** Some common verbs of this type used in the text are:

advertir   *to warn*   dormir   *to sleep*

consentir   *to consent*   mentir   *to lie*

convertir   *to convert, change*   morir   *to sleep*

divertirse   *to have a good time*   sentir   *to feel; to regret*

Type II: Those whose stressed **e** changes to **i** in the present indicative and present subjunctive.

concebir   *to conceive*   repetir   *to repeat*

conseguir   *to obtain; to achieve*   seguir   *to follow; to continue*

impedir   *to prevent*   servir   *to serve*

pedir   *to ask for, request*   vestir(se)   *to dress*

A. The Present Indicative of **-ir** Radical Changing Verbs

The pattern is exactly the same as that of all other radical changing verbs.

Type I (e > ie, o > ue)		*Type II* (e > i)
mentir	**morir**	**servir**
to lie	*to die*	*to serve*
miento	muero	sirvo
mientes	mueres	sirves
miente	muere	sirve
mentimos	morimos	servimos
mentís	morís	servís
mienten	mueren	sirven

B. The Present Subjunctive of **-ir** Radical Changing Verbs

The general pattern of the present indicative is maintained, but a *second* radical change is added. The *unstressed* **e** of the first and second persons plural becomes **i;** the unstressed **o** becomes **u.**

mienta	muera	sirva
mientas	mueras	sirvas
mienta	muera	sirva
mintamos	muramos	sirvamos
mintáis	muráis	sirváis
mientan	mueran	sirvan

C. The Preterite of **-ir** Radical Changing Verbs

In the third person, singular and plural, the *unstressed* **e** becomes **i;** the **o** becomes **u.**

mentí	morí	serví
mentiste	moriste	serviste
mintió	murió	sirvió
mentimos	morimos	servimos
mentisteis	moristeis	servisteis
mintieron	murieron	sirvieron

Remember: The preterite of **-ar** and **-er** radical changing verbs undergoes no radical change.

D. The Imperfect Subjunctive of **-ir** Radical Changing Verbs

The **e > i, o > u** change appears throughout the entire imperfect subjunctive.

mintiera (mintiese)	muriera (muriese)	sirviera (sirviese)
mintieras	murieras	sirvieras
mintiera	muriera	sirviera
mintiéramos	muriéramos	sirviéramos
mintierais	murierais	sirvierais
mintieran	murieran	sirvieran

Note: The imperfect subjunctive of **-ar** and **-er** radical changing verbs undergoes no radical change.

E. The present participle of **-ir** radical changing verbs changes the stem vowel **e** to **i, o** to **u: mintiendo, muriendo, sirviendo.**

Irregular Past Participles

A few regular, irregular, and radical changing verbs have irregular past participles. These include:

abrir	abierto	morir	muerto
cubrir	cubierto	poner	puesto
decir	dicho	resolver	resuelto
escribir	escrito	ver	visto
hacer	hecho	volver	vuelto

Spelling Changing Verbs

1. In order to keep the pronunciation of their final consonant the same as it is in the infinitive form, some verbs must change their spelling under certain conditions.

A. Verbs that end in **-ger** or **-gir** change **g** to **j** before an **o** or **a**. This keeps the final consonant soft.

coger *to catch*

PRESENT INDICATIVE	PRESENT SUBJUNCTIVE
cojo	*coja*
coges	*cojas*
coge	*coja*
cogemos	*cojamos*
cogéis	*cojáis*
cogen	*cojan*

dirigir *to direct*

PRESENT INDICATIVE	PRESENT SUBJUNCTIVE
dirijo	*dirija*
diriges	*dirijas*
dirige	*dirija*
dirigimos	*dirijamos*
dirigís	*dirijáis*
dirigen	*dirijan*

B. Verbs that end in **-cer** or **-cir** preceded by a consonant change the **c** to **z** before an **o** or **a**, thus keeping the final consonant soft.

convencer *to convince*

PRESENT INDICATIVE	PRESENT SUBJUNCTIVE
convenzo	*convenza*
convences	*convenzas*
convence	*convenza*
convencemos	*convenzamos*
convencéis	*convenzáis*
convencen	*convenzan*

C. Verbs that end in **-gar** change **g** to **gu** before **e**. The **u** is not pronounced, but keeps the **g** hard.

apagar *to put out, extinguish*

PRETERITE	PRESENT SUBJUNCTIVE
apagué	*apague*
apagaste	*apagues*
apagó	*apague*
apagamos	*apaguemos*
apagasteis	*apaguéis*
apagaron	*apaguen*

D. Verbs that end in **-car** change **c** to **qu** before **e,** thus keeping the final consonant hard.

buscar *to look for*

PRETERITE	PRESENT SUBJUNCTIVE
busqué	*busque*
buscaste	*busques*
buscó	*busque*
buscamos	*busquemos*
buscasteis	*busquéis*
buscaron	*busquen*

E. Verbs ending in **-guir** drop the **u** before **o** or **a.** (Since **g** is already hard before **o** or **a,** a **u** inserted between **g** and **o** or **a** would have tò be pronounced.)

seguir *to follow; to continue*
(Notice that **seguir** is also radical changing.)

PRESENT INDICATIVE	PRESENT SUBJUNCTIVE
sigo	*siga*
sigues	*sigas*
sigue	*siga*
seguimos	*sigamos*
seguís	*sigáis*
siguen	*sigan*

F. Verbs ending in **-quir** change **qu** to **c** before **o** or **a.** (The combination **quo,** rare in Spanish, would require the sounding of the **u.**)

relinquir *to relinquish*

PRESENT INDICATIVE	PRESENT SUBJUNCTIVE
relinco	*relinca*
relinques	*relincas*
relinque	*relinca*
relinquimos	*relincamos*
relinquís	*relincáis*
relinquen	*relincan*

G. Verbs ending in **-guar** change **gu** to **gü** before **e.** (Since the **u** is pronounced in the infinitive form, it can be maintained before **e** only by placing the dieresis [¨] above it.)

apaciguar *to appease, pacify*

PRETERITE	PRESENT SUBJUNCTIVE
apacigüé	*apacigüe*
apaciguaste	*apacigües*
apaciguó	*apacigüe*
apaciguamos	*apacigüemos*
apaciguasteis	*apacigüéis*
apaciguaron	*apacigüen*

2. In order to conform to the rules of Spanish spelling, which try to keep the language as consistent phonetically as possible, other verbs also undergo spelling changes.

A. Verbs that end in **-zar** change **z** to **c** before **e**.

empezar   *to begin*

(Notice that **empezar** is also radical changing.)

PRETERITE	PRESENT SUBJUNCTIVE
empecé	*empiece*
empezaste	*empieces*
empezó	*empiece*
empezamos	*empecemos*
empezasteis	*empecéis*
empezaron	*empiecen*

B. Verbs ending in **-eer** change the unstressed **i** to **y** between vowels. (Spanish spelling does not permit an unstressed **i** between vowels because the actual pronunciation of such an **i** would be **y**. The spelling change thereby maintains phonetic consistency.)

creer   *to believe, think*

PRETERITE	IMPERFECT SUBJUNCTIVE	PARTICIPLES
creí	*creyera* (creyese)	*creyendo*
creíste	*creyeras*	creído
creyó	*creyera*	
creímos	*creyéramos*	
creísteis	*creyerais*	
creyeron	*creyeran*	

C. Verbs ending in **-eír** are radical changing verbs (e > i). For phonetic consistency, they drop one **i** in the third person of the preterite, the entire imperfect subjunctive, and the present participle.

reír   *to laugh*

PRETERITE	IMPERFECT SUBJUNCTIVE	PRESENT PARTICIPLE
reí	*riera* (*riese*)	riendo
reíste	*rieras*	
rio	*riera*	
reímos	*riéramos*	
reísteis	*rierais*	
rieron	*rieran*	

D. Verbs whose stems ends in **ll** or **ñ** drop the **i** of the following diphthong **ie** and **io**. (The sounds **ll** and **ñ** include a palatal **i**, and so the addition of another **i** would be superfluous and phonetically inconsistent.)

bullir   *to boil*   **teñir**   *to dye* (radical changing)

PRETERITE	IMPERFECT SUBJUNCTIVE	PRETERITE	IMPERFECT SUBJUNCTIVE
bullí	*bullera* (*bullese*)	teñí	*tiñera* (*tiñese*)
bulliste	*bulleras*	teñiste	*tiñeras*
bulló	*bullera*	*tiñó*	*tiñera*
bullimos	*bulléramos*	teñimos	*tiñéramos*
bullisteis	*bullerais*	teñisteis	*tiñerais*
bulleron	*bulleran*	*tiñeron*	*tiñeran*

Verbs That Have Changes in Accentuation

1. Verbs Ending in **-iar**

Some verbs ending in **-iar** bear a written accent on the **i** in all singular forms and in the third person plural of the present indicative and subjunctive, and on the imperative singular.

enviar *to send*

PRESENT INDICATIVE	PRESENT SUBJUNCTIVE	IMPERATIVE
envío	envíe	
envías	envíes	envía
envía	envíe	
enviamos	enviemos	
enviáis	enviéis	enviad
envían	envíen	

2. Verbs Ending in **-uar**

Verbs ending in **-uar** (except those ending in **-guar**) bear a written accent on the **u** in the same forms listed above.

continuar *to continue*

PRESENT INDICATIVE	PRESENT SUBJUNCTIVE	IMPERATIVE
continúo	continúe	
continúas	continúes	continúa
continúa	continúe	
continuamos	continuemos	
continuáis	continuéis	continuad
continúan	continúen	

Irregular Verbs

Note: Only the tenses containing irregular forms are given. The conjugation of verbs ending in **-ducir** may be found under **conducir**; those ending in a vowel +**cer** or +**cir** are found under **conocer**; and those ending in **-uir** are under **huir**.

andar *to walk, go*

PRETERITE	anduve, anduviste, anduvo, anduvimos, anduvisteis, anduvieron
IMPERFECT SUBJUNCTIVE	(-ra) anduviera, anduvieras, anduviera, anduviéramos, anduvierais, anduvieran
	(-se) anduviese, anduvieses, anduviese, anduviésemos, anduvieseis, anduviesen

asir *to seize*

PRESENT INDICATIVE	asgo, ases, ase, asimos, asís, asen
PRESENT SUBJUNCTIVE	asga, asgas, asga, asgamos, asgáis, asgan

caber *to be contained in, fit within*

PRESENT INDICATIVE	quepo, cabes, cabe, cabemos, cabéis, caben
PRETERITE	cupe, cupiste, cupo, cupimos, cupisteis, cupieron
FUTURE	cabré, cabrás, cabrá, cabremos, cabréis, cabrán

CONDITIONAL	cabría, cabrías, cabría, cabríamos, cabríais, cabrían
PRESENT SUBJUNCTIVE	quepa, quepas, quepa, quepamos, quepáis, quepan
IMPERFECT SUBJUNCTIVE	(-ra) cupiera, cupieras, cupiera, cupiéramos, cupierais, cupieran
	(-se) cupiese, cupieses, cupiese, cupiésemos, cupieseis, cupiesen

caer *to fall*

PRESENT INDICATIVE	caigo, caes, cae, caemos, caéis, caen
PRETERITE	caí, caíste, cayó, caímos, caísteis, cayeron
PRESENT SUBJUNCTIVE	caiga, caigas, caiga, caigamos, caigáis, caigan
IMPERFECT SUBJUNCTIVE	(-ra) cayera, cayeras, cayera, cayéramos, cayerais, cayeran
	(-se) cayese, cayeses, cayese, cayésemos, cayeseis, cayesen
PRESENT PARTICIPLE	cayendo
PAST PARTICIPLE	caído

conducir *to conduct* (similarly, all verbs ending in **-ducir**)

PRESENT INDICATIVE	conduzco, conduces, conduce, conducimos, conducís, conducen
PRETERITE	conduje, condujiste, condujo, condujimos, condujisteis, condujeron
PRESENT SUBJUNCTIVE	conduzca, conduzcas, conduzca, conduzcamos, conduzcáis, conduzcan
IMPERFECT SUBJUNCTIVE	(-ra) condujera, condujeras, condujera, condujéramos, condujerais, condujeran
	(-se) condujese, condujeses, condujese, condujésemos, condujeseis, condujesen

conocer *to know* (similarly, all verbs ending in a vowel +**cer** or +**cir,** except **cocer, hacer, mecer,** and their compounds)

| PRESENT INDICATIVE | conozco, conoces, conoce, etc. |
| PRESENT SUBJUNCTIVE | conozca, conozcas, conozca, conozcamos, conozcáis, conozcan |

dar *to give*

PRESENT INDICATIVE	doy, das, da, damos, dais, dan
PRETERITE	di, diste, dio, dimos, disteis, dieron
PRESENT SUBJUNCTIVE	dé, des, dé, demos, deis, den
IMPERFECT SUBJUNCTIVE	(-ra) diera, dieras, diera, diéramos, dierais, dieran
	(-se) diese, dieses, diese, diésemos, dieseis, diesen

decir *to say, tell*

PRESENT INDICATIVE	digo, dices, dice, decimos, decís, dicen
PRETERITE	dije, dijiste, dijo, dijimos, dijisteis, dijeron
FUTURE	diré, dirás, dirá, diremos, diréis, dirán
CONDITIONAL	diría, dirías, diría, diríamos, diríais, dirían
PRESENT SUBJUNCTIVE	diga, digas, diga, digamos, digáis, digan
IMPERFECT SUBJUNCTIVE	(-ra) dijera, dijeras, dijera, dijéramos, dijerais, dijeran
	(-se) dijese, dijeses, dijese, dijésemos, dijeseis, dijesen
PRESENT PARTICIPLE	diciendo
PAST PARTICIPLE	dicho
IMPERATIVE	di, decid

errar *to err*

PRESENT INDICATIVE	yerro, yerras, yerra, erramos, erráis, yerran
PRESENT SUBJUNCTIVE	yerre, yerres, yerre, erremos, erréis, yerren
IMPERATIVE	yerra, errad

estar *to be*

| PRESENT INDICATIVE | estoy, estás, está, estamos, estáis, están |
| PRETERITE | estuve, estuviste, estuvo, estuvimos, estuvisteis, estuvieron |

PRESENT SUBJUNCTIVE	esté, estés, esté, estemos, estéis, estén
IMPERFECT SUBJUNCTIVE	(-ra) estuviera, estuvieras, estuviera, estuviéramos, estuvierais, estuvieran
	(-se) estuviese, estuvieses, estuviese, estuviésemos, estuvieseis, estuviesen
IMPERATIVE	está, estad

haber *to have*

PRESENT INDICATIVE	he, has, ha, hemos, habéis, han
PRETERITE	hube, hubiste, hubo, hubimos, hubisteis, hubieron
FUTURE	habré, habrás, habrá, habremos, habréis, habrán
CONDITIONAL	habría, habrías, habría, habríamos, habríais, habrían
PRESENT SUBJUNCTIVE	haya, hayas, haya, hayamos, hayáis, hayan
IMPERFECT SUBJUNCTIVE	(-ra) hubiera, hubieras, hubiera, hubiéramos, hubierais, hubieran
	(-se) hubiese, hubieses, hubiese, hubiésemos, hubieseis, hubiesen

hacer *to do, make*

PRESENT INDICATIVE	hago, haces, hace, hacemos, hacéis, hacen
PRETERITE	hice, hiciste, hizo, hicimos, hicisteis, hicieron
FUTURE	haré, harás, hará, haremos, haréis, harán
CONDITIONAL	haría, harías, haría, haríamos, haríais, harían
PRESENT SUBJUNCTIVE	haga, hagas, haga, hagamos, hagáis, hagan
IMPERFECT SUBJUNCTIVE	(-ra) hiciera, hicieras, hiciera, hiciéramos, hicierais, hicieran
	(-se) hiciese, hicieses, hiciese, hiciésemos, hicieseis, hiciesen
PAST PARTICIPLE	hecho
IMPERATIVE	haz, haced

huir *to flee* (similarly, all verbs ending in **-uir**, except those ending in **-guir** and **-quir**)

PRESENT INDICATIVE	huyo, huyes, huye, huimos, huís, huyen
PRETERITE	huí, huiste, huyó, huimos, huisteis, huyeron
PRESENT SUBJUNCTIVE	huya, huyas, huya, huyamos, huyáis, huyan
IMPERFECT SUBJUNCTIVE	(-ra) huyera, huyeras, huyera, huyéramos, huyerais, huyeran
	(-se) huyese, huyeses, huyese, huyésemos, huyeseis, huyesen
PRESENT PARTICIPLE	huyendo
IMPERATIVE	huye, huid

ir *to go*

PRESENT INDICATIVE	voy, vas, va, vamos, vais, van
IMPERFECT INDICATIVE	iba, ibas, iba, íbamos, ibais, iban
PRETERITE	fui, fuiste, fue, fuimos, fuisteis, fueron
PRESENT SUBJUNCTIVE	vaya, vayas, vaya, vayamos, vayáis, vayan
IMPERFECT SUBJUNCTIVE	(-ra) fuera, fueras, fuera, fuéramos, fuerais, fueran
	(-se) fuese, fueses, fuese, fuésemos, fueseis, fuesen
PRESENT PARTICIPLE	yendo
IMPERATIVE	ve, id

oír *to hear*

PRESENT INDICATIVE	oigo, oyes, oye, oímos, oís, oyen
PRETERITE	oí, oíste, oyó, oímos, oísteis, oyeron
PRESENT SUBJUNCTIVE	oiga, oigas, oiga, oigamos, oigáis, oigan
IMPERFECT SUBJUNCTIVE	(-ra) oyera, oyeras, oyera, oyéramos, oyerais, oyeran
	(-se) oyese, oyeses, oyese, oyésemos, oyeseis, oyesen
PRESENT PARTICIPLE	oyendo
PAST PARTICIPLE	oído
IMPERATIVE	oye, oíd

oler *to smell*

PRESENT INDICATIVE	huelo, hueles, huele, olemos, oléis, huelen
PRESENT SUBJUNCTIVE	huela, huelas, huela, olamos, oláis, huelan
IMPERATIVE	huele, oled

poder *to be able*

PRESENT INDICATIVE	puedo, puedes, puede, podemos, podéis, pueden
PRETERITE	pude, pudiste, pudo, pudimos, pudisteis, pudieron
FUTURE	podré, podrás, podrá, podremos, podréis, podrán
CONDITIONAL	podría, podrías, podría, podríamos, podríais, podrían
PRESENT SUBJUNCTIVE	pueda, puedas, pueda, podamos, podáis, puedan
IMPERFECT SUBJUNCTIVE	(-ra) pudiera, pudieras, pudiera, pudiéramos, pudierais, pudieran
	(-se) pudiese, pudieses, pudiese, pudiésemos, pudieseis, pudiesen
PRESENT PARTICIPLE	pudiendo

poner *to put, place*

PRESENT INDICATIVE	pongo, pones, pone, ponemos, ponéis, ponen
PRETERITE	puse, pusiste, puso, pusimos, pusisteis, pusieron
FUTURE	pondré, pondrás, pondrá, pondremos, pondréis, pondrán
CONDITIONAL	pondría, pondrías, pondría, pondríamos, pondríais, pondrían
IMPERFECT SUBJUNCTIVE	(-ra) pusiera, pusieras, pusiera, pusiéramos, pusierais, pusieran
	(-se) pusiese, pusieses, pusiese, pusiésemos, pusieseis, pusiesen
PAST PARTICIPLE	puesto
IMPERATIVE	pon, poned

querer *to wish*

PRESENT INDICATIVE	quiero, quieres, quiere, queremos, queréis, quieren
PRETERITE	quise, quisiste, quiso, quisimos, quisisteis, quisieron
FUTURE	querré, querrás, querrá, querremos, querréis, querrán
CONDITIONAL	querría, querrías, querría, querríamos, querríais, querrían
PRESENT SUBJUNCTIVE	quiera, quieras, quiera, queramos, queráis, quieran
IMPERFECT SUBJUNCTIVE	(-ra) quisiera, quisieras, quisiera, quisiéramos, quisierais, quisieran
	(-se) quisiese, quisieses, quisiese, quisiésemos, quisieseis, quisiesen

saber *to know*

PRESENT INDICATIVE	sé, sabes, sabe, sabemos, sabéis, saben
PRETERITE	supe, supiste, supo, supimos, supisteis, supieron
FUTURE	sabré, sabrás, sabrá, sabremos, sabréis, sabrán
CONDITIONAL	sabría, sabrías, sabría, sabríamos, sabríais, sabrían
PRESENT SUBJUNCTIVE	sepa, sepas, sepa, sepamos, sepáis, sepan
IMPERFECT SUBJUNCTIVE	(-ra) supiera, supieras, supiera, supiéramos, supierais, supieran
	(-se) supiese, supieses, supiese, supiésemos, supieseis, supiesen

salir *to go out, leave*

PRESENT INDICATIVE	salgo, sales, sale, salimos, salís, salen
FUTURE	saldré, saldrás, saldrá, saldremos, saldréis, saldrán
CONDITIONAL	saldría, saldrías, saldría, saldríamos, saldríais, saldrían
PRESENT SUBJUNCTIVE	salga, salgas, salga, salgamos, salgáis, salgan
IMPERATIVE	sal, salid

ser *to be*

PRESENT INDICATIVE	soy, eres, es, somos, sois, son
IMPERFECT INDICATIVE	era, eras, era, éramos, erais, eran
PRETERITE	fui, fuiste, fue, fuimos, fuisteis, fueron
PRESENT SUBJUNCTIVE	sea, seas, sea, seamos, seáis, sean
IMPERFECT SUBJUNCTIVE	(-ra) fuera, fueras, fuera, fuéramos, fuerais, fueran
	(-se) fuese, fueses, fuese, fuésemos, fueseis, fuesen
IMPERATIVE	sé, sed

tener *to have*

PRESENT INDICATIVE	tengo, tienes, tiene, tenemos, tenéis, tienen
PRETERITE	tuve, tuviste, tuvo, tuvimos, tuvisteis, tuvieron
FUTURE	tendré, tendrás, tendrá, tendremos, tendréis, tendrán
CONDITIONAL	tendría, tendrías, tendría, tendríamos, tendríais, tendrían
PRESENT SUBJUNCTIVE	tenga, tengas, tenga, tengamos, tengáis, tengan
IMPERFECT SUBJUNCTIVE	(-ra) tuviera, tuvieras, tuviera, tuviéramos, tuvierais, tuvieran
	(-se) tuviese, tuvieses, tuviese, tuviésemos, tuvieseis, tuviesen
IMPERATIVE	ten, tened

traer *to bring*

PRESENT INDICATIVE	traigo, traes, trae, traemos, traéis, traen
PRETERITE	traje, trajiste, trajo, trajimos, trajisteis, trajeron
PRESENT SUBJUNCTIVE	traiga, traigas, traiga, traigamos, traigáis, traigan
IMPERFECT SUBJUNCTIVE	(-ra) trajera, trajeras, trajera, trajéramos, trajerais, trajeran
	(-se) trajese, trajeses, trajese, trajésemos, trajeseis, trajesen
PRESENT PARTICIPLE	trayendo
PAST PARTICIPLE	traído

valer *to be worth*

PRESENT INDICATIVE	valgo, vales, vale, valemos, valéis, valen
FUTURE	valdré, valdrás, valdrá, valdremos, valdréis, valdrán
CONDITIONAL	valdría, valdrías, valdría, valdríamos, valdríais, valdrían
PRESENT SUBJUNCTIVE	valga, valgas, valga, valgamos, valgáis, valgan
IMPERATIVE	val(e), valed

venir *to come*

PRESENT INDICATIVE	vengo, vienes, viene, venimos, venís, vienen
PRETERITE	vine, viniste, vino, vinimos, vinisteis, vinieron
FUTURE	vendré, vendrás, vendrá, vendremos, vendréis, vendrán
CONDITIONAL	vendría, vendrías, vendría, vendríamos, vendríais, vendrían
PRESENT SUBJUNCTIVE	venga, vengas, venga, vengamos, vengáis, vengan
IMPERFECT SUBJUNCTIVE	(-ra) viniera, vinieras, viniera, viniéramos, vinierais, vinieran
	(-se) viniese, vinieses, viniese, viniésemos, vinieseis, viniesen
PRESENT PARTICIPLE	viniendo
IMPERATIVE	ven, venid

ver *to see*

PRESENT INDICATIVE	veo, ves, ve, vemos, veis, ven
IMPERFECT INDICATIVE	veía, veías, veía, veíamos, veíais, veían
PRESENT SUBJUNCTIVE	vea, veas, vea, veamos, veáis, vean
PAST PARTICIPLE	visto

8. COMMON FIRST NAMES

MASCULINE		FEMININE	
Adalberto, Alberto	Albert	Adela	Adele
Agustín	August	Aida	Ada, Aida
Alejandro	Alexander	Alicia	Alice
Alfonso, Alonso	Alphonse	Amada	Amy
Alfredo	Alfred	Ana, Anita	Anna, Ann, Anita
Alvaro		Antonia	Antoinette
Amado		Bárbara	Barbara
Andrés	Andrew	Benina	
Angel		Blanca	Blanche
Antonio (Toñuelo)	Anthony (Tony)	Carlota	Charlotte
Arturo	Arthur	Carmen	Carmen
Benito		Catalina	Catherine
Carlos (Carlitos)	Charles (Charlie)	Carolina	Caroline
Diego	James, Jim	Clara	Claire
Domingo	Dominick	Consuelo	Consuelo
Eduardo	Edward	Constanza	Constance
Enrique	Henry	Concha	
Esteban	Steven	Cristina	Christine
Eugenio	Eugene	Dolores	Dolores
Fausto, Faustino		Dorotea	Dorothy
Federico	Frederick	Elena	Ellen, Helen
Felipe	Philip	Eloísa	Eloise
Fernando	Ferdinand	Elvira	Elvira
Francisco (Paco, Pancho)	Francis (Frank)	Enriqueta	Henrietta
Gerardo	Gerard	Esperanza	Hope
Germán	Herman	Felicidad	
Guillermo	William	Felipa	Phyllis
Gustavo	Gustave	Francisca (Paquita)	Frances
Héctor	Hector	Gertrudis	Gertrude
Heriberto	Herbert	Gloria	Gloria
Horacio	Horace	Gracia	Grace
Isidro, Isidoro	Isidore	Inés	Inez
Jaime	James	Irene	Irene
Javier	Xavier	Isabel	Elizabeth
Joaquín	Jack, Joachim	Isabelina	Elizabeth
Jorge	George	Juana, Juanita	Joan, Jane
José (Pepe)	Joseph (Joe)	Josefa	Josephine
Juan	John	Leonor	Eleanor, Lenore
Jesús		Lucía	Lucy
Luis	Louis	Luisa	Louise
Manuel	Manual, Emmanual	Manuela	
Mariano	Marion	María	Mary
Miguel (Miguelito)	Michael (Mike)	Mariana	Marian
Pablo	Paul	Marianela	
Pedro	Peter	Marisela	
Ramón	Raymond	Magdalena	Madeline
Raúl	Ralph	Margarita	Margaret
Ricardo	Richard	Marta	Martha
Roberto	Robert	Nilda	

Rodrigo		Pepita	Josie
Salvador	Salvatore	Rosa	Rose
Segismundo	Sigmund	Rosario	
Samuel	Samuel	Rosalía	Rosalie
Teodoro	Theodore	Rosalinda	Rosalind
Tomás	Thomas	Raquel	Rachel
Vicente	Vincent	Sara	Sarah
Víctor	Victor	Sofía	Sophie
		Susana	Susan
		Teresa	Theresa

Vocabularies

The gender of all nouns, except masculine nouns ending in **-o** and feminine nouns ending in **-a,** or nouns that refer to a masculine or feminine person, is indicated by *m.* or *f.* Parts of speech are abbreviated as follows: *n.,* noun; *v.,* verb; *adj.,* adjective; *adv.,* adverb; *conj.,* conjunction; *prep.,* preposition; *pron.,* pronoun; *refl.,* reflexive; *part.,* participle; *rel.,* relative; *dem.,* demonstrative. Radical changing verbs are followed by the change that the stem vowel undergoes in the present indicative. The change is placed in parentheses. Thus: **entender (ie), contar (ue), pedir (i).** Irregular verbs that appear in full in the verb appendix are marked with an asterisk. So also are verbs derived from these. Thus: **poner*, tener*, deponer*, contener*.** The conjugation of verbs ending in **-ducir** may be found under **conducir.** Verbs of the type of **huir,** and **conocer** and those that require a written accent are followed by the ending of the first person singular of the present indicative placed in parentheses. Thus: **construir (uyo), parecer (zco), enviar (ío).** Spelling changing verbs are indicated by italicizing the affected consonant: **co*g*er, sa*c*ar.** Verbs ending in **-eer** may be found under **creer.**

The Spanish-English vocabulary includes all verbs and idioms that appear in the reading passages and exercises, except for exact or very close cognates. The English-Spanish vocabulary includes all words and idioms that are used in the exercises.

ENGLISH–SPANISH VOCABULARY

A

a un, una
able capaz; **to be — to** ser capaz de; poder*
about de, sobre, acerca de (*concerning*); a eso de, unos ... (*approximately + a number*)

absolutely absolutamente
above sobre; por encima de
accept aceptar
accident accidente *m.*
accompany acompañar

353

according to según

account *n.* cuenta

accuse acusar

actually en realidad

adjust ajustar(se)

admit admitir

adore adorar

advantage ventaja; **to take — of** aprovechar (se de)

affected afectado

affection cariño

afraid: to be temer; tener* miedo de (*or* a)

after *prep.* después de; tras; *conj.* después de que; *adv.* después (*afterwards, later*); **hour — hour** hora tras hora

afternoon tarde *f.;* **Good —** Buenas tardes; **in the —** por la tarde; **yesterday —** ayer por la tarde

again otra vez; una vez más

against contra

ago hace (+ *period of time*)

agreeable agradable

aid *v.* ayudar

air *n.* aire *m.*

airport aeropuerto

all *n.* todo (*everything*); *adj.* todo el ..., toda la ..., todos los ..., todas las ...; **— day** todo el día; **— right** muy bien, está bien; **(not) at —** nada

almost casi

alone solo

aloud en voz alta

already ya

also también

although aunque

always siempre

ambition ambición *f.*

American (norte)americano

among entre

amulet amuleto

ancestor antecesor(a)

anguish angustia

animal animal *m.*

announce anunciar

another otro

answer *v.* responder, contestar; *n.* respuesta

anyone cualquier persona; alguien (*someone*); **not ... —** nadie

anything cualquier cosa; algo (*something*); **not ... —** nada

apartment apartamento; **— house** casa de apartamentos

apparatus aparato

apologize disculparse

applause aplausos *m. pl.*

appointment cita

approach *v.* acercarse a

architect arquitecto

argue argüir (uyo)

arm *n.* brazo

around alrededor de

arrive llegar

article artículo

as como; mientras (que) (*while*); **— ... —** tan ... como; **— much (many) ... —** tanto(s) ... como

ask preguntar (*a question*); pedir (i) (*request*); **to — for** pedir (i)

asleep dormido

aspect aspecto

aspirin aspirina

at a (*time*); en (*a place*); **— the table** a la mesa

athlete atleta

atmospheric atmosférico

attend asistir a

attention atención *f.;* **to pay —** prestar atención (*concentrate on*); hacer caso a (*or* de) (*heed*)

awaken despertar(se) (ie)

awning toldo

B

back *adj.* trasero; **to be —** estar de vuelta

bad mal(o); **from — to worse** de mal en peor

barbershop peluquería

bargain ganga

bath baño

bathroom (cuarto de) baño

be ser* (Cf. Less. II); estar* (Cf. Less. IV); **to — sunny, windy, hot out, etc.** hacer* sol, viento, calor, etc.; **to — (*feel*) hot, cold, thirsty, hungry, afraid, sleepy, etc.** tener* calor, frío, sed, hambre, miedo, sueño, etc.; **to — right** tener razón; **to — (supposed *or* expected) to** haber* de

beach playa

beat *v.* batir (*heart, etc.*); pegar, golpear (*hit*)

beautiful hermoso; lindo; bello

because porque

become hacerse*; llegar a ser; ponerse* (+ *adj.*); **to — low** bajar

bed cama

bedroom alcoba

before *prep.* antes de; *conj.* antes de que; **— (hand)** *adv.* antes

beg rogar (ue)

begin   empezar (ie) a, comenzar (ie) a; ponerse* a

beginning *n.*   principio

being *n.*   ser *m.*

believe   creer*

belong (**to**)   pertenecer (zco) a; ser* de

beloved   amado

berry   baya

best   mejor(es)

bet *n.*   apuesta

better   mejor(es)

between   entre

big   grande, gran

bill   cuenta; billete *m.* (*money*)

bird   pájaro

blame   culpa; **to be to —**   tener* la culpa

blind   ciego

blond   rubio

blood   sangre *f.*

blue   azul

boast (**about**)   alabarse de; jactarse de

book   libro

bone   hueso

boring *adj.*   aburrido

born   nacido; **to be —**   nacer (zco)

bother   molestar; **— with** (*colloq.*)   tratar

bottle   botella; frasco (*for pills, etc.*)

box   caja

boxing *n.*   boxeo; **— match**   lucha de boxeo

boy   niño; hijo (*son*)

boyfriend   novio

bread   pan *m.*

breakfast *n.*   desayuno

bridge   puente *m.*

bring   traer*; llevar a (*a person*)

broken   roto

brooch   broche *m.*

brother   hermano

brown   pardo

brunette   moreno, trigueño

build   construir (uyo)

bull   toro; **—fight**   corrida de toros

bulletin   boletín *m.*

busy   ocupado

but   pero; sino

butter   mantequilla

buy *v.*   comprar

by por; **— the way**   a propósito

C

cage   jaula

cake   torta; **fruit—**   torta de frutas

call *v.*   llamar

camera   cámara

camp   campamento

can *v.*   poder*; *n.*   lata

capital   capital *f.* (*city*); *m.*   (*money*)

captivity   cautiverio

car   coche *m.*, auto(móvil) *m.;* carro; **by —**   en coche

care *n.*   cuidado; *v.* **to — for**   cuidar de; **to — about**   importar; **I don't —.**   No me importa.

careful: to be   tener* cuidado; cuidar

carefully   con cuidado

carry   llevar

case   caso; **in —** *conj.*   en caso de que

cat   gato

catch *v.*   coger

caught   cogido, atrapado

center *n.*   centro

certain   cierto; **a —**   cierto

chair   silla; sillón *m.*

champagne   champaña *m.*

chance   oportunidad *f.;* **to take a —**   arriesgarse

change *v.*   cambiar

charming   encantador

chicken   pollo

child   niño, niña

childhood   niñez *f.*

children   niños

choose   escoger

cigarette   cigarrillo

circle *v.*   girar

city   ciudad *f.*

civilized   civilizado

class   clase *f.*

clean *v.*   limpiar; *adj.*   limpio

clear   claro; despejado (*sky*)

climb   subir

close *v.*   cerrar (ie)

clothes   ropas, vestidos

coat   abrigo

coffee   café *m.*

cold *adj.*   frío; *n.*   frío; catarro (*illness*); **to be** (*feel*) **—**   tener* frío; **to be —** (*out*)   hacer* frío

collector   cobrador

college *n.*   universidad *f.; adj.*   universitario, de universidad

collide   chocar

color *n.*   color *m.*

comb *v.*   peinar; *n.*   peine *m.*

combat *v.*   combatir

come   venir*; **— on!**   ¡Vamos!

comfort   comodidad *f.*

common   común

company compañía
complain (about) quejarse (de)
complete *v.* completar; *adj.* completo
completely completamente, totalmente
composition composición *f.*
condition condición *f. (generally pl.)*
confidence confianza
conscience conciencia
consider considerar
contain contener*
continue seguir (i); continuar (úo)
control *v.* dominar
conversation conversación *f.*
cool fresco
copy *v.* copiar; *n.* copia; ejemplar *(book)*
correctly correctamente
cotton algodón *m.*
count *v.* contar (ue); **to — on** contar con
country campo *(opposite of city)*; país *m. (nation)*
course curso; **of —** por supuesto, desde luego, claro está; ¡Cómo no!
cousin primo
cow vaca
cowboy vaquero
crash (into) chocar (con)
create crear
crime crimen *m.*
criticism crítica
cross *v.* cruzar, atravesar (ie); *n.* cruz *f.*
cruel cruel
cry *v.* llorar; **to — out** gritar
culprit culpable
culture cultura
cup taza
curtain cortina

D

dad(dy) papá, papacito
damage daño
dance *v.* bailar; *n.* baile *m.*
dancer bailarín, bailarina
danger peligro
dangerous peligroso
darling amor mío, corazón, mi cielo
data datos *m. pl.*
daughter hija
dawn *n.* amanecer *m.*
day día *m.*
deal: a great mucho
dear querido
death muerte *f.*
decide decidir

decision decisión *f.*
declare declarar
deer ciervo
defend defender (ie)
defense defensa
delicious delicioso
democracy democracia
dentist dentista
deny negar (ie)
depend (on) depender (de)
description descripción *f.*
desire *v.* desear, anhelar; *n.* deseo
desk mesa, escritorio
desperate desesperado
dessert postre *m.*
destroy destruir (uyo)
detail detalle *m.*
develop desarrollar(se)
diamond diamante *m.*
die morir (ue)
difference diferencia
different diferente, distinto
difficult difícil
dining room comedor *m.*
dinner comida, cena
discipline disciplina
discussion discusión *f.*
distance distancia; **in the —** en la distancia, a lo lejos
distinguish distinguir
do hacer*
doctor médico; doctor *(title)*
dog perro
dollar dólar *m.*
dominate dominar
door puerta; **revolving —** puerta giratoria
doubt *v.* dudar; *n.* duda
down (hacia) abajo; **to go —** bajar
downtown *adj.* del centro
dream *v.* soñar (ue) con; *n.* sueño
dress *v.* vestir(se) (i); *n.* vestido, ropa
drink *v.* beber; *n.* bebida
drive *v.* manejar, conducir*
driver chófer; **taxi —** chófer de taxi
drop *v.* dejar caer
duck *n.* pato
duty deber *m.*

E

each cada
early temprano
earn ganar

earthquake temblor *m.* de tierra, terremoto
easy fácil
eat comer
economically económicamente
economy economía
educate educar
education educación *f.*
educational educativo
egg huevo
eighteen diez y ocho, dieciocho
eighth octavo
either o
elect elegir (i)
elegant elegante
elementary elemental
elevation elevación *f.*
elevator ascensor *m.*
eleven once
embarrassment mortificación *f.*
emergency emergencia
emphatically enfáticamente
enchanted encantado
English inglés
enjoy gozar(de), disfrutar (de)
enormous enorme
enough bastante; **That's —.** Basta.; **to be —** bastar
enter entrar (en)
entirely enteramente
epoch época
Europe Europa
even *adv.* hasta, aun; **not —** ni siquiera; **— though** aunque
evening noche *f.*; **Good —.** Buenas noches.
ever alguna vez; jamás (*negative implied*); **not —** nunca, jamás; **more than —** más que nunca
every cada, todo; todos los . . . , todas las . . .
everything todo
everywhere en (*or* por) todas partes
evil mal *m.*
exactly exactamente
exam examen *m.*
example ejemplo; **for —** por ejemplo
excellent excelente
except *conj.* excepto; *prep.* menos, sino
exclusively exclusivamente
excuse *v.* perdonar
exercise *n.* ejercicio
exhausted agotado
exist existir
expect esperar
expensive caro, costoso
experience experiencia

explain explicar
explosion explosión *f.*
express *v.* expresar
expression expresión *f.*
extent punto; **to what —** hasta qué punto
extraordinary extraordinario
eye *n.* ojo
eyeglasses gafas, lentes *m. pl.*

F

face *n.* cara; *v.* dar* a
faced with ante
fact hecho; **in —** en efecto, en realidad
fail faltar; fracasar (*not succeed*); **to — in** (*be remiss*) faltar a
fair *adj.* justo
fall *v.* caer*; **to — asleep** dormirse (ue); **to — in love** enamorarse
family familia
famous famoso
farmer granjero
fast rápidamente
fat gordo
fatal fatal
father padre
fear *v.* temer, tener* miedo; *n.*, temor *m.*, miedo
fed alimentado
feed dar* de comer; alimentar
feel *v.* sentir(se) (ie)
fellow muchacho; fulano; **—man** prójimo
few pocos; **a —** unos, unos pocos, unos cuantos
fewer menos
fiance(e) novio, novia
fifteen quince
fifth quinto
fifty cincuenta
fight *v.* luchar; pelear; *n.* lucha; pelea; **bull—** corrida de toros
figurine figurilla
film *n.* película
finally por fin, al fin
find *v.* hallar, encontrar (ue); **to — out** enterarse (de), saber*
fine (*health*) *adv.* (muy) bien; *adj.* excelente; bien
finish *v.* terminar, acabar
fireman bombero
first primer(o); **at —** al principio
fish *v.* pescar; *n.* pez *m.* (*alive*); pescado (*fished*)
five cinco
floor suelo; piso (*story*); **ground —** planta baja
flower *n.* flor *f.*

fly *v.* volar (ue); *n.* mosca
follow se*g*uir (i)
foot *n.* pie *m.*; **on —** a pie
for para (*purpose, destination, objective: intended for, to be used for, by or for a certain point in time, etc.*); por (*for a period of time, for the sake of, out of, on account of, in exchange for, etc.*) (Cf. Less. XX) **—ever** para siempre
forget olvidar
forgive perdonar
fork tenedor *m.*
forty cincuenta
founder *n.* fundador
fountain fuente *f.*
fourth cuarto
Frank(ie) Paco, Paquito
frankly francamente
free *adj.* libre
freedom libertad *f.*
friend amigo, amiga
from de; desde
front *n.* frente *m.*; **in — of** delante de; ante
frozen helado; congelado (*food*)
fruit fruta (*edible*)
future futuro, porvenir *m.*

G

gasoline gasolina
genius genio
geography geografía
George Jorge
get obtener*; **to — angry** enojarse; **to — dressed** vestirse (i); **to — to** (*reach*) lle*g*ar a; **to — lost** perderse (ie); **to — married** casarse; **to — (something) out of** sa*c*ar; **to — up** levantarse
gift regalo
girl niña; muchacha
girlfriend novia
give dar*
glad contento, alegre; **I'd be — to.** Con mucho gusto.
glass vaso (*drinking*); vidrio (*substance*)
glory gloria
glove guante *m.*
go ir*; **to — away** irse; **to — down** bajar; **to — to bed** acostarse (ue); **to — toward** diri*g*irse a; **to — out** salir*; marcharse; **to — up** subir
God Dios
gold oro
golden dorado

good buen(o)
goodby adiós
government gobierno
grade grado; nota (*school*)
graduate *v.* graduar(se de) (úo); *n.* graduado
grandchild nieto
grandparent(s) abuelo(s)
grass hierba, yerba
great gran(de); magnífico
green verde
ground *n.* tierra
guard *v.* guardar

H

hair pelo
hairpin horquilla
half *n.* mitad *f.*; *adj.* and *adv.* medio
hand mano *f.*
handkerchief pañuelo
handsome guapo; buen mozo
happen ocurrir, pasar, suceder
happiness felicidad *f.*
happy feliz; contento; alegre (*gay*); **to be — about** (*or* **that**) alegrarse de (que)
hard difícil; duro (*opposite of soft*)
hardly apenas
hat sombrero
have tener*; haber* (*only as auxiliary in compound tenses*); **to — just** acabar de (+ *infin.*); **to — left** (*or remaining*) quedarle a uno; **to — to** tener que (+ *infin.*); **to — to do with** tener que ver con
he él
head *n.* cabeza
headache jaqueca, dolor *m.* de cabeza
health salud *f.*
hear oír*; escuchar (*listen to*)
heart corazón *m.*
heat *n.* calor *m.*
Helen Elena
hello hola
help *v.* ayudar; *n.* ayuda
Henry Enrique
her *adj.* su(s); . . . de ella; *direct obj.* la; *indirect obj.* le
here aquí; **right —** aquí mismo
hers suyo (a, os, as); . . . de ella
him *direct obj.* le, lo; *indirect obj.* le
his *adj.* su(s); *pron.* suyo (a, os, as); . . . de él
history historia
hit *v.* pe*g*ar; golpear
hoarse ronco

home casa; hogar *m.* (*fig.*); **to go —** ir* *or* volver (ue) a casa; **at —** en casa
homeland patria
homely feo
honest honrado
hope *v.* esperar; *n.* esperanza
horse caballo; **— race** carrera de caballos
hour hora
house casa
how como
how? ¿cómo?; ¿qué tal? (*opinion*); **— old are you?** ¿Cuántos años tiene Ud.?
how . . . ! ¡qué (+ *adj. or adv.*); **— much** ¡cuánto(a); **— many** ¡cuántos(as); **— happy I am!** ¡Cuánto me alegro! ¡Qué contento estoy!
human humano
humanitarian humanitario
hundred cien(to)
hunger hambre *f.*
hungry: to be tener* hambre
hurt *v.* hacer* daño
husband marido, esposo

I

I yo
idea idea
ideal *n.* ideal *m.*
identical idéntico
identify identificar
if si
illustrious ilustre
imagine imaginar(se)
implication connotación *f.*
important importante
impossible imposible
improve mejorar
in en
incredible increíble
independent independiente
indicate indicar
industry industria
influence influencia
insert *v.* insertar
insist insistir (en)
instead of en vez de
instruction instrucción *f.*
intellectual intelectual
intelligence inteligencia
intelligent inteligente
intention intención *f.*
interest interés *m.*

interesting interesante
interrupt interrumpir
interested interesado; **to be — in** interesarse en (*or* por)
interval intervalo
into en
introduce presentar (*a person*); introducir* (*bring in*)
invite invitar
iron *v.* planchar; *n.* hierro

J

jacket chaqueta
jail *n.* cárcel *f.*
job trabajo, empleo
John(ny) Juan(ito)
joy placer *m.*; gozo; alegría
jump *v.* saltar
June junio
just: to have acabar de (+ infin.)
justice justicia
justification justificación *f.*

K

keep guardar; conservar; **to — (on) doing something** seguir (i) (+ *present part.*)
kill matar
kind *n.* tipo, clase *f.*; *adj.* bondadoso; **I'm not that —.** No soy así.
kiss *v.* besar; *n.* beso
kitchen cocina
knife cuchillo
know saber* (*a fact, how to, etc.*); conocer* (*a person, place, etc.*)

L

ladder escalerilla de mano
lamp lámpara
large grande
last *adj.* último; pasado; **— night** anoche; **— Friday** el viernes pasado
later más tarde
latest último
laugh reír*; **to — at** reírse de
launching *n.* lanzamiento
lawyer abogado
lead *v.* llevar; guiar (ío); conducir*
leaf hoja
learn aprender
least menos; **at —** al menos, a lo menos

leave *v.* salir*, irse*, marcharse (*depart*); dejar (*leave behind*)

leg pierna

lens lente *m.*

less menos

lesson lección *f.*

let *v.* dejar, permitir

let's . . . vamos a (+ *infin.*); — **go!** ¡Vamos! ¡Vámonos!

letter carta; letra (*of the alphabet*)

liar mentiroso

liberty libertad *f.*

lie *v.* mentir (ie); **to — down** acostarse (ue); echarse

life vida; — **preserver** salvavidas *m.*

lighter *n.* encendedor *m.*

like *v.* gustarle a uno; querer a (*a person*); *adv.* como; **to look —** parecerse (zco) a; **What is he —?** ¿Cómo es?; — **this,** — **that** así

little *adj.* pequeño (*size*); poco (*amount*); *n.* **a —** un poco

live *v.* vivir

living room sala, salón *m.*

long *adj.* largo; **How — have you been living here?** ¿Cuánto tiempo hace que vive Ud. aquí?

look *v.* parecer (zco); estar* (*happen to be*); **to — at** mirar; **to — for** buscar; **to — like** parecerse (zco) a

lose perder (ie)

lost perdido; **to get —** perderse (ie)

loud alto

love *v.* amar, querer*; *n.* amor *m.*

luck suerte *f.*; **to be in —** tener* (mucha) suerte

lucky afortunado

lunch *v.* almorzar (ue); *n.* almuerzo

luxury *n.* lujo; *adj.* de lujo

M

machine máquina

mad *adj.* loco

madman loco

magazine revista

magnificent magnífico

maid criada

man hombre

many muchos(as); **so —** tantos(as)

March marzo

marry casarse con

marvelous maravilloso

Mary María

master amo, dueño

match *n.* fósforo; **boxing —** lucha de boxeo

matter *n.* asunto; *v.* importar; **It doesn't —.** No importa.; **What's the matter?** ¿Qué (le) pasa? ¿Qué tiene(s)?

maybe quizá(s), tal vez

me me

meal comida

measure *v.* medir (i)

meat carne *f.*

mecca meca

meet *v.* encontrar (ue); conocer* (*for the first time*)

member miembro

memorize aprender de memoria

message mensaje *m.*

mile milla

milk leche *f.*

millionaire millonario

mine *adj.* and *pron.* mío(a, os, as)

mink visón *m.*

minute *n.* minuto; **just a —** un momentito

mirror espejo

miss *v.* perder (ie) (*a train, etc.*); echar de menos a (*a person*)

mister señor

moderation moderación *f.*

modern moderno

moment momento

money dinero

month mes *m.*

moon luna

moral *adj.* moral

more más

morning mañana

mother madre

motto lema *m.*

mountain montaña

movies cine *m.*

Mr. Sr.

much mucho; **too —** demasiado; **as — as, so — as** tanto . . . como

mud lodo

muddy: to be — out haber* lodo

muscle músculo

must tener* que (*have to*); deber (de) (*or future of probability—conjecture*); **one —** hay que

my mi(s)

mystery misterio

N

nail uña (*finger*); — **polish** laca para las uñas

name *n.* nombre *m.;* **What is your —?** ¿Cómo se llama Ud.?

nation nación *f.*
national nacional
nature naturaleza
near *prep.* cerca de; *adv.* cerca
nearby cerca
need *v.* necesitar; hacerle falta a uno; *n.* necesidad *f.*
needle aguja
neighbor vecino
neither ni; ni ... tampoco; — ... **nor** ni ... ni
never nunca, jamás
nevertheless sin embargo
new nuevo
news noticia(s)
nice bueno, simpático, amable
night noche *f.;* **last** — anoche; **Good—.** Buenas noches.
ninety noventa
nostalgically con nostalgia
not no
notebook cuaderno
nothing nada
notice *v.* notar; *n.* aviso
novel *n.* novela
now ahora; **from** — **on** de aquí en adelante
nowadays hoy (en) día
number *n.* número; **telephone** — número de teléfono

O

object *n.* objeto
obligation obligación *f.*
of de
offer *v.* ofrecer (zco)
office oficina
often a menudo; muchas veces, frecuentemente
old viejo; antiguo (*former*)
old-fashioned anticuado, pasado de moda
on en, sobre (*upon*); sobre, de, acerca de (*about, concerning*)
once una vez; **at** — en seguida
one uno, un, una; **the** — **who** el que, la que
only sólo
open *v.* abrir (*past part.* abierto); *adj.* abierto
opportunity oportunidad *f.*
or o
orbit órbita
order *v.* mandar; *n.* orden *f.* (*command*) *and m.* (*position, orderliness, etc.*); *prep.* **in** — **to** para; *conj.* **in** — **that** para que
origin origen *m.*
other otro; **each** — (*reflexive pron.* +) uno a otro
ought deber

our nuestro(a, os, as)
out fuera; **Get** — **of here!** ¡Fuera!
outcome resultado
over *prep.* sobre, por encima de

P

pale pálido
paper papel *m.*
parachute paracaídas *m.*
parents padres *m. pl.*
park parque *m.*
part *n.* parte *f.*
party fiesta; partido (*political*)
pass *v.* pasar
passenger pasajero
past pasado
patient *n.* paciente
patiently con paciencia
Paul Pablo
pay *v.* pagar; **to** — **attention to** hacer* caso a (*or* de)
pen pluma
pencil lápiz *m.*
penknife cortaplumas *m.*
people gente *f. sing.;* personas *f. pl.;* **a** — un pueblo; **the** — el pueblo, el público
pepper pimienta
per por; el, la
perfect perfecto
perhaps quizá(s), tal vez
permanent permanente
person persona (*always f.*)
personal personal
personality personalidad *f.*
Peruvian peruano
philanthropist filantropista
philosopher filósofo
photographer fotógrafo
piano piano
pick *v.* escoger; **to** — **up** coger
picture *n.* foto *f.;* cuadro (*art, etc.*)
piece *n.* pedazo
pillow almohada; **—case** funda
pilot piloto
pin *n.* alfiler *m.*
pity lástima
plain *adj.* llano
plane (*airplane*) avión *m.*
plate plato
platform plataforma
play *v.* jugar (ue) (*a game*); tocar (*an instrument*); *n.* comedia, drama *m.*
please por favor; Haga Ud. el favor de (+ *infin.*)

pleased contento; **to be — to** alegrarse de
pleasant agradable; amable
pleasure placer *m.*
pocket bolsillo
pocketbook bolsa
point punto
police policía
political político
poor pobre
popular popular
porch azotea
position posición *f.*
possibility posibilidad *f.*
possible posible
post office (casa de) correos
pot olla
pound *n.* libra
practice *v.* practicar
praise *v.* alabar
precious precioso
prefer preferir (ie)
prepare preparar
presence presencia
present *v.* presentar; *n.* regalo
preserve *v.* conservar
president presidente
prestige prestigio
pretty bonito
prevent impedir (i)
price *n.* precio
pride orgullo
primitive primitivo
principal principal
prison cárcel *f.;* prisión *f.*
problem problema *m.*
profession profesión *f.*
professional profesional
program programa *m.*
progress progreso
prohibit prohibir
promise *v.* prometer; *n.* promesa
promote ascender (ie)
pronounce pronunciar
property propiedad(es) *f.* (*pl.*)
prosperity prosperidad *f.*
Protestant protestante
psychiatrist psiquiatra
psychology (p)sicología
publish publicar
pure puro
purpose propósito
purse bolsa
push empujar

put poner*; colocar; meter; **to — to bed** acostar (ue); **to — on** poner(se)

Q

qualifications cualificaciones *f. pl.*
quartet cuarteto
question *n.* pregunta
quickly rápidamente

R

rabbit conejo
race raza (*of people*); carrera
rain *v.* llover (ue); *n.* lluvia
raise *v.* levantar; criar (ío) (*children, etc.*)
rapidly rápidamente
rather mejor dicho; bastante (+ *adj. or adv.*)
rationalize racionalizar
reach *v.* llegar a; alcanzar
read *v.* leer
ready listo
real verdadero
reality realidad *f.*
realize darse* cuenta de; realizar (*to make real, put into effect*)
really en realidad, en verdad, de verdad, de veras
reason razón *f.*
receive recibir
recognize reconocer (zco)
red rojo
reduced reducido
refresh refrescar
refuse negarse (a); rehusar; no querer* (*preterite*)
regards recuerdos
regret *v.* sentir (ie)
reject rechazar
relationship relación *f.*
relative pariente, parienta
religion religión *f.*
religious religioso
remain quedar(se)
remember recordar (ue), acordarse (ue) de
remind (of) recordar (ue)
repeat repetir (i)
rent *n.* alquiler *m.*
reservation reservación *f.*
resolve *v.* resolver (ue) (*past part.* resuelto)
respect *v.* respetar; *n.* respeto (*deference*); respecto (*aspect*)
responsible responsable
responsibility responsabilidad *f.*
rest *v.* descansar; *n.* descanso; **the —** los demás (*the others*); el resto (*the remainder*)

restaurant restaurante *m.*, restorán *m.*
return *v.* volver (ue) (*past part.* vuelto); **to —**
  (**something**) devolver (ue); *n.* vuelta
reveal revelar
review *n.* repaso
rich rico
Richard Ricardo
right *n.* bien *m.* (*opposite of wrong*); derecho
  (*privilege*); *adj.* derecho; **on the —** a la
  derecha; **to be —** tener* razón; **all —** está
  bien; bueno; muy bien; **— here** aquí mismo;
  — now ahora mismo
ring *v.* sonar (ue)
river río
rocket cohete *m.*
roll *n.* rollo
romantic romántico
room *n.* habitación *f.*, cuarto; **living—** sala
round *adj.* redondo; **to turn — and —** dar*
  vueltas
rug alfombra
run *v.* correr

S

sacred sagrado
sacrifice sacrificio
saint santo
salad ensalada
salary sueldo
saleslady dependienta
salt sal *f.*
same mismo; **the —** lo mismo
satellite satélite *m.*
satisfied (**with**) satisfecho (de)
save salvar; ahorrar (*money, etc.*)
say decir*; **You don't —!** ¡No me diga!
scene escena
school *n.* escuela; **elementary —** la escuela
  elemental; **high —** la escuela superior; *adj.*
  escolar
science ciencia
sea mar *m.*
seat asiento
seated sentado
scold *v.* reñir (i)
second *adj.* segundo
see *v.* ver*
sell vender
semester semestre *m.*
send mandar, enviar (ío)
series serie *f.*
serious serio

servant criado, criada
serve servir (i)
set up *v.* establecer (zco)
seventh séptimo
several algunos
shake sacudir; **to — hands** apretar(se) (ie) la
  mano, dar(se)* la mano
share (*of stock*) acción *f.*
sheet sábana
shelf estante *m.*
ship vapor *m.*, barco
shirt camisa
shoe zapato
shoemaker zapatero
short corto (*length*); bajo (*height*); **in —** en fin;
  in a — time en poco tiempo; **—ly thereafter**
  a poco, poco después
should deber (*ought to*)
shout *v.* gritar; *n.* grito, voz *f.*
show *v.* mostrar (ue)
shower *n.* aguacero (*weather*)
shrewdness astucia
signal *n.* señal *f.*
silk *n.* seda; *adj.* de seda
silver plata
similar semejante
simple sencillo
since *prep.* desde; *conj.* desde que (*time*); ya
  que, puesto que (*because*)
sincerely sinceramente
sing cantar
singer cantante *m.;* cantatriz *f.*
single solo (*sole*)
sir señor
sister hermana
sit (**down**) sentarse (ie)
six seis
sixth sexto
sixty sesenta
skinny enjuto, flaco
sleep *v.* dormir (ue)
sleepy: to be tener* sueño
slow lento, despacio(so)
slowly lentamente, despacio
small pequeño; chico
smart *adj.* listo, inteligente
smile *v.* sonreír*; *n.* sonrisa
snow *v.* nevar (ie); *n.* nieve *f.*
so *adv.* tan (+ *adj. or adv.*); así (*so, thus, in this
  way*); *conj.* de modo que (+ *clause*); **— that**
  para que; de modo que
soap jabón *m.*
social social

society   sociedad *f.*
solve   solucionar, resolver (ue) (*past part.* resuelto)
some   unos, unas; algunos, algunas
someone   alguien
something   algo
son   hijo
song   canción *f.*
soon   pronto; **as — as**   así que, luego que, tan pronto como, en cuanto
sorry: to be   sentir (ie)
soul   alma
soup   sopa
Spain   España
Spanish   español
Spanish American   hispanoamericano
speak   hablar
special   especial
spectacle   espectáculo
spectator   espectador
spend   pasar (*time*); gastar (*money, etc.*)
spirit   espíritu *m.*
spoon   cuchara
sport   deporte *m.*
sportsman   deportista
square *n.*   plaza
stable *adj.*   estable
staff *n.*   sostén *m.*
stairs   escalera
standard   criterio, norma
standing *adj.*   parado; de pie
star *n.*   estrella
state *n.*   estado
stateroom   camarote *m.*
statistic   estadística
stay *v.*   quedarse
steal *v.*   robar
still *adv.*   todavía
store *n.*   tienda; **department —**   almacén *m.*, bazar *m.*
story   piso (*floor*); cuento, historia (*tale*)
strategy   estrategia, estratagema *m.*
street   calle *f.*
strictness   rigidez *f.*
string *n.*   tira
strong   fuerte
structure   estructura
student   estudiante
study *v.*   estudiar
style   estilo; moda
success   éxito
such (a)   tal; *pl.* tales
suddenly   súbitamente, de repente

suffering *n.*   sufrimiento
suggest   sugerir (ie)
suicide   suicidio; **to commit —**   suicidarse
summary   resumen *m.*
summer   verano
sun   sol *m.;* **in the —**   al sol
superstition   superstición *f.*
superstitious   supersticioso
suppose   suponer*
sure   seguro
surprise *v.*   sorprender
surprised   sorprendido; **to be —**   sorprenderse (de)
surround (with)   rodear (de)
sweet   dulce
swim   nadar
swimmer   nadador
swimming   natación *f.*
Sylvia   Silvia
system   sistema *m.*

T

table   mesa
tailor   costurero
take   tomar; coger (*pick up*); llevar (*a person*); **to — away** (*from someone*) quitar; **to — away** (*with one*) llevarse; **to — a walk**   dar* un paseo; **to — a trip**   hacer* un viaje; **to — out**   sacar; **to — sick**   ponerse* enfermo
talk *v.*   hablar
tall   alto
taste *v.*   probar (ue)
tax *n.*   impuesto
tea   té *m.*
teach   enseñar (a)
teacher   maestro, maestra
teacup   taza para té
team *n.*   equipo
teaspoon   cucharita
telephone *v.*   telefonear; llamar por teléfono; *n.* teléfono
television   televisión *f.;* **— set**   televisor *m.*, televisión *f.*
tell   decir*; contar (ue)
ten   diez
terrible   terrible, horrible
than   que; de (*before a number*)
thanks, thank you   gracias
that *dem. adj.*   ese, esa (*near you*); aquel, aquella (*over there*); *neuter pron.* eso; aquello; **— one** ése, ésa; aquél, aquélla; *conj.* que
the   el, la, los, las

theater teatro
their su(s)
theirs suyo(a, os, as); . . . de ellos, de ellas
them *direct obj.* los, las (les); *indirect obj.* les
there allí; ahí (*near you*); allá (*yonder*); — **is, — are** hay
these *adj.* estos, estas; *pron.* éstos, éstas
thief ladrón, bribón
thing cosa; **How are things?** ¿Qué tal? ¿Cómo le va?
think creer*; pensar (ie); **to — about** pensar en
third tercer(o)
thirst sed *f.*
thirsty: to be tener* sed
thirty treinta
this *dem. adj.* este, esta; *neuter pron.* esto; **— one** éste, ésta
those *adj.* esos, esas (*near you*); aquellos, aquellas (*over there*); *pron.* ésos, ésas, aquéllos, aquéllas
thought pensamiento
thousand mil
thread hilo
three tres
through por
throw *v.* echar, lanzar
ticket boleto; — **seller** boletero
tie *v.* atar; *n.* corbata
tiger tigre
time tiempo; hora (*of day*); vez *f.* (*occasion*); **from — to —** de vez en cuando; **at the same —** al mismo tiempo, a la vez; **on —** a tiempo; a plazos (installments); **at times, sometimes** a veces; **three times** tres veces
tin lata (*can*); estaño (*element*)
tired cansado
to a
today hoy
tomorrow mañana
tone tono
tonight esta noche
too demasiado (+ *adj. or adv.*); también (*also*)
touch *v.* tocar
tourist turista
toward(s) hacia
town pueblo
toy juguete *m.*
trade *n.* oficio (*occupation*); comercio
tradition tradición *f.*
train *n.* tren *m.*
transmit transmitir
travel *v.* viajar
traveler viajero

treat tratar
tree árbol *m.*
tremendous tremendo
true verdadero; **it is —** es verdad; **to come —** hacerse* verdad, realizarse
truly de veras
truth verdad *f.*
turn *v.* volver(se) (ue); **to — on** (*radio, etc.*) poner*; encender (ie) (*light*); **to — round and round** dar* vueltas
turtle tortuga
two dos
type *n.* tipo, clase *f.*
typewriter máquina de escribir

U

ugly feo
uncle tío
uncorrupted incorrupto
under debajo de; por debajo de; bajo
understand comprender
unfair injusto
unforgettable inolvidable
unless a menos que
unpleasant desagradable
until *prep.* hasta; *conj.* hasta que
upon en; sobre; **—** (*doing something*) al (+ *infin.*); **— entering** al entrar
uranium uranio
urgent urgente
use *v.* usar; *n.* uso
useless inútil

V

vacation vacaciones (*generally f. pl.*)
vegetable legumbre *f.*
Venezuelan venezolano
verb verbo
very muy
veteran veterano
victim víctima (*always f.*)
victory victoria
visit *v.* visitar; *n.* visita
voice voz *f.*
volume tomo, volumen *m.*
volunteer *n.* voluntario
vote *v.* votar; *n.* voto

W

wait esperar; **— a minute** un momentito
walk *v.* caminar
wall pared *f.*

wallet cartera

want *v.* querer*; desear; *n.* deseo

warm caliente; caluroso; **to be — out** hacer* calor; **to be** (*feel*) **—** tener* calor

wash *v.* lavar(se)

watch *v.* mirar; *n.* reloj *m.;* **Watch out!** ¡Cuidado! ¡Ojo!

water agua

way modo, manera (*means*); camino (*direction*); **in this —** así, de esta manera; **by the —** a propósito; **to lose one's —** perder (ie) el camino; **— of life** manera de vivir

wealth riqueza

wear llevar.

weather tiempo; clima *m.*

Wednesday miércoles

week semana; **last —** la semana pasada

weekend fin *m.* de semana

weekly semanal

well bien; pues bien, bueno

what *rel. pron.* lo que

what? *pron.* ¿qué? ¿cuál? (*selection*); *adj.* ¿qué?; **— did you say?** ¿Cómo?; **What's the matter?** ¿Qué (le) pasa?

when cuando

where? ¿dónde?; ¿adónde? ¿a dónde? (*in what direction?*)

whether si

which? *pron.* ¿cuál? ¿cuáles? *adj.* ¿qué . . .?

which *rel. pron.* que; lo que, lo cual

while *conj.* mientras (que); *n.* **a little —** un rato

white blanco

who *rel. pron.* que; quien; el que, la que, los que, las que; el cual, la cual, los cuales, las cuales

who? ¿quién? ¿quiénes?

whole *adj.* entero; todo el . . . , toda la . . . ; *n.* todo

whom quien

why? ¿por qué?

wife esposa, mujer

win ganar

wind *n.* viento; **to be windy** hacer* viento

window ventana

wine vino

winter invierno; **in mid—** en pleno invierno

with con; **— me** conmigo; **— you** (*fam. sing.*) contigo

within *adv.* dentro; *prep.* dentro de

without *prep.* sin; *conj.* sin que

woman mujer, señora

wonder *v.* preguntarse; also future of probability (see #92); *n.* maravilla

wonderful maravilloso, magnífico

wood madera

woods monte *m.*, bosque *m.*

word palabra

work *v.* trabajar; funcionar (*a mechanism*); *n.* trabajo; obra (*of art, etc.*)

world mundo

worried *adj.* preocupado

worry *v.* preocupar(se); **Don't —.** No tenga cuidado. No se preocupe.

worse peor(es)

worst peor(es)

worth: to be valer*

write escribir (*past part.* escrito)

writer escritor(a)

wrong *adj.* incorrecto; *n.* mal; **to be —** no tener* razón, equivocarse; **to do —** hacer* mal

Y

yacht yate *m.*

year año

yellow amarillo

yes sí

yesterday ayer

yet ya (*already*); todavía (*with negative*); **not —** todavía no

you *subj. pron.* tú (*fam. sing.*); vosotros (*fam. pl.*); Ud. (*pol. sing.*); Uds. (*pol. pl.*); *obj. pron.* te; os; lo, le, la (*direct Ud.*); le (*indirect Ud.*); los, las, les (*direct Uds.*); les (*indirect Uds.*)

young joven

younger menor; más joven

your tu(s); vuestro (a, os, as); su(s)

yours tuyo (a, os, as); vuestro (a, os, as); suyo (a, os, as); . . . de Ud., de Uds.

Z

zero cero

SPANISH-ENGLISH VOCABULARY

A

a to; toward; at; personal **a** before a direct object that is a person
abandonar to abandon
abertura opening
abierto open
ablandar to soften
abofetear to hit
abogado lawyer
abolir to abolish
abono fertilizer
abrazar to embrace, hug
abrigo coat
abrir(se) (*past part.* **abierto**) to open
absolver (**ue**) (*past part.* **absuelto**) to absolve, acquit
abuela grandmother
abuelo grandfather
abundar to abound
aburrido bored
acabar to finish; — **de** to have just (*present and imperfect*)
acaso maybe, perhaps
acción *f.* action; share (*of stock*)
aceite *m.* oil
aceituna olive
acerca de about, concerning
acercamiento drawing together
acercar to bring near(er); —**se a** to approach, go up to
acoger to receive (*well*)
acomodado comfortable, well-to-do
acompañar to accompany
acosar to beset, trouble
acostar (**ue**) to put to bed; —**se** to go to bed
acostumbrar to accustom
acreedor creditor
actitud *f.* attitude
actriz actress
actuar (**úo**) to act
acudir to hurry to, rush toward
acumular to accumulate
acusar to accuse
adelante ahead; forward; **en** — thenceforth
además besides; — **de** aside from
adentro inside
adhesión *f.* loyalty, adherence
adiós goodbye
admirar to admire
¿adónde? ¿a dónde? (to) where?
adquirir (**ie**) to acquire

aéreo *adj.* air; **vía aérea** airmail
aeropuerto airport
afán *m.* strong desire
afectado affected
afligido afflicted, stricken
aflojar to weaken, loosen
afortunado lucky
afuera outside; **hacia** — facing out
agarrar to grasp, clutch
agarro *n.* grip
agencia agency
agotado exhausted
agotar to exhaust, use up
agradable pleasant
agravio wrongdoing, offense
agrícola agricultural
agua water
aguacero shower (*weather*)
aguafuerte engraving
aguja needle
agujero hole
ahí there (*near you*); — **no más** right there; **de** — **en adelante** from then on
ahogar(se) to choke; drown
ahora now; — **bien** now then, well then; — **mismo** right now
aire *m.* air; **al** — **libre** in the open air
ajetreo hustle-bustle
ajustar(se) to adjust
al (+ *infin.*) upon (*doing something*)
ala wing; **sombrero de** — broad-brimmed hat
alabar to praise
alambre *m.* wire
alboroto commotion
alcalde mayor
alcanzar to reach; attain, achieve
alcoba bedroom
alegrarse de (**que**) to be happy (that)
alegre gay, happy
alegría gaiety
alejarse de to leave, move away from
alemán German
alfombra rug
algo something
algodón *m.* cotton
alguien somebody, someone
alguno, algún, alguna, algunos, etc. some, any; **alguna vez** ever, at some time
aliado ally
alimentar to feed, nourish

alistarse to enlist
allá there; yonder; **más — de** beyond
allí there
alma soul
almacén *m.* (*department*) store; warehouse
almidonado starched
almorzar (ue) to lunch
almuerzo lunch
alquilar to hire, rent
alquiler *m.* rent
alrededor de around (*position*)
altibajo vicissitude, up and down
altivo haughty, arrogant
alto tall; loud (*voice, etc.*)
altura height
aluminio aluminum
alumno pupil
alzar to raise
amable pleasant, amiable
amanecer *m.* dawn; *v.* to dawn
amante lover
amar to love
amargo bitter
amargura bitterness
amarillo yellow
ambos both
amenaza threat
amenazar to threaten
amigo friend
amistad *f.* friendship
amo *n.* master
amuleto amulet
anales *m. pl.* annals
analizar to analyze
andar* to walk; run (*a car, etc.*)
angustiado anguished, upset
anhelar to desire, long to
anillo ring
aniquilar to annihilate
anónimo anonymous
ante faced with; before; in front of
anteayer *m.* the day before yesterday
antecesor ancestor
antepasado ancestor
anterior previous, prior
antes *adv.* before, earlier; **— de** *prep.* before; **— de que** *conj.* before; **lo — posible** as soon as possible
anticuado antiquated
antiguo old, former; ancient
antipático nasty, disagreeable
antropólogo anthropologist
anunciar to announce
anuncio *n.* announcement, advertisement

añadir to add
año year
apacible willing
aparato appliance; mechanism; set; apparatus (*generally pl.*)
aparecer (zco) to appear; turn up
aparición *f.* emergence
apartado removed; separated
apasionado impassioned
apellido last name
aplacar to placate
aplastado crushed
aplaudir to applaud
aplauso (*generally pl.*) applause
aplicar(se) to apply
apoderarse de to take over
apodo nickname
apogeo apogee, height
apoyar to support
aprender (a) to learn (*how to*); **— de memoria** to memorize
apretar (ie) to press, squeeze
aprovechar(se de) to take advantage of
aproximarse to become close
apuesta bet
aquí here; **— mismo** right here; **de — en adelante** from now on
arábigo Arabic
árbol *m.* tree
arder to burn (*up*), be burning
argüir (uyo) to argue
armario closet
arquitectónico architectural
arquitectura architecture
arraigar to root; **—se** to take root
arrepentirse (ie) to repent
arriba up; ¡arriba! hooray! up with . . .!
arriesgarse(se) to risk (oneself)
arrojar to throw
arruinar to ruin
arte *m. and f.* art
artesano artisan
artículo article
asaltar to assault, attack
ascendencia ancestry
ascender (ie) to ascend
ascenso ascent
ascensor *m.* elevator
asegurar to assure; make sure
asesinar to assassinate
asfixiante asphyxiating
así so, thus; in this way; like this or that; **así, así** so-so
asidero handle

asiento seat
asimilar(se) to assimilate
asistir a to attend
asociar(se) to associate
asombroso amazing
astucia astuteness, shrewdness
astuto smart, shrewd
atacar to attack
ataque *m.* attack; — **al corazón** heart attack
atar to tie
atraer* to attract
atrapado trapped
atrás behind
atrasado backward; behind
atravesar (ie) to cross
atreverse a to dare to
auditorio audience
aumentar(se) to increase
aun *adv.* even
aún *adv.* still
aunque although, even though
ausente absent
autógrafo autograph
autor(a) author(ess)
auxilio aid
avance *m.* advance
avanzar to advance
avenida avenue
avión *m.* airplane
aviso notice
ayer yesterday
ayuda help, aid
ayudar to help
azotea porch, terrace
azul blue

B

bailar to dance
bajar to go down
bajo *adj.* low; lower (*class*); short (*in height*); *adv.* low; deep (*voice, etc.*) *prep.* under
baluarte *m.* bulwark, stronghold
bancarrota bankruptcy
banco bank
bandera banner, flag
baño bath; bathroom
barato cheap
barba beard
barbarie *f.* barbarism
bárbaro barbarian
barco ship
barro clay
barroco baroque

base *f.* base; basis
bastante enough; quite, rather
bastar to be enough, suffice
bautizar to baptize
baya berry
beber to drink
bebida drink
béisbol *m.* baseball
Bélgica Belgium
belleza beauty
bello beautiful
bendecir* to bless
beneficio benefit
beneficioso beneficial
besar to kiss
beso kiss
Biblia Bible
biblioteca library
bienestar *m.* welfare
billete *m.* bill (*money*); ticket
bisabuelo great-grandfather; ancestor
bien *adv.* well; **está** — very well; all right; *n.* good
blanco white
blusa blouse
boca mouth
boga vogue
bola ball
boletería ticket window
boletero ticket seller
boletín *m.* bulletin
boleto ticket
bolsa purse, pocketbook; **la** — stock market
bombardeo bombardment
bombero fireman
bombilla (*light*) bulb
bondad *f.* goodness, kindness
bondadoso kindly
bonito pretty
bosque *m.* woods; forest
bostezar to yawn
bote *m.* (*small*) boat
botella bottle
botón *m.* button
boxeador boxer
brazo arm
brillante brilliant
broma joke
bronce *m.* bronze
brotar to spring forth
bueno good; **¡bueno!** all right; well, . . . ; **Buenos días.** Good morning; **Buenas tardes.** Good afternoon; **Buenas noches.** Good evening, Good night

burguesía bourgeoisie, middle class
burlador scoffer, mocker
buscar to look for; seek

C

caballeresco chivalric
caballería chivalry
caballero gentleman
caballo horse
caber* to fit
cabeza head
cabildo elective town council in colonial Spanish America
cada each; every
caer* to fall; **dejar —** to drop
caída fall
caja box
cajón *m.* drawer
calamidad *f.* calamity
cálculo(s) calculation(s)
caliente warm
calificado qualified
calmarse to calm down
calor *m.* heat; warmth; **tener *—** to be (*feel*) warm *or* hot; **hacer* —** to be hot (*out*)
callar to keep quiet
calle *f.* street
cámara camera; chamber
camarote *m.* cabin, stateroom
cambiar to change; exchange
cambio change; exchange; **en —** on the other hand
caminar to walk
camino road; way; **— a** on the way to
camisa shirt
campamento camp
campaña campaign
campcón champion
campesino country fellow
campo country (*opposite of city*); field
canción *f.* song
cansado tired
cansar(se) to tire, get tired
cantante *m.* singer
cantar to sing
cantidad *f.* quantity
canturrear to hum (*a song*)
capaz capable
capital *f.* capital city; *m.* capital (*money*)
capítulo chapter
capricho caprice, whim
captar capture

cara face
carácter *m.* character
caracterizar to characterize
cárcel *f.* jail
carcomido rotted, rotten
cargar to load
cargo post, job, office
cariño affection
cariñosamente affectionately
carnaval *m.* carnival
carne *f.* meat; flesh
carrera career; race
carretera highway
carro cart; car
carruaje *m.* carriage
carta letter
cartaginés Carthaginian
cartera wallet
cartón *m.* cardboard
casa house
casarse (con) to marry, get married
casi almost
caso case; matter; **hacer* — a** *or* **de** to pay attention to
castigar to punish
castillo castle
casualidad *f.* coincidence
catarro *n.* cold (*illness*)
catecismo catechism
categoría category; rank
catorce fourteen
cautiverio captivity
caza hunting; **ir* de —** to go hunting
cazar to hunt
celda cell
celebrarse to take place
celoso jealous; zealous
celta *n.* Celta; *adj.* Celtic
cementerio cemetery
cena dinner
cenar to have dinner
centenares hundreds
centro center; downtown area
cerámica ceramics
cerca *adv.* near(by); **— de** *prep.* near
cerco siege; **poner* —** to set siege
cerebro brain
cero zero
cerrar (ie) to close
cesta basket
ciego *n.* blind man; *adj.* blind
cielo sky
ciencia science

científico *n.* scientist; *adj.* scientific
ciento, cien one hundred; **por —** percent
cierto (a) certain
ciervo deer
cifra number, cipher
cigarrillo cigarette
cima summit, height
cinco five
cincuenta fifty
cine *m.* the movies
cinematográfico *adj.* movie
cinta ribbon; tape
circo circus
circunstancia circumstance
cirujano surgeon
cisne *m.* swan
cita appointment; date
ciudad *f.* city
civdadanía citizenship
claro clear; **— está** of course
clase *f.* class; classroom; kind, type
clavar to affix; stick into, nail
clavo nail (*carpentry*)
clérigo clergyman
clero clergy
cliente client; customer
clima *m.* climate
cobardía cowardice
cobrador collector
cobre *m.* copper
cocido cooked
coche *m.* car
cofre *m.* coffer
coger to catch; seize
cohete *m.* rocket
coincidir to coincide
cola tail
coleccionista collector
colocar to put, place
colono colonist
columna column
combatir to combat
comedia play; comedy
comediante comedian; actor
comedor *m.* dining room
comenzar (ie) (a) to begin (to)
comer to eat
comerciante businessman; merchant
comerciar to do business
comestible food(*stuff*)
cometer to commit
comida food; meal; dinner
comisaría police station

como as; like
¿cómo? how? what (*did you say*)?; **¿— le va?** How goes it?; **¡ — no!** of course!
comodidad *f.* comfort
cómodo comfortable
compadre countryman
compañero companion
compañía company
complejo *n.* and *adj.* complex
completar to complete
complicar to complicate
compositor(a) composer
comprar to buy
comprender to understand
comprensión *f.* understanding
comprensivo comprehensive; understanding
compromiso appointment; engagement
común common
comunicar to communicate; connect (*telephone*)
con with; **—migo** with me; **—tigo** with you
concebir (i) to conceive
concejo council
conciencia conscience; consciousness
concierto concert
concilio council
concluir (uyo) to conclude
concurso contest
conde count (*title*)
condenar to condemn; convict
conducir* to lead; conduct
conejo rabbit
conferencia conference; lecture
confesar (ie) to confess
confianza confidence
confundir to confuse; **—se** to become confused
congelado frozen (*as food*)
conocer* (zco) to know (*a person or place*), be familiar with; (*preterite*) to meet for the first time
conocido *n.* acquaintance
conocimiento (*generally pl.*) knowledge
conquistador conqueror
conquistar to conquer
consecuencia consequence; **por —** consequently, thus
consejero adviser
consejo advice
conservador conservative
conservar to keep
considerar to consider
consistir en to consist of or in
conspiración *f.* conspiracy

construir* (uyo) to build
consultorio doctor's office
consumar to consummate
contagiar (de) to infect (with)
contar (ue) to count; relate, narrate; **— con** to count on
contemporáneo contemporary
contener* to contain
contentar to please; **—se** to be satisfied
contento (de) pleased (with)
contestación *f.* answer
continuar (úo) to continue
continuo continuous
contestar to answer
contra against
contrabando contraband; smuggling
Contrarreforma Counterreformation
contribuir (uyo) to contribute
convencer to convince
convenir* to be advisable
convertir (ie) to convert; **—se en** to become
convidado guest
convidar to invite
convocar to convoke
copia copy
corazón *m.* heart
cordero lamb
cordillera mountain range
corona crown
corregir (i) to correct
correo mail; **el —(s), casa del —** post office
correr to run
corrida de toros bullfight
corriente *f.* current; *adj.* current
cortar to cut off; cut short
corte *f.* court
cortesano *n.* courtier; *adj.* courtly
cortina curtain; **— de Hierro** Iron curtain
coser to sew
costa coast
costado side
costar (ue) to coast; **— trabajo** to be difficult
costumbre *f.* custom; **de —** (as) usual
costurero couturier, tailor
creador *n.* creator; *adj.* creative
crear to create
crecer (zco) to grow
crecimiento growth
creer* to believe, think
criado servant
criar to raise, rear
criatura creature; baby
crimen *m.* crime

criterio criterion, standard
crítica criticism
criticar to criticize
cruce *m.* crossing; **— de caminos** crossroads
crueldad *f.* cruelty
cruz *f.* cross
cruzar to cross
cuaderno notebook
cuadra (*city*) block
¿cuál? which (*one*)?; what; **¿cuáles?** (*pl.*) which? what?
cualidad *f.* quality (*trait*)
cualquier any (*at all*); **a — parte, en — parte** anywhere
cuando when
cuanto *rel. pron.* all that; **en —** *conj.* as soon as; **en — a** *prep.* as for
¿Cuánto? How much? *pl.* How many?
cuarto *n.* room; quarter; *adj.* fourth
cuatro four
cubierta cover; deck (*ship*)
cubrir (*past part.* **cubierto**) to cover
cucaracha cockroach
cucharadita spoonful
cuello neck
cuenta bill; account; **darse* — de** to realize
cuento story
cuerda cord
cuerno horn
cuero leather
cuerpo body
cuesta slope
cuestión *f.* question (*matter, issue*)
cuidado care, caution; **¡—!** watch out!; **No tenga —.** Don't worry; **con —** carefully
culpa blame; fault; **tener* la culpa** to be at fault
culpable *adj.* guilt; *n.* culprit
cultivo cultivation
culto *n.* cult; *adj.* cultured
cumbre *f.* top, summit
cumpleaños *m.* birthday
cumplir to complete
curar to cure
curso course
cutis *m.* skin
cuyo *rel. adj.* whose

CH

champaña *m.* champagne
chaqueta jacket
charla talk, speech

chico *n.* boy; *adj.* small
chocar to collide; crash
chófer driver
choque *m.* collision

D

dama lady
dañar to damage
daño harm; injury; damage; **hacer(se)*** — to hurt (*oneself*)
dar* to give; — **a** to face (*location*); — **de comer** to feed; — **miedo** to frighten; —**se cuenta de** to realize
dato fact; *pl.* data
de of; from; about; also states possession
debajo de *prep.* under; **por** — under(neath)
deber *v.* to be obliged to; should, ought to; *n.* duty
debido due
débil weak
debilidad *f.* weakness
debilitar to weaken
decaer* to diminish, decrease
decepcionado disappointed, deceived
decidir to decide
decir* to say; tell; **es** — that is (to say)
declarar to declare
decrecer (**zco**) to decrease
dedicar to dedicate
dedo finger; toe
defectuoso defective
defraudado cheated
dejar let, allow; leave (*behind*); — **caer** to drop; — **de** to stop (*doing something*); to fail to
deleite *m.* delight
delgado slim, thin
demás others, (*the*) rest
demasiado *adj.* too much; *pl.* too many; *adv.* too much; too (+ *adj. or adv.*)
demora delay
dentro *adv.* inside; — **de** *prep.* inside of, within; **por** — on the inside
depender (**de**) to depend (on)
dependienta saleslady
dependiente clerk; salesclerk
deporte *m.* sport
deportista sportsman, sportswoman
derecho *n.* right, privilege; duty (*tax*); *adj.* right (*location*); **a la derecha** on the right
derramar to spill
derribar to knock over or down; overthrow
derrota defeat

derrotar to defeat
desafío challenge
desagradable unpleasant
desangrar to bleed (*dry*)
desaparecer (**zco**) to disappear
desarrollar(se) to develop
desarrollo development
desastre *m.* disaster
desayunar(se) to have breakfast
desayuno breakfast
descansar to rest
descargar to unload
desconocido unknown
describir (*past part.* **descrito**) to describe
descubrimiento discovery
descubrir (*past part.* **descubierto**) to discover
descuidar to neglect; ignore
descuido neglect
desde *prep.* from; since; — **que** *conj.* since (*a point in time*); — **luego** of course
desear to desire, wish, want
desechar to reject; ignore
desembarcar(se) to disembark
deseo *n.* desire
desesperado desperate
desgraciadamente unfortunately
deshacer* to undo
desierto desert
desigual unequal
desinflado flat tire
desnudo naked, bare
despachar to send (*out*)
despejado clear (*weather*)
despertar(se) (**ie**) to awaken
despreciar to scorn
después *adv.* later, after(wards); — **de** *prep.* after; — **de que** *conj.* after (+ *a clause*)
desterrar (**ie**) to exile
destierro exile
destino destiny
destruir (**uyo**) to destroy
desuso disuse
detalle *m.* detail
determinar to determine
detrás de *prep.* behind
deuda debt
devolver (**ue**) (*past part.* **devuelto**) to return, give back
día *m.* day; **Buenos días.** Good morning.
diablo devil
diamante *m.* diamond
diario daily
dictar to dictate

diente *m.* tooth
diez ten
difícil difficult
dificultad *f.* difficulty
difunto dead
digerir (ie) to digest
dignidad *f.* dignity
digno worthy
dinámico dynamic
dinero money
dios god
Dios God; ¡— mío! For Heaven's sake!
dirección *f.* address; direction
dirigir to direct, lead; —**se a** to approach; address
disculparse to apologize
discutir to discuss
diseminar to disseminate, spread
disfrutar (de) to enjoy
disgustado displeased
dispuesto willing, ready
distancia distance
distraer(se)* to amuse (oneself)
diversidad *f.* diversity
divertido funny
divertirse (ie) to enjoy oneself, have a good time
dividido divided
divisar to divise, see
divorcio divorce
doble double
doce twelve
docena dozen
dócil docile
dólar dollar
doler (ue) to hurt, be painful
dolor *m.* pain
dominar to dominate; control
dominio rule, domination
donde where
¿Dónde? where?
dorado golden
dormido asleep, sleeping
dormir (ue) to sleep; — **se** to fall asleep
dos two
drama *m.* drama, play
dramaturgo dramatist
duda doubt
dudar to doubt
dueño owner, proprietor
dulce sweet
duplicado duplicate; duplication
durante during
durar to last

E

e and (*before a word beginning with* i *or* hi)
echar to throw; — **a perder** to waste; — **se** to lie down
edad *f.* age; **E — Media** Middle Ages
edificio building
educado educated
educativo educational
efecto effect; **en —** in fact
efectuar (úo) to effect, bring about
ejecución *f.* execution
ejecutar to execute
ejemplo example; **por —** for example
ejercer to exercise; practice (*a profession*)
ejercicio exercise
ejército army
él he; him (*after a prep.*)
elegancia elegance
elegir (i) to elect
elemental elementary
elevar to raise
eliminar to eliminate
ella she; her (*after a prep.*)
ellas they (*f.*)
ello it (*neuter subj. pron. or obj. of prep.*)
ellos they
embajador ambassador
embargo: sin — nevertheless
emboscada ambush
emergencia emergency
emigrado emigré
emirato emirate
empezar (ie) (a) to begin
empleado *n.* employee
emplear to use; employ
empleo *n.* job
empobrecido impoverished
emprender to undertake
empujar to push
en in; on; at
enamorado (de) in love (with)
enamorarse (de) to fall in love (with)
encabezar to head
encantado delighted
encantamiento enchantment
encarcelamiento imprisonment
encarcelar to jail
encargarse to take charge
encariñarse con to take a liking to
encendedor *m.* lighter
encima above, on top; **por —** on the top; **(por) — de** *prep.* on top of

encontrar (ue) to find; meet
enemigo enemy
enfermo sick
enfocar to aim, focus
enfrente in front, opposite
enfurecido infuriated
engañar to deceive
engaño deceit, fraud, treachery
enhorabuena congratulations
enjuto skinny
enorme enormous
enredar to entangle
enronquecer (zco) to get hoarse
ensayar to try out; rehearse
ensayo essay
enseñanza teaching; education
enseñar (a) to teach (*how to*)
ensordecedor deafening
ensuciar to dirty
entender (ie) to understand
enteramente entirely
enterar to inform; —**se de** to find out
entero whole, entire
entonces then
entrada entrance; entry
entrañas *f. pl.* entrails, insides
entrar (en) to enter
entre between, among
entregar to hand over
entretanto meanwhile
entretenimiento entertainment
entusiasmarse to become enthusiastic
entusiasmado enthusiastic
envase *m.* wrapper, case
enviar (ío) to send
envidiar *n.* envy
envío shipment
epidemia epidemic
epopeya epic
equipo team
equis *f.* x
equivocarse to make a mistake
erudito scholar
escalera stairs, stairway; — **movediza** escalator
escalerilla de mano stepladder
escaparate *m.* (*store*) window
escapar(se) to escape
escape *m.* escape
escaso scant
escena scene
esclavitud *f.* enslavement
esclavo slave
escoger to choose, pick out

esconder(se) to hide
escribir to write; — **a máquina** to type(write)
escrito written
escritorio desk
escritura writing
escuchar to listen (to)
escudero squire
escuela school; — **elemental** elementary school; — **superior** high school
escultura sculpture
ese; esa *adj.* that (*near you*); **esos, esas** those; **ése,** etc. *pron.* that one, etc.
esencia essence
esforzarse (ue) (por) to make an effort (to)
esfuerzo *n.* effort; attempt
eslabón *m.* link
eso *neuter* that
espada sword
español Spanish
específico specific
espectador spectator
espejo mirror
esperar to wait (for); hope; expect
espíritu *m.* spirit
esposa wife
esposo husband
establecer (zco) to establish
estación station; season (*of year*)
estadio stadium
estadística statistic
estado state; — **civil** marital status
estallar to break out, erupt
estancamiento stagnation
estar* to be (*located, or in a certain position, condition, or state*); — **de acuerdo** to agree
este *m.* east
este, esta *adj.* this; **estos, estas** these; **este,** etc. *pron.* this one, etc.
estiércol *m.* dung
estimulante stimulant
estimular to stimulate
estirar to stretch
esto *neuter* this
estómago stomach
estornudo *n.* sneeze
estratagema *m.* stratagem
estrecho *adj.* narrow; tight
estrella star
estrenar to debut (*do for the first time*)
estricto strict
estudiante *m. and f.* student
estudiar to study
estupendo marvelous(ly), stupendous(ly)

etapa period, stage
eternidad *f.* eternity
eterno eternal
europeo European
evitar to avoid
evocar to evoke
examen *m.* exam(ination)
exceptuando except for
exclamar to exclaim
excomulgar to excommunicate
excursión *f.* short trip; **hacer una —** to take a trip
exhalación *f.* exhaling
exhalar to exhale
exigir to demand, require
existir to exist
éxito success; **tener —** to be successful
experimentado experienced
explicación *f.* explanation
explicar to explain
explotador exploiter
exponer* to expose
expulsar to expell
exterior *adj.* foreign, external; **el —** abroad
externo external
extranjero foreign; **el —** abroad
extraño strange

F

fábrica factory
fábula fable
fácil easy
facultad *f.* faculty; ability
faja strip
falda skirt; lap
faldero (*of a*) skirt; **perro —** lap dog
falta lack; mistake; **hacer —** to be lacking
faltar to be lacking, needed; to miss; to be absent; **— a** to fail (*in*); be remiss
familia family
familiar *n.* relative; *adj.* familiar
famoso famous
fatiga fatigue
favorecer (**zco**) to favor
fe *f.* faith
fealdad *f.* ugliness
fecha date (*of the year*)
felicidad *f.* happiness
felicitar to congratulate
feliz happy
fenicio Phoenician
feo ugly, homely
feroz fierce, ferocious

fertilidad *f.* fertility
fetiche *m.* fetich
fiel faithful
fiesta party
figurilla figurine
filtro filter
fin *m.* end; **al —, por —** finally; **en —** in short; **— de semana** weekend; **a fines de** toward the end of
finca farmlands; small estate
firmar to sign
físico physical
fisiológico physiological
flamenco Flamencan
flor *f.* flower
florecimiento flowering
florero flowerpot
fluidez *f.* fluidity
flujo *n.* flow
fomentar to foment, stimulate
fondo background; depth
formular to formulate
fortificar to fortify
fortuna fortune; luck
forzar (**ue**) to force
forzosamente necessarily
fósforo match
foto *f.* photo(graph)
fracasar to fail
fraile friar, monk
francés *adj.* French; *n.* French (*language*); Frenchman
franqueza frankness
frasco small bottle
frecuencia frequency
frecuente frequent
frenético frenzied
frente *n.* front; **— a** *prep.* against; opposite; with respect to
fresco fresh, cool
frontera frontier
fruta fruit
fuego fire; **poner* —** to set fire
fuente *f.* fountain; source
fuera *adv.* outside; **— de** *prep.* outside of; **— de sí** beside oneself; **por —** *or* **desde —** on the outside
fuerte *adj.* strong; hard; *m.* stronghold
fuerza force; power; strength
fuga escape, flight
funcionar to work (*a mechanism*)
funda pillow case
fundador founder

fundar to found
fútbol *n.* soccer

G

gana *n.* desire; **darle la — a uno** to feel like, get the desire to; **tener — (s) de** to feel like, be in the mood for
ganadería stock raising
ganar to win; earn
ganga bargain
garantizar to guarantee
gastado worn out
gastar to spend (*money*)
gasto expense
gato cat
gaucho cowboy of the Argentine pampas
género literary genre
genial brilliant
genio genius
gente *f. sing.* people, persons
gerente manager
gesto gesture
girar to spin
gitano gypsy
gobernador governor
gobierno government
godo Goth
golosina delicacy, treat
golpe blow; **— de estado** coup d'état
golpear hit, strike
gordo fat
gótico Gothic
gozar de to enjoy
gracias thank you
graduado graduate
graduar(se) (úo) to graduate
gran(de) *adj.* large; great; *n.* grandee
grandeza greatness
granizo *n.* hail
granja farm
griego Greek
gris gray
gritar to shout, cry out
grito *n.* shout, cry
guante *m.* glove
guapo handsome
guardar keep
guarnición *f.* garrison
guerra war
guerrero *n.* warrior; *adj.* warlike
guerrillero guerrilla (*fighter*)
guiar (ío) to guide
guiñar to wink

gustar to be pleasing; **— le a uno** to like; **Me gusta.** I like it.
gusto pleasure; taste; **con mucho —** gladly

H

habilidad *f.* ability
habitación *f.* room
habitante inhabitant
hablar to speak
hace (+ *period of time after v. in the past*) ago; **hace . . . que** (+ *v. in the present*) for (*a still continuing period of time*)
hacer* to make; to do; **— mal tiempo** to be bad weather; **— frío, calor, viento** to be cold, warm, windy; **— una pregunta** to ask a question; **— un viaje** to take a trip; **—se** to become
hacia toward(s)
hallar to find; **—se** to be found, to be (*located*)
hambre *f.* hunger; **tener* —** to be hungry
harto sated
hasta *prep.* until; *adv.* even
hasta que *conj.* until
hay there is, there are; **— que** one must; **No — de qué.** You're welcome.
hazaña great deed
hebreo Hebrew
hecho *n.* fact; *past part.* done, made; **Dicho y —.** No sooner said than done.
helado *adj.* frozen; *n.* ice cream (*generally pl.*)
heredar to inherit
heredero heir
herejía heresy
herida *n.* wound
hermana sister
hermano brother
hermoso beautiful
hermosura beauty
héroe hero
herradura (horse)shoe
hierba grass
hierro iron
hija daughter
hijo son
hilo thread
himno hymn
hipocondriaco hypochondriac
histérico hysterical
historiador historian
hoja leaf
hola hello
hombre man; **— de negocios** businessman

hombro shoulder
homicidio murder
hondo deep
honradez *f.* honesty
honrado honest
hora hour; time (*of day*), **¿Qué — es?** What time is it?
horizonte *m.* horizon
hormiga ant
hospedar to lodge
hoy today; **— (en) día** nowadays
hueco hollow
hueso bone; **carne y hueso** flesh and bone
humanidad *f.* humanity
humanitario humanitarian
humedad *f.* humidity
humildad *f.* humility
humilde humble
humo hume; smoke
hundir(se) to sink
huracán *m.* hurricane

I

ibero Iberian
identidad *f.* identity
identificar identify
idilio idyll
idioma *m.* language
iglesia church
igual equal; the same
igualdad *f.* equality
ileso uninjured
ilustre illustrious
imaginar(se) to imagine
impaciente impatient
impedir (i) to prevent
imperio empire
imponente imposing
imponer* to impose
importancia importance
importar to matter
imprenta printing; press
impresionar to impress
impuesto *n.* tax
impulsar to impel
inalcanzable unattainable
incaico Incan
incapaz incapable
incendio fire
incluir (uyo) to include
incluso including
inconsciente unconscious, unaware
incorporar to incorporate

incorrupto uncorrupted
increíble unbelievable
incursión *f.* foray
indicar to indicate
índice *m.* index
indio Indian
individuo *n.* individual
infame infamous
infante (crown) prince
infiel *m.* infidel; *adj.* unfaithful
infierno Hell
influir (uyo) (en) to influence
ingeniería engineering
inglés *adj.* English; *n.* English (language); Englishman
iniciar to initiate, begin
inmediatamente immediately
inmenso immense
inmoral immoral
inmóvil still, motionless
inolvidable unforgettable
inseguro insecure; unsure
insertar to insert
insoportable unbearable
instalado installed
instantáneamente instantly
instintivamente instinctively
instinto instinct
instituir (uyo) to institute
integrante integral
intento attempt; effort
intercambio interchange
interés *m.* interest
interesado interested
interesante interesting
interesar to interest; **—se por** *or* **en** to be interested in
interno internal
intérprete interpreter
interrumpir to interrupt
intervenir* to intervene, interfere
intimidad *f.* intimacy
íntimo intimate
introducir* to introduce, bring in
inútil useless
invasor *n.* invader; *adj.* invading
inventar to invent
invierno winter
ir* to go; **—se** to go away
irreal unreal
irrealizado unrealized
irresuelto unresolved
irrumpir to break out
Isabel Elizabeth

isla island
islámico Islamic (*Moslem*)
izquierdo *adj.* left; **a la izquierda** on the left
izquierdista leftist

J

jabón *m.* soap
japonés Japanese
jaqueca headache
jaula cage
jefe chief; boss; leader
Jorge George
jorobado hunchbacked
joven *adj.* young; *n.* young man
judío *n.* Jew; *adj.* Jewish
juego game; gambling
jueves *m.* Thursday
juez judge
jugar* play
juglar wandering minstrel
juguete *m.* toy
jungla jungle
junto *adj.* (*generally pl.*) together; **— a** *prep.* near, close to, next to
jurado *n.* jury
juramento oath
justicia justice
justificar to justify
juventud *f.* youth
juzgar to judge

L

labrar to work (*land, metal, etc.*)
lado side
ladrillo(s) brick(s)
ladrón thief
lago lake
lágrima *n.* tear
lamentar to regret
lamer to lick
lámpara lamp
lana wool
lancha boat, launch
lanzamiento launching
lanzar to hurl; to launch
lápiz *m.* pencil
largo long
lástima pity
lata tin; can
lavar(se) to wash (oneself)
leal loyal
lección *f.* lesson
leche *f.* milk

leer* to read
legalizar to legalize
legumbre *f.* vegetable
lema *m.* motto
lengua language; tongue
lente *m.* lens
león lion
letra handwriting; letter (*of alphabet*)
levantar to lift, raise; **—se** to get up, rise
ley *f.* law
leyenda legend
libertad *f.* liberty, freedom
libra *n.* pound
libre free
libro book
licor *m.* liquor
liderato leadership
lienzo canvas
limpiar to clean
limpio *adj.* clean
lindo beautiful
liquidar to liquidate, sell out
lisonjero flattering
listo ready; alert, bright
loco mad, crazy
locutor *m.* announcer
lograr to achieve; succeed in
lotería lottery
lucha *n.* fight; wrestling
luchar to fight
luego then; **hasta —** so-long; **desde —** of course
lugar *m.* place; **dar — (a)** to give rise (to); **tener* —** to take place
lujo luxury
luna moon
lunar *m.* birthmark; polka dot
luz *f.* light

LL

llama *n.* flame
llamar to call; **—se** to be named
llano *adj.* plain; *n.* (*generally pl.*) plain(s), flatland(s)
llave *f.* key
llegada arrival
llegar (**a**) to arrive (at); reach; **— a ser** to become
llenar(se) to fill (up)
lleno (**de**) full (of), filled (with)
llevar to wear; to carry; to bring; to take (*a person*); **— a cabo** to bring about, realize
llorar to cry
lluvia rain

M

madera wood
madre mother
madurez *f.* maturity
maestro, maestra *n.* teacher; *adj.* master
magasín *m.* magazine (*of a camera or gun*)
maíz *m.* corn
mal *adj., m.* bad; *adv.* badly; *n.* evil; — **de ojo** evil eye; **de — en peor** from bad to worse
maleta suitcase
malo bad; (*with* **estar**) sick
mandar to send; order
manejar to drive; to manage, handle
manera way; manner
manicomio insane asylum
manifestar (**ie**) to show, manifest
mano *f.* hand
mantener* to maintain; support (*a family, etc.*)
mantequilla butter
manuscrito manuscript
mañana tomorrow; morning
mapa *m.* map
máquina machine; — **de escribir** typewriter; — **de lavar** washing machine
mar *m.* sea
maravilla wonder
maravilloso marvelous, wonderful
marca brand
marcharse to go out or away
marfil *m.* ivory
marido husband
marina navy
Marruecos Morocco
martes Tuesday
más more; most; — **que . . .** more than . . .; — **de** more than (*before a number*); **a — no poder** uncontrollably; — **bien** rather; **no — que** only; **los —** most, the majority
matanza slaughter
matar to kill
matiz *m.* hue
matricular(se) to matriculate, register
matrimonio marriage; married couple
mayor older; larger; principal; oldest; largest, etc.; **al por —** wholesale; **la — parte** the majority
mayoría majority
máximo best, top, greatest
mayúscula capital (*letter*)
meca mecca
mediados: a — de about the middle of

mediano average
medianoche *f.* midnight
médico doctor
medida measure; **a — que** *conj.* as
medio *n.* means; middle; average; one half; **en — de** in the middle of; **por — de** by means of; *adj. and adv.* half; **a las siete y media** at 7:30
mediodía *m.* noon
medir (**i**) to measure
mejor better; best; — **dicho** rather
mencionar to mention
menor younger; smaller; lesser; minor; youngest; smallest; least; **al por —** retail
menos less; minus; except; **al —, a lo menos** at least; **a — que** *conj.* unless; **ni mucho —** not in the least
mensaje *m.* message
mensajero messenger
mentira lie
mentiroso liar
menudo: a — often
meñique small (*toe*)
mercado market
mercancía merchandise
merecer (**zco**) to deserve; merit; earn
mes *m.* month
mesa table; mesa
meseta plateau
meta goal
metido engaged, involved
método method
metrópoli *f.* mother country
mezclar(se) to mix
mi(s) my
mí me (*obj. of prep.*)
miedo fear; **tener* —** to be afraid
miembro member
mientras (**que**) *conj.* while; — **tanto** meanwhile
mil a thousand
milla mile
millón *m.* million
millonario millionaire
mínimo minimal; least
minoría minority (*numbers*)
minoridad minority (*age*)
mío mine
mirar to look at; watch
misionero missionary
mismo same; very (*emphatic*); **ahora —** right now
misterio mystery

mitad *f.* half
moda fashion; **estar* de —** to be in fashion
molino mill
monarca monarch
moneda coin; change (*money*)
monja nun
mono monkey
monstruo monster; prodigy
montañoso mountainous
monte *m.* woods
morado purple
moralidad *f.* morality
mordaz mordant, biting
moreno brunette; dark-complexioned
moribundo *adj.* dying
morir (ue) (*past part.* **muerto**) to die
morisco *n.* a Moslem converted to Christianity;
   adj. Moorish
mortificante embarrassing
mostrar (ue) to show
motín *m.* riot
mover(se) (ue) to move
mozo young man; waiter
muchacha girl
muchacho boy
muchedumbre *f.* crowd
mucho much, a great deal; *pl.* many
mudéjar *n.* Moslem living in Christian territory
   in medieval Spain
muebles *m. pl.* furniture
muela tooth; **dolor de —s** toothache
muerte *f.* death
muerto dead; killed
mujer woman; wife
multa fine; (*traffic*) ticket
multiplicar(se) to multiply
multitud *f.* crowd, multitude
mundial (*of the*) world
mundo world; **todo el —** everybody
municipio municipality
muñeca doll
muro wall
músculo muscle
museo museum
música music
musulmán Moslem
mutuo mutual
muy very; **Muy señor(es) mío(s)** Dear Sir(s)

N

nacer (zco) to be born
nacimiento birth

nada nothing; **De —** You're welcome; **— más**
   that's all
nadar to swim
nadador swimmer
nadie nobody, no one
nalgada spanking
naranja orange
nariz *f.* nose
narrador narrator
natación *f.* swimming
naturaleza nature
navegable navigable
navegante navigator
Navidad *f.* Christmas
neblina fog
necesario necessary
necesitar to need
negar (ie) to deny; **—se (a)** to refuse (to)
negocio(s) business
negro black; Negro
nervioso nervous
nevar (ie) to snow
ni neither; **ni . . . ni** neither . . . nor
nieto grandchild
ningún, ninguno (a, os, as) no, none, not . . .
   any
niña girl
niñez *f.* childhood
niño child, boy
nivel *m.* level
nobleza nobility
noche *f.* night; evening; **de —** at night
nombrar to name, appoint, nominate
nombre *m.* name; **— de pila** given name
nordeste northeast
norma norm, standard
norte *m.* north
nosotros, nosotras we; us (*after a prep.*)
nota note; grade (*school*)
noticia piece of news; *pl.* news
nublado cloudy
núcleo nucleus
nuestro our; ours
nueve nine
nuevo new; **de —** again
número number; **sin —** endless
nunca never

O

o or
obedecer (zco) to obey
objeto object
obligar to oblige, compel

obra work (*of art, etc.*)
obrar to work (*creatively*)
obtener* to obtain, get
occidental western
ocultar to hide
oculto hidden
ocupado busy
ocupar to occupy
ocho eight
ocurrir to occur, take place
odiar to hate
odioso hateful
oeste *m.* west
ofender to offend
oficial *n.* officer
oficina office
oficio trade
ofrecer (**zco**) to offer
ofrenda offering
oído ear; **al —** into one's ear
oir* to hear; **— decir** (**a alguien**) to hear (*someone*) say
¡ojalá! if only!, how I hope! etc.
ojo eye; **¡ojo!** watch out!
ola wave
olivo olive tree
olor *m.* odor
olvidar to forget
olvido oblivion
once eleven
oportunidad *f.* opportunity
oprimir to oppress
orador speaker
órbita orbit
orden *f.* order, command; *m.* order, stability; order, position
orgullo pride
orgulloso proud
origen *m.* origin
oro gold
orquesta gold
oscilar to oscillate, swing
oscuridad *f.* obscurity; darkness
oscuro dark
oso bear
otoño autumn
otro another; **el —** the other
oyente listener

P

pacificar pacify
pactar to make a pact
padre father; *pl.* parents

pagar to pay (for)
página page
país *m.* country (*nation*)
paisano countryman
paisaje *m.* countryside; landscape
pájaro bird
palabra word
palanca lever
pan *m.* bread
pantalones *m. pl.* trousers
pantalla screen; lampshade
pañuelo handkerchief
papa pope
papel *m.* paper; role; **hacer* un —** to play a role
paquete *m.* package
par *m.* pair
para for; (*in order*) to; by (*a certain date or time*); considering, with relation to; **— que** *conj.* in order that, so that; **estar* —** to be about to
paracaídas *m.* parachute
parado *adj.* standing
paradoja paradox
pardo brown
parecer (**zco**) to seem, look, appear
pared *f.* wall
pareja couple
parienta, pariente relative
parque *m.* park
parte *f.* part; **de — de** on the part of; **¿De — de quién?** Who's calling?; **la mayor —** the majority, most; **por** *or* **en todas —s** everywhere
participar to participate
partidario partisan
partido game (*ballgame, etc.*); (*political*) party
partir to leave; **a — de** from . . . on
pasado past; last; **— mañana** the day after tomorrow; **la semana pasada** last week
pasajero *n.* passenger; *adj.* passing
pasar to pass; happen; spend (*time*)
pasatiempo pastime
Pascuas *f. pl.* Easter
paseo stroll, walk
paso step; passing; **dar* un —** to take a step
pastoril pastoral
pata paw
patria homeland, fatherland
patrocinar to sponsor, subsidize
pauta path, example
paz *f.* peace
peatón pedestrian; **soldado —** foot soldier

pecado sin
pecho chest
pedazo piece
pedir (i) to ask for, request
pegar to hit; stick on, affix
peine *m.* comb
película film
pelea fight
peligro danger
peligroso dangerous
pelo hair
pelota ball; **jugar a la —** to play ball
peluquería barbershop
peluquero barber
péndulo pendulum
penetrar to penetrar
pensador thinker
pensamiento thinker
pensar (ie) to think; **—(+ infin.)** to intend to; **— en** to think about or of; **— de** to think of (*have an opinion of*)
peor worse; worst
pequeño small, little
perder (ie) to lose; **— tiempo** to waste time
perdonar to excuse, pardon
perecer (zco) to perish
peregrino pilgrim
pereza laziness
perfeccionar to perfect
periódico *n.* newspaper
permiso permission; **con —** excuse me
permitir to permit, allow, let
perro dog; **— faldero** lap dog
persecución *f.* persecution
persona (*always f.*) person; *pl.* people
pertenecer (zco) to belong
pesar *n.* grief; spite; **a — de** in spite of; *v.* to weigh
pescado fish (*caught*)
pescar to fish
peso weight; **peso** peso (*monetary unit*)
pestaña eyelash
petrolífero *adj.* oil
pez *m.* fish (*alive*)
pie *m.* foot; **a —** on foot
piedra stone
piel *f.* skin
pierna leg
píldora pill
pinchazo flat tire
pintar to paint
pintor painter
piscina swimming pool

piso floor, story
pitazo whistle blast
pito whistle
pizarra blackboard
placer *m.* pleasure
planeta *m.* planet
planta plant; floor, story; **— baja** ground floor
plantear to set; pose (*a problem*)
plata silver
plato dish
playa beach
plaza town square
plazo period of time; **a plazos** on installments
plebeyez *f.* ordinariness
pleno full
pluma pen
población *f.* population; town
poblar to populate
pobre poor
poco little (*in amount*); **a —** shortly thereafter; **— a —** little by little, gradually; *pl.* few; **los —** the few
poder* *v.* to be able; can; *n.* power
poesía poetry; poem
policía *f.* police (*force*); *m.* policeman
poliglota polyglot
política politics; policy
político *m.* politician; *adj.* political
póliza policy; **— de seguros** insurance policy
polvo dust; (*generally pl.*) powder
poner* to put; to turn on (*radio, etc.*); give (*a name*); **—se** to put on; to become (+ *adj.*); to set (*the sun*); **—se a** to begin to
populacho populace
por by; along; through; by means of; for (*a period of time*); during; (*in exchange*) for; instead of; for (*the sake of*); out of, because of; on account of; **— favor** please; **— la mañana** in (*during*) the morning; **mañana — la mañana** tomorrow morning
porque because
¿por qué? why?
portal *m.* doorway
poseer* to possess
posterior later
postre *m.* dessert
potencia power
práctica practice
practicar to practice
precio price
precisamente precisely
precioso precious; adorable, cute

predominar to predominate
preferir (ie) to prefer
pregunta question
preguntar to ask (*a question*)
premio prize
preocupado worried
precupación *f.* concern, worry
preocupar(se de *or* **por)** to worry (about)
preparar to prepare
preparativo (*generally pl.*) preparation(s)
presentar to present; introduce; **—se** to appear
prestar to lend
presunción *f.* presumptuousness
primavera spring
primer(o) first
primo cousin
príncipe prince
principio beginning; **al —** at the beginning
prisa hurry, haste; **tener* —** to be in a hurry; **darse* —** to hurry up
prisionero prisoner
proa prow
probar (ue) to taste; prove; try on
problema *m.* problem
proceso process; trial (*law*)
producir* to produce
profesor(a) teacher; professor
programa *m.* program
prohibir to prohibit; forbid
prójimo fellowman
promulgar to promulgate (*a law, etc.*)
pronosticar to predict
pronto soon
propiedad *f.* property
propio *adj.* own
proponer* to propose
propósito purpose; **a —** by the way; **de —** on purpose
prosecución *f.* pursuit
proseguir (i) to pursue, continue
prosista prose writer
prosperar to prosper
prosperidad *f.* prosperity
proteger to protect
provechoso profitable
proveer (*past part.* **provisto**) to provide
provenir* to come (from)
próximo next
proyecto project
psiquiatra psychiatrist
pueblo town; people (*race*); people (*public*)
puente *m.* bridge
puerta door; **— giratoria** revolving door

puesto post, position
pues . . . well . . .
pulmón *m.* lung
pulsera bracelet
punto point; **a — de** about to; **en punto** exactly (*time*)
puñal *m.* dagger
pupila pupil (*of eye*)
pupitre *m.* (*school*) desk

Q

que who; that; which
¿Qué? *pron.* What?; *adj.* What; Which; **¿— tal?** How are things?; **¿— hay?**; What's new? What's up?; **¡Qué!** (+ *adj. or adv.*) How. . . .!
quebrantar to break
quedar(se) to remain; stay; **— le a alguien** (like **gustar**) to have . . . left or remaining
quejarse (de) to complain (about)
quemar to burn
querer* to want; like (*a person*)
quien(es) *rel. pron.* who; he who, the one who, those who, etc.
¿Quién(es)? Who?
químico chemical
quince fifteen
quinto fifth
quitar to take away; **—se** to take off (*apparel, etc.*)

R

racionalizar to rationalize
radicarse to take root; be rooted
radio *f.* and *m.* radio
raíz *f.* root
rango rank
rapidez *f.* speed; rapidity
rato short while
ratón *m.* mouse
rayo ray
raza race
razón *f.* reason; **tener* —** to be right; **no tener* —** to be wrong
reaccionar to react; recover
real *n.* military camp; *adj.* real; royal
realidad *f.* reality; **en —** in fact, actually
realista realistic; royalist
realizar to realize, bring about
rebelarse to rebel
recibir to receive
recalcar (en) to emphasize
rechazar to reject
recien(te) recent; recently

recoger   to pick up; retrieve
recompensa   compensation
reconocer (zco)   to recognize
reconocimiento   recognition
recordar (ue)   to remember
rectificar   to rectify
recuerdos   regards
recurso   resource
red *f.*   net
redondo   round
reducido   reduced, lowered
reducir*   to reduce
reemplazar   to replace
reemplazo   replacement
referirse (ie) (a)   to refer (to)
reflejar   to reflect
reflejo   reflection
reforma   reform; **la —**   reformation
refrán *m.*   proverb
refrigerador *m.*   refrigerator
regalar   to give as a gift
regalo   gift
regencia   regency
regla   rule
reglamento   rule, law
rehusar   to refuse
reina   queen
reinado   reign, period of rule
reinar   to reign
reino   kingdom
reja   grille
relacionado   related
relato   story, tale, account
religiosidad *f.*   piety
reloj *m.*   clock; watch
reluciente   shiny
remitente   sender
renacimiento   Renaissance
rendirse (i)   to surrender
reñir (i)   to scold; quarrel
renovar (ue)   to renew, reconstruct
renunciar   to renounce, give up
repente: de —   suddenly
repercutir   to resound
repetir (i)   to repeat
representante *n.*   representative
representar   to represent
rescatar   to ransom
resolver (ue) (*past part.* **resuelto**)   to resolve
resonar (ue)   to resound
respecto   respect, aspect; **— a**   with respect to, concerning
respetar   to respect

respeto   respect, deference
respirar   to breathe
responder   to answer
responsabilidad *f.*   responsibility
respuesta   answer
restaurar   to restore
restituir (uyo)   to reinstitute, restore
resto   rest, remainder; *pl.*   remains
restorán *m.*   restaurant
resucitar   to revive, resuscitate
resuelto   resolved
resultado   result
resultar   to turn out
resumen *m.*   summary
retirar(se)   to withdraw
retrato   portrait;
retroceso   retrogression
reunión *f.*   meeting
reunir (úno)   to gather; **—se**   to meet, gather together
revelado   developing (*of film*)
revelar   to reveal; develop (*film*)
revista   magazine
revuelta   revolt
rey   king
rico   rich
ridículo *n.*   ridicule; *adj.*   ridiculous
rienda   rein
riesgo   risk; danger
rifa   raffle
rigidez *f.*   rigidity; strictness
rígido   rigid; strict
río   river
riqueza   riches, wealth
robar   to steal
rococó   rococo
rodear (de)   to surround (with)
rogar (ue)   to beg; pray
rojo   red
rollo   roll
romance *m.*   ballad; *adj.*   romance (*derived from Roman Latin*)
romper (*past part.* **roto**)   to break
ronco   hoarse
ropa   dress; *pl.*   clothes
rosado   pink
roto   broken
rubio   blond
rueda   wheel
ruido   noise
ruleta   roulette
rumbo   direction; **— a**   on the way to
ruptura   rupture; breaking (off)

S

sábado Saturday

sábana (*bed*) sheet

saber* to know (*a fact, how to, etc.*)

sabiduría wisdom

sabio wise

sacar to take out; — **buenas notas** to get good marks; — **un premio** to win a prize

sacerdote priest (*often pagan*)

sacrificar to sacrifice

sacrificio sacrifice

sacudir to shake

sagrado sacred

sal *f.* salt

sala living room; — **de clase** classroom

salir* to go out; leave (*a place*); come out of; rise (*the sun*); turn out, work out

saltar to jump

salto jump

salud *f.* health

salvar to save

salvavidas *m.* life jacket

sangre *f.* blood

sangriento bloody

santo saint

satélite *m.* satellite

sátira satire

satisfecho (de) satisfied (with)

sazón *f.* season; **a la —** at the time

sed *f.* thirst; **tener* —** to be thirsty

seda silk

seducir* to seduce

seguida: en — at once, immediately

seguir (i) to follow; continue, keep on

según according to

segundo second

seguridad *f.* security; safety

seguro sure

seis six

selva woods; jungle

sello stamp

semana week

semanal weekly

sembrar (ie) to sow

semejante similar

semestre *m.* semester

senador senator

sencillez *f.* simplicity

sencillo simple

sentar (ie) to seat; to fit; **—se** to sit (down)

sentido sense; **sin —** senseless

sentir (ie) to feel; regret; **—se** to feel (+ *adj.*)

señal *f.* signal; sign

señalar to point out

señor mister; gentleman; Mr.

señora madam; lady; Mrs.

señorita Miss; young lady

separado separated

sepulcro grave

ser* to be (*something, etc.*); to be from, for, made of; to belong to; (*with adj.*) to be essentially characterized by; *n.* being

serie *f.* series

serio serious; **en —** seriously

sermonear to sermonize

servir (i) to serve; to be used or good for; — **de** to serve as

sesenta sixty

si if; whether

siempre always; **para —** forever

siesta nap

siete seven

siglo century

siguiente following

silla chair

sillón *m.* armchair

símbolo symbol

simiente *f.* seed

simpático nice

sino but (*on the contrary, used after a negative*)

síntoma *m.* symptom

sistema *m.* system

situado situated

sobre on, upon; above; on, about, concerning; — **todo** especially

sobresalir* to excel, stand out

sobrevenir* to befall

sobrevivir to survive

sobrina niece

sobrino nephew

sociedad *f.* society

sofocar to suffocate; quell

sol *m.* sun; **al —** in the sun; **hacer* sol** to be sunny

soledad *f.* solitude, loneliness

soler (ue) to be accustomed to

solo alone

sólo only

soltera unmarried woman

soltero bachelor

solucionar to solve

sombra shadow

sombrero hat

someter to subject

son *m.* sound

sonar (**ue**) to sound; ring (*a telephone, etc.*)
soñar (**ue**) (**con**) to dream (of)
sonido sound
sonreír* to smile
sopa soup
soportar to support (*physically*); endure
sóquer *m.* soccer
sorprendente surprising
sótano cellar
su(s) his, her, your (**Ud. Uds.**), their
subconsciente subconscious
subir to go up; climb
súbitamente suddenly
subyugar to subjugate
suceder to happen; succeed (*in order*), follow
sucesor successor
sucio dirty
sueldo salary, wages
sueño dream; sleepiness; **tener*** — to be sleepy
suerte *f.* luck; chance
suéter, swéter *m.* sweater
sufrir to suffer
sugerir (**ie**) to suggest
suicidarse to commit suicide
sujetar to tie down
sujeto subject
sumadora adding machine
sumo great, extreme
suntuoso sumptuous
suprimir to suppress
supuesto: por — of course
sur *m.* south
surgir to arise, come forth
suroeste southwest
suspender to fail (*someone in a course*)
sustancia substance
sustituir (**uyo**) to substitute
susto fright
susurrar to whisper
suyo his, hers, yours (**Ud., Uds.**), theirs

T

tacón *m.* heel (*of shoe*)
tal such a; — **vez** perhaps
también also, too
tampoco neither, not . . . either
tan *adv.* so; as; — **temprano** so early; — (+ *adj.*) **como** as . . . as
tanto so much, as much; *pl.* so many, as many
tapar to cover
tardar to delay; to take (*a certain amount of*) time; **sin más** — without further delay

tarde afternoon; *adv.* late, **buenas** — s good afternoon
tarea chore; homework
taza cup
teatro theater
técnica technique
tecnología technology
tejedor weaver
tejido woven fabric
tela cloth; — **estampada** print(ed) cloth
temblar (**ie**) to tremble
temblor *m.* tremor
temer to fear; be afraid
templado temperate
temporalmente temporarily
temprano early
tender (**ie**) to spread out
tener* to have; — **que** (+ *infin.*) to have to; must; — **frío, calor, miedo, etc.** to be cold, warm, afraid, etc.; — **razón** to be right — . . . **años de edad** to be . . . years old; — **lugar** to take place; — **que ver con** to have to do with; — . . . **pies de alto** (**largo**, etc.) to be . . . feet long (tall, etc.)
teniente lieutenant
tenis *m.* tennis
tentación *f.* temptation
tenue slight; dim
teoría theory
tercer(o) third
terciopelo velvet
terminar to end, finish
ternura tenderness
terremoto earthquake
terrenal earthly
tesis *f.* thesis
tesoro treasure
testigo witness
tía aunt
tiempo time; weather; **a** — on time; **de** — **en** — from time to time
tienda store
tierno tender
tierra land; earth
tiniebla shadow
tío uncle
típico typical
tipo type, kind
tira string
tirar to draw, pull; shoot; throw
títere *m.* puppet
titularse to be entitled
título title

tocar to play (*an instrument*); touch
todavía still; (*negative*) yet; — **no** not yet
todo all; whole; every; **—s los días** every day
toldo canopy
tomar to take; eat or drink (*food*)
tomo volume, tome
tono tone
torcer (ue) to twist
torero bullfighter
tormenta storm
tornillo screw
toro bull
torta cake
torre *f.* tower
tortuga turtle
tostar (ue) to toast; tan
trabajar to work
trabajo work
traducir* to translate
traer* to bring
traidor traitor
traje *m.* suit; dress; outfit
trampa trap; trick
transmisor *m.* transmitter
transmitir to transmit
transporte *m.* transportation
tras after; **hora — hora** hour after hour
trasero *adj.* back
trasladar(se) to move, transfer
traslucir (zco) to show through
tratamiento treatment
tratar to treat; **— de** to try to; deal with
travesura prank, mischief
trece thirteen
treinta thirty
tremendo tremendous
tren *m.* train
tres three
tribu *f.* tribe
tristeza sadness
triunfar to triumph
trono throne
tú you (*fam. sing.*)
tu(s) your (*fam. sing.*)
tumba tomb
turco Turk
tuyo yours (*fam. sing.*)

U

u or (*before a word beginning with* o *or* ho)
último last; latest
un, una a, an; *pl.* some; about, approximately
uña fingernail

único *adj.* only, sole
unidad *f.* unity
unido united
unificar to unify
universidad *f.* university, college
uno one
uranio uranium
usar to use
usted (Ud.) you; **ustedes (Uds.)** you (*pl.*)

V

vacaciones *f. pl.* vacation
vaciar (ío) to empty
vacío empty
valer* to be worth; **— la pena** to be worth while
validez *f.* validity
valioso valuable
¡Vamos! Let's go!; **— a** ... Let's ...
vanidad *f.* vanity
vapor *m.* steamship; steam
vaquero cowboy
variado varied
variar (ío) to vary
varón male
vaso glass
vasto vast
vecino neighbor
veinte twenty
velocidad *f.* speed
vencedor winner
vencer to conquer; win
vender to sell
vengarse to take revenge
venir* to come
ventana window
ver* to see; **a ver** let's see
verano summer
veras: de — truly, really
verdad *f.* truth; **¿—?** Is it true? ... do you? is he? etc.; **de —, en —** truly, really; to tell the truth
verdadero real; true
verde green
vergüenza shame
vestido *n.* dress; *pl.* clothes; *adj.* dressed
vestir(se) (i) to dress; get dressed
vez *f.* time, occasion, instance; **alguna —** ever, at any time; **a su —** in his (or its) turn; **de — en cuando** from time to time; **una —, dos veces** once, twice; **otra —** again; **a veces** at times
viajar to travel

viaje *m.* trip; **hacer* un —** to take a trip
viajero traveler
víctima (*always f.*) victim
vid *f.* (*grape*) vine
vidrio glass
viejo old
viento wind; **hacer* —** to be windy
viernes Friday
vigor: en — in force, in effect
vínculo bond; link
vino wine
virrey viceroy
virtud *f.* virtue; power
visitar to visit
vista sight; view
viuda widow
vivir to live
vivo living, alive
vocación *f.* calling
volar (**ue**) to fly
voluntad *f.* will
voluntariamente voluntarily
voluntario *n.* volunteer; *adj.* voluntary

volver (**ue**) (*past part.* **vuelto**) to return, come back, go back; **— a** to (*do something*) again
vosotros, vosotras you (*fam. pl.*)
votación *f.* vote
votar to vote
voz *f.* voice; shout
vuelta turn; return; **dar —s** to turn round and round; **estar de —** to be back
vuestro your (*fam. pl.*); yours

Y

y and
ya already; **— no** no longer, not any more; **¡ya!** there we are! **— que** *conj.* now that, since
yacer (**zco**) to lie, recline (*as dead*)
yate *m.* yacht
yerba grass
yo I

Z

zapatero shoemaker
zapato shoe

VOCABULARIES FOR REVIEW LESSONS I–V (LABORATORY)

These are the new or difficult words and expressions in the order that they appear in the dictation and comprehension exercises given on tape for Review Lessons I–V.

Repaso I.   Tema: ¿Qué Es un Español?

¿cómo se diferencia . . . ? how does he differ . . . ?

un alma que nace . . . suya a soul that is born . . . his

cambiar to change

según according to

se despierta he wakes up

se acuesta he goes to bed

contemporáneo contemporary

condecorado loaded with decorations

todo el mundo everybody

metódico methodical

cerveza beer

hecho por sí mismo self-made

mascar goma to chew gum

perder tiempo to waste time

seguir to follow; to continue, keep on

hablando talking (*pres. part.*)

la política politics

los deportes sports

las nuevas del día the news of the day

la corrida de toros the bullfight

hispano Hispanic, Spanish

las oficinas y tiendas se cierran the offices and stores close

almorzar to have lunch

se abren open, are opened

se quedan abiertas stay open

cenar to have dinner

dar un paseo to take a stroll

la calle the street

tertulia social gathering

arroz con pollo chicken with rice

paella a Valencian dish consisting of saffron rice with chicken, sausage, and seafood

gazpacho a type of cold soup made of cucumbers, tomatoes, oil, spices, and other vegetables

que varían that vary

tortillas de maíz corn cakes

frijoles beans

carne de res beef

contentarse to be satisfied

aunque se muestre a veces algo anticlerical although at times he may appear somewhat anticlerical

santo saint

celebrar to celebrate

el cumpleaños birthday

fiesta holiday

la Semana Santa Holy Week

penitentes penitents

un espectáculo que hace revivir las antiguas ceremonias medievales a spectacle that brings back to life the ancient medieval ceremonies

celosamente jealously

dueña chaperone

es decir that is to say

ni hablar a solas nor speak alone

sin embargo nevertheless

ir de compras to go shopping

los paquetes the packages

no vacila en echarle piropos he doesn't hesitate to make flattering remarks to her

dominada dominated

anarquismo anarchism

conservador conservative

vestidos clothing

sobre todo especially, above all

la vida se parece cada vez más a la de cualquier otra gran ciudad europea life resembles more and more that of any other great European city.

así thus, so

creador e hijo creator and child

desarrolla he develops

ciertas certain

por debajo de underneath

Repaso II.   Tema: La Navidad en España e Hispanoamérica

paz peace
distinta different
toda una manera de vivir a whole way of life
trae consigo brings with it
un despertar perpetuo a perpetual awakening
nacimiento birth; Nativity scene
esperanza hope
temporada season
respira breathes
religiosidad religiousness
frenesí frenzy
regalos gifts
conocidos de negocios business acquaintances
solemne solemn
no ponen árboles de Navidad they don't put up Christmas trees
tarjetas de felicitación greeting cards
donde se siente más where there is most felt
víspera eve
la Nochebuena Christmas eve
misa mass
villancicos Christmas carols
canciones navideñas Christmas songs
no es San Nicolás quien se los trae It isn't St. Nick who brings them to them
los Reyes Magos the Wise Men
la estrella de Belén the star of Bethlehem
el balcón the balcony
a veces los llena de paja sometimes they fill them with straw

camellos camels
posada inn; resting place, stop; lodging
figuritas figurines
de puerta en puerta from door to door
alojamiento lodging
la novena the ninth
establo stable
colocan they place
los niños juegan a romper la piñata the children play at breaking the piñata
olla de barro large earthenware pot
adornada con papeles y cintas adorned with papers and ribbons
llena de dulces filled with sweets
juguetes toys
se cuelga la piñata the piñata is hung
debajo de under
con los ojos vendados with their eyes blindfolded
palo stick
recoger to pick up
suelo ground; floor
sobreviven ciertas costumbres there survive certain customs
ritos paganos pagan rites
un ser medio Dios a being half-God
quiere sentirlo y se emociona he wants to feel Him and he is moved with emotion
sigue resonando continues resounding
charla talk

Repaso III.   Tema: La Música Hispana

hecho fact
prosa prose
el baile dancing
por medio de by means of
que domina that he commands
y se hace entender and he makes himself understood
el primer periodo cristiano the early Christian period
Concilio Council (of the church)
condenó condemned
poco devotos unholy
reliquia relic
sigue desarrollándose la música religiosa religious music keeps on developing
además del canto eugeniano aside from the Eugenian chant

canto gregoriano Gregorian chant
la mujer idealizada the idealized woman
nobles feudales fuedal nobles
cantares de gesta songs of derring-do, epic poetry
juglares minstrels
hazañas deeds of valor
no se diferencia mucho de la de doesn't differ much from that of
trobadores troubadours
reinos kingdoms
se escribían were written
lengua gallego-portuguesa Galician-Portuguese language
desde hacía 400 años for 400 years
musulmán Moslem
la habían asimilado had assimilated it

reflejar los ritmos y cadencias del este to reflect the rhythms and cadences of the East
se multiplican there multiply
los largos poemas épicos quedan fragmentados en innumerables romances the long epic poems are broken up into innumerable ballads
se cantan nuevos romances new ballads are sung
romances fronterizos ballads about the frontier (between Christians and Moors)
lírico lyrical
valenciano Valencian
compositores composers
músico musician

acompañamiento accompaniment
llamada fiesta de ópera so-called opera fiesta
alcanza attains
zarzuela musical comedy or play
género genre
goza de enjoys
todavía se conservan there still remain
descendientes descendants
desempeña un papel plays a part
incorporan incorporate
indígenas native, indigenous
pasado past
responde answers
la llamada de su sangre the call of his blood

Repaso IV. Tema: La Corrida de Toros—Razón y Sinrazón

razón y sinrazón right and wrong
el hombre se distingue de man differs from
conciencia consciousness, awareness
la teme he fears it
aun le quita even takes away
busca el peligro he seeks danger
se pone en competencia he puts himself in competition
lo curioso es the curious part is
los idolatra he idolizes them
ha habido there have been
león lion
tigre tiger
vaca cow
culebras snakes
cocodrilo crocodile
al desafiar a la muerte in defying death
destino destiny
doble double
iberos Iberians
lo cazaban they hunted it
su descendiente hispano their Spanish descendant
torneos en los cuales luchaban con toros bravos tournaments in which they fought wild bulls
para demostrar su valor to demonstrate their bravery
habilidad a caballo horsemanship
castillo feudal feudal castle
donde el pueblo pudo verlo where the public could see it
dejó de ser stopped being
nobleza nobility
se formaron las cuadrillas profesionales the professional troupes were formed

consiste en consists of
después del desfile after the procession
acompañado de una música emocionante accompanied by stirring music
el de los picadores that of the picadors
suena un clarín a trumpet sounds
montados a caballo mounted on horseback
incitan al toro con una larga pica stir up the bull with a long pointed goad
hiriéndole en los músculos de la nuca injuring his neck muscles
banderilla a short steel-pointed stick
banderillero man who puts the banderillas in the bull's neck
a pie on foot
clava dos palos con puntas de acero puts two steel-pointed sticks
sangrefría coolness, calm when faced with danger
inmóvil ante los embistes motionless before the attacks
saca su estoque y lo hunde takes out his sword and plunges it
ha triunfado has triumphed
¿ha asistido Ud. alguna vez . . . ? have you ever attended . . . ?
supongo que le gustará I suppose that you probably like it
exaltación emocional excitement
en cierto sentido in a certain sense
es más bien it is rather
los toreros tienen que ejecutar ciertos pases the bullfighters have to make certain passes
para ver matar a un toro to see a bull get killed
destreza skill

¿no le preocupa la posibilidad de que el toro mate al torero? doesn't the possibility of the bull's killing the bullfighter worry you?

quedar herido get hurt

lo que a mí me repugna what *I* find awful

lo de los picadores the part of the picadors

que apenas se pueden mover that can hardly move

imagínense Uds. cómo debe asustarlos todo ese ruido imagine how all that noise must frighten them

enfurecido infuriated

embiste con los cuernos attacks with his horns

fuera de eso aside from that

no lo tome mal don't take it wrong

que me gustaría ver morir a nadie that I would like to see anyone die

crueldad cruelty

boxeador boxer

cuadrilátero ring (boxing)

boxeo boxing

si no me equivoco if I'm not mistaken

Repaso V.   Tema: Juan Manso

manso meek

un cuento sencillo a simple story

con éxito successfully

era un mosquita muerta he was (as innocuous as) a dead fly

un corderito a little lamb

confidente confidante

su máxima suprema era no comprometerse nunca his guiding maxim was never take a stand on anything

arrimarse al sol que más calienta stick with the one who can do most for you

todo lo que pudiera whatever might disturb

nunca llevaba la contraria a nadie he never took issue with anybody

yo no soy ni fu ni fa I'm not Republican or Democrat (this or that)

a lo alto at the upper regions

una larga cola de gente cerca de las puertas del Paraíso a long line of people along the walls of Paradise

se colocó a la cola de la cola he placed himself at the end of the line

a poco in a little while

un humilde fraile franciscano a humble Franciscan monk

le cedió su lugar gave him his place

pensando para sí thinking to himself

ya no se lo pedían they no longer asked him for it

ni un paso not one step

un santo obispo a holy bishop

que resultó ser tataranieto who turned out to be a great, great grandson

prometió interceder por él ante Dios promised to intercede for him with God

por lo cual for which

perdió la esperanza gave up hope

eres gris ya hasta los tuétanos you're already gray right down to the marrow

temo meterte en nuestra lejía, porque seguramente te derrites I'm afraid to put you in our lye, because you'll surely melt

desesperado del todo absolutely desperate

todavía me queda una chispita de conciencia I still have a little spark of conscience left

comenzó a recorrer began to travel back and forth over

de ultratumba of the other world

como tapón de corcho like a bottle cork

las tapias the walls

que tomaba el fresco who was taking the cool air

se puso de rodillas got on his knees

le suplicó begged him

¿no prometiste a los mansos vuestro reino? didn't you promise your kingdom to the meek?

a los que embisten to those who attack (who act)

no a los embolados not to those who just sit back

empezó a embestir a diestra y siniestra began to attack right and left

la segunda vez the second time

la atropelló de un empujón knocked it down with one shove

se coló de rondón landed smack!

no cesa de repetir he doesn't stop repeating

milicia militance

Indexes

INDEX OF NAMES

The following is a list of proper names mentioned significantly in the cultural readings.

INDEX OF GRAMMAR POINTS

References are to sections, except where page numbers (p.) are indicated.